O Cemitério

Stephen King

O Cemitério

Tradução
Mário Molina

27ª reimpressão

Grafia atualizada segundo o Acordo Ortográfico da Língua Portuguesa de 1990, que entrou em vigor no Brasil em 2009.

Título original
Pet Sematary

Capa
Rodrigo Rodrigues

Imagem de capa
© Suzanne Goodwin / Trevillion Images

Copidesque
Bruno Fiuza

Revisão
Cristiane Marinho

CIP-Brasil. Catalogação na fonte
Sindicato Nacional dos Editores de Livros, RJ

K64c
King, Stephen
O cemitério / Stephen King ; tradução de Mário Molina. — 2ª ed. — Rio de Janeiro : Objetiva, 2013.

Tradução de: Pet Sematary.
ISBN 978-85-8105-039-3

1. Ficção americana. I. Molina, Mário. II. Título.

11-7041 CDD: 813
CDU: 821.111(73)-3

EDITORA SCHWARCZ S.A.
Praça Floriano, 19, sala 3001 — Cinelândia
20031-050 — Rio de Janeiro — RJ
Telefone: (21) 3993-7510
www.companhiadasletras.com.br
www.blogdacompanhia.com.br
facebook.com/editorasuma
instagram.com/editorasuma
twitter.com/Suma_BR

Nota do Autor

Devo agradecimentos especiais a Russ Dorr e Steve Wentworth, de Bridgeton, Maine. Russ forneceu-me informação médica, e Steve, sobre os costumes norte-americanos de funeral e sepultamento, além de esclarecer certos pontos sobre a natureza do luto.

Stephen King

Para Kirby McCauley

Sumário

Aqui está uma lista de algumas pessoas que escreveram livros, dizendo o que fizeram e por que fizeram essas coisas:

John Dean, Henry Kissinger, Adolph Hitler, Caryl Chessman, Jeb Magruder, Napoleão, Talleyrand, Disraeli, Robert Zimmermann (também conhecido como Bob Dylan), Locke, Charlton Heston, Errol Flynn, Aiatolá Khomeini, Ghandhi, Charles Olson, Charles Colson, um cavalheiro vitoriano, Dr. X.

Muitas pessoas acreditam que Deus escreveu um Livro, ou Livros, dizendo o que fez e, de certa forma, por que fez aquelas coisas. Como a maior parte dessas pessoas acredita que os homens foram feitos à imagem de Deus, Ele também pode ser encarado como uma pessoa... ou, mais adequadamente, uma Pessoa.

E aqui está uma lista de pessoas que não escreveram livros dizendo o que fizeram... e o que viram:

O homem que enterrou Hitler, o homem que fez a autópsia de John Wilkes Booth, o homem que embalsamou Elvis Presley, o homem que embalsamou (e mal, segundo a maioria dos agentes funerários) o Papa João XXIII, os papa-defuntos que limparam Jonestown (carregando sacos com cadáveres, catando copos de papel com aqueles arpões que os guardas usam nos parques públicos, enxotando as moscas), o homem que cremou William Holden, o homem que cobriu de ouro o corpo de Alexandre, o Grande, para que ele não apodrecesse, os homens que mumificavam os faraós.

A morte é um mistério; o sepultamento, um segredo.

PARTE UM

O "SIMITÉRIO" DE BICHOS

E Jesus disse a eles: "Nosso amigo Lázaro dorme, mas vou até lá, porque posso despertá-lo de seu sono."

Os discípulos se olharam e alguns sorriram, pois não tinham percebido que Jesus falara em sentido figurado: "Senhor, se ele está dormindo, deve estar bem."

Então Jesus falou mais claramente: "Lázaro está morto, sim... Mas vamos até ele, apesar disso."

O EVANGELHO SEGUNDO SÃO JOÃO (paráfrase)

1

Louis Creed, que perdera o pai aos 3 anos e jamais tivera um avô, não esperava encontrar um pai agora, quando estava chegando à meia-idade, mas foi exatamente isso que aconteceu. Chamava-o, no entanto, de amigo, como deve fazer um adulto ao se deparar, relativamente tarde, com o homem que deveria ter sido seu pai. Encontrou-o na noite em que se mudou, com a esposa e os dois filhos, para uma grande casa branca, de madeira, em Ludlow. Winston Churchill mudou-se com eles. Church era o gato de sua filha, Eileen.

A comissão de pesquisa trabalhou devagar, a busca por uma casa a uma distância razoável da universidade fora de arrepiar os cabelos, e quando a família chegou ao lugar onde a casa deveria estar — *as referências estavam certas... como os sinais astrológicos na noite anterior ao assassinato de César*, Louis pensou morbidamente —, todos estavam cansados, tensos e impacientes. Os dentes de Gage tinham começado a nascer e ele chorava quase sem parar. Não dormia, por mais que Rachel o ninasse. Ela oferecia-lhe o seio, embora não fosse hora de mamar. Mas Gage sabia tão bem quanto ela — ou talvez melhor — qual era sua hora de mamar e prontamente estreou na mãe os dentes recém-chegados. Rachel, ainda incerta sobre aquela mudança de Chicago, onde sempre vivera, para o Maine, explodiu em lágrimas. Eileen logo lhe fez coro. Na traseira da caminhonete, Church continuava a andar de um lado para o outro, como vinha fazendo durante os três dias da viagem de Chicago até lá. Seu berreiro dentro da bolsa fora terrível, mas aquele incessante perambular depois que resolveram deixá-lo solto no carro beirava o insuportável.

O próprio Louis sentiu uma certa vontade de chorar. Uma ideia absurda, mas não de todo ruim, lhe ocorreu de súbito: podia sugerir que voltassem a Bangor para comer alguma coisa enquanto esperavam o caminhão de mudanças; quando suas três caras-metades saltassem, pisaria no acelerador e fugiria com o pé na tábua, sem olhar para trás, o enorme carburador de quatro cilindros devorando a preciosa gasolina. Dirigiria para o sul, tomando o caminho de Orlando, na Flórida, onde poderia conseguir emprego como médico na Disney World, sob um nome falso. E antes de atingir o pedágio da velha Rodovia 95, que cruzava as fronteiras do Sul, pararia na beira da estrada e se livraria também do gato de merda.

Então, fez uma curva final e lá estava a casa, que apenas ele conhecia até aquele momento. Depois de ter certeza de que o cargo na Universidade do Maine era seu, examinara através de fotos cada uma das sete possibilidades que lhe foram oferecidas. Escolhera aquela: uma grande e velha casa colonial, típica da Nova Inglaterra (mas recentemente reformada e com isolamento térmico; o custo do aquecimento era terrível, apesar do baixo consumo), com três cômodos grandes no andar de baixo, mais quatro em cima, um galpão comprido que mais tarde poderia ser transformado em novos aposentos — tudo isso cercado por um opulento tapete de grama, exuberantemente verde, mesmo naquele calor de agosto.

Atrás da casa havia um grande terreno onde as crianças podiam brincar e, além do terreno, um bosque imenso, que se perdia de vista no horizonte. A propriedade fazia divisa com terras do governo, explicara o corretor, e ao menos num futuro previsível não haveria construções ali. Os remanescentes da tribo indígena *micmac* reivindicavam cerca de oito mil acres em Ludlow e nas cidades a leste dela. O complicado litígio, envolvendo tanto o governo federal quanto o local, poderia se estender por mais de um século.

De repente, Rachel parou de chorar e se ajeitou no assento.

— É essa?

— É essa — disse Louis. Sentia-se apreensivo, talvez assustado. Na verdade, estava *aterrorizado*. Hipotecara doze anos de sua vida naquilo; só estaria paga quando Eileen tivesse dezessete anos. Ele engoliu em seco.

— O que você acha?

— Acho que é *linda* — disse Rachel, tirando-lhe um enorme peso das costas — e da cabeça. Ela não estava brincando, ele percebeu; a opinião se estampava no modo como Rachel contemplou a casa quando a caminhonete pegou a estradinha asfaltada que contornava o galpão nos fundos: os olhos percorreram as janelas vazias, a mente já teria começado a pensar em questões sobre cortinas, oleados para os guarda-louças, Deus sabe o que mais...

— Papai? —Ellie chamou, do banco de trás. Ela também parara de chorar. Mesmo Gage fizera uma pausa no berreiro. Louis saboreou o silêncio.

— O que é, meu bem?

Os olhos da menina no espelho retrovisor, castanhos sob um cabelo louro um tanto escurecido, também inspecionavam a casa, o gramado, o telhado de outra casa vizinha, afastada, à esquerda, o grande terreno que se prolongava até o bosque.

— Essa é a nossa casa?

— Vai ser, querida — disse ele.

— *Oba!* — ela gritou, quase lhe arrebentando os tímpanos. E Louis, que às vezes ficava muito irritado com a Ellie, achou que não se importaria de jamais pôr os pés na Disney World.

Estacionou diante do galpão e desligou a caminhonete.

O motor parou. No silêncio, enorme em comparação ao barulho de Chicago, à confusão da rua State e do Loop, um pássaro cantava docemente naquele fim de tarde.

— Nossa casa — Rachel disse em voz baixa, ainda contemplando as janelas.

— Casa — Gage repetiu satisfeito no colo da mãe.

Louis e Rachel olharam um para o outro. No espelho retrovisor, os olhos de Eileen se arregalaram.

— Vocês...?

— Ele...?

— Não foi...?

Todos falaram ao mesmo tempo, depois riram ao mesmo tempo. Gage não ligou; continuou chupando o dedo. Vinha pronunciando "mã" há quase um mês e, uma ou duas vezes, tentara dizer alguma coisa que podia ter sido "papa" (ou só uma esperançosa ilusão da parte de Louis).

Aquilo, no entanto, por acidente ou imitação, fora realmente uma palavra. *Casa.*

Louis tirou Gage do colo da mulher e apertou-o entre os braços.

Foi assim que chegaram a Ludlow.

2

Na memória de Louis Creed, aquele momento singular sempre conservou uma natureza mágica; em parte, talvez, por ter sido *realmente* mágico, mas principalmente pelo dia ter ficado tão desordenado depois do anoitecer. Nas três horas seguintes, qualquer paz ou magia desapareceria por completo.

Louis era um homem organizado e metódico. Guardara cuidadosamente as chaves da casa num pequeno envelope rotulado "Casa de Ludlow — chaves recebidas em 29 de junho". Pusera o envelope no porta-luvas da Fairlane. Tinha certeza absoluta. Agora, porém, não estava lá.

Enquanto Louis procurava as chaves, dominado por uma irritação crescente, Rachel puxou Gage para sua cintura e seguiu Eileen para perto de uma árvore que havia no terreno. Louis dava uma terceira busca sob os assentos, quando a filha gritou e começou a chorar.

— Louis! — Rachel chamou. — Ela se machucou!

Eileen caíra de um balanço de pneu e batera com o joelho numa pedra. O corte era pouco profundo, mas ela gritava como se tivesse perdido a perna, pensou Louis, sem um pingo de compaixão. Ele avistou a casa do outro lado da estrada, onde havia luz na sala de estar.

— Tudo bem, Ellie — disse. — Já chega. As pessoas daquela casa pensarão que tem alguém morrendo.

— *Mas está doeeeendo!*

Louis controlou sua raiva e voltou em silêncio para a caminhonete. As chaves haviam desaparecido, mas o estojo de primeiros socorros ainda estava no porta-luvas. Pegou-o e voltou para junto da filha. Quando Ellie viu o estojo, começou a berrar ainda mais alto.

— *Não! A coisa que arde não! Eu não quero a coisa que arde, papai! Não...*

— Ellie, é só mercurocromo. Isso não vai arder...

— Seja boazinha — disse Rachel. — É só...

— *Não-não-não-não-não...*

— Se não parar com isso o que vai arder são as palmadas que vai levar — disse Louis.

— Ela está cansada, Lou — interveio Rachel, num tom apaziguador.

— É? Eu também estou. Pegue a perna dela.

Rachel pôs Gage no chão e segurou a perna de Eileen, que Louis pintou de mercurocromo, indiferente aos gritos cada vez mais histéricos.

— Tem alguém na varanda daquela casa no outro lado da rua — disse Rachel pegando Gage. O bebê começara a engatinhar pela grama.

— Ótimo! — Louis resmungou.

— Lou, ela está...

— Cansada, eu sei.

Tampou o mercurocromo e olhou furioso para a filha.

— Escute, isso realmente não doeu nada. Fique de pé, Ellie.

— *Dói! Dói muito! Está doeeeendo...*

A mão dele coçava de vontade de bater na filha, então segurou a própria perna com força.

— Encontrou as chaves? — Rachel perguntou.

— Ainda não — disse Louis, fechando com um estalo a tampa do estojo de primeiros socorros e se levantando. — Vou...

Gage começou a berrar. Não estava fazendo manha ou chorando, mas literalmente gritando, debatendo-se nos braços da mãe.

— O que há com ele? — Rachel perguntou alarmada, atirando-o quase cegamente para Louis. Era uma das vantagens de ser casada com um médico, ele supunha. Podia empurrar o filho para o marido sempre que o problema parecesse grave. — Louis! O que...

O bebê se agarrava freneticamente ao pescoço do pai, gritando descontroladamente. Louis deu-lhe um puxão e viu um estranho calombo branco crescendo perto de sua garganta. E havia também alguma coisa no cordão do seu casaquinho, alguma coisa imprecisa, que se contorcia debilmente.

Eileen, que tinha se acalmado, começou a berrar de novo:

— *Abelha! Abelha! Abeeelha!*

A menina pulou para trás, tropeçou na mesma pedra saliente em que já batera o joelho, caiu sentada e voltou a chorar num misto de dor, surpresa e medo.

Estão me deixando louco, Louis pensou abismado. *Ahhhh!*

— Faça alguma coisa, Louis! Será que não pode fazer nada?!

— Tente tirar o ferrão — falou uma voz arrastada atrás dele. — Isso não falha. Tire o ferrão e ponha um pouco de bicarbonato, que o calombo vai ceder.

Era uma voz tão cavernosa e com um sotaque tão carregado da Nova Inglaterra que, por um momento, a mente cansada e confusa de Louis recusou-se a traduzir o dialeto: *Ti o firrão e pô um pouco d'carbonato, que o calom cede.*

Ele se virou. De pé no gramado havia um homem idoso, talvez de 70 anos — um robusto e saudável septuagenário. Usava avental sobre uma camisa de cambraia azul que deixava à mostra um pescoço cheio de pregas e rugas. Tinha o rosto queimado de sol e fumava um cigarro sem filtro. Enquanto Louis o observava, o velho apertou com força o cigarro entre o polegar e o indicador e guardou-o cuidadosamente no bolso. Balançou as mãos e deu um sorriso torto, mas agradou a Louis de imediato (e ele não era um homem que se ligava facilmente às pessoas).

— Nem precisa dizer que está em apuros, doutor — falou em seu dialeto.

E foi assim que Louis conheceu Judson Crandall, um homem que deveria ter sido seu pai.

3

Crandall os vira chegar e atravessara a rua para ver se poderia ajudá-los, pois eles pareciam estar "num baita de um aperto".

Enquanto Louis segurava o bebê contra o ombro, Crandall se aproximou, observou o calombo no pescoço da criança e esticou a mão retorcida e cheia de manchas. Rachel abriu a boca para protestar — aquela mão parecia terrivelmente desajeitada, quase tão grande quanto a cabeça de Gage —, mas antes que pudesse dizer uma palavra, os dedos do velho tinham feito um movimento simples e preciso, tão hábil, tão ágil quanto os dedos de um mágico fazendo truques com cartas ou trocando moedas de lugar. Num instante, o ferrão jazia na palma de sua mão.

— É grande, hein! — o velho comentou. — Não é o maior que eu já vi, mas se fizessem um concurso merecia uma menção honrosa, não acha?

Louis explodiu numa gargalhada.

Crandall contemplou-o com aquele sorriso torto e disse:

— Bonitona ela, não?

— Que foi que ele disse, mamãe? — Eileen perguntou, e então foi a vez de Rachel explodir numa gargalhada também. Não eram lá os melhores modos, mas de certa forma estava tudo bem. Crandall puxou um maço de Chesterfield Kings, encaixou um deles no canto rachado da boca, balançou a cabeça com ar divertido enquanto os dois riam (mesmo Gage dava as suas risadinhas, apesar do calombo do ferrão da abelha) e acendeu um fósforo riscando-o na unha do polegar. O *velho tem lá os seus truques*, Louis pensou. *Pequenos truques, mas alguns muito bons.*

Parou de rir e estendeu a mão que não estava segurando o traseiro de Gage — o traseiro *úmido* de Gage.

— É um prazer conhecê-lo, senhor...

— Jud Crandall — o velho respondeu apertando-lhe a mão. — O senhor é o médico, não?

— Sim. Louis Creed. Esta é minha esposa Rachel, minha filha Ellie e o pequeno com o ferrão da abelha é o Gage.

— É um prazer conhecer vocês.

— Eu não ri de propósito... Isto é, *nós* não rimos de propósito... É que estamos... um pouco cansados.

A tentativa de atenuar a coisa provocou-lhe de novo um riso nervoso. Mas, de fato, ele se sentia completamente exausto.

Crandall concordou com a cabeça.

— É claro que estão — disse ele (mas que soou como *clá' qu'estão*). Deitou os olhos sobre Rachel. — Por que não vai lá pra casa um minuto com o bebê e a menina, dona? A gente pode pôr algum bicarbonato num esfregão e refrescar um pouco o calombo. A patroa também vai gostar de conhecer a senhora. Ela não sai muito de casa. Ficou muito mal da artrite de dois ou três anos pra cá.

Rachel olhou para Louis, que concordou.

— É muita gentileza sua, sr. Crandall.

— Oh, pode me chamar de Jud — ele respondeu.

De repente, ouviu-se uma buzina forte, o ronco de um motor diminuindo a marcha e o grande caminhão azul de mudanças entrou, rangendo, no caminho de acesso à casa.

— Oh, Deus, e agora que eu não sei onde estão as chaves — disse Louis.

— Tubo bem — disse Crandall. — Tenho um molho de chaves. O sr. e a sra. Cleveland, as pessoas que moravam aqui antes de vocês, deram-me um molho de chaves. Oh, deve ter sido há quatorze, quinze anos atrás. Viveram aqui um bom tempo. Joan Cleveland era a melhor amiga de minha mulher. Morreu há dois anos. Bill foi morar num daqueles velhos conjuntos habitacionais populares em Orrington. Vou buscar as chaves. Afinal de contas, elas agora são suas.

— O senhor é muito gentil, sr. Crandall — disse Rachel.

— De modo algum — ele respondeu. — Gostamos muito de ter pessoas jovens por perto. (Para ouvidos do meio-oeste, as palavras tinham um som tão exótico quanto uma língua estrangeira.) É bom ver gente na estrada, dona. Tamos cansados das carretas passando.

Escutaram o barulho de portas batendo, quando os homens da mudança pularam da cabine do caminhão e se aproximaram.

Ellie, que se afastara um pouco, voltou perguntando:

— Papai, o que é aquilo?

Louis, que estava indo ao encontro dos homens, olhou para trás. Na borda do terreno, onde o gramado acabava e um mato alto começava a se espalhar, fora aberta uma trilha de pouco mais de um metro de largura. Um traçado suave corria pelo mato, serpenteava colina acima, fazia uma curva através de uma pequena moita de arbustos e um arvoredo de bétulas, depois desaparecia de vista.

— Parece uma espécie de trilha — disse Louis.

— Oh, sim — confirmou Crandall, sorrindo. E virando-se para Ellie: — Um dia lhe conto sobre esse caminho, mocinha. Não quer atravessar? Vamos deixar o seu irmãozinho em ordem.

— Eu vou — disse Ellie, logo acrescentando com ar esperançoso: — O bicarbonato não arde?

4

Quando Crandall trouxe as chaves, Louis já encontrara as suas. Havia uma brecha no alto do porta-luvas e o pequeno envelope deslizara para junto da fiação elétrica. Ele conseguiu pegá-lo e pôde abrir a porta para os homens da mudança. Crandall entregou-lhe o molho de chaves sobressalentes. As chaves estavam numa pequena corrente, velha e amarelada. Louis agradeceu e colocou-as distraidamente no bolso, observando os homens da mudança transportando caixas, cômodas, armários e todas as coisas que tinha acumulado em dez anos de casamento. Pareciam inutilidades, fora de seus lugares habituais. *Só um punhado de coisas encaixotadas*, pensou, sentindo-se de repente triste e deprimido; achou que estava sentindo aquilo que as pessoas chamavam nostalgia.

— Desarraigado e plantado noutro lugar — disse Crandall, subitamente a seu lado; Louis deu um pulo.

— Parece que você conhece a sensação.

— Não, realmente não.Crandall acendeu um cigarro, o fósforo fez *vupt!*, a chama brilhando nas primeiras sombras do início da noite.— Meu pai construiu aquela casa do outro lado da estrada. Levou a mulher pra lá, e lá ela teve um filho; esse filho sou eu, nascido bem no ano de 1900.

— Então você está com...

— Oitenta e três — completou Crandall, e Louis ficou um tanto aliviado de que não tivesse acrescentado *primaveras*, uma expressão que as pessoas mais velhas às vezes usavam e ele detestava.

— Parece bem mais moço.

Crandall deu de ombros.

— Morei aqui a vida toda. Na época da Primeira Guerra eu me alistei, mas o ponto mais próximo da Europa a que cheguei foi Bayonne, em Nova Jérsei. Lugar detestável. Em 1917 já era um lugar horrível. Fiquei satisfeito quando voltei pra cá. Casei com minha Norma, passei meus anos na estrada de ferro, e ainda estou aqui. Mas tive uma vida e tanto em Ludlow. Sem dúvida.

Os homens da mudança pararam junto da entrada do galpão. Seguravam o estrado de molas que ficava sob a grande cama de casal que Louis e Rachel compartilhavam.

— Onde quer que ponha isso, sr. Creed?

— No andar de cima... Só um minuto, eu vou mostrar o lugar.

Louis deu um passo na direção deles, depois parou um instante e olhou para Crandall.

— Pode ir — disse Crandall, sorrindo. — Vou ver o que o seu pessoal está fazendo. Vou mandar que voltem pra cá, mas não o atrapalhem... Fazer mudança é um trabalho que dá muita sede. Eu sempre costumo sentar na minha varanda por volta das nove e tomar algumas cervejas. E quando o tempo está quente, gosto de ver a noite chegar. Às vezes Norma senta comigo. Se quiser, pode ir também.

— Bem, talvez eu vá — disse Louis, sem pretensão alguma de ir. Sabia que o próximo passo seria fazer um diagnóstico informal (e gratuito) da artrite de Norma, na varanda. Gostava de Crandall, gostava de seu sorriso um pouco atravessado, seu jeito descuidado de falar, o sotaque do norte, que em vez de áspero tinha a maciez de uma fala arrastada. Um bom homem, Louis pensou, mas os médicos costumam desconfiar das pessoas com facilidade. Infelizmente, cedo ou tarde, até os melhores amigos passam a querer assistência médica. E com os velhos a coisa é interminável. — Mas não fique acordado esperando por mim: tivemos um dia diabólico.

— Bem, você sabe que não precisa de convite pra ir lá em casa — insistiu Crandall; havia algo malicioso no seu sorriso que fez Louis pressentir que Crandall sabia exatamente o que ele estava pensando.

Contemplou o velho por um momento antes de juntar-se aos homens da mudança. Crandall andava com o corpo firme e a cabeça erguida. Parecia um homem de 60 anos, não com mais de 80. Louis experimentou um primeiro e tímido sinal de afeição.

5

Por volta de nove horas, os homens da mudança foram embora. Ellie e Gage, ambos exaustos, dormiam em seus novos quartos. Gage, no berço, Ellie, num colchão no assoalho, cercada de um monte de caixas: bilhões de lápis de cera, inteiros, quebrados ou amassados, os pôsteres de *Vila Sésamo*, os livros ilustrados, as roupas, Deus sabe o que mais. E, naturalmente, Church estava a seu lado, também dormindo e rosnando asperamente do fundo da garganta. Aquele rosnado áspero era o mais próximo de ronronar que o gato sabia fazer.

Rachel tinha revirado incansavelmente a casa com Gage nos braços, redefinindo os lugares onde Louis mandara os homens da mudança deixarem as coisas, tornando a rearrumá-las, empilhá-las ou mudá-las de lugar. Louis não perdera o cheque para pagar a mudança; ainda estava no bolso interno do paletó, junto com as cinco notas de dez dólares da gorjeta. Quando o caminhão estava finalmente vazio, entregou o cheque e o dinheiro, inclinou a cabeça em resposta aos agradecimentos, assinou o recibo e permaneceu na varanda, vendo os homens voltarem à cabine. Achou que provavelmente iam parar em Bangor e tomar umas cervejas para assentar a poeira. Algumas cervejas cairiam muito bem agora. E isso o fez pensar outra vez em Jud Crandall.

Sentou-se com Rachel na mesa da cozinha e viu as manchas escuras sob seus olhos.

— Você devia ir pra cama— disse ele.

— Ordens médicas? — ela perguntou, com um pequeno sorriso.

— É.

— Tudo bem — disse Rachel, se levantando. — Estou exausta. E Gage é capaz de acordar durante a noite. Você vem?

Louis hesitou.

— Acho que não vou dormir agora. Aquele velhinho do outro lado da rua...

— Estrada. Aqui no interior é estrada. E se você fosse Judson Crandall, acho que diria *istrada*.

— Tudo bem, do outro lado da *istrada*. Ele me convidou para tomar uma cerveja. Acho que vou lhe fazer companhia. Estou cansado, mas muito agitado para dormir.

Rachel sorriu.

— Vai acabar pedindo que Norma Crandall explique onde dói e em que tipo de colchão ela dorme.

Louis riu, pensando como era engraçado — engraçado e assustador — o modo como as mulheres, após algum tempo, conseguem ler os pensamentos dos maridos.

— Ele ajudou quando precisamos — disse. — Acho que também posso fazer um favor.

— Uma permuta?

Louis sacudiu os ombros, relutante, sem saber como dizer à esposa que simpatizara com Crandall à primeira vista.

— Como é a mulher?

— Muito amável — disse Rachel. — Gage sentou-se no colo dela. Isso me espantou porque ele teve um dia cansativo e você sabe que costuma estranhar as pessoas mesmo na melhor das situações. E ela ainda deu uma boneca para Eileen brincar.

— Você acha que a artrite dela é muito grave?

— Muito.

— Usa cadeira de rodas?

— Não... Mas anda devagar e os dedos...

Rachel ergueu os dedos delicados e curvou-os como garras para demonstrar. Louis assentiu com a cabeça.

— Não demore, Lou. Tenho calafrios em casas que não conheço.

— Logo vai conhecê-la — disse Louis, e lhe deu um beijo.

6

Louis voltou tarde e envergonhado. Ninguém lhe pedira para examinar Norma Crandall; quando atravessou a rua (*istrada*, ele se corrigiu, sorrindo), a senhora já fora se deitar. Jud era uma vaga silhueta atrás das cortinas da varanda fechada. Havia o aconchegante ranger de uma cadeira de balanço no assoalho antigo. Louis bateu na porta de tela, que chocalhou amistosamente em sua moldura. O cigarro de Crandall brilhava como um grande e inofensivo vaga-lume na noite de verão. De um rádio, baixo, vinha a transmissão de um jogo dos Red Sox e tudo isso deu a Louis Creed uma estranha sensação de familiaridade.

— Doutor — disse Crandall. — Sabia que era o senhor.

— Espero que tenha dito a verdade sobre a cerveja — respondeu Louis, entrando.

— Oh, sobre cerveja eu nunca minto. Um homem que mente sobre cerveja faz inimigos. Sente-se, doutor. Coloquei algumas a mais na geladeira, por precaução.

A varanda era comprida e estreita, mobiliada com cadeiras de palhinha e sofás. Louis afundou-se num deles e constatou, espantado, o quanto era confortável. À sua esquerda, havia um balde de metal cheio de gelo e algumas latas de Carling Black Label. Pegou uma.

— Obrigado — disse, abrindo a lata. Os dois primeiros goles tocaram sua garganta como uma bênção.

— Seja muito bem-vindo — disse Crandall. — Espero que seja feliz aqui, doutor.

— Amém.

— Escute! Se quiser bolachas ou alguma coisa, posso trazer. Tenho um pedaço de rato que está no ponto.

— *Um pedaço de quê?*

— Queijo de rato. — Crandall explicou um pouco desanimado.

— Obrigado, mas só a cerveja já está bom.

— Bem, então vamos acabar com ela — Crandall arrotou com satisfação.

— Sua esposa foi dormir? — Louis perguntou, intrigado por ele estar tão à vontade.

— Foi. Às vezes fica acordada. Às vezes não.

— A artrite deve ser bem dolorosa, não é?

— Já encontrou um caso em que não fosse? — Crandall perguntou.

Louis balançou negativamente a cabeça.

— Mas acho que é tolerável — disse Crandall. — Não se queixa muito. É uma boa e velha menina, minha Norma.

Havia um profundo e singelo sentimento de afeição na voz de Crandall. Lá fora, na Rodovia 15, um caminhão-tanque passou zumbindo. Era tão alto e comprido que, por um momento, Louis não pôde ver sua casa do outro lado da estrada. Do lado do veículo, visível à luz da lanterna traseira, estava escrito *ORINCO*.

— Que diabo de caminhão grande! — Louis comentou.

— A Orinco fica perto de Orrington — disse Crandall. — É uma fábrica de fertilizantes químicos. Os caminhões vêm e vão, sem parar. Mas há também caminhões-petroleiros, caminhões-basculantes e as pessoas que vão trabalhar em Bangor ou Brewer e voltam para casa à noite. — Ele balançou a cabeça. — É a única coisa em Ludlow de que não gosto mais. Essa estrada terrível. Não nos dá sossego. Os caminhões passam todo o dia e toda a noite. Às vezes acordam Norma. Diabo, *me* acordam também, e olhe que eu tenho o sono pesado como uma pedra!

Louis, que achava aquela estranha paisagem do Maine assustadoramente silenciosa em comparação ao ronco incessante de Chicago, limitou-se a balançar a cabeça.

— Um dia desses os árabes cortam o barato e todos poderão plantar violetas africanas em paz na margem da *istrada* — disse Crandall.

— Acho que tem razão.

Louis inclinou a lata de cerveja e ficou surpreso ao ver que já estava vazia. Crandall riu.

— Tome mais uma pra manter o ritmo, doutor.

Louis hesitou antes de responder:

— Tudo bem, mas só mais uma. Tenho de voltar logo.

— É claro. Mudança é uma merda, não é?

— É mesmo — Louis concordou, e por um instante os dois ficaram em silêncio. Foi um silêncio descontraído, como se já se conhecessem há muito tempo. Era uma sensação sobre a qual Louis havia lido, mas nunca a experimentara pessoalmente até aquele momento. Sentiu-se envergonhado pelos pensamentos maldosos sobre assistência médica gratuita que tivera mais cedo.

Na estrada, um caminhão passou buzinando, os faróis de neblina piscando como um grande cogumelo.

— É uma estrada perigosa, sabe? — Crandall disse pensativo, com ar um tanto vago. Depois virou-se para Louis. Dava um estranho e leve sorriso com sua boca marcada. Encaixou um Chesterfield num dos cantos dos lábios e acendeu um fósforo com a unha do polegar. — Está lembrado da trilha de que sua filha apontou?

Louis não conseguiu lembrar de imediato; Ellie falara sobre uma enorme variedade de coisas antes de desmoronar de sono. Mas, por fim, recordou. Aquela ampla trilha aberta no matagal, serpenteando entre as árvores do bosque colina acima.

— Sim, eu lembro. Você prometeu que um dia falaria a ela sobre a trilha.

— Prometi e vou cumprir — disse Crandall. — Aquele caminho se estende por cerca de dois quilômetros e meio bosque afora. As crianças do local, as que vivem perto da Rodovia 15 e da estrada Central, conservam-no em bom estado porque o utilizam muito. Vão e vêm... Agora há muito mais movimento do que quando eu era garoto. Sabe como é, as pessoas descobrem um lugar e se apegam a ele. Acho que eles combinam e toda primavera um monte de crianças aparece para aparar a grama da trilha. E a conservam durante todo o verão. Nem todos os adultos da cidade sabem que ela existe; muitos sabem, é claro, mas não todos, não com certeza... Mas todas as crianças sabem. Nisso eu aposto.

— E o que existe lá?

— Um cemitério de bichos — disse Crandall.

— Um cemitério de bichos? — Louis repetiu, confuso.

— Não é tão estranho como pode parecer — disse Crandall, fumando e se balançando na cadeira. — É a estrada. Ela tira a vida de muitos animais. Na maior parte, cachorros e gatos, mas não só. Um desses grandes caminhões da Orinco atropelou o guaxinim de estimação das crianças dos Ryder. Isso foi em... Cristo, deve ter sido em 73, talvez antes. De qualquer modo, antes de o estado ter declarado ilegal a posse de um guaxinim ou mesmo de uma doninha.

— E por que fizeram isso?

— Raiva — respondeu Crandall. — Muitos casos de raiva no Maine. Há alguns anos, no interior do estado, um grande e velho São Bernardo ficou raivoso e matou quatro pessoas. Foi uma coisa terrível. O cão não estava vacinado. Se aqueles idiotas tivessem se preocupado em vacinar o cachorro, isso nunca teria acontecido. Mas um guaxinim ou uma doninha podem ser vacinados duas vezes por ano e mesmo assim a vacina pode não pegar... Mas aquele guaxinim dos filhos dos Ryder era o que os antigos moradores da região costumavam chamar de um "guaxinim manso". Vinha gingando pra junto de você — era um bicho meigo de verdade! — e lambia o seu rosto como um cachorro. O pai deles chegou a pagar a um veterinário para castrá-lo e remover as garras. *Isso* deve ter custado uma verdadeira fortuna!

Crandall continuou:

— Ryder trabalhou para a IBM em Bangor. Foi com a família para o Colorado há cinco anos, talvez seis. Engraçado pensar que aqueles dois garotos já têm quase idade pra dirigir... Será que ficaram muito sentidos com a história do guaxinim? Acho que sim. Matty Ryder chorou tanto tempo que a mãe ficou assustada e quis levá-lo ao médico. Agora já deve estar conformado, mas nunca vai esquecer. Quando um animal de estimação é atropelado na estrada, uma criança nunca esquece.

Os pensamentos de Louis voltaram-se para Ellie. Na última vez que a vira naquela noite, ela adormecera com Church ronronando pesadamente a seus pés.

— Minha filha tem um gato — disse. — Winston Churchill. Nós o chamamos de Church, para facilitar.

— Ele anda por aí subindo em muros?

— Como? — Louis não tinha ideia do que o velho estava falando.

— Ainda tem as bolas ou já está no prego?

— Não — disse Louis —, ele ainda não está no prego.

De fato, isso tinha dado problemas em Chicago. Rachel queria que Church fosse castrado, chegara a marcar hora com o veterinário. Louis desmarcou. Mesmo agora ainda não sabia realmente por quê. Não se tratava de algo tão simples ou tão estúpido quanto equiparar sua masculinidade à do gato da filha, nem mesmo de sua aversão à ideia de castrarem Church para que a vizinha gorda da casa ao lado não precisasse se dar o trabalho de fechar bem as tampas de suas lixeiras de plástico — essas coisas podem ter tido alguma importância, mas o motivo principal fora uma forte sensação de que aquilo destruiria algo em Church que ele estimava, como o olhar atrevido em seus olhos verdes de gato. Convenceu Rachel de que não haveria mais problemas, porque estavam de mudança para o campo. E agora Judson Crandall lhe alertava que fazia parte da rotina bucólica de Ludlow enfrentar a Rodovia 15, e perguntava se o gato estava castrado. Seja irônico, pensava o dr. Creed... Rir um pouco faz bem à circulação.

— Eu teria castrado o bicho — disse Crandall, amassando o cigarro entre o polegar e o indicador. — Um gato castrado não perambula à toa.

Mas se fica andando de um lado pro outro, um dia a sorte acaba e ele vai parar no mesmo lugar que o guaxinim dos filhos dos Ryder, o cocker spaniel do pequeno Timmy Dessler e o periquito da sra. Bradleigh. O periquito não foi atropelado, é claro. Ele simplesmente foi embora.

— Vou pensar no que está dizendo — Louis falou.

— Faça isso — Crandall respondeu e ficou de pé. — A cerveja está caindo bem? Acho que vou buscar uma fatia do velho rato.

— A cerveja está ótima — disse Louis, também se levantando —, mas preciso ir. Amanhã vai ser um dia e tanto.

— Já começa amanhã na universidade?

Louis fez que sim com a cabeça.

— As aulas só começam daqui a duas semanas, mas até lá eu preciso estar preparado, não acha?

— É, se ainda não souber onde fica a aspirina, pode ter problemas.

Crandall estendeu a mão e Louis apertou-a, de novo atento para o fato de ossos velhos doerem com facilidade.

— Volte uma noite dessas — disse Crandall. — Queria que conhecesse minha Norma. Acho que ela vai gostar de você.

— Volto — disse Louis. — Foi muito bom conhecê-lo, Jud.

— O mesmo digo eu. Espero que se sinta bem aqui e que fique um bom tempo.

— Eu também espero.

Louis desceu por uma trilha de calçamento rústico até o acostamento da estrada, onde teve de esperar que passasse outro caminhão, seguido por uma fila de cinco carros em direção a Bucksport. Então, erguendo a mão num breve aceno, atravessou a rua (istrada, lembrou-se de novo) e entrou em sua nova casa.

A casa estava mergulhada no silêncio. Ellie parecia nem ter se mexido e Gage continuava no berço, dormindo à sua maneira típica, de costas, com braços e pernas abertos, a mamadeira ao alcance da mão. Louis se deteve olhando para o filho, o coração repentinamente cheio de amor pela criança, um amor tão forte que era quase perigoso. Achou que parte de seus sentimentos devia-se à nostalgia por todos os rostos e lugares familiares de Chicago que não veriam mais, tão facilmente eliminados pelos quilômetros e quilômetros de viagem que pareciam nunca terem existido. *Agora há muito mais movimento do que quando... Sabe como é, as pessoas descobrem um lugar e se apegam a ele*. Havia alguma verdade nisso.

Ele se aproximou do filho e, como não havia ninguém ali para ver o que estava fazendo, nem mesmo Rachel, beijou a ponta dos dedos e, através das grades do berço, encostou-os rápida e levemente no rosto de Gage.

Gage resmungou e virou de lado.

— Durma bem, garoto — disse Louis.

Ele se despiu em silêncio e deslizou para a sua metade da cama de casal que, por enquanto, era formada por dois colchões de solteiro colocados lado a lado, no chão. Sentiu a tensão do dia começando a passar. Rachel não se mexeu. Caixas fechadas se amontoavam fantasmagoricamente no aposento.

Pouco antes de dormir, Louis se apoiou num dos cotovelos e olhou pela janela. O quarto era de frente e podia-se ver a casa de Crandall do outro lado da estrada. Estava escuro demais para distinguir formas (numa noite de lua não teria sido impossível), mas conseguiu ver a brasa do cigarro ao longe. *Ainda acordado*, pensou. *Talvez ainda fique acordado por muito tempo. O velho deve dormir pouco. Pode ser que fique de vigília.*

Mas por que de vigília?

Louis pensava nisso quando mergulhou no sono. Sonhou que estava na Disney World, dirigindo uma brilhante caminhonete branca com uma cruz vermelha estampada na lateral. Gage estava junto dele e, no sonho, tinha pelo menos 10 anos. Church aparecia sobre o painel da caminhonete, contemplando Louis com seus brilhantes olhos verdes. Na rua principal, perto de uma estação ferroviária do final do século XIX, Mickey Mouse cumprimentava as crianças reunidas à sua volta, e suas grandes luvas brancas engoliam as mãos pequenas e firmes delas.

7

As duas semanas seguintes foram muito movimentadas para a família. Pouco a pouco, Louis começou a se adaptar ao novo trabalho (o que aconteceria quando 10 mil estudantes, muitos deles alcoólatras ou viciados em drogas, alguns contaminados por doenças venéreas, outros ansiosos sobre as notas nas provas ou deprimidos por terem saído de casa pela primeira vez, uma dúzia deles — principalmente mulheres — com anorexia... o que aconteceria quando todos esses estudantes convergissem em bando para o campus, isso seria outra história). E enquanto Louis começava a tomar as rédeas de suas funções à frente do ambulatório universitário, Rachel começava a tomar as rédeas da casa.

Gage passava o tempo dando encontrões e levando tombos, inevitáveis para se acostumar ao novo ambiente, e por algum tempo seu horário de dormir ficou completamente desregulado. Em meados da segunda semana em Ludlow, porém, voltou a dormir na hora certa. Apenas Ellie, com a perspectiva de começar o jardim de infância num lugar completamente desconhecido, continuava extremamente agitada e temperamental. Oscilava entre prolongados ataques de riso e períodos de depressão quase idênticos aos da menopausa, ou até mesmo acessos de cólera diante de uma simples palavra de repreensão. Rachel dizia que Ellie superaria aquela fase quando visse que a escola não era o bicho de sete cabeças que imaginava; Louis achava que a mulher tinha razão. A maior parte do tempo, afinal, Ellie era o que sempre fora — um amor.

A cerveja noturna com Jud Crandall tornou-se uma espécie de hábito para Louis. Na época em que Gage voltou a dormir bem, ele passou a frequentar a casa de Crandall a cada duas ou três noites, levando sua própria cerveja. Conheceu Norma Crandall, uma senhora amável e simpática que sofria de artrite reumatoide — a maldita doença que estragava a parte boa da tranquila rotina de idosos de outra forma saudáveis —, mas sabia lidar com isso. Não levantava bandeiras brancas para se render à dor. Que a doença a levasse, se pudesse. Louis acreditava que ela ainda teria de cinco a sete anos produtivos pela frente, mesmo que não inteiramente confortáveis.

Agindo ao contrário do que era de costume, examinou-a por iniciativa própria, depois reviu as receitas que o médico lhe dera e considerou-as bastante adequadas. Sentiu-se frustrado por não haver nada que precisasse sugerir ou fazer por ela; o doutor Weybridge mantinha as coisas sob controle (como parecia ser com tudo que dizia respeito a Norma Crandall), tentando impedir certos agravamentos repentinos da doença (o que era possível, mas não infalível). Em casos como aquele, ou o doente aprendia a aceitar a enfermidade, ou acabava internado, escrevendo cartinhas para a família com giz de cera.

Rachel gostava dela; as duas selaram a amizade trocando receitas de cozinha como os meninos trocam figurinhas de jogadores de beisebol; de início foi a torta de maçã de Norma Crandall pelo estrogonofe de Rachel. Norma ficou encantada com ambos os filhos dos Creed, mas particularmente com Ellie, que, segundo ela, seria "uma beleza como a dos velhos tempos".

— Pelo menos, Norma não achou que Ellie vai se transformar num "guaxinim de estimação" — disse Louis a Rachel naquela noite, na cama. Rachel riu tão forte que soltou um explosivo gás intestinal, e, então, os dois riram tanto e tão alto que acordaram Gage no quarto ao lado.

O primeiro dia no jardim de infância chegou. Louis, que sentiu sob controle todas as atividades da enfermaria e de apoio médico, tirou um dia de folga. (Além do mais, a enfermaria estava completamente vazia; o último paciente, o estudante de um curso de verão que tinha quebrado a perna nos degraus da União dos Estudantes, tivera alta há uma semana.) Louis estava no gramado, ao lado de Rachel e com Gage nos braços, quando o grande ônibus amarelo fez a curva vindo da estrada Central, aproximou-se rangendo e encostou em frente à casa. As portas da frente se abriram; o berreiro e o falatório de muitas crianças encheram o suave ar de setembro.

Ellie ainda olhou para trás, um olhar estranho e um tanto amedrontado, como a perguntar se ainda havia tempo de interromper aquele processo inevitável. O que viu nos rostos dos pais convenceu-a de uma vez por todas de que não havia mais tempo, de que não poderia fugir de tudo o que iria acontecer naquele primeiro dia: era tão inevitável quanto o progresso da artrite de Norma Crandall. Ela se virou e subiu os degraus do ônibus. As portas fecharam como o arfar da respiração de um dragão. O ônibus partiu. Rachel explodiu em lágrimas.

— Não, pelo amor de Deus — disse Louis. Ele não estava chorando, mas não parecia muito longe disso. — É só meio período.

— Meio período já é bastante ruim — Rachel respondeu num tom rabugento e voltou a chorar com ainda mais vontade. Louis abraçou-a e Gage passou feliz um braço em volta do pescoço de cada um deles. Quando Rachel chorava, Gage geralmente fazia o mesmo. Mas não desta vez. *Agora estamos à disposição dele,* Louis pensou, *e ele sabe muito bem disso.*

Esperaram com uma certa ansiedade que Ellie voltasse, bebendo muito café, especulando sobre como estariam indo as coisas. Louis foi para o quarto dos fundos, que ia ser transformado em seu escritório, e remexeu negligentemente no que havia lá. Mudou papéis de lugar, mas não fez nada mais que isso. Rachel começou a preparar o almoço absurdamente cedo.

Quando o telefone tocou às 10h15, Rachel correu para o aparelho e, antes que ele tocasse pela segunda vez, atendeu com um "alô" sem fôlego. Louis se pôs na passagem entre o escritório e a cozinha, certo de que seria a professora do jardim de infância para dizer que Ellie não se ambientara; o estômago do ensino público julgava impossível digeri-la e a cuspira de volta. Mas era apenas Norma Crandall, ligando para dizer que Jud tinha colhido o que ainda restava de milho e oferecer algumas espigas. Louis foi até lá com uma sacola de compras e repreendeu Jud por não chamá-lo para ajudar na colheita.

— De qualquer jeito, a maior parte do milho não vale merda nenhuma — disse Jud.

— Você pode muito bem segurar essa língua quando eu estiver por perto — Norma reclamou. Entrara na varanda com copos de mate numa antiga bandeja de Coca-Cola.

— Sinto muito, meu bem.

— Ele pouco se importa — disse Norma a Louis, sentando-se com um estremecimento.

— Vimos Ellie tomando o ônibus — disse Jud, acendendo um Chesterfield.

— Ela vai se dar muito bem — acrescentou Norma. — As crianças quase sempre se dão bem.

Quase sempre, pensou Louis morbidamente.

Mas *Ellie se deu bem*. Voltou ao meio-dia sorrindo, radiante, a saia do uniforme azul do primeiro dia de escola cercando graciosamente as perninhas raladas de tombos (havia um novo arranhão num dos joelhos para encanto dos pais). Trazia um desenho do que podia ser duas crianças ou dois guindastes andando, um sapato desamarrado, a fita do cabelo perdida. Gritava:

— Nós cantamos "Old MacDonald"! Mamãe! Papai! Nós cantamos "Old MacDonald"! A mesma coisa que na escola da rua Carstairs!

Rachel trocou um olhar com Louis, sentado junto da janela com Gage no colo. O bebê estava quase dormindo. Havia alguma coisa triste no olhar de Rachel e, embora ela o desviasse depressa, Louis percebeu um momento de pânico. *Vamos envelhecer, inevitavelmente*, ele pensou. *De fato é verdade. Não seremos exceção. Ela está no caminho dela... e nós estamos no nosso.*

Ellie correu para o pai, tentando mostrar o desenho, o novo arranhão, contar-lhe sobre "Old MacDonald", a sra. Berryman, tudo ao mesmo tempo. Church se enroscava entre suas pernas, ronronava alto e, quase por milagre, Ellie não tropeçou nele.

— *Shhh* — disse Louis e a beijou. Gage pegara no sono, desinteressado da barulheira. — Deixe eu colocar seu irmão no berço e depois vou ouvir tudo o que tem pra me contar.

Subiu a escada com Gage, atravessando o calor vespertino do sol de setembro que entrava pela janela. Mas quando chegou ao patamar do andar de cima, foi atingido por tamanha premonição de horror e desgraça que parou — como que congelado — e ficou olhando em volta espantado, sem entender as sensações que tomavam conta dele. Segurou com tanta força o bebê que quase o machucou, e Gage se mexeu incomodado. Os braços e as costas de Louis estavam totalmente arrepiados.

O que está havendo?, ele se perguntou, confuso e assustado. O coração estava disparado, o couro cabeludo gélido e subitamente pequeno demais para cobrir o crânio; podia sentir a onda repentina de adrenalina avançando por trás dos olhos. Os olhos realmente se arregalam quando o medo é extremo, ele sabia; não apenas se dilatam, mas se tornam *salientes*, pois a pressão sanguínea sobe e a pressão hidrostática dos fluidos cranianos aumenta. *Que diabo é isso? Fantasmas? Meu Deus, parece que alguma coisa realmente roçou em mim neste corredor, uma coisa que eu quase vi.*

No andar de baixo, a porta de madeira bateu.

Louis Creed deu um salto, quase gritou, mas acabou rindo. Fora apenas um daqueles momentos de calafrio psicológico que as pessoas às vezes atravessam, só isso. Uma fuga momentânea da realidade. Eles aconteciam; era tudo. O que Scrooge dissera ao fantasma de Jacob Marley? *Talvez você não seja mais que um pedaço de carne mal cozido. Antes um problema de digestão que de ressurreição.* E isso era mais verdadeiro (tanto fisiológica como psicologicamente) do que Charles Dickens poderia imaginar. Não existiam fantasmas, pelo menos em sua experiência. Tinha visto a morte de mais de duas dezenas de pessoas e jamais sentira a passagem de uma alma.

Levou Gage para o quarto e deitou-o no berço. No entanto, quando puxou o cobertor para cobrir o filho, um sobressalto sacudiu-lhe as costas e o fez pensar de repente na vitrine da loja de seu tio Carl. Não havia novos carros em exposição, nem televisores com todas as novidades modernas, nem lavadoras de pratos com visores de vidro mostrando a ação mágica da espuma. Só havia caixas com tampas levantadas e uma lâmpada discretamente colocada sobre cada uma delas. O irmão de seu pai era um agente funerário.

Meu Deus, por que esses horrores agora? Vamos logo! Fora com eles!

Beijou o filho e desceu para ouvir o que Ellie tinha a contar de seu primeiro dia na incrível escola.

8

No sábado, depois que Ellie chegou ao fim da primeira semana de escola e pouco antes de os estudantes da universidade voltarem ao campus, Jud Crandall atravessou a estrada e aproximou-se da família Creed, sentada no gramado. Ellie tinha saltado da bicicleta e bebia um copo de chá gelado. Gage engatinhava na grama, examinando pequenos insetos, talvez até comendo alguns; ainda não era muito exigente quanto à origem de sua proteína.

— Jud! — disse Louis, se levantando. — Espere, que vou buscar uma cadeira.

— Não precisa. — Jud vestia jeans, uma camisa de gola aberta e botas verdes. Virou-se para Ellie. — Ainda quer saber onde aquela trilha vai dar?

— Sim! — disse Ellie, ficando logo em pé. Seus olhos brilhavam. — Na escola, George Buck me disse que vai até o cemitério de bichos e eu contei à mamãe, mas ela me mandou esperar por você porque você sabe onde ele fica.

— E sei mesmo — disse Jud. — Se papai e mamãe estiverem de acordo podemos dar um passeio até lá. Você vai precisar de um par de botas, eu acho. Em certos pontos, o chão é um pouco enlameado.

Ellie correu para a casa. Jud acompanhou-a com um olhar cheio de contentamento e afeição.

— Talvez você também queira ir, Louis.

— Eu vou — disse Louis. E virando para Rachel. — Não quer vir também, querida?

— E Gage? Vamos ter de andar muito.

— Posso colocá-lo na cadeirinha-mochila.

Rachel riu.

— Tudo bem... Mas vai nas costas do senhor.

Saíram dez minutos depois. Com exceção de Gage, todos usavam botas. Gage ia arrebitado na cadeirinha, observando tudo sobre o ombro do pai, olhos arregalados. Ellie corria à frente, caçando borboletas e colhendo flores.

A relva no terreno dos fundos chegava quase à cintura e mais adiante havia pequenas flores amarelas e brancas, restos do verão que todo ano anunciavam o início do outono. Mas não havia outono no ar; o sol era de pleno agosto, embora, no calendário, agosto já estivesse encerrado há quase duas semanas. Quando alcançaram o topo da primeira colina, andando em fila pela trilha, havia grandes manchas de suor sob os braços de Louis.

Jud parou. Em princípio, Louis julgou que o velho estivesse sem fôlego; foi então que viu a paisagem que se abria atrás deles.

— É bonito aqui em cima — disse Jud, pondo uma haste de capim entre os dentes. Louis achou que acabara de ouvir a quintessência dos eufemismos da Nova Inglaterra.

— É *esplêndido* — Rachel sussurrou, virando-se quase acusadoramente para Louis. — Como não me contou nada sobre isso?

— Porque eu não sabia que existia — Louis respondeu um tanto envergonhado. Afinal, aquilo ficava em sua propriedade. Até aquele dia, não tivera tempo de subir a colina.

Ellie tinha avançado um bom trecho de caminho. Agora voltava, também pasma de admiração. Church não desgrudava dos seus calcanhares.

A colina não era alta, mas não precisava ser. A leste, imensos bosques bloqueavam a vista, mas a oeste o panorama se alongava como num dourado e sonolento sonho de fim de verão. Tudo era sossegado, levemente enevoado, quieto. Não havia nenhum caminhão-tanque da Orinco na estrada para quebrar o silêncio.

Estavam contemplando, é claro, o vale de um rio, o Penobscot, onde outrora os lenhadores do nordeste faziam flutuar seus troncos até Bangor e Derry. Achavam-se ao sul de Bangor e um pouco ao norte de Derry. Ali o rio se alargava e corria tranquilo, como se imerso num sono profundo. Louis podia divisar Hampden e Winterport na margem oposta e acreditou que conseguiria seguir o rastro negro da Rodovia 15; ela serpenteava paralela ao rio até Bucksport. Esquadrinhou lentamente o rio, as árvores exuberantes à margem, as estradas, os campos. A torre da Igreja Batista de North Ludlow encaixava-se num dossel que os velhos olmos formavam, e à direita via-se o pesado bloco de tijolos da escola de Ellie.

No alto, nuvens brancas moviam-se lentamente para um horizonte cor de brim azul desbotado. E por todos os lados repousavam os campos do último verão, esgotados ao término do ciclo, dormindo mas não sem vida, de um fantástico tom castanho e amarelo.

— Esplêndido é a palavra exata — disse Louis por fim.

— Antigamente chamavam isso aqui de monte da Boa Vista — explicou Jud. Ele pôs um cigarro no canto da boca, mas não o acendeu. — Alguns ainda o chamam assim, mas agora, depois que tanta gente nova se mudou para a cidade, esse nome já está quase esquecido. Hoje em dia não vem muita gente aqui. A vista não parece promissora, porque a colina não é muito alta. Mas se pode ver...

Ele fez um gesto amplo com uma das mãos e caiu em silêncio.

— Se pode ver tudo — disse Rachel numa voz baixa e reverente. Depois se virou para Louis. — Querido, isto aqui é *nosso*?

E antes que ele pudesse responder, Jud falou:

— Faz parte da propriedade, oh, sim.

O que não era, Louis pensou, exatamente a mesma coisa.

* * *

Fazia mais frio nos bosques, talvez uma diferença de quatro ou cinco graus. A trilha, sempre ampla e vez por outra ladeada de flores em vasos ou latas de café (em geral murchas), estava agora coberta de folhas secas de pinheiro. Tinham caminhado cerca de quinhentos metros e começavam a descer a colina quando Jud chamou por Ellie.

— Este é um bom caminho para uma mocinha — disse num tom gentil —, mas quero que prometa à mamãe e ao papai que, se vier aqui, andará sempre na trilha.

— Prometo — Ellie respondeu de imediato. — Mas por quê?

Jud olhou para Louis, que tinha parado para descansar. Transportar Gage nas costas, mesmo à sombra daqueles velhos pinheiros e abetos, era trabalho pesado.

— Você sabe onde está? — Jud perguntou-lhe.

Louis pensava e rejeitava as respostas: Ludlow, North Ludlow, atrás de minha casa, entre a Rodovia 15 e a estrada Central. Ele balançou a cabeça.

Jud apontou para trás com o polegar, por cima do ombro.

— Para aqueles lados tem bastante coisa, é onde fica a cidade — disse ele. — Mas por aqui, só existem bosques por oitenta quilômetros ou mais. São chamados bosques de North Ludlow, mas cortam pela região de Orrington e continuam para Rockford. Terminam naquelas terras federais de que lhe falei, aquelas que os índios querem de volta. Sei que parece engraçado que sua boa casinha ali na estrada principal, com telefone, luz elétrica, TV a cabo e tudo mais, esteja à beira de uma terra selvagem, mas é verdade. — E olhando de novo para Ellie. — O que eu quero dizer é que você não deve se enfiar no meio desses bosques, Ellie. Pode se perder e só Deus sabe onde vai parar.

— Não vou sair da trilha, sr. Crandall.

Ellie estava devidamente alertada, impressionada mesmo, mas não com medo, Louis constatou. Rachel, porém, contemplava Jud com ar inquieto, e Louis também se sentiu um tanto apreensivo. Era, ele supunha, o medo quase instintivo que as pessoas criadas nas cidades têm das florestas. Louis não via uma bússola desde os tempos de escoteiro, vinte anos atrás, e sua lembrança de como encontrar o caminho por coisas como a Estrela Polar ou o lado das árvores em que o musgo cresce era tão vaga quanto a lembrança de como fazer um nó górdio ou meia-volta.

Jud correu os olhos por eles e abriu um meio-sorriso.

— De qualquer modo, ninguém se perdeu nesses bosques desde 1934 — disse ele. — Pelo menos, ninguém daqui. O último que se perdeu foi Will Jeppson... E não foi uma grande perda. Depois de Stanny Bouchard, acho que Will era o maior cachaceiro deste lado de Bucksport.

— Você disse ninguém daqui — Rachel lembrou num tom pouco natural. Louis quase pôde ler seus pensamentos: *E nós não somos daqui.* Pelo menos, ainda não.

Jud fez uma pausa e abanou a cabeça.

— Perdemos um turista a cada dois ou três anos porque eles acham que ninguém pode se perder junto à estrada principal. Mas nenhum ficou perdido pra sempre, dona. Não se assuste.

— Existem alces por aqui? — Rachel perguntou apreensiva.

Louis sorriu. Quando Rachel queria se preocupar, não o fazia pela metade.

— Bem, você pode encontrar um alce — disse Jud —, mas ele não vai lhe fazer nada, Rachel. Quando estão no cio ficam um pouco irritados, mas em qualquer outra ocasião não fazem mais do que olhar. As únicas pessoas atrás de quem eles correm fora do tempo do cio são as pessoas de Massachusetts. Não sei por que isso acontece, mas acontece.

Louis achou que o velho estava brincando, mas não tinha certeza. Jud parecia extremamente sério.

— Vi isso acontecer muitas vezes — ele continuava. — Já encontrei sujeitos de Saugus, Milton ou Weston em cima de uma árvore, berrando no meio de uma manada de alces, cada um do tamanho de um caminhão. Parece que os alces conseguem sentir o *cheiro* de Massachusetts, seja homem ou mulher. Ou talvez seja apenas o cheiro daquelas roupas de Boston, não sei. Queria muito ver um desses estudantes de veterinária da Universidade escrever sobre isso num livro, mas acho que nenhum deles jamais o fará.

— O que é o tempo do cio? — Ellie perguntou.

— Não importa, não quero que venha aqui a não ser que esteja com um adulto — disse Rachel, dando um passo em direção a Louis.

Jud parecia chateado.

— Não quis assustá-la, Rachel... Nem você, nem sua filha. Ninguém precisa ficar assustado nesses bosques. É uma trilha muito boa; tem alguns insetos na primavera e está sempre um pouco lamacenta (exceto no verão de 55, que foi o mais seco, eu lembro), mas que diabo!, não tem qualquer planta ou folha venenosa, nem mesmo aquelas que existem nos fundos do pátio da escola... Você deve ficar longe delas, Ellie, se não quiser passar três semanas de sua vida tomando banhos com amido.

Ellie cobriu a boca e deu uma risadinha.

— É um caminho *seguro* — Jud falou com veemência para Rachel, que ainda não parecia convencida. — Ora, aposto que mesmo Gage seria capaz de andar sozinho por ele, e as crianças da cidade vêm muito aqui. Elas conservam o caminho em bom estado. Ninguém as manda fazer isso, mas elas fazem. Eu não gostaria de tirar esse prazer de Ellie.

Jud se curvou para a menina e piscou o olho:

— É como muitas outras coisas na vida, Ellie. Você se conserva no caminho e tudo bem. Você sai do caminho e, a não ser que tenha sorte, descobre logo que está perdida. E então, alguém tem de mandar uma equipe de busca para salvá-la.

Continuaram andando. Louis começou a sentir uma leve dor de cãibra nas costas por causa da cadeirinha do bebê. De vez em quando, Gage agarrava um bom punhado de cabelo dele e puxava com entusiasmo; outras vezes, aplicava-lhe um alegre pontapé nos rins. Mosquitos vespertinos esvoaçavam perto do seu rosto e pescoço, zumbiam em volta das orelhas.

O caminho inclinava-se para baixo, fazendo curvas para um lado e para o outro no meio de abetos muito antigos, então abria-se por de um confuso emaranhado de moitas e espinhos. Ali, sem dúvida, o caminho *era* lamacento; as botas de Louis chapinhavam no lodo e em algumas poças d'água. Em certo ponto, tiveram de cruzar um trecho pantanoso usando troncos apodrecidos como pontes. Foi o pior pedaço. Voltaram a subir e as árvores tornaram a cercá-los. Por um passe de mágica, Gage parecia estar pesando cinco quilos a mais, e pela mesma magia, o dia esquentara meia dúzia de graus. O suor escorria pelo rosto de Louis.

— Tudo bem com você, querido? — Rachel perguntou. — Não quer me dar o Gage um pouco?

— Não, tudo bem — disse ele, e era verdade, embora o coração lhe saltasse pelo peito a uma boa velocidade. Estava mais acostumado a prescrever exercícios físicos do que a fazê-los.

Jud avançava com Ellie a seu lado; o amarelo vivo das calças da filha e a blusa vermelha eram vistosos borrões de cores entre o esverdeado sombrio da atmosfera.

— Louis, você acha que ele sabe mesmo pra onde está indo? — Rachel perguntou num tom baixo e ligeiramente apreensivo.

— Sem dúvida — disse Louis.

Jud virou a cabeça e interveio animado:

— Agora já não falta muito... Você aguenta, Louis?

Meu Deus, Louis pensou, *o homem já passou bastante dos 80, mas acho que ainda nem derramou uma gota de suor.*

— Estou bem — respondeu um tanto agressivo. Ainda que estivesse à beira de um ataque cardíaco, teria dado a mesma resposta, somente por orgulho. Sorriu arreganhando os dentes, puxou para cima as correias da cadeirinha e foi em frente.

Chegaram ao topo da segunda colina, depois, desceram por entre moitas da altura de uma pessoa e de um emaranhado de arbustos. A trilha se estreitou e, logo à frente, Louis viu Jud e Ellie passarem por baixo de um arco feito de velhas tábuas manchadas pelo tempo. Na madeira, em tinta preta meio apagada, liam-se com dificuldade as palavras: *"Simitério" de bichos.*

Ele e Rachel trocaram um olhar divertido e cruzaram o arco, instintivamente dando as mãos, como se tivessem ido lá para se casarem.

Pela segunda vez naquela manhã, Louis ficou atônito.

Ali não havia um tapete de folhas. Havia um círculo quase perfeito de mato cortado, alcançando quase 13 metros de diâmetro. Três quartos do perímetro faziam fronteira com uma vegetação rasteira muito densa, e no espaço restante um amontoado de velhas árvores derrubadas pelo vento dava ao lugar um aspecto um tanto sinistro e perigoso. *Um homem tentando encontrar seu caminho através do bosque e passando por ali podia muito bem levar um susto,* Louis pensou.

A clareira estava cheia de lápides, obviamente feitas por crianças com quaisquer materiais que pudessem encontrar ou pedir emprestado: tábuas de caixotes, ripas, pedaços amassados de lata. No entanto, vistas contra o perímetro de arbustos baixos que disputavam um lugar ao sol e árvores desgarradas, suas formas canhestras, talvez por serem obra de seres humanos, não deixavam de sugerir alguma simetria. As matas ao fundo concediam ao lugar um tipo absurdo de solenidade, um fascínio que não era cristão, mas pagão.

— É adorável! — exclamou Rachel, num tom levemente irônico.

— *Olha!* — a filha gritou.

Louis tirou Gage das costas e soltou-o da cadeirinha para que pudesse engatinhar livremente. Seus ombros suspiraram de alívio.

Ellie corria de um marco para outro, soltando exclamações perto de cada túmulo. Louis foi atrás dela enquanto Rachel tomava conta do bebê. Jud sentara-se de pernas cruzadas, encostado numa pedra saliente, fumando.

Louis reparou que o lugar não apenas *parecia* obedecer a uma ordem, a um padrão; os marcos fúnebres estavam de fato agrupados em círculos mais ou menos concêntricos.

GATO SMUCKY, indicava uma lápide feita de tábua de caixote. A caligrafia era infantil, mas cuidadosa. ELE ERA OBEDIENTE. Logo abaixo: 1971-1974. No mesmo círculo de marcos, mas um pouco além, Louis encontrou um pedaço de ardósia com um nome escrito em tinta vermelha um pouco desbotada, mas ainda perfeitamente legível: BIFFER. E embaixo, alguns versos:

BIFFER, BIFFER, UM ÓTIMO FAREJADOR/ ATÉ MORRER, BIFFER SÓ NOS DEU AMOR.

— Biffer era o *cocker spaniel* dos Dessler — disse Jud. Cavara um buraco na terra com o calcanhar da botina e empurrava meticulosamente todas as cinzas do cigarro para dentro dele. — Foi esmagado por uma caçamba de lixo ano passado. Não é uma coisa terrível?

— É — Louis concordou.

Certos túmulos estavam cobertos de flores, algumas recentes, a maioria secas, muitas quase totalmente decompostas. Mais da metade das inscrições a caneta ou pincel tinham se tornado total ou parcialmente ininteligíveis. Havia marcos sem qualquer indicação, e Louis achou que, nesses, os dizeres teriam sido feitos a giz ou a lápis.

— Mamãe! — Ellie gritou. — Aqui tem um peixinho dourado! Venha ver!

— Não preciso ver — disse Rachel, atraindo a atenção de Louis. Ela se mantinha à parte, além do círculo mais afastado, parecendo bastante incomodada. Louis pensou: *Mesmo aqui ela fica transtornada*. Jamais Rachel se sentira à vontade perto dos vestígios da morte (não que ele imaginasse que alguém se sentisse), provavelmente por causa da morte da irmã, que morrera muito jovem, deixando uma cicatriz que logo no início do casamento Louis aprendeu a não tocar. Chamava-se Zelda e morrera de meningite raquidiana. Possivelmente sua doença fatal tinha sido longa, dolorosa, feia, e Rachel ainda estava numa idade muito impressionável. Louis não via mal algum em que ela se esforçasse para esquecer aquilo.

Piscou-lhe um olho e ela sorriu agradecida.

Louis olhou para cima. Estavam numa clareira natural. Achou que isso explicava por que a relva crescia tanto ali: o sol podia passar. Mesmo assim, para ser mantido daquela forma, o cemitério precisaria ser cuidadosamente irrigado e drenado. Isto significa latas de água arrastadas até lá ou talvez extintores de incêndio, ainda mais pesados que Gage em sua cadeirinha-mochila, carregados em pequenas costas infantis. Tornou a pensar como era estranho que as crianças tivessem se dado àquele trabalho por tanto tempo. A memória dos entusiasmos de sua própria infância, reforçada pela vivência com Ellie, era de fogo de palha, que ardia com muita força, mas logo se extinguia.

Para o interior dos círculos concêntricos, os túmulos dos bichos tornavam-se mais antigos; era cada vez menor o número de inscrições que ainda podiam ser lidas, mas quando isso era possível elas revelavam um longo período de tempo mergulhando no passado. Lá estava TRIXIE, MORTA NA RODOVIA EM 15 DE SETEMBRO DE 1968. No mesmo círculo, havia uma grande tábua profundamente enterrada no solo. Nevadas e degelos tinham-na feito empenar e quebrar num dos cantos, mas Louis ainda conseguiu ler: EM MEMÓRIA DE MARTA, NOSSA COELHA DE ESTIMAÇÃO, MORTA EM PRIMEIRO DE MARÇO DE 1965. E numa fileira à frente havia o GEN. PATTON (NOSSO! BOM! CÃO!, a inscrição se tornava enfática), que morrera em 1958; e POLINÉSIA (que deveria ser um papagaio, se Louis ainda se lembrava bem do filme *Dr. Doolittle*), que grasnara "Póli quer bolacha" pela última vez no verão de 1953. Não havia nada legível nas duas fileiras seguintes, mas ainda a uma boa distância do centro, gravado asperamente num bloco de arenito, lia-se HANNAH, O MELHOR CACHORRO QUE JÁ EXISTIU: 1929-1939. Embora o bloco de arenito fosse relativamente macio (por causa disso, aliás, a inscrição já era pouco mais que uma sombra), Louis achou difícil imaginar quantas horas uma criança devia ter levado para entalhar aquelas palavras. Uma tal manifestação de amor e pesar parecia-lhe desconcertante; lá estava algo que os adultos não fariam sequer pelos próprios pais ou por filhos mortos prematuramente.

— Rapaz, isto já vem de muito tempo! — ele disse a Jud, que dera alguns passos em sua direção.

Jud concordou com a cabeça.

— Venha aqui, Louis. Quero lhe mostrar uma coisa.

Eles se aproximaram do terceiro círculo a contar do centro. Ali o padrão circular, que parecia quase acidental nas fileiras mais afastadas, era bastante nítido. Jud parou na frente de um pedaço de ardósia caído. Ajoelhando-se com cuidado, pôs a pedra de pé novamente.

— Havia algumas palavras aqui — disse Jud. — Eu mesmo as gravei, mas agora desapareceram. Enterrei meu primeiro cachorro nesta cova. Spot. Ele morreu de velhice em 1914, o ano em que começou a Primeira Guerra Mundial.

Desconcertado pela ideia de que aquele cemitério podia ser mais antigo que muitos cemitérios de gente, Louis caminhou até o centro e examinou vários marcos. Nenhum era legível e a maior parte havia sido quase completamente tomada pela terra. Um deles estava praticamente coberto pela vegetação, e quando Louis o puxou para colocá-lo em pé, ouviu um som fraco de algo se partindo, como um protesto vindo da terra. Alguns escaravelhos escapuliram pela parte do solo que ficou exposta. Sentiu um ligeiro calafrio e pensou: *Lápides para animais. Não sei se isso me agrada muito.*

— De que época são os túmulos mais antigos?

— Rapaz, eu não sei — disse Jud, enfiando as mãos nos bolsos. — O lugar já existia quando Spot morreu, é claro. Eu tinha um enorme bando de amigos naquele tempo. Eles me ajudaram a cavar o buraco para o Spot. Cavar aqui não é assim tão fácil... O solo é terrivelmente pedregoso, você sabe, duro de remover... Também os ajudei algumas vezes — Jud apontou com um dedo calejado. — Aqui ficou o cachorro de Pete La Vasseur, se não estou enganado, e ali há três gatos de Albion Groatley, enterrados todos na mesma fileira... O velho Fritchie sempre gostava de caçar pombos. Eu, Al Groatley e Carl Hannah enterramos um desses pombos. Foi achado por um cachorro. Está bem ali — ele fez uma pausa com ar pensativo. — Sou o único que sobrou dessa turma. Estão todos mortos agora, meu bando... Todos se foram.

Louis não disse nada, ficou apenas contemplando os túmulos dos bichos, as mãos nos bolsos.

— O solo é pedregoso — Jud repetiu. — Acho que não se pode plantar nada aqui além de cadáveres.

Do outro lado da clareira, Gage começou a choramingar. Rachel levantou-o para pegá-lo no colo.

— Ele está com fome — alertou ela. — Acho que devíamos voltar, Lou — *Por favor, está bem?*, seus olhos pediram.

— Sem dúvida — disse ele. Foi para junto da mulher, pôs novamente a cadeirinha nas costas e se virou para que Rachel pudesse acomodar Gage. — Ellie! Ei, Ellie, onde está você?

— Está ali — disse Rachel, apontando para as árvores derrubadas pelo vento. Ellie escalava uma delas como se os troncos fossem uma imitação barata das barras do parquinho da escola.

— Oh, meu bem, quer fazer o favor de descer daí? — Jud chamou, alarmado. — Se você colocar o pé no buraco errado ou se um desses troncos rolar, pode quebrar um tornozelo.

Ellie saiu num pulo.

— Opa! — ela gritou, correndo para perto deles e limpando as mãos nos quadris. Um galho seco rasgara-lhe as calças, mas não chegou a causar nenhum arranhão.

— Está vendo o que eu quis dizer? — Jud perguntou, acariciando-lhe os cabelos. — Mesmo quem está acostumado a andar pela floresta não tenta escalar esses troncos velhos. Prefere dar a volta. Árvores caídas numa pilha ficam traiçoeiras. São capazes de mordê-la se você bobear.

— É verdade? — Ellie perguntou.

— É verdade. Estão empilhadas como canudinhos, olhe lá. Se a gente pisar no lugar errado, todas podem rolar numa grande avalanche.

Ellie se virou para Louis.

— É mesmo, papai?

— Acho que sim, meu bem.

A menina se virou para as árvores caídas e gritou:

— Olhem aqui! Vocês rasgaram minha calça, suas árvores bobas!

Os três adultos riram. As árvores caídas não. Apenas continuaram desbotando-se ao sol como faziam há décadas. Para Louis, pareciam restos do esqueleto de um monstro há muito falecido, um ser ferido de morte por algum bravo e gentil cavaleiro. Ossos de dragão, deixados ali como um gigantesco monumento funerário.

Ocorreu-lhe até que era conveniente demais a existência das árvores caídas naquele ponto da trilha, conveniente o modo como se achavam entre o cemitério de bichos e as profundezas dos bosques (aos quais Jud Crandall às vezes se referia, distraidamente, como "bosques indígenas"). A disposição aleatória dos troncos lembrava uma obra de arte, perfeita demais para ser simplesmente um trabalho da natureza. Se...

Então Gage pegou uma das orelhas do pai e torceu, gritando de satisfação. Louis esqueceu tudo sobre as árvores caídas no bosque além do cemitério de bichos. Estava na hora de voltar para casa.

9

No dia seguinte, Ellie se aproximou dele um tanto perturbada. Louis montava um modelo em seu escritório. Era um Rolls-Royce *Silver Ghost*, de 1917, com 680 peças e mais de cinquenta partes móveis. Estava quase pronto e ele já podia imaginar o chofer de libré, descendente direto dos cocheiros ingleses dos séculos XVIII e XIX, imperialmente sentado ao volante.

Desde os 10 anos, era louco por modelos. Começara com uma corveta da Primeira Guerra Mundial que o tio Carl lhe dera, montara a maioria dos aviões da Revell e passara a coisas maiores e melhores quando adolescente e rapaz. Tivera uma fase de barcos em garrafas, uma fase de armamentos, um período em que construíra revólveres tão perfeitos que era difícil acreditar que não atirassem quando se puxasse o gatilho: Colts, Winchesters, Lugers, até mesmo um Buntline Special. Nos últimos cinco anos, foi a vez dos grandes transatlânticos. As miniaturas do Lusitânia e do Titanic estavam nas prateleiras de sua sala na Universidade, e o Andrea Doria, terminado pouco antes de saírem de Chicago, navegava no console da lareira da sala de estar. Agora passara aos carros clássicos, e se o padrão anterior continuasse, acreditava que só dali a quatro ou cinco anos sentiria necessidade de montar alguma coisa diferente. Rachel encarava aquilo, na realidade seu único *hobby*, com uma indulgência de esposa. Supunha, no entanto, que essa indulgência contivesse alguns elementos de desprezo; mesmo após dez anos de casamento ela provavelmente ainda esperava que um dia o marido se cansasse daqueles brinquedos. Era possível que um pouco dessa atitude viesse do pai dela, que acreditava, desde o casamento dos dois, que havia ganhado um imbecil como genro.

Talvez, ele pensou, *Rachel tenha razão. Talvez uma bela manhã eu acorde com 37 anos de idade, ponha todos esses modelos no sótão e comece a pensar como gente séria.*

Enquanto isso, Ellie parecia muito séria.

Ao longe, vibrando no ar fresco matinal, ouvia-se o impecável bater dos sinos chamando os fiéis para a missa de domingo.

— Oi, papai — disse ela.

— Oi, bonequinha. Que está havendo?

— Oh, nada — ela respondeu, mas o rosto expressava outra coisa; o rosto dizia que havia muita coisa, e não coisas boas. O cabelo fora há pouco lavado e caía solto pelos ombros. Parecia muito louro, apesar do tom castanho que o vinha escurecendo dia a dia. Usava um vestido, e ocorreu a Louis que a filha quase sempre punha um vestido aos domingos, embora a família não frequentasse a igreja.

— O que você está montando?

Louis colava cuidadosamente um para-lama.

— Dê uma olhada nisso — disse ele, passando-lhe uma calota. — Está vendo esses dois erres ligados? É um bonito detalhe, não é? Se formos para Shytown no Dia de Ação de Graças e viajarmos num L-1011, você vai ver esses mesmos erres nas turbinas do avião.

— Calotas, grande coisa...

Ela as devolveu.

— Escute — disse Louis —, se você tiver um Rolls-Royce deve chamá-las de "tampos de rodas". Se for suficientemente rica para possuir um Rolls-Royce, pode se dar ao luxo de esnobar um pouco. Quando eu fizer meu segundo milhão, eu mesmo vou comprar um. O Rolls-Royce Corniche. Então, quando Gage ficar enjoado durante uma viagem de carro, vai poder vomitar num banco de couro de verdade.

E por falar nisso, Ellie, em que você está pensando? Mas as coisas não funcionavam assim com Ellie. Não adiantava perguntar diretamente. A menina não gostava de revelar os seus segredos. Era um traço que Louis admirava na personalidade da filha.

— Nós somos ricos, papai?

— Não — disse ele —, mas também não vamos morrer de fome.

— Michael Burns, na escola, diz que todos os médicos são ricos.

— Bem, pode dizer a Michael Burns na escola que muitos médicos *ficam* ricos, mas demora vinte anos... E ninguém fica comandando a enfermaria de uma universidade. Fica-se rico sendo um especialista. Um ginecologista, um ortopedista, um neurologista. Esses ficam ricos mais depressa. Pra quem enfrenta a dureza, como eu, demora mais tempo.

— Então, por que você não é um especialista, papai?

Louis pensou de novo nos modelos e no modo como um dia simplesmente não quis mais construir aviões de guerra, do mesmo modo como se cansou dos tanques Tiger e das peças de artilharia, do mesmo modo, também, como passou a achar (quase da noite para o dia, parecia-lhe agora) que construir barcos em garrafas era monótono demais; e então ele imaginou como seria passar toda a vida examinando pés de crianças para tratar de um dedo encurvado ou colocando luvas finas de látex para tatear por canais vaginais com um dedo suave, em busca de calombos ou lesões.

— Eu não ia gostar — disse ele.

Church entrou no escritório, fez uma pausa, inspecionou o ambiente com os olhos verdes brilhando. Depois pulou silenciosamente para o parapeito da janela e pareceu disposto a dormir.

Ellie olhou para ele e franziu a testa, o que Louis julgou excessivamente estranho. Geralmente, Ellie contemplava Church com uma expressão de amor tão vigorosa que era quase comovente. Ela começou a perambular pelo escritório, observando as diferentes miniaturas e, num tom meio despreocupado, disse:

— Puxa, havia um monte de túmulos lá no "simitério" de bichos, não é papai?

Ah, aí está a coisa, Louis pensou, mas não virou a cabeça; após examinar as instruções, começou a pôr as lanternas traseiras no Rolls.

— É mesmo, filha — disse ele. — Acho que mais de cem.

— Papai, por que os bichos não vivem o mesmo tempo que a gente?

— Bem, certos animais vivem mais ou menos o mesmo tempo — ele respondeu —, e alguns vivem até muito mais. Os elefantes têm uma vida bem longa e existem tartarugas-marinhas tão velhas que ninguém sabe qual é a *verdadeira* idade delas... Ou talvez saibam, mas é difícil de acreditar.

Ellie rejeitou a explicação.

— Elefantes e tartarugas-marinhas não são *bichos de estimação*. Bichos assim não vivem muito tempo de *jeito nenhum*. Michael Burns diz que cada ano que um cachorro vive é como nove da gente.

— Sete — Louis corrigiu automaticamente. — Sei aonde quer chegar, meu bem, e há alguma verdade nisso. Um cachorro com 12 anos de idade é um cachorro velho. Olhe, há uma coisa chamada *metabolismo*, e o que o metabolismo parece fazer é contar o tempo. Bem, ele também faz outras coisas... Certas pessoas, como sua mãe, podem comer muito e continuar magras devido ao metabolismo. Outras pessoas, eu, por exemplo, simplesmente engordam se comerem um pouquinho a mais. Nossos metabolismos são diferentes, a verdade é essa. Mas o que o metabolismo faz é principalmente servir como relógio nos corpos dos seres vivos. Os cães têm um metabolismo relativamente acelerado. O metabolismo das pessoas é muito mais lento. A maioria de nós vive cerca de 72 anos. E pode acreditar, 72 anos é bastante tempo.

Como Ellie parecia realmente preocupada, ele esperava ter soado com mais convicção do que realmente sentia. Estava com 35, mas achava que aqueles anos tinham sido tão rápidos e efêmeros quanto uma corrente de vento na fresta de uma porta.

— As tartarugas-marinhas, porém, têm um metabolismo ainda mais len...

— E os gatos? — Ellie perguntou olhando de novo para Church.

— Bem, os gatos vivem tanto tempo quanto os cachorros — o pai respondeu. — Pelo menos a maioria deles.

Era mentira e ele sabia disso. Os gatos vivem perigosamente e com frequência têm mortes trágicas, em geral antes de suas próprias expectativas de vida. Ali estava Church, cochilando ao sol (ou, pelo menos, parecia). Church que toda noite dormia pacificamente na cama de sua filha, Church que fora tão engraçadinho quando filhote, que certa vez ficou todo emaranhado num novelo de lã. E, no entanto, Louis já o vira atacar de surpresa um pássaro com a asa quebrada, os olhos verdes brilhando de curiosidade e — sim, ele seria capaz de jurar — frio prazer. Raramente Church matava o que conseguia pegar, mas tinha havido uma importante exceção, um rato grande, provavelmente apanhado na viela entre o prédio onde moravam e o prédio vizinho. Ele realmente *preparara* o ataque àquele rato. Ao vê-lo junto do rato e com o focinho salpicado de sangue, Rachel, há seis meses grávida de Gage, teve de correr até o banheiro para vomitar. Vidas violentas, mortes violentas. Podem ser atacados e dilacerados por um cachorro, visto que nem todos são como os cães desajeitados e idiotas dos desenhos animados; podem também ser mortos por gatos mais fortes, por uma isca envenenada ou atropelados por um carro. Os gatos são os gângsteres do mundo animal, vivendo fora da lei e frequentemente morrendo por causa disso. Era muito grande o número dos que não envelheciam ao pé da lareira.

Mas talvez aquilo não fosse coisa para contar à filha de 5 anos, uma menina que pela primeira vez encarava a verdade sobre a morte.

— O que quero dizer... — Louis continuou — é que Church tem apenas 3 anos agora, e você tem 5. Ele ainda pode estar vivo quando você for uma moça de 15 anos e estiver no segundo ano do ensino médio. E isso ainda está muito longe.

— Não acho que esteja longe — disse Ellie, e agora sua voz tremia. — Não está longe *mesmo.*

Louis desistiu de montar o modelo e fez sinal para que ela se aproximasse. Ellie sentou-se no colo do pai, que ficou novamente impressionado com a beleza da filha, acentuada agora pela perturbação emocional. Tinha a pele morena, quase mediterrânea. Tony Benton, um dos médicos com quem trabalhara em Chicago, costumava chamá-la "princesinha indiana".

— Meu bem — disse ele —, se dependesse de mim, Church viveria 100 anos. Mas não sou eu quem dita as regras.

— Quem é então? — ela perguntou, e com infinito desprezo acrescentou. — Deus, não é?

Louis reprimiu o ímpeto de rir. Aquilo era bastante sério.

— Deus ou alguém — disse ele. — Os relógios também param... Isso é tudo que eu sei. Não temos garantia de nada, querida.

— Não quero ver Church como todos aqueles bichos mortos! — ela explodiu, subitamente chorosa e enfurecida. — Não quero que Church morra nunca! Ele é o meu gato! Ele não é o gato de Deus! Deus que fique com o gato dele! Deus pode ter todas as drogas de gatos que quiser e matar todos eles! Mas Church é *meu*!

Houve passos na cozinha e Rachel deu uma espiada no escritório, sobressaltada. Ellie estava chorando no peito de Louis. Dera voz ao seu horror, pusera-o para fora. Sua face fora descoberta e podia ser encarada. Agora, mesmo que não pudesse remediá-lo, poderia pelo menos chorá-lo.

— Ellie — disse o pai, embalando-a — escute, Ellie, Church não está morto, está ali, dormindo.

— Mas *podia* estar morto — ela choramingou. — *Pode* estar, a qualquer momento.

Louis continuava a afagá-la. Certo ou errado, acreditava que a filha chorava pela inevitabilidade da morte, pelo fato de a morte ser tão impermeável aos argumentos ou às lágrimas de uma menina. Acreditava que Ellie chorava por sua cruel imprevisibilidade e devido à maravilhosa e terrível capacidade que têm os seres humanos de transformar símbolos em conclusões que podem ser belas e generosas ou extremamente sinistras. Se todos aqueles animais estavam mortos e enterrados, então Church também podia morrer...

(*a qualquer momento!*)

... e ser enterrado; e se isso podia acontecer com Church, também podia acontecer com sua mãe, seu pai, seu irmãozinho. Com ela mesma. A morte era uma ideia vaga; o "simitério" de bichos era real. Na superfície daquelas lápides grosseiras estavam gravadas verdades que mesmo a mente de uma criança podia entender.

Seria fácil mentir, da mesma forma que fizera sobre a expectativa de vida dos gatos. Mas uma mentira seria lembrada mais tarde e, quem sabe, acrescentada à lista de coisas negativas que as crianças sempre atribuem aos pais. A própria mãe de Louis dissera-lhe uma mentira inócua sobre as mulheres encontrarem os bebês de manhã cedo no mato quando realmente queriam tê-los. Por mais inofensiva que fosse essa história, Louis jamais perdoara a mãe, assim como jamais perdoara a si mesmo por ter acreditado.

— Meu bem — disse ele —, isso acontece. Faz parte da vida.

— É uma parte *ruim*! — ela protestou. — Uma parte *muito* ruim!

Não havia resposta para aquilo. A menina chorava, mas em algum momento as lágrimas iriam parar. Era o primeiro passo para ficar em paz, mesmo que fosse uma paz incômoda, com uma verdade que nunca poderia ser eliminada.

Apertava a filha nos braços e ouvia os sinos da igreja na manhã de domingo, que flutuavam pelos campos de outono. Algum tempo depois de as lágrimas cessarem, Louis percebeu que, como Church, a filha tinha caído no sono.

Levou-a para a cama e desceu para a cozinha, onde Rachel batia com força a massa de um bolo. Falou de sua surpresa com a reação de Ellie em plena manhã; não era característico dela.

— Não — disse Rachel, pousando a tigela sobre a pia com um golpe vigoroso. — Não é, mas acho que passou quase toda a noite acordada. Ouvi como rolou na cama, e Church miou para sair por volta de três da manhã. Ele só faz isso quando Ellie está inquieta.

— Mas por que estaria...?

— Ora, você sabe por quê! — Rachel respondeu com raiva. — Aquele maldito cemitério de bichos, é essa a razão! Ela ficou realmente impressionada, Lou. Foi o primeiro cemitério de *qualquer* tipo que ela viu, e simplesmente... a perturbou. Sem dúvida, não estou com a menor vontade de agradecer ao seu amigo Jud Crandall por essa *bela* excursão.

De uma hora para outra, ele virou meu amigo, Louis pensou, ao mesmo tempo atônito e chateado.

— Rachel...

— Não quero que ela volte lá.

— Rachel, o que Jud disse sobre a trilha é verdade.

— Não é a *trilha* e você sabe disso — Rachel retrucou. Pegou de novo a tigela e continuou a bater o bolo com mais força ainda. — É aquele *lugar* maldito. Não é saudável. Crianças indo até ali e cuidando dos túmulos, conservando a trilha limpa... Que merda de coisa mais *mórbida*! Seja qual for a doença que tenham as crianças daqui, não quero que Ellie a pegue.

Louis encarou-a, perplexo. Tinha quase certeza de que uma das coisas que mantivera firme o casamento dos dois (quando os casamentos de seus amigos desmoronavam a cada ano) era o respeito que tinham pelo "mistério" — a ideia percebida, mas nunca expressa de que, quando se vai ao fundo do poço, talvez não exista nada de casamento, união. Cada alma permanece sozinha e avessa a qualquer racionalidade. Aí estava o mistério. E por mais que se acredite conhecer o parceiro, às vezes nos vemos num beco sem saída e podemos cair num buraco. E outras vezes (raramente, graças a Deus), enfrenta-se um sólido bolsão de absoluta estranheza, alguma coisa como uma turbulência em céu limpo que pode golpear um avião sem motivo aparente. Pode ser uma atitude ou crença de que nunca se tenha suspeitado, algo tão peculiar (ao menos para nós) que pareça quase psicótico. E então nos afastamos de mansinho, em nome do casamento e de nossa paz de espírito; não podemos esquecer que a ira diante de uma tal descoberta é o território preferido dos loucos que acreditam que uma mente possa conhecer outra.

— Querida, é apenas um cemitério de bichos — disse ele.

— O modo como estava chorando ainda agora... — disse Rachel, apontando para a porta do escritório com a colher cheia de massa. — Você acha que *para ela* é apenas um cemitério de bichos? Isso vai deixar uma cicatriz, Lou. Não. Ela nunca mais vai voltar lá. Não é a trilha, é o *lugar*. Agora já está achando que Church vai morrer!

Por um momento, Louis teve a estranha impressão de ainda estar conversando com Ellie; ela subira em pernas de pau, vestira uma roupa da mãe e pusera uma máscara muito benfeita, muito realista de Rachel. Até a expressão era a mesma — emburrada e enérgica na aparência, mas profundamente magoada por dentro.

Ele insistiu, porque aquilo não parecia tão inofensivo, não era uma coisa que pudesse deixar passar em nome do tal mistério ou daquela individualidade. Insistiu porque achou que Rachel não percebia algo que saltava quase brutalmente aos olhos, e isso só era possível porque ela insistia em mantê-los fechados.

— Rachel — disse ele —, Church *vai* morrer.

Ela encarou furiosa o marido.

— Este não é o problema — disse, pronunciando cuidadosamente cada palavra, como se falasse a uma criança retardada. — Church não vai morrer hoje nem amanhã...

— Foi o que tentei dizer a ela...

— Nem *depois* de amanhã, nem provavelmente daqui a *anos*...

— Querida, não podemos ter certeza dis...

— É claro que *podemos*! — ela gritou. — Estamos cuidando muito bem dele, ele não vai *morrer*, ninguém vai *morrer* por aqui, e eu não entendo por que você tem de deixar uma menina tão transtornada por causa de uma coisa que ela só vai ser capaz de compreender quando for mais velha!

— Rachel, escute...

Mas Rachel não pretendia escutar. Estava colérica.

— Já é bem difícil ter de enfrentar a morte quando ela acontece... Seja de um gato, de um amigo ou de um parente... Não é preciso transformá-la numa... maldita atração turística... Um campo na flo-floresta para a-animais...

As lágrimas corriam-lhe pelo rosto.

— Rachel — disse Louis, tentando pôr as mãos em seus ombros. Ela o repeliu com um gesto brusco.

— Não importa! Você não tem a menor ideia do que estou falando!

Louis suspirou.

— Estou me sentindo como se tivesse caído num alçapão escondido e encontrado um enorme mastodonte — brincou, esperando um sorriso. Não obteve nenhum, somente o olhar fixo dos olhos negros e flamejantes da esposa. Estava furiosa; não apenas zangada, mas realmente furiosa. — Rachel — começou de novo, não sabendo exatamente o que dizer até que a frase se completou —, como *você* dormiu a noite passada?

— Oh, não — ela disse num tom desdenhoso, virando a cabeça, mas não sem antes revelar um lampejo de mágoa nos olhos. — Muito inteligente! *Realmente* muito inteligente. Você nunca muda, Louis. Quando alguma coisa não está bem, a culpa é da Rachel, certo? Rachel está tendo uma de suas esquisitas reações emocionais.

— Não é justo o que está dizendo.

— Não?

Rachel levou a tigela com a massa de bolo para a extremidade do balcão ao lado do forno e colocou-a ali com outra pancada. Depois, começou a untar uma forma, comprimindo os lábios com força.

Louis falou num tom paciente:

— Escute Rachel, não há nada de errado se uma criança descobre alguma coisa sobre a morte. Na realidade, acho até que é necessário que isso aconteça. A reação de Ellie, o choro, me pareceu perfeitamente natural.

— Oh, *pareceu* natural — disse Rachel girando nos calcanhares para enfrentar o marido. — Parece *muito* natural uma criança chorar desesperadamente por um gato que está vivo e cheio de saúde...

— Pare com isso — Louis protestou. — Não faz sentido o que está dizendo.

— Não quero mais discutir.

— Ah, mas vamos discutir sim — ele disse, zangado. — Você falou o que quis. Agora é a minha vez, está bem?

— Ela não vai mais lá! Pelo que me diz respeito, o assunto está encerrado!

— Desde o ano passado, Ellie sabe de onde vêm os bebês — disse Louis pausadamente. — Demos a ela o livro de Myers e conversamos sobre o assunto, está lembrada? Nós dois concordamos que as crianças deviam saber de onde vêm.

— Isso nada tem a ver com...

— Mas é claro que tem a ver! — Louis protestou num tom áspero. — Quando conversei com Ellie no escritório, sobre Church, fiquei pensando em minha mãe e na história que ela me contou de crianças nascendo em pés de repolho quando perguntei como as mulheres tinham bebês. Nunca esqueci essa mentira. Acho que as crianças nunca esquecem as mentiras que os pais contam.

— De onde vêm os bebês não tem nada a ver com um maldito cemitério de bichos! — Rachel gritou, e a expressão nos seus olhos dizia:

Pode falar dia e noite se quiser, Louis; pode falar até ficar roxo, mas não vou aceitar a comparação.

Mesmo assim, ele insistia.

— Ela sabe como as pessoas nascem. Aquele lugar no bosque simplesmente fez com que quisesse saber tudo sobre o outro lado das coisas. É perfeitamente natural. Na realidade, acho que é a coisa mais natural do mun...

— *Quer parar com isso?* — A mulher berrou de repente, um berro de verdade, e Louis recuou, atônito. Seu cotovelo esbarrou no saco de farinha de trigo aberto sobre o balcão. O saco tombou e se espatifou no chão da cozinha. A farinha se espalhou numa nuvem branca.

— Merda — Louis exclamou desolado.

No andar de cima, Gage começou a chorar.

— Muito bom — disse ela, agora também chorando. — Você acordou o bebê. Obrigada por essa bela, tranquila, relaxante manhã de domingo.

Quando a mulher passou por ele, Louis segurou-a pelo braço.

— Quero lhe fazer uma pergunta — disse —, porque sei que qualquer coisa, literalmente *qualquer coisa*, pode acontecer aos seres vivos. Como médico, eu sei disso. Quer ter de explicar um dia à sua filha o que aconteceu se Church ficar com cinomose ou leucemia, gatos são muito propensos à leucemia, você sabe... ou se for atropelado na estrada? Quer ter de explicar à sua filha, Rachel?

— Deixe-me em paz — ela quase sibilou. A raiva na voz, porém, era sobrepujada pelo magoado e desconcertante terror em seus olhos. *Não quero falar sobre isso, Louis, e você não vai me obrigar*, eles pareciam dizer. — Deixe-me subir, quero pegar Gage antes que ele caia do ber...

— Porque talvez *você* é quem devesse explicar — disse ele. — Pode dizer a Ellie que não conversamos sobre isso, que pessoas sadias não conversam sobre isso, elas simplesmente enterram... Opa!, não diga "enterram", pode lhe causar um complexo.

— *Eu odeio você!* — Rachel soluçou e se desvencilhou do marido. Então, é claro, ele ficou com pena, e, é claro, era tarde demais.

— Rachel...

Ela se afastou de forma brusca, chorando descontroladamente.

— Deixe-me sozinha. Você já falou o suficiente.

Parou na porta da cozinha e se virou. As lágrimas lhe escorriam pelo rosto.

— Não quero mais que este assunto seja discutido na frente de Ellie. Estou avisando, Lou. A morte não tem nada de natural. *Nada.* Como médico, você devia saber *disso.*

Deu meia-volta e saiu, deixando Louis na cozinha vazia, que ainda vibrava com as vozes dos dois. Por fim, ele foi apanhar uma vassoura na despensa. E enquanto varria, refletiu sobre as últimas frases da mulher e a enorme divergência entre seus pontos de vista, que por tanto tempo permanecera abafada. Como médico, ele sabia que a morte, exceto talvez a morte durante o parto, era a coisa mais natural do mundo. Os impostos não eram tão naturais, os conflitos humanos também não, nem os conflitos sociais, as discussões e a pancadaria. No fundo, só havia o relógio e as lápides, que se desgastavam e ficavam anônimas com o passar do tempo. Mesmo as tartarugas-marinhas e as sequoias gigantes têm de acabar algum dia.

— Zelda — ele disse em voz alta. — Deus, aquilo deve ter sido terrível!

A dúvida era se deveria deixar as coisas como estavam ou tomar alguma providência.

Inclinou a pá na lata do lixo e a farinha deslizou como um sopro suave, cobrindo de branco as caixas de papelão abertas e as latas usadas.

10

— Espero que Ellie não tenha ficado impressionada — disse Jud Crandall.

Não pela primeira vez, Louis achou que o homem tinha uma estranha — e um tanto desagradável — capacidade de pôr cuidadosamente o dedo no ponto dolorido.

Estava sentado com Jud e Norma na varanda do casal, bebendo chá gelado em vez de cerveja. A noite refrescara. Na Rodovia 15, o tráfego da volta para casa após o fim de semana parecia bastante intenso; as pessoas pareciam achar que cada fim de semana com tempo bom poderia ser o último de todos, imaginava Louis. No dia seguinte, ele assumiria plenamente suas funções na enfermaria da Universidade do Maine. Desde a véspera, os estudantes tinham começado a chegar, enchendo apartamentos em Orono e dormitórios no campus, fazendo as camas, revendo conhecidos e, sem dúvida, reclamando do início de outro ano com aulas às oito da manhã e comida sem gosto. Rachel estivera o dia todo indiferente com ele (gelada, seria melhor dizer), portanto sabia que, quando atravessasse a estrada para voltar à casa, ela já estaria deitada. Gage provavelmente estaria dormindo com ela, os dois muito apertados num dos lados da cama, o bebê correndo o risco de cair. Sua metade da cama seriam na verdade três quartos, um espaço que parecia um deserto grande e árido.

— Eu disse que espero...

— Ah, desculpe — disse Louis. — Estava distraído. Ela ficou um pouco perturbada, sim. Como adivinhou?

— Como eu disse, vemos as crianças indo e vindo pelo caminho. — Jud pegou carinhosamente a mão da esposa e sorriu para ela. — Não é verdade, querida?

— Grupos e grupos de crianças — disse Norma Crandall. — Gostamos muito delas.

— Às vezes o cemitério de bichos é o primeiro encontro cara a cara com a morte que elas têm — disse Jud. — Veem pessoas morrerem na TV, mas sabem que não é de verdade... É como naqueles velhos filmes de faroeste que passavam nos cinemas aos sábados. Na TV e nos filmes, as pessoas só põem a mão na barriga ou no peito e caem duras. Aquele lugar ali no morro deve soar muito mais real para a maioria delas do que todos esses filmes e programas de TV, você não acha?

Louis concordou com a cabeça, pensando: *Tente dizer isso à minha mulher!*

— Parece que algumas crianças nem ligam, ou, pelo menos, não dá pra notar... Mas acho que mesmo essas guardam uma certa intriga no bolso, para examinar depois, em casa, como todas as outras coisas que encontram na rua. A maioria sempre reage bem. Mas algumas... Você se lembra do filho dos Holloway, Norma?

Norma balançou afirmativamente a cabeça. O gelo chocalhava um pouco no copo que segurava. Os óculos estavam pendurados no peito e os faróis de um carro que passava iluminaram rapidamente a corrente que prendia a armação.

— Ele tinha cada pesadelo... — disse ela. — Sonhava com cadáveres saindo do chão e não sei mais o quê. Depois o cachorro dele morreu... A única coisa que se pode imaginar é que tenha comido veneno para rato. Está lembrado, Jud?

— Veneno para rato — Jud repetiu balançando a cabeça. — Foi o que a maioria das pessoas pensou, é. Aconteceu em 1925. Billy Holloway devia ter 10 anos. Depois quis chegar a senador. Ele se candidatou à Câmara dos Deputados mais tarde, mas perdeu... Isso foi pouco antes da Guerra da Coreia.

— Ele e alguns amigos fizeram um funeral para o cachorro — Norma lembrou. — Era apenas um vira-lata, mas Billy gostava muito dele. Lembro que os pais ficaram um pouco contrariados com o enterro, por causa dos pesadelos do filho, mas os garotos levaram a coisa adiante. Os meninos mais velhos fizeram um caixão, não foi, Jud?

Jud concordou com a cabeça e bebeu até o fim o copo de chá.

— Dean e Dana Hall — disse o velho. — Eles e o outro garoto com quem Billy costumava brincar... Não consigo lembrar o primeiro nome dele, mas tenho certeza de que era um dos filhos dos Bowie. Está lembrada dos Bowie, Norma? Moravam na estrada Central, na velha casa de Brochette...

— Sim! — Norma respondeu, tão entusiasmada como se tudo tivesse acontecido na véspera... E talvez fosse assim que as coisas surgissem em sua mente. — Foi um Bowie! Alan ou Burt...

— Ou talvez Kendall — Jud acrescentou. — De qualquer modo, lembro que eles tiveram uma discussão terrível sobre quem ia carregar o caixão, que não era muito grande, então só dava para dois levarem. Dean e Dana Hall disseram que eles é que deviam levar porque tinham feito o caixão e, além disso, eram gêmeos... Acho que era uma questão de harmonia. Billy achava que eles não tinham intimidade suficiente com Bowser (era o nome do cachorro) para carregar o caixão. "Meu pai diz que só amigos íntimos podem segurar na alça", ele argumentava, "não *carpinteiros*".

Jud e Norma riram e Louis sorriu.

— Estavam a ponto de começar a brigar quando Mandy Holloway, a irmã de Billy, resolveu ir buscar o quarto volume da *Enciclopédia*

Britannica — disse Jud. — Naquela época, o pai deles, Stephen Holloway, era o único médico destes lados de Bangor e Bucksport. A família dele era a única em Ludlow que podia se dar ao luxo de ter uma enciclopédia.

— Foram também os primeiros a ter luz elétrica — Norma interveio.

— Como eu ia dizendo — Jud continuou —, Mandy voltou esbaforida, o nariz em pé, uma fila de meninos atrás dela (todos na faixa dos 8 anos), as anáguas esvoaçando, e na mão aquele livro enorme. Billy e o menino Bowie (acho que o primeiro nome era Kendall, morreu numa queda de avião em Pensacola, onde treinavam pilotos para a guerra no início de 1942), os dois já estavam quase dispostos a conceder aos gêmeos Hall o privilégio de carregar o pobre e velho vira-lata envenenado até a cova.

Louis começou a rir timidamente, mas logo estava às gargalhadas. Podia sentir o resto de tensão que sobrara da áspera discussão com Rachel começando a se dissipar.

— Então ela disse: "Esperem! Esperem! Olhem isto!" Todos eles pararam e olharam. E ela pegou aquele maldito livro...

— Jud — disse Norma num tom de advertência.

— Desculpe, querida; você sabe que eu vou me empolgando e...

— Eu sei... — disse ela.

— E ela pegou aquele bendito livro e abriu em FUNERAIS! Havia uma gravura da Rainha Vitória passando desta para melhor, com muita gente lhe desejando boa viagem. Havia dezenas de pessoas de cada lado do caixão, algumas suando e fazendo força pra levantar o bicho, outras, apenas em volta, de casacas pretas e golas franzidas, como se estivessem esperando o anúncio do cavalo vencedor na pista do jóquei. E Mandy disse: "Quando é uma cerimônia fúnebre de Estado, você pode ter o número de pessoas que quiser pra levar o caixão! O livro está dizendo!"

— E isso resolveu o problema? — Louis perguntou.

— Eles deram um jeito. Acabou que havia cerca de vinte crianças junto ao caixão, todas querendo imitar exatamente o que tinham visto na gravura, faltavam só as golas e os chapéus altos. Mandy organizou os detalhes. Colocou-os em fila e deu uma flor a cada um: dentes-de-leão, orquídeas, margaridas... Aliás, eu sempre achei que o país perdeu uma boa oportunidade quando Mandy Holloway não foi eleita para o Congresso. — Ele riu e balançou a cabeça. — De qualquer modo, essa cerimônia acabou com os pesadelos de Billy sobre o cemitério de bichos. Ele chorou pelo seu cão, esgotou a tristeza e foi em frente. E é o que todos nós fazemos, eu acho.

Louis pensou outra vez em Rachel à beira da histeria.

— Ellie logo vai superar isso — disse Norma, mudando de posição na cadeira. — Você deve estar pensando, Louis, que aqui só falamos sobre morte. Bem... Jud e eu estamos ficando velhos, é verdade, mas acho que ainda não atingimos o estágio de nos comportarmos como urubus...

— Ora, não diga isso — Louis protestou. — É claro que não...

— Só que não é má ideia começar a ter uma tranquila familiaridade com a morte — ela continuou. — Nos dias de hoje... eu não sei... parece que ninguém quer conversar nem pensar sobre o assunto. Foi retirado da televisão porque as pessoas acham que pode fazer mal às crianças... fazer mal à cabeça delas... E as pessoas estão querendo caixões fechados para não terem de olhar os restos mortais ou dizer adeus ao defunto. Parece que querem esquecer que a morte existe.

— E ao mesmo tempo — Jud replicou —, enchem a TV a cabo com todos aqueles filmes mostrando pessoas... — ele olhou para Norma e pigarreou — mostrando pessoas fazendo o que geralmente as pessoas só fazem com as cortinas fechadas. Esquisito como as coisas mudam de uma geração para outra, não é?

— Sim — disse Louis. — Acho que sim.

— Bem, nós somos de uma época diferente — Jud continuou, quase num tom de desculpa. — Tínhamos maior intimidade com a morte. Vimos a epidemia de gripe espanhola após a Primeira Guerra Mundial, mães morrendo com os filhos, crianças morrendo de infecção e febres que hoje os médicos podem curar num passe de mágica. No tempo em que eu e Norma éramos jovens, se você tinha câncer, ora, isso era o mesmo que uma sentença imediata de morte. Não havia tratamento por radiação nos anos 20! Duas guerras, assassinatos, suicídios...

Ele ficou em silêncio por um momento.

— Vimos a morte ao mesmo tempo como amiga e inimiga — disse por fim. — Meu irmão Pete morreu de um apêndice supurado em

1912, quando Taft era presidente. Pete só tinha 14 anos e podia rebater uma bola de beisebol mais longe que qualquer garoto da cidade. Naquele tempo, não se precisava fazer um curso numa universidade para estudar a morte ou seja lá que nome se dê. Naquele tempo, ela entrava na casa da gente, cumprimentava, sentava e tomava uma sopa, mas às vezes podíamos sentir que dava um beliscão na nossa bunda.

Desta vez Norma não o corrigiu; só balançou a cabeça, em silêncio.

Louis ficou de pé e se espreguiçou.

— Eu tenho de ir — disse. — Amanhã vai ser um dia cheio.

— Sim, a roda-viva começa amanhã pra você, não é? — disse Jud, também se levantando. Viu que Norma também queria ficar de pé e lhe deu a mão. A mulher se levantou com um esgar.

— Não se sente muito bem esta noite, não é? — Louis perguntou.

— Não tão mal — disse ela.

— Ponha uma compressa de água quente quando for deitar.

— Vou pôr — disse Norma. — Sempre faço isso. E Louis... Não se preocupe com Ellie. Ela vai estar muito ocupada neste outono, conhecendo os novos amiguinhos para ficar pensando naquele lugar. Talvez um dia ela e outras crianças subam até lá, tornem a pintar alguns marcos, tirem as ervas daninhas ou plantem flores. Às vezes fazem isso, quando lhes dá na telha. E Ellie vai se sentir mais à vontade. Vai começar a sentir aquela tranquila familiaridade de que falei.

Deixe minha esposa ouvir isso.

— Se tiver um tempinho, passe por aqui amanhã à noite pra me contar como foi na universidade — disse Jud. — E vou ganhar de você numa partida de *cribbage*.*

— Bem, posso te deixar de porre antes — respondeu Louis. — E aí lhe dou uma surra.

— Doutor — disse Jud com grande sinceridade —, seria mais fácil eu deixar um charlatão como você tratar de mim do que alguém me dar uma surra no *cribbage*.

---

* Jogo de cartas para dois a quatro jogadores, semelhante ao buraco, no qual cada jogador pontua ao formar determinadas sequências de cartas. (N. do T.)

Em meio à noite de fim de verão, enquanto Jud e Norma ainda riam, Louis atravessou a estrada a caminho de casa.

Rachel dormia com o bebê em seu lado da cama, enroscada em posição fetal, defensiva. Louis acreditava que ela esqueceria tudo. Os dois tiveram muitas discussões e momentos de indiferença anteriormente, mas sem dúvida aquela briga fora a pior de todas. Sentia-se triste, aborrecido e infeliz, querendo pôr um ponto final no problema, mas não sabia como, nem mesmo se o primeiro passo deveria partir dele. Tudo parecia tão absurdo... Uma tempestade que se formara num copo d'água de uma hora para outra. Sim, sem dúvida, tinha havido outras brigas e discussões, mas não tão amargas quanto a provocada pelas lágrimas e pelas perguntas de Ellie. A seu ver, não era preciso um grande número de golpes como aquele para que a própria estrutura do casamento sofresse um dano irreparável. E um dia, então, em vez de ler sobre um divórcio no jornal ou no bilhete de um amigo ("Bem, acho que é melhor eu lhe contar antes que você saiba pela boca de outra pessoa, Lou; Maggie e eu estamos nos separando..."), seria ele quem teria de comunicar o rompimento com Rachel.

Tirou a roupa em silêncio e pôs o despertador para as seis. Depois tomou um banho, lavou o cabelo, fez a barba e, antes de escovar os dentes, engoliu um antiácido — o chá de Norma o deixara com um pouco de acidez no estômago. Era possível também que a indigestão viesse do fato de encontrar a mulher daquele jeito, apertada num dos lados da cama. Tudo é uma questão de território, não fora isso que aprendera em uma aula de História na universidade?

Tudo pronto e a noite terminada, Louis foi se deitar... Mas não conseguia dormir. Havia mais alguma coisa, algo que o importunava. Os dois últimos dias rodopiavam sem parar em sua mente enquanto Rachel e Gage respiravam compassadamente. GEN. PATTON... HANNAH, O MELHOR CACHORRO QUE JÁ EXISTIU... MARTA, NOSSA COELHA DE ESTIMAÇÃO... Ellie, furiosa. *Não quero que Church morra nunca!... Ele não é o gato de Deus! Que Deus fique com o gato dele!* Rachel, também furiosa. *Como médico, você devia saber...* Norma Crandall dizia: *Parece que querem esquecer que a morte existe...* E Jud, a voz terrivelmente firme, terrivelmente segura, uma voz de outra era:

Sentava e tomava uma sopa, mas às vezes podíamos sentir que dava um beliscão na nossa bunda.

E essas vozes se fundiam à voz de sua mãe, mentindo-lhe sobre o sexo aos 4 anos, mas dizendo a verdade sobre a morte aos 12, quando a prima Ruthie morreu num estúpido acidente de automóvel. Fora imprensada no carro do pai por um garoto que, depois de encontrar as chaves de um caminhão do Departamento de Obras Públicas e resolver dar um passeio nele, descobriu que não sabia fazê-lo parar. O garoto sofreu apenas pequenos arranhões e contusões, mas o Fairlane do tio Carl ficou destroçado. *Ela não pode ter morrido,* fora a reação de Louis à afirmação direta da mãe. Tinha ouvido as palavras, mas não conseguia apreender o sentido. *Por que a senhora está dizendo que ela morreu? Do que está falando?* E depois, como que numa reflexão tardia: *Quem vai fazer o enterro?* Pois embora o pai de Ruthie, tio de Louis, fosse agente funerário, não podia acreditar que o próprio tio Carl conseguiria enterrá-la. Em sua confusão e seu medo cada vez maiores, aquilo lhe pareceu a questão principal. Era um autêntico quebra-cabeça, do tipo "quem corta o cabelo do barbeiro da aldeia?".

Imagino que Donny Donahue faça o enterro, a mãe respondeu. Seus olhos estavam vermelhos, parecia exausta; na realidade devia estar quase caindo de cansaço. *Ele é o melhor amigo de seu tio no negócio. Oh, Louis... Pobre da Ruthie, tão meiga... Não posso suportar a ideia de que ela tenha sofrido... Reze comigo, está bem, Louis? Reze comigo pela alma de Ruthie. Preciso que você me ajude.*

Assim, os dois se ajoelharam na cozinha, ele e a mãe, para rezar. E foi a prece que finalmente esclareceu as coisas: se a mãe estava rezando pela *alma* de Ruthie Creed, significava que o *corpo* não existia mais. Diante dos olhos fechados de Louis, formou-se uma imagem terrível de Ruthie indo à festa dos seus 13 anos: as órbitas apodrecidas estampadas no rosto, os fungos cobrindo-lhe o cabelo ruivo. Essa imagem provocou-lhe não só um horror nauseante, mas também uma terrível sensação de piedade.

Gritou na maior agonia mental de sua vida: *Ela não pode ter morrido! MAMÃE, ELA NÃO PODE TER MORRIDO, EU GOSTO MUITO DELA!*

E veio a resposta da mãe, a voz desanimada, mas ainda evocando imagens (campos adormecidos sob um céu de final de outono, pétalas de rosas cinzentas e de pontas reviradas, piscinas vazias cobertas de limo, podridão, decomposição, pó):

É verdade, meu bem, sinto muito, mas é verdade. Ruthie se foi.

Louis estremeceu ao lembrar: *A morte é a morte... O que mais se pode fazer?*

E subitamente descobriu o que tinha esquecido de fazer, por que ainda estava acordado, na véspera do primeiro dia do novo emprego, revivendo lutos antigos.

Levantou-se, caminhou em direção à escada, mas no corredor fez repentinamente a volta para o quarto de Ellie. A filha dormia tranquila, de boca aberta, usando a camisola azul que, sem dúvida, já estava curta para ela. *Meu Deus, Ellie*, pensou Louis, *você está crescendo como milho.* Church jazia entre seus tornozelos abertos em leque, também morto para o mundo. *Se é que as comparações se aplicam.*

No andar de baixo, havia um quadro de avisos na parede perto do telefone. Nele estavam afixados vários recados, lembretes e contas. Em cima, as caprichadas letras maiúsculas de Rachel brincavam: COISAS PARA ADIAR O MÁXIMO POSSÍVEL. Louis pegou a agenda de telefones, procurou um número e anotou-o numa folha do bloco de notas. Sob o número, escreveu: *Quentin L. Jolander, veterinário. Marcar consulta para Church. Se Jolander não fizer, indicará quem faça.*

Olhou para a anotação, pensando se aquele era o momento certo. Sabia que era. Alguma coisa concreta tinha resultado de todo o mau pressentimento daquele dia, e tomara uma decisão ao longo do dia (mesmo sem saber que estava decidindo): não queria mais ver Church atravessando a estrada.

Seus velhos pontos de vista sobre o assunto assaltaram-lhe a mente: a ideia de que a castração humilharia o gato, convertendo-lhe, antes do tempo, num macho gordo e velho, que se contentaria em dormir perto do aquecedor esperando que alguém pusesse alguma comida na vasilha. Não queria que Church ficasse assim. Gostava de Church como era, magro e esperto.

Do lado de fora, um enorme caminhão roncou na escuridão da Rodovia 15, e isso o deixou seguro quanto a sua decisão. Afixou a nota no quadro de avisos e foi se deitar.

11

No dia seguinte, durante o café da manhã, Ellie viu o novo lembrete no quadro e perguntou ao pai o que aquilo significava.

— Significa que Church vai ter de fazer uma operação muito simples — disse Louis. — Provavelmente terá de passar uma noite no veterinário. Mas quando voltar para casa, vai ficar em nosso quintal, sem perambular tanto por aí.

— Nem atravessar a estrada? — Ellie perguntou.

Ela só tem 5 anos, Louis pensou, *mas sem dúvida não é tola.*

— Nem atravessar a estrada — ele concordou.

— Oba! — disse Ellie, e isso encerrou o assunto.

Louis, que estava preparado para uma discussão áspera, talvez mesmo histérica, sobre Church ter de passar uma noite fora de casa, ficou um tanto assombrado pela facilidade com que a filha aceitou a coisa. E pôde então imaginar o quanto ela devia estar preocupada. Talvez Rachel não estivesse de todo errada sobre o efeito do "simitério" de bichos em sua cabecinha.

A própria Rachel, que dava a Gage o habitual ovo do café da manhã, lançou-lhe um grato olhar de aprovação e Louis sentiu um alívio no peito. O olhar dizia que a hostilidade tinha passado; as pazes estavam feitas. Para sempre, ele esperava.

Mais tarde, depois que o grande ônibus amarelo engolira Ellie para levá-la à escola, Rachel aproximou-se dele, pôs os braços em volta de seu pescoço e o beijou suavemente na boca.

— Você foi muito gentil em resolver fazer isso — disse ela —, e desculpe por eu ter me comportado como uma víbora.

Louis devolveu o beijo, sentindo-se um pouco chateado entretanto. Ocorreu-lhe que "desculpe por eu ter me comportado como uma víbora", embora não fosse repetido com muita frequência, não era também uma coisa nova nos lábios da mulher. Era o que Rachel costumava dizer depois de recuperar o controle.

Enquanto isso, Gage dera alguns passos incertos até a porta da frente e contemplava a estrada vazia pela vidraça mais baixa.

— Ônibus — disse ele, balançando-se indiferente à fralda caída. — Ellie-ônibus.

— Ele está crescendo depressa — disse Louis.

Rachel concordou com a cabeça.

— Depressa demais para mim, eu acho.

— Espere só até ele se livrar das fraldas — disse Louis. — Aí é que não vai mais parar.

A mulher riu e entre os dois estava tudo em paz de novo, completamente em paz. Ela recuou um passo, fez um último ajuste na gravata do marido e olhou-o de cima a baixo com ar crítico.

— Estou aprovado, sargento? — ele perguntou.

— Está muito bonito.

— Sim, eu sei. Mas será que estou parecendo um cardiocirurgião? Um homem de duzentos mil dólares por ano?

— Não, parece apenas o velho Lou Creed — ela respondeu e riu. — A fera do rock.

Louis olhou para o relógio.

— A fera do rock tem de pôr os sapatos de swing e ir embora — disse.

— Está nervoso?

— Um pouco.

— Não fique nervoso — disse ela. — São sessenta e sete mil dólares por ano para aplicar esparadrapos, receitar remédios para gripe e ressaca, dar pílulas às moças...

— Não esqueça a loção pra chatos — disse Louis sorrindo. Uma das coisas que o deixara espantado em seu primeiro giro pela enfermaria fora o suprimento dessas loções. Parecia-lhe enorme, mais adequado a um hospital do exército que à enfermaria de um *campus* universitário de tamanho médio.

A srta. Charlton, a enfermeira-chefe, sorrira ironicamente:

— Os apartamentos nas vizinhanças do *campus* são muito úmidos. O senhor vai ver.

Ele não duvidou.

— Tenha um bom dia — disse Rachel beijando-o de novo, um beijo longo. Quando o largou, tinha uma expressão ao mesmo tempo severa e zombeteira. — E pelo amor de Deus não esqueça que é o *diretor*, não um estagiário ou um residente de segundo ano!

— Sim, doutora — ele respondeu humildemente e os dois riram. Por um momento, teve vontade de perguntar: *Foi Zelda, meu bem? É isso que você tem à flor da pele? Esta é a zona perigosa? Zelda e o modo como ela morreu?* Mas não ia perguntar, não agora. Como médico, sabia muitas coisas, e embora o fato de que a morte fosse tão natural quanto o nascimento pudesse ser fundamental, o fato de que não se deve mexer numa ferida que mal começou a cicatrizar também estava longe de ser desprezível.

Então, em vez de perguntar, limitou-se a beijá-la de novo e sair.

Era um bom começo, um bom dia. O Maine estava dando um show no fim do verão, o céu azul e sem nuvens, a temperatura estabilizada em vinte e dois graus extremamente agradáveis. Quando chegou ao fim da rodovia e começou a enfrentar o tráfego da manhã, Louis percebeu que, até aquele momento, ainda não vira um único indício da espetacular queda das folhas que acompanha o outono. Mas podia esperar.

Apontou o Honda Civic que mantinham como segundo carro em direção à universidade e acelerou. Rachel iria chamar o veterinário de manhã, Church seria castrado, e isso poria um ponto final em todo aquele clima absurdo de medos da morte e cemitérios de bichos (era engraçado como a grafia "simitério", estampada no arco que levava ao lugar, ameaçava penetrar em sua mente e quase começava a parecer correta). Mas não havia necessidade de pensar em morte numa bela manhã de setembro como aquela.

Ligou o rádio do carro e passou pelas estações até encontrar os Ramones atacando "Rockaway Beach". Aumentou o volume e cantou junto — mal, mas com grande satisfação.

12

A primeira coisa em que reparou ao entrar nos terrenos da universidade foi como o tráfego aumentara súbita e espetacularmente. Havia movimento de carros, bicicletas e um enorme número de pessoas correndo. Teve de parar bruscamente para desviar de dois corredores que vinham dos lados de Dunn Hall. Foi uma freada tão forte que pôde sentir as correias do cinto no peito e ouvir os pneus guinchando. Sempre ficava irritado pela mania que têm esses atletas (os ciclistas tinham o mesmo hábito exasperante) de presumir que estão isentos de qualquer responsabilidade assim que começam a correr. Afinal, eles estão se *exercitando*. Um deles fez sinal a Louis com um dedo, sem ao menos virar o rosto. Louis suspirou e seguiu em frente.

A segunda coisa em que reparou foi que a vaga da ambulância no pequeno estacionamento da enfermaria estava vazia, o que lhe deu um susto nada agradável. A enfermaria estava equipada para prestar o socorro básico a qualquer doente ou acidentado sem gravidade; o grande vestíbulo conduzia a três salas de exame e tratamento bastante bem-equipadas e, ao fundo, havia duas alas com 15 leitos cada uma. Mas não existia centro cirúrgico nem algo parecido. No caso de acidentes mais sérios, havia a ambulância, que poderia levar uma pessoa gravemente doente ou ferida para o Centro Médico da região leste do Maine. Steve Masterton, o médico-assistente que ajudara Louis a se familiarizar com as instalações, mostrava os registros dos dois anos anteriores com justificado orgulho: tinha havido apenas 38 saídas de ambulância nesse período. Não era nada mau, visto que havia mais de dez mil estudantes e que a população total da universidade chegava a quase 17 mil pessoas.

E lá estava ele, em seu primeiro dia de trabalho para valer, com a ambulância em atividade.

Estacionou diante de uma placa recém-pintada na qual se lia "RESERVADO PARA O DR. CREED" e entrou correndo na enfermaria.

Avistou Charlton, uma mulher na casa dos 50 anos, mas bastante vivaz, apesar dos cabelos que começavam a ficar grisalhos. Estava na primeira sala de exames, aferindo a temperatura de uma moça que usava jeans e uma frente única. A moça tinha grave queimadura de sol, Louis observou; a pele já estava bastante descascada.

— Bom dia, Joan — disse ele. — Onde está a ambulância?

— Oh, tivemos uma verdadeira tragédia — disse Charlton, tirando o termômetro da boca da estudante e vendo a temperatura. — Steve Masterton chegou às sete horas e viu uma grande poça sob o motor e as rodas da frente. Parecia um problema de radiador. Tiveram de levá-la para a oficina.

— Ótimo — disse Louis, mas apesar do tom irônico se sentia aliviado. Pelo menos não saíra para atender a uma emergência, o que fora seu temor inicial. — Quando a teremos de volta?

Joan Charlton riu.

— Conhecendo a mecânica e a lanternagem universitárias, eu diria que a ambulância deve estar de volta em meados de dezembro... Num embrulho de Natal. — Virou-se para a estudante. — Está com meio grau de febre. Tome duas aspirinas e fique fora de boates e lugares escuros.

A moça desceu da cama. Deu um rápido olhar de avaliação a Louis e saiu da sala.

— Nossa primeira paciente do novo semestre — disse Charlton com mau humor. — No início não conseguia ficar de boca fechada e quase deixou o termômetro cair.

— Parece que não simpatizou com ela.

— Conheço bem o tipo... Claro, temos outra espécie também: atletas que continuam a jogar com fraturas nos ossos e problemas nos tendões porque não querem ficar no banco de reservas, querem ser machos de verdade, não querem deixar o time perder, mesmo pondo em risco toda uma carreira adiante. E lá vai a Miss Meio Grau de Febre...

Charlton apontou para a janela, de onde Louis pôde ver a moça da queimadura de sol caminhando em direção ao complexo de dormitórios Gannett-Cumberland-Androscoggin. Na sala de exames, parecia estar se esforçando para disfarçar um mal-estar. Agora, andava com ar desenvolto, os quadris balançando vivamente, fazendo questão de ver e de ser vista.

— A típica hipocondríaca universitária — disse Charlton, pondo o termômetro num esterilizador. — Vamos vê-la dezenas de vezes este ano. Suas visitas serão mais frequentes antes de cada ciclo de provas. E uma semana antes dos exames finais, aparecerá aqui convencida de que tem pneumonia ou está ficando paralítica de um braço ou de uma perna. A bronquite será seu último refúgio. Vai conseguir escapar de quatro ou cinco provas (aquelas dos professores babacas, para empregar o termo que eles usam) e fazer as segundas chamadas mais fáceis. Ficam sempre mais doentes quando sabem que um teste ou exame final vai ser uma prova de verdade e não um seminário.

— Meu Deus, não vamos ser tão pessimistas logo pela manhã! — disse Louis. Ele parecia, de fato, um tanto perplexo.

Charlton piscou o olho e o fez sorrir.

— Eu não esquento a cabeça, doutor. E o senhor também não devia.

— Onde está Stephen?

— Na sua sala, abrindo a correspondência e tentando decifrar a última tonelada de besteiras burocráticas que chegou da reitoria — disse ela.

Louis entrou na enfermaria. Apesar do cinismo de Charlton, sentia-se satisfeito em seu posto.

Quando repassasse os fatos, quando suportasse pensar de novo em tudo aquilo, Louis perceberia que o pesadelo começou realmente por volta das dez horas daquela manhã, quando trouxeram para a enfermaria Victor Pascow, um rapaz que agonizava.

Até aquele momento, as coisas tinham sido bem tranquilas. Às nove, meia hora após a chegada de Louis, chegaram duas jovens que iam fazer um estágio como auxiliares de enfermagem. O turno delas ia até as três horas. Louis ofereceu uma rosquinha e uma xícara de café a cada uma e conversou com elas por cerca de quinze minutos, instruindo-as sobre seus deveres e, o que talvez fosse ainda mais importante, sobre o que estava além da capacidade delas. Depois, Charlton assumiu a coisa. Quando a enfermeira levou as duas da sala, Louis pôde ouvi-la perguntar:

— Alguma de vocês tem alergia a merda ou vômito? Aqui vocês vão ver as duas coisas aos montes.

— Oh, Deus — Louis murmurou e cobriu os olhos. No fundo, porém, estava sorrindo. Uma figura durona como Charlton nem sempre seria tão perigosa.

Começou a preencher o extenso formulário da reitoria, que representava um completo inventário do estoque de remédios e do equipamento médico. ("Todo ano", dissera Steve Masterton num tom irritado. "Todo maldito ano é a mesma coisa. Por que você não escreve aí: 'Instalações completas para transplantes de coração, valor aproximado de oito milhões de dólares'? Você ia deixá-los loucos!".) Louis estava totalmente absorto naquilo, pensando ao mesmo tempo em como uma xícara de café cairia bem, quando Masterton gritou da sala de espera:

— *Louis! Ei, Louis, venha até aqui! Temos uma enrascada!*

O pânico iminente na voz de Masterton fez com que Louis saísse correndo. Saltou da cadeira como se, de modo subconsciente, já estivesse à espera desse chamado. Um grito fino e límpido, como um estilhaçar de vidros, veio da mesma direção do berro de Masterton. Foi acompanhado pelo estalo de um tapa e a voz de Charlton:

— Pare com isso ou saia já daqui! Pare com isso *agora!*

Louis irrompeu na sala de espera e a princípio só conseguiu notar o sangue — havia muito sangue. Uma das auxiliares soluçava. A outra, branca como cera, pusera os punhos fechados nos cantos da boca, repuxando os lábios num grande esgar de náusea. Masterton estava ajoelhado, tentando suspender a cabeça do rapaz estatelado no chão.

Steve levantou os olhos para Louis, olhos aflitos, arregalados, assustados. Tentou falar. Não conseguiu.

Pessoas se aglomeravam junto às grandes portas de vidro do Centro Médico Estudantil. Espreitavam, as mãos fazendo concha em volta dos olhos para eliminar os reflexos. A mente de Louis evocou uma imagem extremamente absurda: ele era uma criança de apenas 6 anos, sentado na sala de estar assistindo à televisão antes de a mãe ir para o trabalho, de manhã. Estava passando o antigo programa *Today*, com Dave Garroway. Havia gente do lado de fora, assistindo boquiaberta a Dave e seus convidados — Frank Blair e o incrível J. Fred Muggs. Ele olhou ao redor e viu outras pessoas se aproximando das janelas. Não podia fazer nada com portas de vidro, mas...

— Feche as cortinas — ordenou à auxiliar que tinha gritado.

Quando ela demorou a se mexer, Charlton deu-lhe uma palmada no traseiro.

— Faça o que ele está mandando, menina!

A auxiliar obedeceu mecanicamente. Um momento depois, as cortinas verdes cobriam as portas envidraçadas. Charlton e Steve Masterton colocaram-se instintivamente entre o corpo do rapaz no chão e as portas, obstruindo o mais que podiam qualquer resto de visão.

— Pegamos a maca, doutor? — Charlton perguntou.

— Se for preciso, vá pegá-la — respondeu Louis, se agachando ao lado de Masterton. — Ainda não tive chance de dar uma olhada nele.

— Vamos lá — disse Charlton à moça que fechara as cortinas. Ela puxava de novo os cantos da boca com os punhos, provocando aquele esgar nada engraçado de sorriso. Olhou para Charlton e gemeu:

— Oh, argh...

— Sim, "oh, argh" já é um bom começo. Vamos lá!

Deu um forte puxão na moça e conseguiu que ela se pusesse a caminho, as listras vermelhas e brancas da saia sacodindo em volta das pernas.

Louis curvou-se sobre seu primeiro paciente na Universidade do Maine, em Orono.

Era um jovem de cerca de 20 anos de idade, e Louis levou menos de três segundos para fazer o único diagnóstico possível: o jovem ia morrer. Metade da cabeça fora esmagada. O pescoço estava quebrado. Uma clavícula se projetava do ombro direito contorcido e dilatado. Da cabeça, sangue e um fluido amarelo, purulento, vertiam vagarosamente para o tapete. Louis podia ver o cérebro do rapaz, um cinza esbranquiçado pulsando através da parte despedaçada do crânio. Era como olhar através de uma janela quebrada. O ferimento teria talvez 5 centímetros de largura; se houvesse um bebê naquele crânio, Louis quase poderia tirá-lo por ali (se o homem fosse como Zeus, parindo pela testa). Era incrível que ainda estivesse vivo. Em sua mente ouviu de repente a voz de Jud Crandall: *às vezes podíamos sentir que dava um beliscão na nossa bunda.* E sua mãe: *a morte é a morte.* Experimentou naquele instante um absurdo ímpeto de rir. A morte é a morte, tubo bem. Isso é categórico, meu chapa.

Bradou para Masterton:

— Mande vir a ambulância. Vamos...

— Louis, a ambulância está...

— Oh, Deus — exclamou Louis batendo na testa e se virando para Charlton. — Joan, o que se faz num caso desses? Chama-se a Segurança do Campus ou o Centro Médico do Maine?

Joan pareceu confusa, perturbada: coisa extremamente rara, Louis supôs. Mas a voz estava bastante serena quando respondeu:

— Eu não sei, doutor. Nunca enfrentei uma situação dessas desde que trabalho na enfermaria.

Louis raciocinou o mais rápido que pôde.

— Chame a polícia do *campus*. Não podemos esperar o Centro Médico do Maine mandar uma ambulância. Podem levar o rapaz para Bangor num carro de bombeiros. Pelo menos tem uma sirene, luzes piscando. Faça isso, Joan.

Antes de ela sair da sala, Louis captou em seu rosto um olhar profundámente complacente e entendeu o que ele queria dizer. Aquele jovem, muito bronzeado e musculoso (que vinha de um verão onde talvez tivesse trabalhado pintando casas, dando lições de tênis ou recapeando estradas), aquele jovem vestido apenas com calção vermelho de ginástica com listras brancas ia morrer, não importava o que eles fizessem. Ia morrer mesmo se a ambulância da enfermaria estivesse estacionada ali na frente, com o motor ligado, quando o trouxeram.

Por incrível que pareça, o moribundo estava se mexendo. Os olhos tremeram e se abriram. Olhos azuis, a íris cercada de um anel de sangue. Olhavam perdidamente ao redor, sem enxergar nada. O rapaz tentou mover a cabeça, mas Louis fez uma certa pressão para impedir que o fizesse, atento ao pescoço quebrado. O traumatismo craniano não eliminava a possibilidade de dor.

O buraco na cabeça dele, oh Deus!, o buraco na cabeça dele.

— Como foi que aconteceu? — perguntou a Steve, consciente de que, naquelas circunstâncias, era uma pergunta estúpida e sem sentido. A pergunta de um curioso. Mas um buraco como aquele na cabeça do rapaz confirmava: diante dele, um médico não passava de um curioso. — Foi a polícia que o trouxe?

— Não, foram alguns estudantes. Usaram um cobertor como maca. Mas não sei o que houve.

Depois Louis devia procurar saber como acontecera o acidente. Aquilo também fazia parte de seus deveres.

— Vá lá fora e ache os rapazes que o socorreram — ordenou Louis. — Entre com eles pela outra porta. Quero tê-los à mão, mas não quero que vejam mais do que já viram.

Satisfeito por poder se afastar do que estava acontecendo ali, Masterton caminhou para a porta e abriu-a, deixando entrar um rumor de conversa nervosa, curiosa, confusa. Louis escutou o barulho de uma sirene de polícia. Então a segurança do *campus* já estava lá. Sentiu uma espécie de alívio angustiado.

O agonizante fazia um gorgojelar com a garganta. Tentava falar. Louis ouviu sílabas — fonemas, pelo menos — mas as palavras eram pastosas, ininteligíveis.

Louis se inclinou sobre ele.

— Vai ficar bom, rapaz.

Pensou em Ellie e Rachel quando disse aquilo e seu estômago teve uma grande e desagradável reviravolta. Pôs a mão na boca e abafou um arroto.

— *Aaa* — disse o rapaz. — *Aaaaaa...*

Louis olhou em volta e viu que o tinham deixado momentaneamente sozinho com o moribundo. Podia ouvir vagamente Joan Charlton gritando para as auxiliares que a maca estava no armário de suprimentos da Sala Dois. Imaginou que não haveria qualquer possibilidade de que elas soubessem onde ficava a Sala Dois; afinal, era o primeiro dia de trabalho das duas. Estavam passando por um batismo de fogo no mundo da medicina. O tapete verde que forrava o chão do vestíbulo estava encharcado de uma espécie de lodo arroxeado, que ia se expandindo em círculos ao redor da cabeça destroçada do jovem; felizmente, porém, o vazamento do fluido intercraniano tinha parado.

— No "simitério" de bichos — foi o guincho na voz do homem... e ele começou a sorrir. O sorriso tinha uma semelhança notável com o esgar grotesco, histérico, da auxiliar que fechara as cortinas.

Louis encarou o rapaz, incrédulo em relação ao que acabara de ouvir. Pensou que devia ter sido uma alucinação auditiva. *Ele fez mais alguns daqueles sons fonéticos e meu subconsciente transformou-os em alguma coisa coerente, fez os sons se cruzarem com minha própria experiência.* Mas não foi isso que aconteceu e logo foi forçado a admitir que não. Um pavor de gelar o sangue atingiu-o por inteiro, e sua carne começou a formigar num arrepio que parecia *sacodir* seus braços para cima e para baixo, atravessando o estômago em ondas... Mesmo assim recusou-se a acreditar. Sim, as sílabas tinham saído dos lábios ensanguentados do homem no tapete e de fato lhe chegaram aos ouvidos, mas aquilo só indicava que a alucinação fora ao mesmo tempo visual e auditiva.

— O que você disse? — ele sussurrou.

E desta vez, nítida como as palavras de um papagaio falante ou de um corvo cuja língua tivesse uma fenda, a frase foi indiscutível:

— Não é o verdadeiro cemitério.

Os olhos eram ocos, sem visão, com um anel sangue. Enquanto dava seu último suspiro, a boca mostrava os dentes num largo sorriso.

O horror dominou Louis, envolveu-lhe o coração em suas mãos frias e o apertou. Subjugou-o, sujeitou-o mais e mais, até fazê-lo ter vontade de fugir, correr para longe daquela cabeça sangrenta, contorcida, falando no chão da enfermaria. Não era homem de crenças religiosas profundas, nem se inclinava para a superstição ou para o oculto. Não estava preparado para isso... Seja lá o que fosse.

Resistindo com todas as suas forças ao ímpeto de correr, aproximou-se ainda mais do rapaz.

— O que foi que você disse? — perguntou pela segunda vez.

O sorriso. Aquilo era mau.

— O solo do coração de um homem é mais empedernido, Louis — murmurou o moribundo. — Um homem planta o que pode... E cuida do que plantou.

Louis, ele pensou, sem conseguir prestar atenção a mais nada depois do próprio nome. *Oh, meu Deus, ele me chamou pelo nome.*

— Quem é você? — Louis perguntou numa voz trêmula, fina. — Quem é você?

— Injun traz o meu peixe.

— Como sabe o meu...

— Nos deixe limpos. Saiba...

— Você...

— *Aaaaa* — disse o rapaz e agora Louis acreditou que podia sentir o cheiro da morte em sua respiração, nos ferimentos internos, nas arritmias, no colapso, na ruína.

— O quê?

Louis foi sacudido por uma descontrolada ansiedade.

— *Aaaaaaa...*

O jovem de calção vermelho começou a tremer de cima a baixo. E de repente pareceu se congelar com uma trava em cada músculo. Os olhos perderam momentaneamente a expressão vaga e encontraram os de Louis. Então tudo aconteceu muito rápido. Houve um mau cheiro. Louis pensou que conseguiria, que ele precisava falar outra vez. Mas os olhos retomaram a expressão vazia... e começaram a embaçar. O homem estava morto.

Louis recuou um pouco, vagamente consciente de que todas as suas roupas tinham grudado no corpo; estava ensopado de suor. A escuridão tingia a sala, deixando cair suavemente um véu sobre seus olhos. Sua vista começou a rodar. Era nauseante. Percebendo o que acontecia, afastou-se ainda mais do morto, enterrou a cabeça entre os joelhos e cravou nas gengivas as unhas do polegar e do indicador da mão esquerda, até fazê-las sangrar.

Pouco depois, tudo começou a clarear de novo.

13

Logo a sala se encheu de gente, como se todos fossem atores esperando o momento de entrar em cena. Isso aumentou em Louis a sensação de delírio e desorientação — cuja força, que estudara nas aulas de psicologia mas nunca experimentara, deixou-o bastante assustado. Era assim, ele supunha, que uma pessoa devia se sentir depois de ingerir uma enorme dose de LSD.

Como uma peça encenada só para mim, ele pensou. *Primeiro a sala é devidamente esvaziada, para que o Feiticeiro moribundo possa recitar alguns versos de uma estranha profecia para mim e para mais ninguém; depois ele morre e todos voltam.*

As auxiliares andavam tropegamente, cada uma segurando uma das pontas da maca que era usada para pessoas com lesões na espinha ou no pescoço. Joan Charlton ia atrás delas, dizendo que a polícia do *campus* estava a caminho. O jovem fora atropelado por um carro enquanto corria. Louis pensou nos dois corredores que tinham atravessado na frente do seu carro aquela manhã; sentiu um embrulho no estômago.

Atrás de Charlton vinha Steve Masterton, com dois guardas da segurança do *campus.*

— Louis, as pessoas que trouxeram Pascow estão na... — Ele interrompeu a frase pelo meio e perguntou num tom agudo: — Louis, você está bem?

— Estou bem — ele respondeu e se pôs de pé. A fraqueza ameaçou tomá-lo de novo, mas acabou se dissipando. Louis tentava se recompor. —Pascow é o nome dele?

Um dos guardas do *campus* respondeu:

— Victor Pascow, segundo a moça que estava correndo com ele.

Louis olhou para o relógio e subtraiu dois minutos. Da sala para onde Masterton tinha levado as pessoas que socorreram Pascow ouvia-se uma moça soluçando convulsivamente. *Bem-vinda de volta à escola, menina*, ele pensou. *Tenha um bom semestre*.

— O sr. Pascow morreu às dez horas e nove minutos — disse.

Um dos guardas limpou a boca com as costas da mão.

— Louis, você está bem mesmo? — Masterton perguntou de novo. — Está com uma aparência terrível.

Louis abria a boca para responder quando uma das auxiliares deixou cair sua ponta de maca e saiu correndo da sala, vomitando por todo o avental. O telefone começou a tocar. A moça que soluçava passou a gritar o nome do morto: "Vic! Vic! Vic!" Tumulto. Confusão. Um dos guardas perguntava se Charlton não podia arranjar um lençol para cobrirem o rapaz e Charlton dizia que não sabia se tinha autoridade para requisitar um. Louis surpreendeu-se pensando num trecho de Maurice Sendak: "Vamos dar início à bagunça geral!"

Um riso nervoso subiu por sua garganta novamente, mas de alguma forma Louis conseguiu sufocá-lo. Será que Pascow tinha dito realmente "simitério" de bichos? Tinha dito exatamente essas palavras? Essas coisas todas ameaçavam nocauteá-lo, deixá-lo fora de órbita. Mas sua mente já começava a cobrir aqueles maus momentos com uma película protetora — aparando as arestas, fazendo certas modificações, desfazendo certas ligações. Sem dúvida, Pascow teria falado outra coisa (se é que chegou mesmo a falar); sob o choque e a inoportuna emoção do momento, Louis entendera errado. Provavelmente, o rapaz apenas balbuciara alguns sons, como imaginara a princípio.

Louis tateou em busca de si mesmo, em busca do que fizera com que a administração da universidade o escolhesse entre 53 candidatos para ocupar aquele cargo. Ninguém estava no comando ali, ninguém adotava uma atitude firme; a sala parecia cheia de pessoas desatinadas.

— Steve, dê tranquilizante à moça que está na minha sala — disse ele, e o simples fato de dizer isso fez com que se sentisse melhor. Era como se estivesse dentro da cápsula de um foguete deixando um pequeno planeta. Este pequeno planeta, claro, era o instante absurdo em que Pascow tinha falado. Louis fora contratado para tomar a frente das coisas; era o que ia fazer.

— Joan, dê um cobertor ao guarda.

— Doutor, não relacionamos...

— Não importa, dê-lhe o cobertor assim mesmo. Depois vá ver como está aquela estagiária.

Olhou para a outra moça, que ainda segurava a outra ponta da maca. Parecia contemplar o cadáver de Pascow numa espécie de fascinação hipnótica.

— Estagiária! — disse Louis com rispidez, e os olhos da moça se desviaram do corpo.

— Q-q-que é?

— Qual é o nome da outra moça?

— Q-quem?

— Aquela que vomitou — disse ele com aspereza proposital.

— Ju-Ju-Judy. Judy DeLessio.

— E o seu nome?

— Carla.

Agora, a moça parecia um pouco mais controlada.

— Carla, vá ver como está Judy. Mas antes traga o cobertor. Encontrará uma pilha deles no armário do serviço da Sala de Exames Número Um. Andem, todos vocês. Vamos tentar ser um pouco mais profissionais.

Todos se mexeram. Os gritos na outra sala logo se aquietaram. O telefone, que havia parado de tocar, começou de novo. Louis apertou o botão de espera sem tirar o fone do gancho.

O mais velho dos guardas do *campus* também parecia mais tranquilo. Louis dirigiu-se a ele.

— A quem devemos informar? Pode me dar algum contato?

O guarda balançou a cabeça e comentou:

— Há dois anos não temos um caso desses. Não é nada bom começar o semestre assim.

— Sem dúvida — concordou Louis, tirando o telefone da espera.

— Alô? Quem está fal... — começou uma voz tensa, e Louis cortou a ligação. Depois, começou a fazer suas chamadas.

14

O ritmo de trabalho não diminuiu até as quatro da tarde, depois que Louis e Richard Irving, chefe da segurança do *campus*, deram uma declaração à imprensa. Victor Pascow corria acompanhado de duas pessoas, uma delas, sua noiva. Um automóvel, conduzido por Tremont Withers, de 23 anos, morador de Haven, no Maine, surgiu da estrada que vinha do Ginásio Feminino Lengyll em direção ao centro do *campus* dirigindo em alta velocidade. O carro de Withers atropelou Pascow, atirando-o de cabeça contra uma árvore. A noiva, um amigo e outras duas pessoas que passavam pelo local levaram Pascow para a enfermaria num cobertor. Ele morreu minutos depois. Withers seria processado sob as acusações de direção perigosa, dirigir em estado de embriaguez e homicídio culposo.

O editor do jornal do *campus* perguntou a Louis se Pascow tinha morrido em consequência dos ferimentos na cabeça. Pensando no buraco através do qual o próprio cérebro podia ser visto, Louis disse que preferia deixar o *coroner** do condado de Penobscot anunciar a causa da morte. O editor perguntou então se os quatro jovens que levaram Pascow para a enfermaria no cobertor não poderiam, inadvertidamente, ter causado sua morte.

— Não — Louis respondeu. — De modo algum. Em minha opinião, infelizmente, o sr. Pascow ficou mortalmente ferido depois de sofrer o impacto.

Houve mais duas ou três perguntas, mas aquela resposta realmente encerrara a coletiva à imprensa. Agora Louis estava em sua sala (Steve Masterton fora para casa há uma hora, logo depois da entrevista — para assistir ao noticiário da noite, Louis desconfiava) tentando juntar os cacos do dia — ou, talvez, estivesse apenas tentando dar um ar de natu-

---

* Magistrado encarregado de inquéritos judiciais. (N. do T.)

ralidade ao que havia acontecido. Ele e Charlton folheavam as fichas do "arquivo central", onde se achavam catalogados os estudantes que, devido a alguma doença crônica, frequentavam assiduamente a enfermaria. Havia 23 diabéticos, 15 epiléticos, 14 paraplégicos e outros casos variados: estudantes com leucemia, paralisia cerebral, distrofia muscular, estudantes cegos, dois mudos, e um caso de anemia falciforme, novo para Louis.

Talvez a tarde tenha atingido seu ponto mais melancólico logo após a saída de Steve. Charlton entrou e pousou na mesa de Louis um papel cor-de-rosa com um lembrete: O *tapete de Bangor chegará amanhã às nove*.

— Tapete? — ele perguntou.

— Vamos ter de trocar o tapete — a enfermeira respondeu num tom de desculpa. — Aquela mancha não vai sair de jeito nenhum, doutor.

É claro que não. Louis levantou-se, foi até o dispensário e encontrou um vidro de Tuinal, uma anfetamina, que seu primeiro colega de quarto na escola de medicina chamava de "Disneylândia".

— Pegue o trem para a Disneylândia, Louis — ele costumava dizer. — Você vai encontrar o Mickey ou a Minnie andando por lá.

Em geral, se recusava a acompanhá-lo no passeio até a maravilhosa Disneylândia, e talvez fizesse muito bem; seu companheiro de quarto foi desligado da universidade no meio do terceiro semestre e continuou viajando para a Disneylândia até chegar ao Vietnã, como enfermeiro do exército. Louis às vezes o imaginara por lá, vivo ou morto, os olhos saltando das órbitas, vendo a Minnie "correr pelas florestas".

Mas precisava de alguma coisa. Se tivesse de ver aquele lembrete cor-de-rosa do tapete afixado no quadro de avisos sempre que tirasse os olhos do arquivo central, precisaria de alguma coisa.

Circulava relativamente tranquilo pelo dispensário quando a sra. Baillings, a enfermeira da noite, colocou a cabeça na porta e disse:

— Sua esposa, dr. Creed. Na linha um.

Louis olhou para o relógio e viu que eram quase cinco e meia; já devia ter ido embora há uma hora e meia.

— Tudo bem, Nancy. Obrigado.

Pegou o telefone e apertou a linha um.

— Alô, meu bem. Logo em meu...

— Louis, tudo bem com você?

— Tudo.

— Soube da história pelo noticiário. Lou, que coisa terrível! — Ela fez uma pausa. — Foi no noticiário do rádio. Puseram sua entrevista no ar. Você estava muito bem.

— Foi mesmo? Bom.

— Tem certeza de que está tudo bem com você?

— Tenho, Rachel. Estou ótimo.

— Venha pra casa — disse ela.

— Já estou indo — ele respondeu.

Ir para casa parecia uma boa ideia.

15

Rachel veio recebê-lo na porta e deixou-o de boca aberta. Usava o sutiã de renda de que ele gostava tanto, calcinhas transparentes e nada mais.

— Você está deliciosa — disse Louis. — Cadê as crianças?

— Foram para a casa da srta. Dandridge. Podemos ficar sozinhos até as oito e meia... O que nos dá duas horas e meia. Não vamos desperdiçá-las.

Ela apertou-se contra o marido. Louis pôde sentir uma suave, agradável fragrância... Perfume de rosas? Pôs os braços em volta da mulher, primeiro na cintura, depois as mãos encontraram as nádegas, enquanto a língua de Rachel dançava levemente nos seus lábios, passava para dentro da sua boca, lambia e disparava entre os dentes dele.

Por fim houve uma pausa no beijo e Louis perguntou um tanto grosseiramente:

— É você o primeiro prato do jantar?

— A sobremesa — ela respondeu, começando a roçar lenta e sensualmente os quadris na virilha e no ventre do marido. — Mas prometo que os outros pratos também serão bem gostosos.

Ele tentou chegar logo ao ponto, mas ela se esquivou e o puxou pela mão.

— Primeiro vamos subir — disse.

Levou-o para junto da banheira com água quente, despiu-o devagar e fez com que entrasse. Calçou uma luva-esponja um tanto áspera que geralmente ficava pendurada, sem uso, no cabide do chuveiro, ensaboou-lhe o corpo com jeito e depois enxaguou. Ele podia sentir o dia — aquele terrível primeiro dia — indo lentamente embora. Rachel se molhara bastante, e as calcinhas aderiram como uma segunda pele.

Louis começou a sair da banheira, mas ela o empurrou de volta.

— Que...

Agora a luva-esponja agarrava-o delicadamente — delicadamente, mas numa fricção quase insuportável, movendo-se devagar para cima e para baixo.

— Rachel...

O suor cobria o corpo de Louis, e não vinha apenas do calor da banheira.

— *Shhh...*

Aquilo pareceu se prolongar eternamente. Quando ele se aproximava do gozo, a mão dentro da luva-esponja diminuiu o ritmo, quase parou. Não chegou a parar de todo, mas apertou, afrouxou, apertou de novo. Por fim, o clímax veio com tamanha intensidade que ele sentiu uma pressão nos tímpanos.

— Meu Deus — disse ainda trêmulo quando conseguiu falar. — Onde você aprendeu *isso*?

— Com as escoteiras — ela respondeu num tom vaidoso.

Rachel fizera um estrogonofe que ficara cozinhando durante o episódio da banheira, e Louis, que às quatro horas da tarde seria capaz de jurar que só no Natal conseguiria pôr alguma coisa na boca, comeu dois pratos cheios.

Depois ela o conduziu de novo para cima.

— Agora — disse Rachel —, vamos ver o que você pode fazer *por mim.*

Levando tudo em conta, Louis achou que se mostraria à altura de enfrentar o desafio.

Mais tarde, Rachel vestiu seu velho pijama azul. Louis se enfiou numa camisa de flanela e numa calça de veludo bastante surrada (que Rachel chamava de pano de chão) e foi buscar os filhos.

A jovem srta. Dandridge quis saber do acidente e Louis fez um resumo da história, dando-lhe menos informações do que ela poderia obter no dia seguinte, lendo o *Daily News* de Bangor. Não gostou de tocar no assunto (sentiu-se um fofoqueiro desprezível), mas a srta. Dandridge não aceitaria dinheiro por cuidar das crianças e ele estava muito agradecido pela noite que tinha desfrutado com Rachel.

Gage adormeceu antes que Louis completasse o quilômetro e meio entre a casa de Dandridge e a sua; até mesmo Ellie bocejava e tinha os olhos vidrados. Assim que chegou, trocou a fralda de Gage, vestiu-lhe o pijaminha e o levou para o berço. Depois leu para Ellie um livrinho de histórias. Como de hábito, a menina pediu *Onde Vivem os Monstros*, sendo ela mesma uma experiente "monstrinha"... Louis convenceu-a a se contentar com *O Gatola da Cartola*. Adormeceu cinco minutos depois de Rachel vesti-la com a camisola e o pai levá-la para cima.

Quando Louis tornou a descer, Rachel estava sentada na sala de estar com um copo de leite na mão e um romance policial de Dorothy Sayers apoiado na perna.

— Louis, você está bem mesmo?

— Querida, estou ótimo — disse ele. — E obrigado. Por tudo.

— Temos de nos divertir um pouco, não é? — ela disse com um sorriso meio enviesado, levemente malicioso. — Vai até a casa de Jud tomar uma cerveja?

Ele abanou a cabeça.

— Hoje não. Estou morto de cansaço.

— Acho que tenho alguma coisa a ver com isso.

— Também acho.

— Então pegue seu copo de leite, doutor, e vamos deitar.

Louis pensou que talvez não conseguiria dormir, como acontecia com frequência quando era residente, e aquele dia particularmente difícil estava rodopiando na sua mente. Mas foi caindo docemente no sono, como se deslizasse sem atrito por uma rampa ligeiramente inclinada. Lera, em algum lugar, que o ser humano comum não leva mais de sete minutos para se desligar completamente da agitação do dia. Sete minutos para o consciente e o subconsciente, como as paredes falsas das casas mal-assombradas nos parques de diversões, girarem em seus eixos e conduzirem ao sono. Havia algo de extraordinário nisso.

Estava quase dormindo quando ouviu Rachel dizer, como de muito longe:

— ... depois de amanhã.

— Hummmm?

— Jolander. O veterinário. Vai operar Church depois de amanhã.

— Oh.

Church. *Aproveite seus* cojónes *enquanto ainda os tem, Church, meu velho...* E então, Louis se desligou de tudo, foi caindo pelo buraco de um sono profundo e sem sonhos.

16

Alguma coisa o despertou um bom tempo depois, uma pancada suficientemente forte para fazê-lo se sentar na cama, achando que Ellie podia ter caído ou o berço de Gage desabado. Mas a lua saiu de trás de uma nuvem, inundou o quarto com uma luz branca, fria, e ele viu Victor Pascow de pé no vão da porta. A pancada fora de Pascow abrindo de repente a porta.

Estava ali, a cabeça destroçada atrás da têmpora esquerda. O sangue secara em seu rosto, formando listras avermelhadas como uma pintura indígena. A clavícula se projetava, esbranquiçada. Sorria.

— Venha comigo, doutor — disse Pascow. — Temos que visitar alguns lugares.

Louis olhou em volta. A mulher era um vago contorno sob o lençol amarelo e dormia profundamente. Olhou de novo para Pascow, que estava morto, mas de certa forma também não estava. Louis, porém, não teve medo. E quase de imediato entendeu por quê.

É um sonho, pensou, e só depois dessa conclusão reconfortante percebeu que, afinal, estava dominado pelo medo. *Mas os mortos não voltam; é fisiologicamente impossível. Este rapaz está numa gaveta de autópsia em Bangor, com a cicatriz do legista — uma incisão em forma de Y — costurada no corpo. Provavelmente, após tirar uma amostra do tecido, o legista enfiou o cérebro na cavidade do tórax e, para evitar vazamentos, encheu o crânio com papel marrom — o que era mais simples do que tentar encaixar o cérebro de volta no crânio, como uma peça num quebra-cabeça.* Tio Carl, pai da infeliz Ruthie, contara-lhe sobre esta prática dos legistas e também sobre outras coisas que fariam Rachel, com sua fobia da morte, dar gritos de horror. Mas Pascow não estava lá... De jeito nenhum, rapaz. Pascow estava numa gaveta refrigerada com uma etiqueta presa no dedão do pé. *E com toda a certeza, não está usando este calção vermelho de ginástica.*

No entanto, a compulsão de se levantar foi muito forte. Os olhos de Pascow estavam cravados nele.

Afastou as cobertas e pôs os pés no chão. O tapete felpudo — um velho presente de casamento dado pela avó de Rachel — comprimia frios nódulos de lã contra as solas dos pés. O sonho possuía uma realidade notável. Era tão real que não caminhou na direção de Pascow até que Pascow se virou e começou a descer as escadas. A compulsão de segui-lo era muito forte, embora não quisesse, mesmo num sonho, ser tocado por um cadáver ambulante.

Mas Louis *foi* atrás. O calção de ginástica de Pascow brilhava.

Cruzaram a sala de estar, a sala de jantar, a cozinha. Louis esperava que Pascow virasse a maçaneta e puxasse o trinco da porta da cozinha, passando ao galpão que servia de garagem para o Civic e para a caminhonete. Mas Pascow não fez isso. Em vez de abrir a porta, simplesmente passou através dela. E Louis pensou com ligeiro assombro. *É assim que se faz? Fantástico!* Qualquer um *pode fazer isso!*

Ele tentou... E foi um tanto engraçado dar de cara somente com madeira impenetrável. Ao que parece, tinha um corpo bem real, mesmo nos sonhos. Girou a maçaneta da fechadura Yale, puxou o trinco e entrou no galpão-garagem. Pascow não estava lá. Achou que Pascow teria simplesmente deixado de existir... Aquilo frequentemente acontecia com as pessoas nos sonhos. Com os lugares também... Primeiro você estava nu do lado de uma piscina, com um grande tesão, e sua esposa discutia as possibilidades de uma transa conjunta com, digamos, Roger e a srta. Dandridge; depois, num piscar de olhos, você passa a escalar a encosta de um vulcão havaiano. Talvez Pascow tivesse sumido porque o sonho ia entrar num segundo ato.

Mas, ao sair da garagem, Louis viu-o de novo, nos fundos do terreno, sob a luz fraca do luar — junto ao início da trilha.

Agora o medo o atingiu de verdade, entrou suavemente por dentro dele, filtrou-se pelos poros e ocupou os espaços vazios de seu corpo como o vapor de uma fumaça suja. Não queria ir até lá. Parou.

Pascow olhou para trás e, sob a luz da lua, tinha os olhos prateados. Louis sentiu no estômago um desesperado fervilhar de horror. Aquele osso saliente, os coágulos de sangue... Mas era inútil tentar resistir àqueles olhos. Ao que tudo indicava, era um sonho sobre ser hipnotizado, dominado... sobre ser incapaz de alterar as coisas, talvez do mesmo modo como fora incapaz de impedir a morte de Pascow. Você pode passar vinte anos na escola e, mesmo assim, não consegue fazer nada quando lhe trazem um sujeito que bateu contra uma árvore com força suficiente para abrir um buraco na cabeça. Era tão inútil quanto chamar um bombeiro, um índio curandeiro ou o galã da novela.

Mas, enquanto esses pensamentos lhe passavam pela cabeça, ele ia sendo impelido para a trilha. Seguia o calção de ginástica: ao luar, tinha o mesmo tom castanho-avermelhado do sangue coagulado.

Não estava gostando daquele sonho. Por Deus, de modo algum. Era tudo tão real. Os frios nódulos de lã do tapete, o fato de não conseguir atravessar a porta do galpão quando uma pessoa podia (ou devia) ser capaz de atravessar portas e paredes em qualquer sonho que se preze... E agora, o fresco orvalho da relva nos pés descalços, aquela aragem da noite, apenas um sopro, em seu corpo, que vestia somente o short do pijama. E logo que se viu sob as árvores, folhas de pinheiro o espetaram nas solas dos pés, outro pequeno detalhe um pouco mais real do que precisava ser.

Isso não tem importância. Não tem importância. Estou em minha cama, em casa. É apenas um sonho, por mais vívido que seja, e como todos os outros sonhos vai parecer ridículo pela manhã. Minha mente desperta descobrirá suas incoerências.

A ponta de uma árvore seca roçou com força em seu corpo; ele estremeceu. Lá na frente, Pascow era apenas uma sombra que se movia e, naquele momento, o terror de Louis pareceu se cristalizar numa ideia de contornos nítidos: *Estou seguindo um morto pelos bosques, estou seguindo um morto até o cemitério de bichos e não é um sonho. Deus me ajude, não é um sonho. Isso* está *acontecendo.*

Desceram para o lado mais distante das árvores da colina. A trilha fazia curvas não muito acentuadas em forma de S, depois se precipitava por entre as moitas rasteiras. Desta vez estava sem botas. O solo dissolvia-se numa geleia fria sob os pés, agarrando-os e retendo-os, cedendo somente após muito esforço. Ouviam-se desagradáveis ruídos de sucção. Louis podia sentir a lama enfiando-se entre os dedos, como se quisesse separá-los.

Procurava desesperadamente agarrar-se à ideia do sonho.

Ela não parecia resistir à prova.

Atingiram a clareira e a lua reapareceu livre de sua muralha de nuvens, banhando o "simitério" com fantasmagórico esplendor. As lápides — tábuas, pedaços de lata cortados com os alicates dos pais e depois martelados em quadrados toscos, pedaços lascados de pedra, pedaços de ardósia — projetavam-se com uma nitidez tridimensional, lançando sombras negras, perfeitamente definidas.

Pascow parou perto do GATO SMUCKY, ELE ERA OBEDIENTE e virou-se para Louis. O horror, o terror — sentia que essas coisas cresceriam dentro dele até lhe desintegrarem o corpo sob uma pressão suave, mas implacável... Pascow estava sorrindo. Os lábios sangrentos franziam-se para trás dos dentes, e seu saudável bronzeado de trabalhador braçal, à luz esbranquiçada da lua, revestia-se com a brancura de um cadáver, prestes a ser envolvido entre as dobras de sua mortalha.

Pascow levantou um dos braços e apontou. Louis olhou na direção indicada e deixou escapar um gemido. Seus olhos se arregalaram e ele apertou com força as juntas dos dedos contra a boca fechada. Seu rosto estava muito frio e, no limite extremo do terror, se deu conta de que tinha começado a chorar.

As árvores caídas, de onde Jud Crandall, alarmado, mandara Ellie sair, haviam se transformado em um monte de ossos. E os ossos estavam se mexendo. Deslocavam-se e, estalando, uniam-se uns aos outros: mandíbulas, fêmures, cúbitos, molares e incisivos — via os crânios sorridentes de homens e animais. Os ossos dos dedos chocalhavam. Num dos cantos, os restos de um pé flexionavam as juntas descarnadas.

Ah, aquilo estava se mexendo; estava se *arrastando...*

Pascow vinha caminhando em sua direção, o rosto ensanguentado e sinistro à luz do luar. O que restava de coerência na mente de Louis começou a sugerir uma ideia fixa e lamurienta: *Você precisa despertar num grito não importa que assuste Rachel, Ellie, Gage, que acorde toda a casa, a vizinhança, você grita e acorda griiitagriitaeacordacorda...*

Mas só saiu um fraco sopro do ar, o som de um garotinho sentado no degrau da varanda fazendo força para assobiar.

Pascow chegou perto e falou:

— A porta não deve ser aberta. — Tinha os olhos voltados para baixo porque Louis caíra de joelhos. Em princípio, Louis tomou a expressão de seu rosto por compaixão. Mas não era absolutamente compaixão, apenas uma espécie de paciência assustadora. Ele apontou para a pilha de ossos que se moviam. — Não ultrapasse este limite, doutor, por mais que tenha vontade de fazê-lo. A barreira não foi feita para ser violada. Não esqueça: há mais poder aqui do que o senhor imagina. *Isto* é um lugar antigo e estará sempre inquieto. Não esqueça!

Louis tentou gritar de novo. Não conseguiu.

— Vim como amigo — continuou Pascow. (Mas seria realmente *amigo* a palavra que Pascow tinha dito? Louis achava que não. Era como se Pascow falasse numa língua estrangeira, que só por alguma mágica de sonho Louis pudesse compreender... "Amigo" era o mais próximo que sua mente conturbada conseguia entender de qualquer palavra que Pascow tivesse realmente articulado.) — Sua destruição e a destruição de tudo que o senhor ama está muito próxima, doutor.

Pascow estava muito perto e Louis podia sentir o cheiro da morte que havia nele.

Pascow estendeu a mão para ele.

O leve e enlouquecedor estalar de ossos.

Louis começou a perder o equilíbrio em seu esforço para se esquivar da mão. Sua própria mão bateu numa lápide e a derrubou. O rosto de Pascow, inclinando-se para baixo, enchia o céu.

— Doutor... *Não esqueça.*

Louis tentou gritar e tudo a sua volta girou... Mas ainda ouvia, na profundeza enluarada daquela noite, o chocalhar dos ossos em movimento.

17

O ser humano comum leva sete minutos para mergulhar no sono, mas, segundo a *Fisiologia Humana*, de Hand, o mesmo ser humano leva de quinze a vinte minutos para despertar. É como se o sono fosse um poço, de onde sair é mais difícil que entrar. Quando a pessoa que dorme acorda, ela o faz aos poucos, passando de um sono mais profundo a um sono mais leve e, por fim, ao que é às vezes chamado "sono do despertar", quando a pessoa pode ouvir sons e até responder a alguma pergunta sem ter consciência disso mais tarde (exceto, talvez, como fragmentos de sonho).

Louis ouvia o estalar e chocalhar dos ossos, mas gradativamente esse som foi se tornando mais agudo, mais metálico. Houve uma pancada. Um grito. Novos sons metálicos... Alguma coisa rolando? *Sem dúvida*, o turbilhão de sua mente concordou. *Os ossos rolam.*

Ouviu a filha gritando:

— Pegue, Gage! Pegue!

Isso foi seguido por um gritinho de prazer de Gage, o som que fez Louis abrir os olhos e ver o teto do quarto.

Continuou absolutamente imóvel, esperando que a realidade, a boa realidade, a *abençoada* realidade, voltasse a envolvê-lo por inteiro.

Tudo um sonho. Por mais que tivesse sido terrível, por mais que tivesse sido real, não passara de um sonho. Apenas um fóssil na mente que existia dentro da sua mente.

O som metálico voltou. Era um dos carrinhos de Gage rolando pelo corredor do andar de cima.

— Pegue ele, Gage!

— *Pegue!* — Gage gritou. — *Pegue-pegue-pegue!*

Bum-bum-bum. Os pezinhos descalços de Gage ecoando no piso do corredor. Ele ria com a irmã.

Louis olhou para a direita. O lado de Rachel na cama estava vazio, as cobertas puxadas. O sol parecia bem alto. Consultou o relógio e viu que eram quase oito horas. Rachel o deixara passar da hora, provavelmente de propósito.

Normalmente isso o teria irritado, mas não naquela manhã. Respirou profundamente, contente por estar ali estendido, com um raio de luz derramando-se pela janela, sentindo a inconfundível textura do mundo real. Grãos de poeira dançavam na luz do sol.

Rachel gritou lá de baixo:

— Desça pra tomar o café, Ellie! O ônibus já vai passar!

— Já vou! — seus passos estalavam baixinho. — Olha o seu carro, Gage. Tenho que ir pra escola.

Gage iniciou um berreiro. Embora ainda não soubesse falar (as únicas palavras pronunciadas com nitidez eram "Gage", "carro", "pegue", "Ellie" e "ônibus"), a mensagem parecia bastante clara: Ellie devia ficar. A escola, ao menos naquele dia, podia esperar.

De novo a voz de Rachel:

— Puxe o pé do seu pai antes de descer, El!

Ellie entrou, o cabelo num rabo de cavalo, o vestido vermelho.

— Eu já acordei, meu bem — disse Louis. — Vá, senão vai perder o ônibus.

— Está bem, papai.

Ela se aproximou, beijou-o no cangote e correu para a escada.

O sonho começava a se desintegrar, a perder coerência. O que, sem dúvida, era muito bom.

— Gage! — ele gritou. — Venha dar um beijo no papai!

Gage o ignorou. Tentava, o mais depressa que podia, ir atrás de Ellie para o andar de baixo. Gritava com toda a força dos pulmões:

— *Pegue! Pegue-pegue-PEGUE!*

Louis só pôde ver de relance o corpo firme do garotinho, coberto apenas com a fralda e a calça de plástico.

Rachel gritou de novo lá de baixo:

— Louis, foi você quem falou? Já acordou?

— Já — ele respondeu, sentando-se na cama.

— Eu não falei que ele já tinha acordado? — disse Ellie. — Vou embora. *Tchau!*

A porta da frente bateu e Gage reagiu com um berro furioso.

— Um ovo ou dois? — Rachel perguntou.

Louis afastou as cobertas e pisou nos nódulos de lã do tapete, pronto para dizer que ia dispensar os ovos; só queria uma tigela de cereal e sair correndo... mas as palavras ficaram presas em sua garganta.

Seus pés estavam sujos de lama e folhas de pinheiro.

O coração saltou-lhe pela boca como um boneco numa caixa de surpresas. Num movimento rápido, os olhos esbugalhados, os dentes mordendo a língua, ele puxou de todo as cobertas. Os pés da cama estavam cobertos de folhas. Os lençóis estavam sujos e enlameados.

— Louis?

Viu mais algumas folhas de pinheiro espalhadas pelos joelhos e virou-se bruscamente para o braço direito. Lá estava o arranhão, um arranhão recente, exatamente no lugar em que a ponta do galho seco roçara seu corpo... no sonho.

Eu vou gritar. Tenho certeza disso.

E tinha, de fato; algo vinha rugindo de dentro dele, como o disparo de uma grande e fria bala de medo. A realidade oscilava. A realidade — a *verdadeira* realidade, ele pensou — eram aquelas folhas, a sujeira nos lençóis, o arranhão vermelho no braço.

Eu vou gritar, depois fico maluco e não tenho mais de me preocupar com isso...

— Louis? — Rachel estava subindo a escada. — Louis, você dormiu de novo?

Tentou se controlar naqueles dois ou três segundos; lutou implacavelmente consigo mesmo como fizera nos momentos de tremenda confusão depois de Pascow ser levado num cobertor, agonizante, para a enfermaria. E venceu. O pensamento que mais pesou no prato da balança foi que Rachel não devia vê-lo naquele estado, os pés lamacentos e cobertos de folhas, os cobertores caindo no chão, revelando as manchas de sujeira no lençol.

— Já acordei — gritou num tom jovial.

A língua sangrava por causa da mordida brusca, involuntária, que há pouco tinha dado. A mente rodopiava. Ele se perguntou se em algum lugar lá no fundo, longe de seu comportamento aparente, não estivera sempre a um passo das mais absurdas irracionalidades. E se não era isso que acontecia com todo mundo.

— Um ovo ou dois?

Rachel tinha parado a dois ou três degraus do topo da escada. Graças a Deus.

— Dois — ele respondeu, quase inconsciente do que estava dizendo. — Mexidos.

— Uma boa escolha — disse Rachel, descendo de novo a escada.

Aliviado, fechou os olhos por um momento, mas, na escuridão, viu os olhos prateados de Pascow. Suas pálpebras se abriram com violência.

Louis se apressou, afastando qualquer pensamento. Sacudiu a roupa de cama. Os cobertores estavam limpos. Tirou os dois lençóis, embolou-os e levou-os para o corredor, despejando-os no cesto de roupa suja.

Entrou correndo no banheiro, girou a torneira do chuveiro e encarou uma água muito quente, quase escaldante. Tirou a sujeira das pernas e dos pés.

Começou a se sentir um pouco melhor, mais controlado. Enquanto se enxugava, ocorreu-lhe que era assim que os criminosos deviam se sentir quando acreditavam ter apagado todos os vestígios do crime. Começou a rir. Continuou se enxugando e continuou rindo. Não podia parar.

— Ei, você aí em cima! — Rachel gritou. — Que há de tão engraçado?

— Uma piada particular — Louis respondeu, ainda rindo. Estava apavorado, mas o pavor não detinha o riso. O riso prolongava-se, subia-lhe do estômago à boca, resistente como pedras cimentadas num muro. Achou que jogar os lençóis na cesta de roupa suja fora a melhor coisa que podia ter feito. A srta. Dandridge vinha cinco dias por semana para passar o aspirador, arrumar a casa... e lavar roupa. Rachel só tornaria a ver aqueles lençóis depois que Dandridge os colocasse de novo na cama... limpos. Sem dúvida, a srta. Dandridge poderia falar sobre eles com Rachel, mas não acreditava que o fizesse. Provavelmente se limitaria a cochichar com o marido que os Creed estavam executando algum estranho jogo sexual que envolvia lama e folhas de pinheiro para fazer pinturas tribais no corpo.

A ideia fez Louis rir ainda mais.

O último acesso de risos esgotou-se quando estava se vestindo. Então começou a se sentir um pouco melhor. Não sabia como era possível, mas aconteceu. O quarto parecia normal agora, exceto pela cama desarrumada. Tinha se livrado dos venenos. Talvez "vestígios" fosse a palavra certa, mas em sua mente vestígios rimavam com venenos.

Talvez seja isto o que as pessoas fazem com o inexplicável, ele pensou. *É isso que elas fazem com o irracional que se recusa a se dobrar às causas e aos efeitos normais que governam o mundo ocidental.* Talvez seja assim que nossa mente enfrente o disco voador que, uma bela manhã, vemos pairando silencioso nos fundos do nosso quintal, lançando na relva seu pequeno círculo de sombra; ou as invasões de rãs; ou a mão que vem de baixo da cama e puxa nosso pé no silêncio da noite. Temos um ataque de riso ou um acesso de choro... Mas o nosso eu inviolável não cede, e o terror é expelido como um cálculo renal, enquanto permanecemos intactos.

Gage estava em sua cadeirinha alta, comendo seu cereal matinal, esfregando-os no tapete de plástico e aparentemente usando-os como shampoo.

Rachel saiu da cozinha com os ovos e uma xícara de café.

— Qual foi a grande piada, Lou? Você estava rindo como um louco lá em cima. Chegou a me assustar.

Quando Louis abriu a boca ainda não tinha ideia do que iria falar, mas lembrou-se de uma anedota que ouvira há uma semana, no mercado ao fim da estrada: era sobre um alfaiate judeu que comprou um papagaio que só sabia dizer: "Ariel Sharon bate punheta."

Quando acabou de contar, Rachel também estava rindo — e Gage os acompanhava.

Ótimo. Nosso herói livrou-se de todas as pistas... A saber: os lençóis enlameados e o riso de louco no banheiro. Agora nosso herói vai ler o jornal da manhã — ou pelo menos passar os olhos nele — pondo um carimbo de normalidade nas coisas.

Assim pensando, Louis abriu o jornal.

É assim que se faz, tudo bem, ele ponderou, com incomensurável alívio. *É como expelir um cálculo renal, põe-se um ponto final no problema... A menos que haja uma noite num acampamento com amigos, quando o vento é forte e se começa a falar de acontecimentos inexplicáveis. Porque nos acampamentos, à noite, quando o vento é forte, não custa nada falar.*

Comeu os ovos. Beijou Rachel e Gage. Ao sair, deu uma olhada no quadrado branco da máquina de lavar, junto à cesta de roupa suja. Estava tudo em ordem. Era outra manhã formidável. O verão parecia querer se prolongar para sempre e tudo estava bem. Viu a trilha quando deu marcha a ré no carro para tirá-lo da garagem, mas ela também estava em ordem. Não havia um fio de cabelo de diferença. Era como expelir um cálculo renal.

Tudo estava em ordem até ele completar 16 quilômetros de estrada. Então, tremores percorreram-lhe o corpo com tamanha intensidade que teve de entrar na Rodovia 2 e parar no estacionamento do Sing's, um restaurante chinês não muito longe do Centro Médico da região leste do Maine, ainda deserto àquela hora da manhã. Para lá que o corpo de Pascow havia sido levado. (Levado, é claro, para o CMMO, não para o Sing's. Vic Pascow jamais voltaria a comer outro prato de *moo goo gai pan*, isso é que não.)

Os tremores contorciam-lhe o corpo, como se quisessem rasgá-lo ao meio. Louis sentia-se indefeso e aterrorizado — não com medo de alguma coisa sobrenatural, muito menos à luz do dia, mas aterrorizado pela possibilidade de estar enlouquecendo. Era como se um arame comprido, invisível, estivesse sendo enroscado dentro da sua cabeça.

— Já chega! — disse ele. — Por favor, já chega!

Seus dedos tatearam pelos botões do rádio e trouxeram Joan Baez cantando "Diamonds and Rust". A voz doce, serena, acalmou-o; quando a música terminou, sentiu que estava pronto para continuar.

Chegando à enfermaria, deu oi a Charlton e escapou para o banheiro, achando que devia estar com uma aparência terrível. Nem tanto. Os olhos pareciam um pouco fundos, mas nem Rachel tinha reparado. Jogou água fria no rosto, enxugou-o, penteou o cabelo e foi para sua sala.

Steve Masterton e Surrendra Hardu, o médico indiano, estavam lá, tomando café e examinando as fichas do arquivo.

— Bom dia, Lou — disse Steve.

— Bom dia.

— Vamos esperar que não tenhamos um dia como o de ontem — disse Hardu.

— É verdade... Mas você perdeu todo o alvoroço.

— Ontem Surrendra teve uma noite agitada — disse Masterton, sorrindo. — Conte a ele, Surrendra.

Hardu limpou as lentes dos óculos, também sorrindo.

— Dois rapazes trouxeram uma amiga por volta de uma hora da madrugada — disse. — A moça estava muito contente, tinha bebido muito, você sabe, comemorando o retorno à universidade. Havia se cortado numa das coxas, um corte feio. Eu disse que teria de dar pelo menos quatro pontos, mas não deixaria cicatriz. "Pode costurar logo", ela me disse, e foi o que eu fiz. Curvei-me assim...

Hardu demonstrava, inclinando-se sobre uma coxa invisível. Louis começou a rir, pressentindo o que tinha acontecido.

— E quando eu estava fazendo a sutura, ela vomitou na minha cabeça.

Masterton irrompeu numa gargalhada. Louis também. Hardu sorriu calmamente, como se aquilo já tivesse lhe acontecido milhares de vezes em milhares de vidas.

— Surrendra, a que horas você chegou? — Louis perguntou, quando parou de rir.

— Era meia-noite — disse Hardu. — Agora estou de saída. Só quis esperar você chegar para lhe dar um alô.

— Bem... Então alô! — disse Louis, apertando-lhe a mão pequena, parda. — Agora vá para casa dormir.

— Quase acabamos o exame do arquivo central — Masterton exclamou. — Pode dizer aleluia, Surrendra.

— Sinto muito — disse Hardu, sorrindo —, mas não sou cristão.

— Então cante o refrão de "Instant Karma!" ou qualquer coisa.

— Que vocês dois recebam a luz — disse Hardu, ainda sorrindo e saindo tranquilamente pela porta.

Louis e Steve Masterton fitaram por um momento a porta, em silêncio, depois olharam um para o outro e explodiram numa risada. Para Louis, jamais um riso fora tão gostoso, tão revigorante.

— Ainda bem que terminamos o inventário — disse Steve. — Hoje é dia de pôr o tapete vermelho para receber os "traficantes".

Louis concordou. O primeiro representante farmacêutico chegaria às dez. Como Steve gostava de dizer, a quarta-feira podia ser o Dia do Espaguete, mas na UMO,* toda terça-feira era o Dia D, o Dia das Drogas.

— Uma palavra de advertência, "Grande Mestre" — disse Steve. — Não sei como esses sujeitos se comportam em Chicago, mas aqui eles fazem de tudo para vender o seu peixe, desde pagar as despesas de uma caçada no Allagash em novembro, até nos convidar para um boliche grátis com toda a família no Family Fun Lanes, em Bangor. Conheci um cara que tentou me dar uma daquelas mulheres infláveis. A mim! E

* Universidade do Maine em Orono. (N. do T.)

olhe que sou quase recém-formado! Ou conseguem te vender algum remédio ou te deixam viciado em calmantes.

— Você devia ter aceitado a mulher inflável.

— Ah, era ruiva. Não era o meu tipo.

— Bem, concordo com Surrendra — disse Louis. — Que a luz brilhe para nós!

18

Como o representante da Upjohn não chegou às dez em ponto, Louis desistiu de esperá-lo e ligou para o registro da universidade. Falou com uma tal de srta. Stapleton, que concordou em enviar imediatamente uma cópia do dossiê de Victor Pascow. Ao pôr o fone no gancho, o sujeito da Upjohn já estava lá. Não tentou lhe dar nada, mas perguntou se não estava interessado em comprar com desconto um bilhete de temporada para os jogos do New England Patriots.

— De jeito nenhum — disse Louis.

— Não achava mesmo que fosse querer — disse o sujeito da Upjohn com um ar sombrio, e foi embora.

Ao meio-dia, Louis caminhou até o Bear's Den e pediu um sanduíche de atum com Coca-Cola. Levou-os para sua sala e comeu examinando os registros de Pascow. Louis procurava alguma conexão consigo próprio ou com North Ludlow, onde ficava o "simitério" de bichos... Uma vaga crença de que deveria haver uma explicação racional até mesmo para um acontecimento tão estranho quanto aquele. Talvez o rapaz tivesse sido criado em Ludlow, talvez tivesse enterrado um cão ou um gato lá em cima.

Não encontrou a ligação que procurava. Pascow era de Bergenfield, Nova Jersey, e entrara na UMO para estudar Engenharia Eletrônica. Naquelas poucas folhas datilografadas, Louis não encontrou qualquer conexão entre ele e o jovem que morrera na recepção — além do fato de os dois serem mortais, é claro.

Sorveu o resto de Coca-Cola do copo, ouvindo a sucção do canudo no fundo, e atirou tudo na cesta de lixo. Fora um almoço leve, mas comera com bastante apetite. Não estava se sentindo mal. Pelo menos, não naquele momento. Os tremores não tinham voltado e todo o horror que sentira de manhã começava a parecer não mais que uma sensação desagradável, estúpida, semelhante a um sonho sem maiores consequências.

Tamborilou com os dedos no forro da mesa, sacudiu os ombros e pegou de novo o telefone. Discou para o Centro Médico do lado leste do Maine e pediu que o ligassem com o necrotério.

Depois que o legista atendeu, ele se identificou e disse:

— O senhor tem um de nossos estudantes aí: Victor Pascow.

— Não está mais conosco — respondeu a voz do outro lado. — Foi embora.

Louis sentiu um aperto na garganta.

— O quê?!

— O corpo foi devolvido aos pais ontem à noite. Veio aqui um sujeito da Funerária Brookings-Smith e levou-o sob custódia. Foi transportado no voo, hmmm... — um folhear de papéis — ... no voo 109 da Delta. Aonde pensou que ele tivesse ido? Dançar ou andar de patins por aí?

— Não — disse Louis. — É claro que não. É só que...

Era só o quê? Por que diabos estava insistindo naquele assunto? Era inteiramente insano se deixar absorver por ele. Tinha de deixar aquilo passar, tinha de tirar Pascow da cabeça, esquecê-lo. Qualquer outra atitude só lhe traria um monte de preocupações sem sentido.

— É que foi tudo muito rápido — concluiu num tom pouco convincente.

— Bem, ele foi autopsiado ontem à tarde... — novamente o rumor de papéis — ... na parte da tarde, pelo dr. Rynzwyck. Ontem mesmo o pai arranjou tudo. Acho que o corpo chegou a Newark por volta das duas da manhã.

— Oh, bem, nesse caso...

— A menos que tenha havido algum extravio e ele tenha ido parar noutro lugar — disse num tom gozador o legista. — Isso tem acontecido, o senhor sabe, embora nunca com a Delta. A Delta é realmente muito boa. Houve um sujeito que morreu numa pescaria em Aroostook County, perto de uma daquelas cidadezinhas que só aparecem em um ou dois mapas. O idiota sufocou com o anel de abertura de uma lata de cerveja quando estava bebendo. Os amigos dele levaram dois dias para tirá-lo do meio do mato e, como o senhor pode imaginar, não deve ter sido uma viagem muito fácil. Mas os dois aguentaram a parada e chegaram com o corpo. Foi enviado para casa, para Grand Falls, em Minnesota, no compartimento de carga de um avião. Mas houve um extravio. Despacharam ele pra Miami, depois pra Des Moines, depois pra Fargo e Dakota do Norte. Por fim, alguém conseguiu achá-lo, mas já se tinham se passado mais três dias. Foi insuportável. A única solução era um caixão hermeticamente fechado. O cara estava totalmente negro e cheirava como uma costeleta de porco podre. Pelo menos, foi o que me contaram. Seis carregadores ficaram doentes.

A voz do outro lado da linha riu com vontade.

Louis fechou os olhos e disse:

— Bem, obrigado...

— Posso dar o telefone da casa do dr. Rynzwyck se o senhor quiser, doutor, mas de manhã ele geralmente está jogando golfe em Orono.

— Não precisa se incomodar — respondeu Louis.

Desligou o telefone. *Encerre as coisas por aqui*, pensou. *Quando você estava tendo aquele sonho maluco, ou seja lá o que for, é quase certo que o corpo de Pascow estava rodeado pela família num funeral em Bergenfield. Isso põe um ponto final, uma pá de cal no assunto.*

Naquela tarde, voltando para casa, uma explicação simples da sujeira aos pés da cama finalmente lhe ocorreu, enchendo-o de alívio.

Passara por um episódio isolado de sonambulismo, provocado pelo fato imprevisto e extremamente desagradável de um estudante, mortalmente ferido, morrer na enfermaria em seu primeiro dia de trabalho.

Isso explicava tudo. O sonho parecera extremamente real porque grande parte dele *era* real: a sensação do tapete na sola dos pés, o orvalho na relva, e, é claro, o galho seco que lhe arranhou o braço. Isso explicava também por que Pascow fora capaz de caminhar através da porta e ele não.

Uma imagem tomou forma em sua mente: Rachel descendo na noite anterior e surpreendendo-o quando deu de cara contra a porta dos fundos, tentando atravessá-la enquanto dormia. A ideia o fez rir. Sem dúvida, ela deve ter levado um tremendo susto.

Cultivando a hipótese do sonambulismo, foi capaz de analisar as causas do sonho, o que fez com certa ansiedade. Fora até o "simitério" de bichos porque o lugar estava associado a outro momento recente de tensão: provocara uma discussão séria entre ele e a esposa... Além disso, Louis concluía com excitação crescente: o "simitério" estava associado ao primeiro encontro da filha com a ideia da morte, algo que devia estar se agitando em seu subconsciente quando foi dormir na véspera.

Foi uma sorte incrível eu ter voltado inteiro para casa... Nem me lembro dessa parte. Devo ter voltado na base do piloto automático.

E isso foi ótimo. Não podia imaginar como teria se sentido ao despertar de manhã ao lado do túmulo do gato Smucky, desorientado, molhado de sereno e, provavelmente, se borrando de medo... Não menos apavorado do que, sem dúvida, Rachel também ia ficar.

Mas agora estava tudo acabado.

Resolvido o caso, pensou com imenso alívio. *Sim, mas e as coisas que Pascow tinha dito quando estava morrendo?*, sua mente tentou perguntar. Louis, no entanto, fez com que ela se calasse.

Naquela noite, com Rachel passando roupa e Ellie e Gage sentados na mesma cadeira, absorvidos pelo *Muppet Show*, Louis disse que estava com vontade de dar um rápido passeio, tomar um pouco de ar.

— Vai voltar a tempo de me ajudar a pôr Gage na cama? — Rachel perguntou sem tirar os olhos do ferro. — Ele dorme melhor com você...

— É claro — respondeu.

— Aonde você vai, papai? — Ellie perguntou, sem tirar os olhos da TV. Kermit estava prestes a levar um soco de Miss Piggy.

— Só até lá fora, querida.

— Ah.

Louis saiu.

Quinze minutos depois estava no "simitério" de bichos, olhando ao redor com ar curioso e enfrentando uma forte sensação de *déjà-vu*. Não havia dúvida de que tinha estado lá: a pequena lápide erguida em memória do gato Smucky estava caída no chão. Ele a derrubara quando, na parte do sonho que conseguia lembrar, o vulto de Pascow se aproximou. Louis endireitou a lápide e caminhou para as árvores caídas.

Não gostava daquilo. A lembrança de todas aquelas árvores secas e galhos esbranquiçados pelo tempo convertendo-se num monte de ossos ainda conseguia arrepiá-lo. Fez força para esticar o braço e tocar um dos galhos. Precariamente equilibrado, o galho caiu e rolou, indo parar ao lado do monte. Louis recuou a tempo de ele não bater em seu pé.

Caminhou ao longo da pilha, primeiro para a esquerda, depois para a direita. Em ambos os lados, as moitas eram tão espessas quanto impenetráveis. *Só um tolo tentaria abrir caminho através daquele tipo de vegetação*, Louis pensou. Crescendo rente ao solo, havia massas exuberantes de hera venenosa (toda a sua vida ouvira gente se gabando de ser imune a ela, mas sabia que quase ninguém realmente era). Mais adiante, achavam-se os maiores e mais afiados espinhos que já vira.

Louis voltou ao centro do monte de árvores mortas. Olhou para cima, as mãos nos bolsos traseiros da calça.

Não vai tentar subir aí, vai?

Eu não, rapaz. Por que ia querer fazer uma coisa tão estúpida?

Assim é que se fala. Um minuto lá em cima já seria perigoso, Lou. Parece um bom modo de baixar à sua enfermaria com um pé quebrado, você não acha?

É claro que sim! Além disso, está escurecendo.

Certo de que estava em total e completo acordo consigo mesmo, começou a subir nas árvores secas.

Achava-se a meio caminho do topo quando sentiu alguma coisa se deslocar sob os seus pés com um desagradável som rangente.

Os ossos rolam, doutor.

Quando a pilha estalou de novo, Louis começou a descer. A barra da camisa saíra de dentro de suas calças.

Examinou de novo a clareira antes de ir embora, impressionado com aquele silêncio verde. Anéis de uma névoa rasteira tinham surgido não se sabe de onde e começavam a rodopiar em volta das lápides. Aqueles círculos concêntricos... como se, sem o saber, as mãos de gerações de crianças de North Ludlow tivessem construído uma espécie de *Stonehenge* em miniatura.

Mas, Louis, será que é só isso?

Embora tivesse conseguido espiar apenas de relance por sobre o topo das árvores secas antes que a sensação de deslocamento o deixasse nervoso, seria capaz de jurar que existia uma trilha do outro lado, mergulhando profundamente nos bosques.

Não é problema seu, Louis. Deixe isso em paz.

Tudo bem, mestre!

Louis se virou e tomou o caminho de casa.

Uma hora depois de Rachel ter ido deitar ele ainda estava acordado, relendo uma pilha de revistas médicas, recusando-se a admitir que a ideia de ir para a cama — de dormir — o deixasse nervoso. Nunca tivera uma experiência de sonambulismo e não havia como ter certeza de que fora um episódio isolado... A não ser que não acontecesse (ou acontecesse) de novo.

Ouviu Rachel sair da cama e chamá-lo em voz baixa:

— Lou? Querido? Você não vai subir?

— Já estou indo — disse ele, desligando a luz sobre a escrivaninha do escritório e se levantando.

Naquela noite, levou muito mais do que sete minutos para desligar os circuitos. Ouvindo Rachel respirar a seu lado, uma calma e lenta respiração de sono profundo, a aparição de Victor Pascow não parecia tanto um sonho. Fecharia os olhos e a porta se abriria de repente: lá estaria ele, o Convidado Especial, sr. Victor Pascow. Ia aparecer com o calção de ginástica, pálido sob o bronzeado de verão, a clavícula projetada para fora.

Começou a pegar no sono pensando o quanto teria de estar plenamente, friamente desperto no "simitério" de bichos para ver aqueles toscos círculos concêntricos iluminados pelo luar, para voltar para casa seguindo a trilha através do bosque. Várias vezes o pensamento fez com que despertasse.

Já passava da meia-noite quando o sono finalmente o tomou de surpresa, subjugou-o. Não sonhou. Acordou pontualmente às sete e meia, ao barulho de uma chuva fria de outono batendo contra a janela. Atirou as cobertas para o lado com alguma apreensão. O lençol da cama estava imaculado. Nenhum purista elogiaria seus pés, com os calcanhares duros de calos, mas pelo menos eles estavam limpos.

Pouco depois, assobiava debaixo do chuveiro.

19

A srta. Dandridge tomou conta de Gage quando Rachel levou Winston Churchill ao veterinário. Naquela noite, Ellie ficou acordada até depois das onze, queixando-se amargamente de que não podia dormir sem Church e pedindo um copo d'água atrás do outro. Por fim, Louis recusou-se a dar-lhe mais água, alegando que molharia a cama. Isso fez com que armasse um berreiro de tamanha ferocidade que o pai e a mãe se entreolharam pasmados, sobrancelhas erguidas.

— Está assim por causa do Church — disse Rachel. — Deixe-a resolver isto sozinha, Lou.

— Mas não pode continuar neste tom por muito tempo — disse Louis. — Eu espero.

Ele tinha razão. Os gritos ásperos e furiosos de Ellie foram se transformando em lamentos, soluços e gemidos. Finalmente houve silêncio. Quando Louis subiu de novo para vê-la, encontrou-a dormindo no chão, abraçando a cama de gato que Church raramente se dignava a ocupar.

Tornou a deitá-la na cama, ajeitou-lhe carinhosamente o cabelo da testa suada e a beijou. Num impulso, foi para a pequena sala que servia como escritório de Rachel, escreveu um breve bilhete em grandes letras de forma — VOLTAREI AMANHÃ, BEIJOS, CHURCH — e prendeu-o na almofada da cama do gato. Depois, foi para seu quarto à procura de Rachel. Rachel estava lá. Fizeram amor e adormeceram nos braços um do outro.

Church voltou para casa na sexta-feira da primeira e agitada semana de trabalho de Louis. Ellie fez-lhe uma grande festa, usou parte da mesada para comprar uma caixa de biscoitos de gato e quase deu um tapa em Gage, por ele tentar tocá-lo. Uma mera censura dos pais não conseguiria fazê-lo chorar daquele modo. Receber uma repreensão de Ellie era como receber uma repreensão de Deus.

Olhando para Church, Louis sentiu-se triste. Era ridículo, mas isso não alterava o sentimento. Não havia traço da antiga agitação. Não andava mais como um pistoleiro; agora tinha o passo lento e cuidadoso do convalescente. Deixou que Ellie lhe desse comida na boca. Não dava sinais de querer sair, nem mesmo de ir até a garagem. Estava transformado. Talvez, em última instância, mudado para melhor.

Nem Ellie nem Rachel pareceram notar qualquer diferença.

20

A meia-estação veio e se foi. As árvores ganharam uma coloração de bronze, que brilhou algum tempo e depois desbotou. Ao término de uma chuva fria e persistente em meados de outubro, as folhas começaram a cair. Ellie chegava em casa carregada com as decorações do Dia das Bruxas que fazia na escola, e um dia contou a Gage a história do Cavaleiro sem Cabeça. Gage passou aquela noite balbuciando alegre sobre uma figura chamada Cérebro de Pulga. Rachel começou a rir e não pôde parar. Viveram dias felizes naquele início de outono.

O trabalho de Louis na universidade se convertera numa rotina exigente, mas agradável. Atendia os pacientes, comparecia a reuniões do conselho universitário, escrevia o indispensável artigo para o jornal estudantil — lembrando a população feminina da universidade do caráter confidencial do tratamento de doenças venéreas na enfermaria e exortando o corpo discente a ter cuidado com o vírus da febre espanhola, cujo tipo A era capaz de prevalecer de novo naquele inverno —, participava de comissões, presidia comissões. Na segunda semana de outubro, foi à Conferência da Nova Inglaterra sobre Medicina Acadêmica e Universitária, em Providence, onde apresentou um estudo sobre as ramificações legais do tratamento num *campus* universitário. Victor Pascow foi mencionado sob o nome fictício de "Henry Montez". A palestra foi bem recebida. E ele começou a ampliar o orçamento da enfermaria para o ano letivo seguinte.

Suas noites também entraram numa rotina: os filhos depois do jantar e uma ou duas cervejas com Jud Crandall. Às vezes, quando a srta. Dandridge podia ficar uma hora tomando conta das crianças, Rachel atravessava a estrada com ele e quase sempre Norma também se reunia ao grupo. Mas, em geral, eram apenas ele e Jud. Louis achava o homem agradável como um chinelo velho e o ouvia falar da história de Ludlow desde trezentos anos atrás, quase como se tivesse vivido todo esse tempo. Crandall falava muito, mas nunca divagava. Nunca entediava Louis, embora mais de uma vez já tivesse visto Rachel bocejar.

Na maioria das noites, Louis atravessava a estrada para voltar a casa antes das dez, e ele e Rachel faziam amor como nunca. Desde o primeiro ano de casamento, nunca tinham feito amor com tanta frequência, nem de forma tão gratificante e agradável. Rachel achava que havia alguma coisa na água do poço; Louis dizia que era o ar do Maine.

A incômoda morte de Victor Pascow no primeiro dia do semestre começou a se dissipar da memória dos estudantes e da memória de Louis; sem dúvida, porém, a família de Pascow ainda chorava. Louis enfrentara a voz lastimosa, gentil mas sem feições reconhecíveis, do pai de Pascow ao telefone; o pai só queria ter certeza de que Louis fizera tudo o que estava a seu alcance, e Louis assegurou-lhe que todo mundo tinha feito o possível para salvá-lo. Não lhe falou da confusão, da mancha se esparramando no tapete e de como o filho morrera logo depois de ser trazido para a enfermaria, embora Louis achasse que jamais poderia esquecer essas coisas. Mas para quem Pascow fora apenas um acidente, tudo já se apagara.

Louis ainda se lembrava do sonho e do episódio de sonambulismo que o acompanhou, mas agora aquilo parecia ter acontecido a alguma outra pessoa ou num filme a que assistira na TV. Era o mesmo que sentia em relação a sua única visita a uma prostituta de Chicago, seis anos antes. Eram fatos sem importância, coisas secundárias que tiveram uma falsa ressonância, como sons produzidos numa câmara de eco.

Havia esquecido completamente o que Pascow tinha ou não falado enquanto agonizava.

Houve uma forte geada na noite do Dia das Bruxas. Louis e Ellie estavam na casa de Crandall. Ellie fazia uma farra, fantasiada de bruxa e fingindo voar em sua vassoura pela cozinha de Norma. Era devidamente notada:

— É a coisa mais engraçadinha que eu já vi... Não é, Jud?

Jud concordou e acendeu um cigarro.

— Onde está Gage, Louis? Achei que ele também viria...

De fato, tinham planejado que Gage participaria da festa. Rachel, em particular, ficara muito animada e arranjara com a srta. Dandridge uma espécie de fantasia de inseto, com arames torcidos e forrados de papel crepom servindo de antenas, mas Gage caíra doente, um preocupante início de bronquite. Após ouvir-lhe os pulmões, que chiavam um pouco, e consultar o termômetro do lado de fora da janela, que marcava apenas quatro graus às seis da manhã, Louis proibiu a farra. Embora desapontada, Rachel concordou.

Ellie tinha prometido alguns doces para Gage, mas o exagero de seu remorso fez Louis acreditar que estava bem satisfeita por ver que Gage não ia atrapalhá-la nas brincadeiras nem roubar-lhe parte do brilho da festa.

— Coitado do Gage — disse ela num tom geralmente reservado para os que sofrem de doença incurável. Gage, sem saber o que estava perdendo, continuava sentado no sofá assistindo *Zoom*. Church tirava uma soneca ao lado dele.

— Ellie-bruxa — Gage respondeu sem grande interesse e voltou para o programa de TV.

— Coitado do Gage — disse Ellie de novo, exalando outro suspiro. Louis pensou em lágrimas de crocodilo e sorriu. Ellie agarrou-o pela mão e começou a puxá-lo. — Vamos, papai. Vamos, vamos, vamos.

— Gage está um pouco resfriado — Louis explicou a Jud.

— Bem, é mesmo uma pena — disse Norma —, mas acredito que ele vai se divertir mais ainda no ano que vem. Abra sua sacola, Ellie... opa!

Tirara uma maçã e um tablete de chocolate da bandeja sobre a mesa, mas ambos caíram de sua mão. Louis ficou um tanto impressionado ao reparar como aquela mão se parecia a uma garra. Abaixou-se e pegou a maçã que rolara pelo chão. Jud apanhou o chocolate e colocou-o na bolsa de Ellie.

— Oh, vou pegar outra maçã para você, meu anjo — disse Norma. — Essa está machucada.

— Está ótima — disse Louis e fez menção de jogá-la na sacola da filha, mas a menina recuou, fechando a bolsa e protegendo-a contra o peito.

— Não quero uma maçã machucada, papai — disse, olhando para Louis como se ele tivesse ficado louco. — Tem manchas escuras na maçã... Que horrível!

— Ellie, que falta de educação!

— Não a censure por dizer a verdade, Louis — disse Norma. — Só as crianças dizem toda a verdade, você sabe. É isso o que as torna crianças. Manchas escuras numa maçã *são* horríveis.

— Obrigada, sra. Crandall — disse Ellie, atirando um olhar insolente para o pai.

— Gosto muito de ter você aqui, meu bem — disse Norma.

Jud levou-os para a varanda. Dois fantasminhas vinham subindo a calçada; eram colegas de escola de Ellie. A menina foi com eles para a cozinha e Jud e Louis ficaram sozinhos na varanda.

— A artrite de Norma piorou — disse Louis.

Jud balançou a cabeça e apagou o cigarro num cinzeiro.

— É. Todo outono e inverno fica pior, mas nunca chegou ao ponto deste ano.

— O que diz o médico dela?

— Nada. Nem pode dizer nada. Norma deixou de consultá-lo.

— Ora! Mas por quê?

Jud olhou para Louis e, à luz dos faróis da caminhonete que esperava os fantasminhas, pareceu singularmente desamparado.

— Queria esperar uma hora melhor pra lhe pedir isso, Louis, mas acho que nenhuma hora é boa pra se abusar de um amigo. Se importaria de examiná-la?

Louis podia ouvir os dois fantasminhas fazendo *buuuu* na cozinha e Ellie dando suas gargalhadas de bruxa (que praticara toda a semana). Aquilo parecia bem divertido e muito de acordo com o Dia das Bruxas.

— O que está havendo com Norma? — ele perguntou. — Será que tem medo de alguma coisa, Jud?

— Vem sentindo dores no peito — disse Jud em voz baixa. — Não quer mais ir ao dr. Weybridge. Estou um pouco preocupado.

— Norma está preocupada?

Jud hesitou antes de responder:

— Acho que está assustada. Acho que por isso é que não vai mais ao médico. Uma de suas amigas mais antigas, Betty Coslaw, morreu no mês passado no Centro Médico do Maine. Câncer. Ela e Norma eram da mesma idade. Só pode estar assustada...

— Vou examiná-la com todo o prazer. Não há qualquer problema!

— Obrigado, Louis. Podemos pegá-la desprevenida uma noite dessas, cair sobre ela, e...

Jud se calou, a cabeça virando comicamente para um dos lados. Seus olhos fixaram os de Louis.

Mais tarde, Louis não conseguia lembrar exatamente como um sentimento levara a outro. Qualquer tentativa de analisar a coisa só o deixaria atordoado. Mas tinha certeza de que a mera curiosidade transformou-se rapidamente numa sensação de que havia algo errado. Seus olhos encontraram os de Jud e ambos pareceram inseguros. Houve um momento de lapso antes de qualquer iniciativa.

— *Buuu-buuu* — entoavam os fantasmas do Dia das Bruxas na cozinha. — *Buuu-buuu.* — E então, subitamente, o som fora abafado por um grito mais alto, verdadeiramente assustador. — *Oooh-OOOOOH!*

Um dos fantasmas começou a berrar.

— *Papai!* — A voz de Ellie era aguda, estridente, de alarme — *Papai! A sra. Crandall caiu!*

— Ah, Meu Deus! — Jud exclamou.

Ellie entrou correndo na varanda, a fantasia negra esvoaçando. Segurava a vassoura numa das mãos. O rosto infantil, agora muito pálido, lembrava a fisionomia de um anão alcoólatra nos últimos estágios de coma alcoólico. Os dois fantasminhas vinham atrás dela, gritando. Jud precipitou-se pela porta, surpreendentemente ágil para um homem de mais de 80 anos. Mais que ágil: quase elástico. Gritava o nome da esposa.

Louis se curvou e pôs as mãos nos ombros da filha.

— Fique aqui na varanda, Ellie. Está entendendo?

— Papai, estou com medo — ela sussurrou.

Os dois fantasminhas passaram correndo, berrando o nome da mãe, os sacos de doce chocalhando na mão.

Louis cruzou a sala e entrou na cozinha, ignorando Ellie, que o chamava de volta.

Norma jazia no ladrilho brilhante, ao lado da mesa, entre maçãs e tabletes de chocolate espalhados. Ao que tudo indicava, batera com a mão na bandeja ao cair e a derrubara. A bandeja caíra perto, junto com um pequeno pirex. Jud friccionava um de seus pulsos e olhou para Louis com uma expressão extremamente tensa.

— Ajude-me, Louis — disse ele. — Ajude Norma. Acho que ela está morrendo.

— Fique de lado — disse Louis, afastando-o. Ajoelhou-se e, sem querer, amassou uma maçã caramelada. Sentiu o suco escorrendo pelo tecido gasto da calça e um cheiro de sidra se espalhou na cozinha.

Pronto, exatamente como aconteceu com Pascow, Louis pensou, mas conseguiu varrer o pensamento da mente com extraordinária rapidez.

Procurou o pulso de Norma e encontrou uma coisa fraca, viscosa, fria — não propriamente uma batida, só espasmos. Arritmia extrema, a caminho da plena parada cardíaca. *Você e Elvis Presley, Norma,* ele pensou.

Abriu-lhe o vestido, expondo uma combinação de seda amarela. Movendo-se cadenciadamente, virou-lhe a cabeça para um dos lados e começou uma massagem no coração.

— Jud, venha cá — disse ele.

Planta da mão esquerda a um terço do caminho para o esterno — 4 centímetros acima da apófise xifoide. Mão direita agarrando o pulso esquerdo, apertando, fazendo pressão. *Firme, mas vá com calma nas velhas costelas... Não há motivo para pânico. E pelo amor de Deus, não cause dano aos pulmões. Também estão velhos.*

— Estou aqui — disse Jud.

— Pegue Ellie — disse. — Atravesse a rua. Cuidado, não vá ser atropelado! Diga a Rachel o que está acontecendo. Peça-lhe minha maleta. Não a do escritório, a que está na prateleira do alto no banheiro do andar de cima. Ela vai achá-la. Mande-a ligar para o hospital de Bangor e pedir uma ambulância.

— Bucksport é mais perto — disse Jud.

— Bangor é mais rápido. Vá. Deixe Rachel telefonar. Eu preciso da maleta.

E assim que ela souber o que está havendo aqui, Louis pensou, *duvido que queira trazer pessoalmente a maleta.*

Jud foi. Louis ouviu a porta de madeira bater. Estava sozinho com Norma Crandall e o cheiro das maçãs. Da sala de estar vinha o tique-taque de um relógio de pêndulo.

De repente, Norma emitiu uma respiração profunda, ressonante. As pálpebras se agitaram. Louis foi envolvido por uma penosa, medonha convicção.

Ela vai abrir os olhos... Oh, Deus, ela vai abrir os olhos e começar a falar do "simitério" de bichos.

Mas Norma limitou-se a olhar para Louis com uma espécie de gratidão atordoada. Depois os olhos se fecharam de novo. Louis sentiu vergonha de si mesmo, do medo estúpido, tão contrário à sua natureza. Experimentou ao mesmo tempo esperança e alívio. Havia alguma dor no olhar de Norma, mas não agonia. Sua primeira suposição foi de que não tinha sido um ataque grave.

Agora Louis respirava acelerado e suava. Só mesmo os paramédicos que aparecem na TV podem transformar massagem cardíaca numa coisa fácil. Uma firme e contínua massagem no peito sugava um bom número de calorias. Amanhã ele sentiria dores nos músculos entre os braços e os ombros.

— Posso fazer alguma coisa?

Ele se virou. Uma mulher de calça comprida e suéter marrom hesitava na soleira da porta, uma das mãos apertada entre os seios. A mãe dos fantasmas, Louis pensou.

— Não — disse ele, e logo se corrigiu. — Sim. Molhe um pano, por favor. Esprema-o. Ponha-o na testa dela.

A mulher começou a procurar um pano. Os olhos de Norma estavam novamente abertos.

— Louis, eu caí — ela sussurrou. — Acho que desmaiei.

— Você teve um princípio de ataque cardíaco — disse Louis. — Não parece muito sério. Agora relaxe e não fale, Norma.

Louis contemplou-a um instante e voltou a tomar-lhe o pulso. Os batimentos estavam muito acelerados. Era como código Morse: o coração batia regularmente, depois disparava numa série de batidas que se aproximavam da fibrilação; por fim, voltava a bater de novo com regularidade. Taque-taque-taque, TUM-TUM-TUM, taque-taque-taque-taque-taque. Aquilo não era bom, mas era um pouco melhor que a arritmia cardíaca.

A mulher aproximou-se com o pano e colocou-o na testa de Norma. Depois recuou insegura. Jud voltou com a maleta de Louis.

— Louis?

— Ela vai ficar boa — disse, olhando para Jud mas, no fundo, falando com Norma. — A ambulância de Bangor está vindo?

— Sua esposa ficou telefonando — respondeu Jud. — Eu não esperei.

— Hospital... Não... — Norma sussurrou.

— Sim, hospital — disse Louis. — Cinco dias em observação, medicação adequada e depois voltar para casa em forma, Norma, minha garota. E se disser mais uma palavra, vou fazê-la comer todas essas maçãs. Com caroço e tudo.

Ela sorriu palidamente, depois voltou a fechar os olhos.

Louis abriu a maleta, remexeu-a, encontrou o frasco de Isordil e colocou um dos comprimidos, tão pequeno que caberia facilmente na ponta de uma unha, na palma da mão. Tornou a tampar o vidro e pôs o comprimido entre os dedos.

— Norma, está me ouvindo?

— Sim.

— Quero que abra a boca. Você já fez a travessura, agora tem de obedecer. Vou colocar um comprimido embaixo da sua língua. É um comprimido pequeno. Quero que o conserve aí até se dissolver. Tem um gosto um pouco amargo, mas isso não importa. Está bem?

Norma abriu a boca. Um sopro passou entre a velha dentadura e, por um momento, Louis sentiu muita pena dela, deitada ali no chão da cozinha, entre maçãs e doces do Dia das Bruxas espalhados. Lembrou que ela já tivera 17 anos, os seios olhados com interesse pelos rapazes da vizinhança, todos os dentes seus e, sob a blusa, o coração forte e saltitante como um pônei.

Ela acomodou a língua sobre o comprimido e fez uma careta. O comprimido era um tanto amargo, sem dúvida. Mas tudo bem. Norma não era Victor Pascow, sem qualquer possibilidade de ser ajudado. Louis achou que ainda não seria daquela vez que Norma iria embora. A mão dela tateou no ar e Jud pegou-a delicadamente.

Então Louis se levantou, pegou a bandeja do chão e começou a recolher as maçãs e os doces. A mulher, que se apresentou como sra. Buddinger, da caminhonete na beira da estrada, ajudou-o e depois disse que tinha de ir embora. Seus dois meninos estavam assustados.

— Obrigado pela ajuda, sra. Buddinger — disse Louis.

— Eu não fiz nada — ela respondeu firmemente —, mas vou me ajoelhar esta noite e agradecer a Deus pelo senhor estar aqui, dr. Creed.

Louis sacudiu a mão, embaraçado.

— Vou fazer o mesmo — disse Jud. Seus olhos encontraram os de Louis. Agora pareciam firmes. Tinham recuperado o controle. O breve momento de confusão e medo passara. — Fico lhe devendo essa, Louis.

— Esqueça — disse, acenando em seguida para a sra. Buddinger, que ia saindo. Ela sorriu e também acenou. Louis pegou uma maçã caramelada e deu uma mordida. Era tão doce que seu paladar pareceu momentaneamente paralisado... Mas não era uma sensação desagradável. *Você ganhou um ponto esta noite, Lou,* ele pensou e continuou atacando a maçã com um sentimento de alívio. Comeu-a vorazmente.

— Estou mesmo muito agradecido, Louis — disse Jud. — Quando precisar de um favor, peça primeiro a mim.

— Está bem — concordou. — Pode deixar que vou fazer isso.

A ambulância do hospital de Bangor chegou vinte minutos depois. Quando os enfermeiros puseram a maca com Norma na ambulância, Louis viu Rachel na janela. Acenou e ela respondeu levantando a mão.

Ele e Jud viram a ambulância se afastar, luzes piscando, mas a sirene desligada.

— Acho que vou até o hospital — disse Jud.

— Não deixarão que você a veja esta noite. Vão fazer um eletrocardiograma e deixá-la no CTI. Nenhuma visita será admitida nas primeiras 12 horas.

— Ela vai ficar boa, Louis? Realmente boa?

Louis contraiu os ombros.

— Ninguém pode garantir. Foi um ataque cardíaco. Porém, acho que vai ficar boa. Talvez até melhor que antes. Afinal, vai ser devidamente medicada.

— Pois é — disse Jud, acendendo um Chesterfield.

Louis sorriu e consultou o relógio. Ficou surpreso ao ver que ainda eram dez para as oito. Parecia ter passado um tempo muito maior.

— Jud, vou pegar Ellie para que ela possa acabar de pedir os seus doces.

— Ah, boa ideia. Diga pra ela pegar todas as maçãs do pessoal da estrada.

— Deixe comigo — Louis prometeu.

Ellie ainda estava com sua fantasia de bruxa quando Louis entrou. Rachel tentara persuadi-la a vestir a camisola de dormir, mas a menina resistira, contando com a possibilidade de que a brincadeira, interrompida pelo ataque do coração de Norma, pudesse continuar. Quando Louis mandou que fosse pegar a capa, deu gritinhos de alegria e bateu palmas.

— Vai ficar muito tarde para ela, Louis.

— Deixe disso, Rachel — disse ele. — A menina está há um mês esperando por isso. Vou pegar o carro.

— Se é assim... — Rachel sorriu. Ellie viu o sorriso da mãe, gritou de novo e correu para buscar a capa no cabide. — Norma está bem?

— Acho que sim. — Ele também se sentia bem. Cansado, mas bem. — Não foi um ataque grave. Terá de ter cuidado, mas quando se está com 65 anos, é preciso admitir que os dias de salto com vara já passaram.

— Foi sorte você estar lá. Parece providência divina.

— Aposto mais na sorte.

Louis sorriu quando Ellie voltou.

— Está pronta, minha bruxinha?

— Estou — ela respondeu. — Vamos, vamos, vamos!

Uma hora mais tarde, de volta à casa com meia sacola de doces (a menina protestou quando Louis finalmente interrompeu a brincadeira, mas não muito; estava cansada), Ellie sobressaltou o pai dizendo:

— Fui eu que fiz a sra. Crandall ter o ataque do coração, papai? Quando não quis pegar a maçã machucada?

Louis virou-se para ela, espantado, não entendendo de onde as crianças tiravam essas ideias fantásticas e meio supersticiosas. "Se andar pra trás, a mãe morre", "barriga do papai, cabeça do papai, quem sorrir à meia-noite tem a morte do papai". Isso o fez pensar de novo no "simitério" de bichos e naqueles toscos círculos concêntricos. Quis sorrir para si mesmo, mas não conseguiu.

— Não, meu bem — disse ele. — Quando você estava lá dentro com aqueles dois fantasmas...

— Não eram fantasmas, eram só os gêmeos Buddinger.

— Bem, quando você estava lá dentro com eles, o sr. Crandall me disse que Norma vinha sentindo umas dorezinhas no peito. Na realidade, acho até que foi você quem lhe salvou a vida ou, pelo menos, impediu que as coisas ficassem piores.

Agora foi a vez de Ellie ficar espantada.

Louis confirmou com a cabeça.

— Ela precisava de um médico, querida. Eu sou médico. Mas só estava lá porque era sua noite de pedir doces.

Ellie refletiu por um longo tempo e depois balançou a cabeça.

— Mas, de qualquer jeito, ela provavelmente vai morrer — disse de modo direto. — Quem tem um ataque do coração geralmente morre. E quando escapa, tem logo outro e outro e outro até que... *bum*!

— E onde aprendeu essas palavras de sabedoria, posso perguntar?

Ellie limitou-se a balançar os ombros, um sacudir de ombros muito semelhante ao do pai, o que divertiu Louis.

Ellie o deixou carregar a sacola de doces — um indício de confiança quase absoluta — e Louis meditou sobre a atitude da filha. A ideia da morte de Church provocara-lhe uma quase histeria. Mas a ideia da "avó" Norma Crandall agonizando... Ellie parecia encarar aquilo com serenidade, como um fato inevitável, um dado. O que ela dissera mesmo? Outro e outro até que... *bum*!

A cozinha estava vazia, mas Louis pôde ouvir Rachel andando no andar de cima. Colocou os doces da menina no tampo da pia.

— As coisas não se passam necessariamente assim, Ellie. O ataque de coração de Norma não foi nada grave e eu pude prestar socorro imediato. Sem dúvida, o coração dela não sofreu um dano muito grande. Ela...

— Oh, eu sei — Ellie concordou, num tom quase professoral. — Mas é velha e vai morrer logo. O sr. Crandall também. Posso comer uma maçã antes de ir pra cama, papai?

— Não — disse ele, observando-a com ar pensativo. — Suba e escove os dentes, meu bem.

Será que alguém acha mesmo que entende as crianças?, Louis se perguntou.

Quando a casa estava em silêncio e Louis se deitou na cama que compartilhava com Rachel, ela perguntou em voz baixa:

— Não foi uma experiência desagradável para Ellie, Lou? Ela não está transtornada?

Não, Louis pensou. *Ela sabe que os velhos esticam as canelas, assim como sabe que depois de um ataque cardíaco pode vir outro e outro e tchauzinho, seu doutor... Assim como você sabe que se você pular correndo e tropeçar no número treze, seu melhor amigo vai morrer... Assim como sabe que os túmulos estão colocados em círculos cada vez menores no "simitério" de bichos...*

— De modo algum — disse. — Ela reagiu muito bem. Vamos dormir, Rachel, está bem?

Naquela noite, enquanto eles dormiam e Jud se mantinha desperto, recostado, na casa do outro lado da estrada, houve outra geada forte. O vento aumentou nas últimas horas da madrugada, arrancando a maior parte das folhas, amarronzadas e sem brilho, que ainda restavam nas árvores.

O vento acordou Louis. Ele se apoiou nos cotovelos, tonto, semiadormecido. Ouvia passos na escada... lentos, passos que se arrastavam. Pascow tinha voltado. Só agora, pensou, dois meses depois. Quando a porta se abrisse, veria aquela terrível decomposição, o calção de ginástica coberto de lama, a carne se abrindo em grandes buracos, o cérebro reduzido a uma pasta. Só os olhos estariam vivos... diabolicamente vivos e brilhantes. Desta vez, Pascow não diria nada; as cordas vocais já deviam estar excessivamente decompostas para produzir qualquer som. Mas os olhos... os olhos o induziriam a segui-lo.

— Não — ele murmurou, e os passos cessaram.

Louis se levantou, os lábios repuxados numa careta de medo e determinação, o corpo contraído. Caminhou até a porta, abriu-a. Pascow estaria ali mais adiante, os braços erguidos, como um guia infernal pronto a comandar as bruxas para seu *sabbat*.

"*Num* era nada disso", como diria Jud. O patamar da escada estava vazio... silencioso. Não havia outro som além do vento. Louis voltou para a cama e adormeceu.

21

No dia seguinte, Louis telefonou para o CTI do Centro Médico do Maine. O estado de Norma ainda era classificado como crítico; esse era o procedimento padrão para as primeiras 24 horas depois de um ataque cardíaco. Mas ele obteve uma notícia animadora de Weybridge, médico de Norma.

— Eu nem diria que foi um enfarte do miocárdio — disse ele. — Não deixou qualquer cicatriz. Ela deve muito ao senhor, dr. Creed.

No final da semana, movido por um impulso, Louis passou pelo hospital com um buquê de flores e viu que Norma fora transferida para um quarto coletivo no andar de baixo: era um bom sinal. Jud estava com ela.

Norma exclamou de alegria ao ver as flores e cochichou para a enfermeira lhe trazer um jarro. Seguindo sua orientação, Jud as colocou na água, arrumou-as e levou o jarro para uma pequena cômoda no canto do quarto.

— A mãe está muito melhor — disse Jud, após ter ajeitado as flores pela terceira vez.

— Não se faça de sabido, Judson — disse Norma.

— Não, madame.

Por fim, Norma virou-se para Louis.

— Quero agradecer pelo que fez por mim — disse com uma timidez desprovida de qualquer traço de afetação e que, justamente por isso, era duplamente comovente. — Jud diz que eu lhe devo a vida.

— Jud está exagerando — disse Louis, sem jeito.

— De maneira nenhuma — Jud replicou. Olhou de soslaio para Louis, quase deixando escapar um sorriso. — Será que sua mãe lhe ensinou que é feio receber um agradecimento, Louis?

Ela nunca lhe tinha dito nada desse tipo, pelo menos que Louis lembrasse. Achava que, certa vez, dissera alguma coisa sobre a falsa modéstia, que seria metade do caminho para o pecado da soberba.

— Norma — disse ele —, o que eu pude fazer por você só me deu satisfação.

— É um homem generoso — disse Norma. — Agora, por favor, pegue meu marido e leve-o para algum lugar para tomar um copo de cerveja com você. Estou de novo com sono e não consigo me livrar dele.

Jud levantou-se com entusiasmo:

— Com todos os diabos! Louco pra isso estou eu. Vamos rápido, Louis, antes que ela mude de ideia.

A primeira geada veio uma semana antes do Dia de Ação de Graças. A 22 de novembro, a neve chegou a 10 centímetros, mas na véspera do feriado, embora fizesse frio, o céu estava límpido, azul. Louis levou a família até o Aeroporto Internacional de Bangor, para embarcá-los num voo com destino a Chicago, onde fariam uma visita aos pais de Rachel.

— Isso não é justo — disse Rachel pela vigésima vez, desde que as acaloradas discussões sobre o assunto tinham começado há um mês. — Não posso nem imaginar você perambulando sozinho pela casa no Dia de Ação de Graças. É uma data para comemorar em família, Louis.

Louis passou Gage, que parecia gigantesco e tinha os olhos arregalados em seu primeiro casaco com capuz, para o outro braço. Ellie espiava por uma das grandes janelas, vendo um helicóptero da Força Aérea decolar.

— Não vou ficar exatamente sozinho com minha cerveja — disse Louis. — Jud e Norma me convidaram para ajudá-los a comer o peru e todas as guarnições. Diabo, assim sou eu que acabo me sentindo culpado! Você sabe que nunca gostei de ficar no meio de muita gente nesses feriados. De que adianta começar a beber às três da tarde, vendo um jogo de futebol, cair de sono às sete da noite e no dia seguinte acordar de ressaca, com vaqueiras do Texas sapateando e uivando na cabeça? É claro que você sozinha com os meninos...

— Eu vou ficar muito bem — disse ela. — Vou me sentir uma princesa viajando de primeira classe... E acho que Gage vai dormir durante a viagem de Logan a O'Hare.

— É sempre uma esperança — disse Louis e os dois riram.

Veio a chamada para o voo e Ellie quis sair em disparada.

— É o nosso, mamãe! Vamos, vamos, vamos! Eles vão sair sem a gente!

— Não, não vão! — disse Rachel. Segurava numa das mãos as três fichas de embarque cor-de-rosa. Usava o casaco de pele, de um marrom exuberante, cópia benfeita de pelo de rato-almiscarado, pensou Louis. Mas fosse lá do que fosse, deixava Rachel absolutamente fascinante.

Talvez um pouco do que estava sentindo tenha transparecido em seus olhos, pois a mulher abraçou-o impulsivamente, espremendo Gage entre os dois. Gage parecia espantado, mas não muito incomodado.

— Louis Creed, eu te amo — disse ela.

— *Mããão* — Ellie gritou, agora febril de impaciência. — Vamos, vamos, va...

— Oh, está bem — disse Rachel. — Porte-se bem, Louis.

— Conto tudo a você — disse ele, sorrindo. — Não se preocupe, vou ter cuidado. Dê um abraço no pessoal, Rachel.

— Oh, você — disse ela, torcendo o nariz. Rachel não era tola, sabia muito bem por que Louis estava escapulindo da viagem. — *Muito* juízo!

Louis viu os três subirem a rampa de embarque... e desaparecerem por uma semana. Mas já sentia saudades e já se sentia sozinho. Foi para a janela por onde Ellie estivera espiando, as mãos enfiadas nos bolsos do casaco. Os carregadores ainda não tinham se afastado do compartimento de carga do avião.

A verdade era simples. Tanto o sr. quanto a sra. Irwin Goldman, de Lake Forest, tinham antipatizado com ele desde o início. Diziam que a filha o havia escolhido no lado errado da cidade. Mas isso foi só o começo. O sr. Goldman achava que ela teria de sustentá-lo enquanto estivesse na faculdade de medicina, curso que sem dúvida não conseguiria terminar.

Louis sempre tentara contornar a situação, mas um dia aconteceu uma coisa que Rachel nunca ficou sabendo, pelo menos não por sua boca. Irwin Goldman ofereceu-se para pagar todas as suas despesas na faculdade. O preço da "bolsa de estudos" (conforme as palavras de Goldman) era que rompesse imediatamente o noivado com Rachel.

Louis Creed não estava atravessando uma boa fase na vida para lidar bem com um insulto desses, mas propostas melodramáticas (ou subornos, para usar o nome correto) não costumam ser feitas a quem está atravessando uma fase *confortável* — o que, não raro, só se alcança por volta dos 85 anos. Sem dúvida, Louis estava cansado dos seus problemas. Tinha 18 horas de aulas por semana, passava mais vinte enfiado nos livros, outras 15 trabalhando como garçom numa pizzaria vizinha à quadra do hotel Whitehall. Andava nervoso. Naquela noite, as maneiras joviais do sr. Goldman contrastavam radicalmente com seu habitual comportamento frio; Louis recordava que ao convidá-lo para fumar um charuto no escritório, Goldman trocara um olhar com a esposa. Mais tarde, muito mais tarde, depois que o tempo reduziu as dimensões da coisa, Louis achou que os cavalos devem experimentar a mesma desagradável ansiedade quando sentem cheiro de fumaça numa campina. Acreditou que Goldman ia dizer que já sabia que ele dormira com a filha.

Quando, em vez disso, Goldman fez sua incrível oferta — chegando a ponto de tirar o talão de cheques do bolso do paletó, como faria um personagem corrupto numa comédia de Noël Coward —, Louis explodiu. Acusou Goldman de tentar guardar a filha como uma peça de museu, de não ter respeito por ninguém, a não ser por si mesmo, de ser um bastardo estúpido e arrogante.

Só depois de muito tempo é que parte da raiva que sentiu naquele momento se dissipou.

Mesmo que os seus pontos de vista sobre o caráter de Irwin Goldman fossem verdadeiros, Louis deixara de lado toda a diplomacia. Qualquer semelhança com os textos de Noël Coward terminou ali; se houve humor no resto da conversa, foi de um tipo bem mais vulgar. Goldman mandou que se pusesse no olho da rua, dizendo que se o visse outra vez na porta iria chutá-lo como a um vira-lata. Louis mandou que Goldman enfiasse o talão de cheques no cu. Goldman respondeu que já vira na sarjeta muitos vagabundos como Louis Creed, a quem ninguém emprestaria um centavo. Louis mandou que Goldman enfiasse todos os seus cartões de crédito, inclusive o American Express Gold, no mesmo lugar que o talão de cheques.

Sem dúvida, aquilo não fora um primeiro passo muito promissor para as futuras relações entre genro e sogro.

Por fim, Rachel conseguira que fizessem as pazes (cada um teve oportunidade de se desculpar das coisas que disse, embora o juízo que um fazia do outro jamais tenha se alterado). Não houve mais melodrama, muito menos o melancolicamente teatral "deste dia em diante não tenho mais filha". Mesmo que Rachel se casasse com o Monstro da Lagoa Negra o pai não a renegaria. Não obstante, o rosto que brotava do colarinho do terno branco de Irwin Goldman no dia do casamento da filha se assemelhava bastante às faces gravadas em certos sarcófagos egípcios. Seu presente de núpcias foi um aparelho de jantar de porcelana para seis pessoas e um forno de micro-ondas. Nada de dinheiro. Na maior parte dos incertos dias de Louis na faculdade de medicina, Rachel trabalhou como balconista numa loja de roupas femininas. Mas ela nunca conhecera os detalhes da discussão, só sabia que as coisas tinham sido e continuavam a ser "tensas" entre o marido e seus pais... Particularmente entre Louis e Goldman.

Louis podia ter ido para Chicago com a família, mesmo que o trabalho na universidade o obrigasse a voltar três dias antes da mulher e dos filhos. Isso não seria problema; o problema real era passar quatro dias com Imhotep e sua esposa, a Esfinge.

As crianças gostavam muito dos avós, o que era normal. Louis achava que poderia completar a harmonia fingindo esquecer aquela noite no escritório de Goldman. Pouco importava que este soubesse da farsa. O fato, porém (e, pelo menos, tinha coragem suficiente para admiti-lo), é que não estava muito interessado numa aproximação maior. Dez anos são um longo tempo, mas não o suficiente para dissipar o gosto amargo que lhe viera à boca quando, junto aos copos de conhaque no escritório, Goldman abrira aquele ridículo paletó e tirara o talão de cheques. Sim, sentira-se aliviado ao perceber que o velho não descobrira as noites (cinco ao todo) que ele e Rachel tinham passado na cama estreita e pouco firme de seu apartamento de solteiro, mas nem por isso a surpresa causou-lhe um desgosto menor, e os anos que transcorreram desde então não a diminuíram.

Podia ter ido, mas preferiu mandar ao sogro apenas os netos, a filha e um bilhete.

O 727 da Delta se afastou da rampa de embarque, começou a taxiar... e Louis viu a filha numa das janelas da frente, acenando freneticamente. Louis também acenou, sorrindo, e alguém — Ellie ou Rachel — pôs Gage na janela. Louis deu adeus e Gage respondeu, talvez por tê-lo visto, talvez apenas imitando Ellie.

— Levem meu pessoal em segurança — ele murmurou, fechando o zíper do casaco. Depois caminhou para o estacionamento.

O vento gemia e zumbia, quase lhe arrancando o boné da cabeça; Louis teve de segurá-lo com uma das mãos. Atrapalhado com as chaves, abriu a porta do carro quando o jato decolou e começou a se afastar da pista do aeroporto, o nariz inclinado para o azul forte do céu, as turbinas retumbando.

Naquele momento, sentindo-se realmente só (e ridiculamente próximo das lágrimas), Louis acenou de novo.

Ainda experimentava uma certa melancolia quando, à noite, tornou a atravessar a Rodovia 15 depois de algumas cervejas com Jud e Norma. Norma bebera um copo de vinho, hábito que fora permitido, e até mesmo estimulado, pelo dr. Weybridge. Por causa do tempo, tinham se transferido para a cozinha.

Jud acendera o pequeno aquecedor Marek e os três se sentaram em torno dele, a cerveja fria, o calor aconchegante. Jud contara como os índios *micmac* repeliram um desembarque britânico em Machias, duzentos anos atrás. Naquele tempo os *micmacs* eram muito temidos, disse ele, acrescentando que muitos advogados que cuidavam de questões de terras em nível estadual e federal ainda pensavam o mesmo.

Podia ter sido uma noite muito boa, mas Louis estava consciente da casa vazia que o esperava. Cruzando o gramado e sentindo sob os pés o ranger da grama congelada, ouviu a campainha do telefone. Saiu correndo, cruzou a porta da frente, atravessou numa pernada a sala de estar (esbarrando num suporte de revistas) e derrapou pela cozinha, o gelo nos sapatos deslizando sobre os ladrilhos. Pegou bruscamente o fone.

— Alô?

— Louis? — Era a voz de Rachel, um pouco distante, mas absolutamente clara. — Estamos aqui. Chegamos bem... Nenhum problema

— Ótimo! — disse ele e sentou-se para conversar, pensando: *Como eu queria que você estivesse aqui.*

22

O almoço do dia de Ação de Graças servido por Jud e Norma foi excelente. Quando acabou, Louis voltou para casa sentindo-se muito bem alimentado e sonolento. Saboreando o silêncio, subiu para o quarto, tirou os mocassins e deitou. Passava um pouco das três horas da tarde; o dia lá fora tinha uma luminosidade fraca, de inverno.

Só vou tirar um cochilo, ele pensou, e adormeceu.

A extensão do telefone no quarto que o despertou. Tateou para encontrar o aparelho, tentando afugentar o sono e um tanto desorientado pelo fato de ser quase noite. Podia ouvir o gemer do vento em volta da casa e o estalar da fornalha do aquecedor.

— Alô! — respondeu. Esperava que fosse Rachel, ligando outra vez de Chicago para desejar-lhe um feliz Dia de Ação de Graças. Colocaria Ellie no aparelho, a filha iria contar as novidades e depois seria a vez de Gage repetir as duas ou três palavras que sabia... Mas, que diabo!, como conseguira dormir toda a tarde sabendo que havia o jogo de futebol na...?

Mas não era Rachel. Era Jud.

— Louis? Acho que vou te dar uma dor de cabeça.

Ele pulou da cama, ainda procurando se livrar do sono.

— Jud? Que dor de cabeça?

— Bem, há um gato morto aqui no nosso gramado. Acho que pode ser o gato de sua filha.

— Church? — Louis perguntou. Sentiu um súbito vazio na barriga. — Tem certeza disso, Jud?

— Não, não tenho certeza absoluta — disse Jud —, mas sem dúvida parece ele.

— Oh! Que merda! Vou até aí.

— Tudo bem, Louis.

Ele desligou e ficou um minuto parado, estupefato. Depois foi até o banheiro, calçou os sapatos e desceu as escadas.

Bem, pode não ser o Church. O próprio Jud disse que não tinha certeza absoluta. Meu Deus, o gato não quer mais nem subir a escada, é preciso que alguém o carregue... Por que iria atravessar a estrada?

Mas, no fundo, tinha certeza de que *era* Church... E quando Rachel telefonasse mais tarde, o que sem dúvida ia acontecer, como poderia contar a Ellie?

Atordoado, lembrou do que dissera a Rachel: *Eu sei que qualquer coisa, literalmente qualquer coisa, pode acontecer aos seres vivos. Como médico, eu sei disso... Quer ter de explicar um dia à sua filha o que aconteceu se Church for atropelado na estrada?* Mas de fato não acreditara que pudesse acontecer alguma coisa a Church, não é mesmo?

Lembrou-se de um dos sujeitos com quem jogava pôquer, Wickes Sullivan. Certa vez Wicky lhe perguntara por que ele ficava excitado com a esposa e não se excitava com as mulheres nuas que via quase todo dia no consultório. Louis tentou explicar que as coisas não se passavam como as pessoas imaginam em suas fantasias: uma mulher que ia a um consultório preocupada com uma mancha na pele, ou querendo aprender a examinar o próprio seio em busca de caroços, não deixava cair subitamente um lençol, mostrando o corpo como uma Vênus desnuda. Você via um seio, uma vulva, uma coxa. O resto continuava envolvido no lençol, e sempre havia uma enfermeira do lado, mais para proteger a reputação do médico do que para qualquer outra coisa. Wicky não aceitou a explicação. Um seio é um seio, era a tese de Wicky, e uma vagina era uma vagina. Ou você se excita sempre ou nunca se excita. Tudo que Louis pôde responder foi que com o seio de uma esposa era *diferente.*

Da mesma forma que a nossa família é diferente das outras, ele pensou. Church não podia morrer porque estava dentro do círculo mágico da família. O que ele não fora capaz de fazer Wicky compreender é que os médicos encaixavam as coisas em compartimentos estanques tão gratuita e cegamente quanto qualquer outra pessoa. Uma teta não era uma teta, a menos que fosse a teta de sua mulher. No consultório, uma teta era um caso clínico. Você pode fazer uma conferência num colóquio médico e falar até ficar rouco sobre a incidência de leucemia em crianças, mas nem por um momento vai admitir que um de seus filhos possa apresentar algum problema no sangue. Meu garoto? O gato de minha filha? Doutor, você deve estar brincando!

Não importa. Vamos pôr tudo em pratos limpos.

Mas era difícil conservar o sangue-frio quando se lembrava de como Ellie tinha ficado nervosa diante da perspectiva de Church um dia morrer.

Merda de gato estúpido, por que tínhamos de ter um gato tão estúpido?

Foi castrado justamente pra não morrer na estrada.

— Church? — ele chamou, mas ouviu apenas o barulho da caldeira, estalando, consumindo dólares de energia. O sofá da sala de estar, onde o gato vinha se acostumando a passar a maior parte do seu tempo, estava vazio. Também não estava deitado sobre nenhum dos aquecedores. Louis sacudiu a vasilha de comida, a única coisa que, sem dúvida, faria Church vir correndo. Mas desta vez ele não veio... E Louis temia que nunca mais viesse.

Vestiu o casaco, pôs o boné e caminhou para a porta. Então voltou. Admitindo o que o coração lhe dizia, abriu o armário embaixo da pia e se agachou. Encontrou dois tipos de sacos de plástico: pequenos sacos brancos para as cestas de papel e grandes sacos verdes para o lixo maior. Louis pegou um destes. Church vinha aumentando de peso desde que fora castrado.

Pôs o saco num dos bolsos laterais do casaco e não gostou de sentir o plástico frio, escorregadio nos dedos. Depois abriu a porta da frente e atravessou a estrada em direção à casa de Jud.

Eram cerca de cinco e meia. O crepúsculo avançava. Tudo parecia adormecer. O que restava de luz do sol era um estranho contorno alaranjado no horizonte do outro lado do rio. O vento golpeava forte na Rodovia 15, entorpecendo o rosto de Louis e dispersando a nuvem branca de sua respiração. Ele estremeceu, mas não por causa do frio. O que o fez tremer foi um sentimento de solidão. Era uma sensação forte e inevitável. Não encontrou uma metáfora para descrevê-la. Não tinha contornos. Ele simplesmente a sentia, distante e inalcançável.

Viu Jud do outro lado da estrada, enrolado em seu casaco verde, grande e felpudo, o rosto perdido em meio à sombra da barra de pelos do capuz. De pé sobre o gramado congelado, Jud lembrava uma escultura; mais uma coisa sem vida naquela paisagem crepuscular onde nenhum pássaro cantava.

Jud se moveu quando Louis começou a atravessar a estrada. Fez um aceno. Gritou alguma coisa que Louis não pôde entender devido ao contínuo gemido do vento. Louis então deu um passo para trás, percebendo que o barulho do vento se tornara subitamente mais intenso, mais agudo. Daí a um instante ouviu o guincho de uma buzina e um grande caminhão da Orinco passou roncando perto dele, suficientemente perto para agitar suas calças e as abas do casaco. Por muito pouco não tinha atravessado bem na frente da coisa.

Desta vez, olhou para os dois lados antes de cruzar a estrada. Viu apenas as luzes traseiras do caminhão-tanque, desaparecendo naquele final de crepúsculo.

— Puxa! Cheguei a pensar que o caminhão tinha pegado você — disse Jud. — Tenha mais cuidado, Louis.

Mesmo àquela distância, ainda não conseguia distinguir as feições de Jud. Teve a estranha sensação de que ele podia ser outra pessoa... Qualquer outra pessoa.

— Onde está Norma? — Louis perguntou, não se atrevendo a olhar para a trouxa de pelos esparramada junto dos pés do velho.

O vento deu uma rajada forte, atirando o capuz para trás, e Louis viu que era mesmo Jud... E, afinal, quem mais poderia ser?

— Às vezes só come uns sanduíches depois do almoço... — Jud continuou. — Por volta das oito, já deve estar aqui. Pode acreditar, foi à igreja, mas isso é só uma desculpa pra ficar tagarelando com as comadres.

Louis se ajoelhou para ver o gato. *Deus queira que não seja Church*, ele pediu com fervor, enquanto virava cuidadosamente o focinho com os dedos enluvados. *Deus queira que seja algum outro gato, que Jud esteja errado.*

Mas, evidentemente, era Church. Não estava mutilado nem desfigurado; não fora atropelado por nenhum dos grandes caminhões-tanques ou das jamantas que cruzavam a Rodovia 15. (*E por falar nisso, o que aquele caminhão da Orinco estava fazendo na estrada no Dia de Ação de Graças?*, ele se perguntou.) Os olhos de Church estavam ligeiramente abertos, vidrados como mármore esverdeado. Um pequeno filete de sangue escorrera-lhe da boca, que também estava aberta. Não era muito sangue, mas fora suficiente para manchar o peito branco.

— É o seu, Louis?

— É o meu — ele concordou, suspirando.

Pela primeira vez tomava consciência de que amava Church — talvez não com o mesmo fervor de Ellie, mas a seu próprio modo. Nas semanas que se seguiram à castração, Church tinha se modificado, ficara gordo e indolente, caíra num perambular rotineiro entre a cama de Ellie, o sofá e a vasilha de comida. Raramente saía de casa. Agora, morto, olhava para Louis como o velho Church. A boca, pequena e ensanguentada, cheia dos seus dentes de felino, afiados como agulha, parecia congelada num rosnado de ataque. Os olhos sem vida ainda pareciam furiosos, apesar de tudo. Era como se depois da curta e estúpida fase de existência como eunuco, Church redescobrisse sua verdadeira natureza no momento da morte.

— Sim, é Church — disse Louis. — Mas como vou contar a Ellie?

E foi então que teve uma ideia...

Enterraria Church no "simitério" de bichos, mas sem lápide, sem nenhuma daquelas bobagens. Naquela noite, ao telefone, não contaria nada; amanhã, mencionaria por acaso que não sabia onde andava Church; no dia seguinte, poderia sugerir que talvez Church tivesse ido embora. Às vezes os gatos fazem isso. Ellie ficaria transtornada, é claro, mas não haveria aquele caráter de coisa derradeira, definitiva. Não haveria reprise da perturbadora recusa de Rachel em se defrontar com a ideia da morte... O impacto iria se extinguindo...

Uma atitude covarde, parte de sua mente acusou.

Sim... Não há dúvida. Mas quem precisa de problemas?

— Ela gostava muito desse gato, não é? — Jud perguntou.

— Muito — Louis respondeu com ar distraído. Virou de novo a cabeça de Church. O gato começara a enrijecer, mas a cabeça ainda se movia com bastante facilidade. Pescoço quebrado, é claro. Achou que podia reconstituir o que tinha acontecido. Church estava atravessando a estrada — só Deus sabe por quê — e foi atingido por um carro ou caminhão. Foi atirado de pescoço quebrado na frente da casa de Jud Crandall. Ou talvez o pescoço tenha quebrado quando Church bateu no solo congelado. Pouco importava. De um modo ou de outro, o fato permanecia inalterável. Church estava morto.

Ergueu os olhos para Jud, pronto a dizer-lhe a que conclusões chegara, mas Jud parecia distante, contemplando o contorno de luz alaranjada que ia escurecendo no horizonte. O capuz escorregara de novo, descobrindo metade de sua cabeça; o rosto parecia pensativo e severo... Áspero, mesmo.

Louis tirou do bolso o saco verde de lixo e abriu-o, segurando-o com força para que o vento não o levasse. O ruidoso crepitar do plástico tirou Jud do devaneio.

— Sim, acho que ela gosta muito dele — disse o velho. O uso do presente pareceu ligeiramente insólito... Na realidade, todo aquele cenário, a luz crepuscular, o frio e o vento, pareciam insólitos, macabros aos olhos de Louis.

Aqui está Heathcliff nos pântanos desolados, Louis pensou, fazendo uma careta diante do frio. *Pronto para enfiar o gato da família no saco do demônio. Arre!*

Segurou Church pelo rabo, abriu o saco e levantou o animal. Sua expressão foi de tristeza e desgosto ao som que o corpo do gato fez — rrrriiippp — enquanto desgrudava do solo congelado. Church parecia inacreditavelmente pesado, como se a morte o tivesse envolvido como uma coisa real. *Cristo, ele parece um balde de areia.*

Jud ajudava a manter o saco aberto e Louis deixou o animal cair dentro dele, satisfeito por se livrar daquele peso estranho e desagradável.

— O que vai fazer agora? — Jud perguntou.

— Acho que vou levá-lo para a garagem — disse Louis. — De manhã o enterro.

— No "simitério" de bichos?

Louis balançou os ombros.

— Acho que sim.

— Vai dizer a Ellie?

— Eu... ainda vou pensar...

Jud ficou um momento em silêncio e pareceu tomar uma decisão:

— Me espere um minuto ou dois, Louis.

Jud afastou-se. Talvez nem lhe passasse pela cabeça que Louis podia não querer esperar um minuto sequer no frio cortante da noite. Caminhava com aquele passo firme e aquela agilidade tão estranhos num homem de sua idade. E Louis não encontrou palavras para fazer qualquer objeção. Também não estava com muita pressa. Viu Jud entrar em casa e não se sentiu tão mal por continuar ali fora.

Ergueu o rosto contra o vento depois que a porta de madeira estalou e fechou. O saco de lixo com o corpo de Church vibrava entre seus pés.

Não estou tão mal.

Sim, estava até alegre. Pela primeira vez, desde que se mudara para o Maine, sentia que aquele era o seu lugar, que aquela era a sua casa. De pé na beira da estrada, sozinho, nos primeiros minutos da noite e cercado pelo início do inverno, sentiu-se singularmente revigorado, estranhamente contente — contente como nunca estivera, ou pelo menos não podia lembrar que estivera, desde a infância.

Alguma coisa está acontecendo aqui, rapaz. Alguma coisa muito estranha, eu acho.

Inclinou a cabeça para trás e contemplou as frias estrelas de inverno num céu cada vez mais escuro.

Não soube quanto tempo ficou assim, mas não deve ter sido um tempo longo em termos de minutos e segundos. Uma luz piscou na varanda de Jud, oscilou, aproximou-se da porta e desceu as escadas. Era o velho segurando uma grande lanterna de quatro pilhas. Na outra mão, trazia algo que, à primeira vista, pareceu um grande objeto em forma de X... Mas, logo a seguir, Louis viu que era uma picareta e uma pá.

Deu a pá a Louis, que a segurou com uma das mãos.

— Jud, que diabo você está pretendendo fazer? Não podemos enterrá-lo hoje à noite.

— Sim, podemos. E vamos enterrá-lo.

O rosto de Jud estava no escuro, atrás do círculo de luz da lanterna.

— Jud, está escuro. É tarde. Faz frio...

— Vamos lá — disse Jud. — Vamos fazer logo o que tem de ser feito.

Louis balançou a cabeça e ainda tentou argumentar, mas as palavras, palavras razoáveis e sensatas, pareciam difíceis... Pareciam perder todo o significado sob o uivo baixo do vento e daquela escuridão salpicada de estrelas.

— Por que não esperar até amanhã, quando poderemos enxergar melhor?

— Ela gosta do gato?

— Gosta, mas...

O tom de Jud era suave e, de certa forma, parecia racional.

— E você gosta dela?

— É claro que eu gosto dela, é minha fi...

— Então vamos.

Louis foi.

Naquela noite, duas, talvez três vezes, a caminho do "simitério" de bichos, Louis tentou puxar conversa, mas Jud não respondeu. Louis desistiu. A sensação de contentamento, bastante estranha naquelas circunstâncias, mas que surgia como um fato puro e simples, persistia. Parecia vir de todos os lados. A dor contínua nos músculos, por causa do peso de Church numa das mãos e a pá na outra, não a eliminava. O vento, terrivelmente frio, entorpecendo as partes desprotegidas do corpo, também não a eliminava. O vento serpenteava entre as árvores, mas depois que entraram nos bosques, a neve cessou. A luz oscilante da lanterna de Jud também participava de seu contentamento. Sentia a presença difusa, evidente, magnética, de algum segredo. Algum terrível segredo.

As sombras se abriram e havia uma sensação de amplitude. A neve tinha um brilho pálido.

— Pausa para descansar — disse Jud e Louis apoiou o saco no chão. Com o braço, limpou o suor da testa. Pausa para *descansar*? Mas eles já haviam *chegado*. Louis podia ver as lápides entre o deslizante, instável movimento da lanterna de Jud quando este sentou-se sobre a neve fina e mergulhou o rosto entre os braços.

— Jud? Você está bem?

— Ótimo. Só preciso tomar um pouco de ar.

Louis sentou-se a seu lado e respirou profundamente meia dúzia de vezes.

— Sabe de uma coisa, Jud — disse ele. — Acho que há seis anos não me sinto tão bem como agora. Sei que é absurdo dizer isso quando se está enterrando o gato da filha, mas é a verdade nua e crua. Estou me sentindo muito bem.

Jud respirou profundamente uma ou duas vezes.

— É, eu sei — disse ele. — Isso acontece de vez em quando. No fundo, você não escolhe o momento de se sentir bem, como também não escolhe o momento de se sentir mal... O lugar tem alguma coisa a ver com isso, é claro, mesmo que você não acredite... A heroína faz o viciado sentir-se bem quando está circulando nos braços dele, mas enquanto isso ela o está envenenando. Envenenando o corpo e envenenando o modo de pensar. Este lugar pode ser assim, Louis, nunca se esqueça disso. Deus me ajude para que eu esteja agindo certo. Acho que estou, mas não tenho tanta certeza. Às vezes minha cabeça fica confusa. Talvez seja a esclerose chegando.

— Não entendi muito bem o que você falou, Jud.

— Este lugar tem poder, Louis. Não tanto aqui, mas... no ponto onde vamos.

— Jud...

— Vamos — disse Jud se levantando. O feixe de luz da lanterna iluminou as árvores caídas. Jud começou a andar na direção delas. E, de repente, Louis lembrou-se do seu episódio de sonambulismo. O que Pascow dissera no meio do sonho?

Não ultrapasse este limite, doutor, por mais que tenha vontade. A barreira não foi feita para ser violada.

Mas naquele momento, naquela noite, o sonho, a advertência, seja lá o que tenha sido aquilo, parecia estar há anos de distância. Louis se sentia muito bem, extremamente alegre, confiante, disposto a enfrentar qualquer coisa, fascinado com a experiência. Ocorreu-lhe que o que estava acontecendo *ali* também se parecia muito com um sonho.

Então Jud se virou, o capuz parecendo cercar um vazio. Por um momento, Louis julgou que era o próprio Pascow que estava diante dele, que a luz da lanterna se voltaria para trás, para focalizar apenas uma caveira sorridente e capaz de falar, apenas um crânio emoldurado com a pele do casaco de Jud. O medo retornou como um jato de água fria.

— Jud — alertou ele —, não podemos subir aí. Vamos quebrar uma perna e ficar congelados tentando voltar para casa.

— Venha atrás de mim — ordenou o velho. — Venha atrás de mim e não olhe para baixo. Não hesite e não olhe para baixo. Eu conheço o caminho, mas temos de atravessá-lo com passo firme, e depressa.

Louis começou a pensar que talvez *fosse* um sonho, que simplesmente ainda não despertara da sesta depois do almoço. *Se eu estivesse acordado,* ele pensou, *só treparia neste monte de árvores se estivesse de porre ou quisesse quebrar a cara. E no entanto estou disposto a fazer isso. Acho que estou mesmo disposto. Portanto... devo estar sonhando. Certo?*

Jud virou ligeiramente para a esquerda, desviando do centro do monte de árvores. A luz da lanterna fixou todo o seu brilho no confuso amontoado de

(*ossos*)

galhos caídos, velhos troncos. O círculo de luz ficava menor e mais intenso à medida que Jud se aproximava. Sem a mais leve pausa, sem ao menos um breve correr de olhos para assegurar-se de que estava no ponto exato, ele começou a subir. Não se arrastava, nem mesmo subia curvado, como se costuma subir uma encosta montanhosa ou uma duna. Era como se galgasse um lance de degraus. Parecia saber exatamente onde cada passo ia dar.

Louis seguiu-o da mesma maneira.

Não olhou para baixo nem verificou onde pisava. Foi envolvido por uma estranha, mas absoluta, certeza de que as árvores caídas não poderiam machucá-lo, a não ser que as deixasse fazer isso. Era uma atitude extremamente imbecil, é claro, como a estúpida confiança de um homem que acredita poder dirigir embriagado porque tem uma medalha de São Cristóvão no pescoço.

Mas funcionou.

Nenhum velho tronco cedeu fazendo um estouro de tiro, nenhum pé resvalou para um buraco cheio de lascas desbotadas pelo tempo, capazes de cortar a pele, rasgar, mutilar. Seus sapatos (mocassins de lona, nada recomendáveis para aquele tipo de escalada) não escorregaram no limo que cobria muitos dos troncos caídos. Não tropeçou nem para a frente nem para trás. O vento assobiava de modo selvagem por entre os pinheiros em volta.

Por um momento, viu Jud de pé no topo do amontoado de troncos. E Jud começou a descer pelo outro lado, os joelhos sumindo, depois as pernas, a cintura, o tronco. A luz da lanterna saltava ao acaso entre os galhos das árvores fustigadas pelo vento no outro lado da... barreira. Sim, era isso mesmo, por que fingir que não? Uma barreira.

Louis também alcançou o topo e parou um instante, o pé direito plantado numa velha árvore inclinada num ângulo de 35o, o pé esquerdo pisando alguma coisa ainda mais vergada, talvez um emaranhado de velhos ramos de pinheiro... Não olhou para baixo. Passou para a mão esquerda o pesado saco de lixo com o corpo de Church, trocando-o com a pá. Levantou o rosto contra o vento e sentiu-o correr impetuoso, numa torrente sem fim, fazendo seu cabelo esvoaçar. Era um vento tão frio, tão regular... tão *constante.*

Tornou a andar e, num passo despreocupado, quase como se passeasse, começou a descer. A ponta de um galho, talvez do tamanho do pulso de um homem forte, deu um estalo alto, mas Louis não se preocupou. O pé começou a escorregar, mas foi detido por um galho maior, uns 10 centímetros abaixo. Louis praticamente não se abalou. Achou que agora podia entender como os comandantes de pelotão da Primeira Guerra Mundial conseguiam caminhar pela beira das trincheiras assobiando "Tipperary", as balas zunindo em volta deles. Era absurdo, mas o próprio absurdo tornava a coisa tremendamente divertida.

Descia, a cabeça erguida, os olhos postos no brilhante círculo de luz da lanterna de Jud. Ele estava de pé, lá embaixo, à sua espera. Pouco depois, atingiu o solo. A sensação de alegria inflamou-o como um punhado de querosene jogado em madeira em brasa.

— Conseguimos! — gritou.

Pousou a pá e abraçou o ombro de Jud. Era como ter escalado uma macieira até o galho mais alto, oscilando no vento como um mastro de navio. Há mais de vinte anos não se sentia tão jovem, tão radicalmente cheio de vida.

— Jud, nós conseguimos!

— Você achou que não íamos conseguir? — Jud perguntou.

Louis abriu a boca para dizer alguma coisa (*Se achei que não íamos conseguir? Tivemos uma sorte tremenda em não nos matarmos!*), mas tornou a fechá-la. Realmente, a partir do momento em que Jud se aproximara dos troncos, não tivera qualquer dúvida de que iam conseguir. E a ideia de ter de atravessá-los de novo, na volta, não lhe causava qualquer apreensão.

— Achei que não — respondeu.

— Vamos. Ainda temos de andar um bom pedaço. Quase 5 quilômetros.

Puseram-se a caminho. A trilha de fato continuava do outro lado. Em certos pontos, parecia até muito ampla, embora o facho oscilante da lanterna revelasse pouca coisa; era uma estranha sensação de amplitude, uma impressão de que as árvores recuavam. Uma ou duas vezes, Louis ergueu a cabeça e viu as estrelas passando, através de uma densa e escura fronteira de árvores. Numa curva, alguma coisa cruzou a trilha diante deles, e a lanterna captou um reflexo de olhos esverdeados, mas logo os olhos sumiram na escuridão.

Às vezes, a trilha se estreitava de tal forma que Louis sentia pontas duras dos arbustos arranhando as mangas do casaco, como se fossem unhas. Trocava de mãos o saco e a pá com mais frequência, mas a dor nos braços era agora constante.

Deixou-se envolver pelo ritmo da caminhada, deixou-se quase hipnotizar por ele. Havia poder ali, sim, ele sentia no ar. Lembrou-se de algo que aconteceu quando estava no último ano da escola secundária. Ele, a namorada e outro casal tinham ido acampar e acabaram dando com o nariz numa estrada poeirenta e sem saída, perto de uma usina elétrica. Pouco depois de chegarem lá, sua namorada disse que queria voltar para casa, ou pelo menos ir para outro lugar, porque todos os seus dentes (pelo menos, todos os obturados, que eram a maioria) estavam doendo. O próprio Louis não desaprovou a ideia. O ar em torno da usina o deixara nervoso, ansioso. Ali, nos bosques, a sensação era parecida, mas era mais forte. E, no entanto, de modo algum desagradável. Era...

Jud havia parado no sopé de uma encosta íngreme, e Louis colidiu com ele.

Jud se virou.

— Estamos quase chegando — disse com voz calma. — Este trecho final é como a passagem dos troncos. Você precisa andar com passo firme e sem se afobar. Venha atrás de mim e não olhe pra baixo. Percebeu que estávamos descendo?

— Sim.

— Isto é o início do que os *micmacs* costumavam chamar Pequeno Pântano de Deus. Os negociantes de peles que o atravessaram chamaram-no de Charco do Homem Morto, e a maioria dos que passaram uma vez por ele nunca mais quis voltar.

— Tem areia movediça?

— Oh, se tem! Muita areia movediça! Torrentes que borbulham devido a um grande depósito de areia de quartzo que existe lá em cima e vem escorrendo. Pelo menos eu sempre chamei de areia de quartzo, mas deve haver um nome mais apropriado.

Jud o encarou e, por um instante, Louis acreditou ter visto alguma coisa brilhante, não de todo agradável, nos olhos do velho.

Então Jud moveu o facho da lanterna e o olhar sumiu.

— Há muita coisa engraçada neste caminho, Louis. O ar é mais pesado... mais carregado de eletricidade... ou alguma coi...

Louis estremeceu.

— O que houve?

— Nada — disse Louis, pensando naquela noite na estrada sem saída.

— Você pode ver o fogo de santelmo... Aquilo que os marinheiros chamam de luz falsa. Tem formas engraçadas, mas não é nada. Se vir alguma dessas formas e elas o incomodarem, é só virar o rosto para o outro lado... Você também pode ouvir sons parecidos com vozes, mas são apenas as gralhas ao sul, lá para os lados de Prospect. O som chega até aqui. É engraçado.

— Gralhas? — Louis exclamou incrédulo. — Nessa época do ano?

— Oh, sim — Jud confirmou. Sua voz parecia terrivelmente branda e totalmente pastosa. Por um momento, Louis teve uma vontade desesperada de ver outra vez o rosto do velho. Aquele olhar...

— Jud, para onde estamos indo? Que diabo estamos fazendo aqui no fim do mundo?

— Vai saber quando chegarmos lá — Jud respondeu e se virou para a trilha. — Cuidado com o mato!

Recomeçaram a andar, passando de um patamar a outro da encosta. Louis não se perturbava com as dificuldades do caminho. Os pés pareciam encontrar automaticamente os pontos mais seguros. Só escorregou uma vez, quando o sapato esquerdo quebrou uma fina placa de gelo e mergulhou numa água fria e um tanto pegajosa. Ele o puxou depressa e continuou avançando, seguindo o balanço da lanterna de Jud. Aquela luz, flutuando no meio dos bosques, trouxe-lhe à memória as histórias de piratas que gostava de ler quando era menino. Homens maus na calada da noite, enterrando num bosque grandes dobrões de ouro da Espanha... E um deles, é claro, caía no buraco sobre a arca do tesouro, uma bala no coração, pois os piratas acreditavam (pelo menos era isso que os autores daquelas histórias fantásticas atestavam) que o espírito do camarada morto permaneceria ali tomando conta do butim.

O *problema é que não viemos enterrar nenhum tesouro. Só o gato castrado de minha filha.*

Sentiu um riso selvagem crescendo dentro dele, mas o sufocou.

Não estava ouvindo nenhum "som parecido com vozes", nem via qualquer fogo de santelmo. Em compensação, após transpor uma meia dúzia de barrancos, olhou para baixo e viu que seus pés, joelhos e a parte mais baixa das coxas tinham desaparecido no meio de uma névoa rasteira muito suave, muito branca, muito opaca. Era como caminhar através da mais leve torrente de neve do mundo.

Agora o ar parecia ter uma espécie de luminosidade e ele podia jurar que estava mais quente. Viu Jud à sua frente, andando com passo firme, a ponta rombuda da picareta enganchada no ombro. A picareta acentuava a ilusão de um homem que queria enterrar algum tesouro.

A absurda sensação de contentamento persistia. De repente ocorreu a Louis que talvez a esposa estivesse tentando se comunicar com ele. Se, quando voltasse para casa, ouvisse o telefone tocar sem parar, fazendo seu ruído prosaico, racional. Se...

Quase colidiu outra vez com Jud. O velho parara no meio da trilha. A cabeça estava empinada, a boca repuxada, tensa.

— Jud? O que...

— Shhh!

Louis se calou, olhando em volta um tanto inquieto. Ali a névoa rasteira era mais rala, mas ainda não conseguia ver os sapatos. Então ouviu um ruído de mato estalando e galhos quebrando. Alguma coisa estava se movendo... Alguma coisa grande.

Abriu a boca para perguntar a Jud se não seria um alce (*urso* foi a ideia que realmente lhe passou pela cabeça), mas fechou-a de novo. *O som chega até aqui*, Jud dissera.

Também esticou a cabeça numa imitação inconsciente de Jud e prestou atenção. Em princípio, o som pareceu distante, depois muito perto; tornou a se afastar e a se aproximar assustadoramente. Louis sentiu que o suor da testa tinha começado a escorrer por todo o rosto. Trocou de mão o saco infernal com o corpo de Church. As palmas das mãos estavam úmidas e o plástico verde parecia engordurado, quase lhe escorregando. Agora, a coisa lá no escuro parecia tão próxima que Louis esperou vê-la a qualquer momento, talvez se erguendo em duas pernas, empapando o brilho das estrelas com um corpo monstruoso, enorme, peludo.

Urso já não era bem o que lhe passava pela cabeça.

Ele nem sabia mais *o que* lhe passava pela cabeça.

Então a coisa se afastou de novo e desapareceu.

Louis abriu outra vez a boca, as palavras *O que é isso?* na ponta da língua. E foi naquele momento que um riso estridente, louco, começou a brotar da escuridão, indo e vindo em ciclos histéricos. Era um riso alto, penetrante, arrepiante. Pareceu a Louis que cada articulação de seu corpo se congelara e que, de alguma forma, seu peso aumentava, aumentava de tal forma que se tentasse se mexer mergulharia para sempre no solo pantanoso.

A risada crescia, dividida agora num gorgolejar seco, um ruído de pedra quebrando, se abrindo em muitas ranhuras e se estilhaçando. O riso atingiu a intensidade de um grito, depois submergiu num cacarejo gutural que pareceu se transformar em soluços antes de desaparecer por completo.

Em algum lugar, ouviu um gotejar de água e, em seguida, como um rio incessante no fundo de estrelas, o gemido monótono da ventania continuou sendo o único som que rompia o silêncio do Pequeno Pântano de Deus.

Louis começou a tremer de cima a baixo. Sua pele, particularmente a do ventre, começou a rastejar. Sim, *rastejar* era a palavra exata; a pele realmente parecia estar se deslocando sobre o corpo. A boca estava totalmente seca. Como se a saliva tivesse sido sugada até a última gota. E apesar de tudo, a sensação de alegria persistia, um ataque de demência que não cessava.

— O que foi isso, pelo amor de Deus? — murmurou com voz rouca para Jud.

Jud se virou para olhá-lo e, na escuridão, parecia ter 120 anos. Não havia mais traço daquele brilho estranho que dançara em seus olhos. O rosto se contorcera e o olhar revelava um assombroso terror. No entanto, quando respondeu, a voz já se mostrava bastante firme:

— Apenas as gralhas — disse ele. — Vamos, Louis. Estamos quase chegando.

Continuaram andando. A mata parecia ficar mais densa, embora, de vez em quando, Louis tivesse sensação de estar num campo aberto. A luminosidade que há pouco envolvia a atmosfera tinha se dissipado. Agora só conseguia divisar as costas de Jud, um metro à sua frente. Sob os pés, sentia uma relva rasteira, mas congelada pela neve, quebrando como vidro a cada passo. E então Louis teve certeza de que estavam de novo cercados pelas árvores. Podia sentir o aroma dos pinheiros, sentir as lascas de pinho no chão. Aqui e ali, um ramo ou um galho arranhavam-lhe o casaco.

Perdera toda a noção de tempo ou direção, mas antes que andassem muito mais, Jud parou outra vez.

— Há degraus aqui — disse Jud. — Talhados na rocha. São 42 ou 44, não me lembro. Venha sempre atrás de mim. Agora só precisamos chegar ao topo.

Jud começou a subir e Louis atrás.

Os degraus de pedra eram bem largos, mas a sensação de altitude ia se tornando desagradável. Vez por outra os sapatos de Louis faziam rolar um punhado de pedras e fragmentos de rocha.

... doze... treze... quatorze...

O vento estava mais forte, mais frio. O rosto ficava dormente. *Será que já estamos acima das árvores?*, ele se perguntava. Levantava a cabeça e via um bilhão de estrelas, luzes frias na noite de inverno. Nunca em sua vida as estrelas o tinham feito se sentir tão pequeno, infinitesimal, insignificante. Fez a si mesmo a velha pergunta: *Será que existe alguma coisa inteligente lá em cima?* Mas, em vez de admiração, o pensamento trouxe uma medonha sensação de frio, como se tivesse perguntado como era ter um punhado de baratas se mexendo na boca.

... vinte e seis... vinte e sete... vinte e oito...

Mas quem talhou esses degraus? Os índios? Os micmacs*? Tinham ferramentas para isso? Tenho de perguntar a Jud.* Depois de pensar em índios que "tinham ferramentas", seu pensamento deslocou-se para os animais "que têm pelos", e isso o fez lembrar da coisa que estivera perto deles no bosque. Um pé tropeçou e, para manter o equilíbrio, ele apoiou uma das mãos na parede de rocha à esquerda. A parede parecia velha, cheia de fendas, lascada, muito áspera. *Como um casco apodrecido,* pensou.

— Tudo bem com você? — Jud murmurou.

— Tudo bem — respondeu, embora estivesse quase sem fôlego e os músculos latejassem por causa do peso de Church no saco.

... quarenta e dois... quarenta e três... quarenta e quatro...

— Quarenta e cinco — disse Jud. — Eu tinha esquecido. A última vez que vim aqui foi há 12 anos. Depois não vi mais razão pra voltar. Não é assim tão fácil andar tudo isso.

Agarrou Louis pelo braço e ajudou-o a subir o último degrau.

— Pronto, chegamos! — disse Jud.

Louis olhou em volta. Podia enxergar razoavelmente bem: a luz das estrelas era fraca, mas suficiente. Achavam-se num patamar rochoso, um platô íngreme que se erguia como uma língua escura no meio do bosque. Num dos lados, podia ver as copas do pinheiral que tinham atravessado para chegar aos degraus. Ao que tudo indicava, encontravam-se no topo de uma estranha mesa, de topo plana, uma anomalia geológica que pareceria muito mais natural no Arizona ou no Novo México. Como o terreno coberto de relva no alto da mesa (ou colina, montanha esquisita, fosse lá o que fosse) não possuía árvores, o sol derretera a neve. O vento incessante fazia vergar algumas moitas secas. O vento soprava frio no rosto de Louis quando ele percebeu que se tratava efetivamente de parte de uma colina, não de uma mesa isolada. À sua frente, o solo se erguia de novo para um trecho coberto de árvores. Mas o patamar era tão plano e tão singular no contexto das colinas da Nova Inglaterra, baixas e já bem consumidas pela erosão, que...

Índios que tinham boas ferramentas, sua mente se manifestou.

— Vamos — disse Jud, e os dois caminharam mais 25 metros na direção das árvores. O vento era forte, mas o ar, muito puro. Louis enxergou algumas formas nas sombras lançadas pelos pinheiros — os mais velhos, os mais altos pinheiros que já vira. Aquele lugar alto e solitário lhe transmitia uma imagem de desolação, mas uma desolação que... vibrava.

As formas escuras eram lápides.

— Os *micmacs* drenaram o pântano aqui no topo da colina — disse Jud. — Ninguém sabe como, assim como ninguém sabe explicar de que maneira os maias construíram suas pirâmides. Os próprios *micmacs* esqueceram, assim como os maias.

— Por quê? Por que fizeram isso?

— Era onde enterravam seus mortos — disse Jud. — Trouxe você aqui para que possa enterrar o gato de Ellie. Os *micmacs* não faziam distinção, entende? Enterravam os bichos ao lado dos donos.

Louis pensou nos egípcios, que foram ainda mais longe. Abatiam os bichos de estimação dos reis mortos para que as almas dos animais pudessem acompanhar as almas dos senhores em qualquer vida que pudesse haver no além. Lembrou-se de ter lido sobre a carnificina de mais de 10 mil animais domésticos depois da morte da filha de um faraó — neste total, estavam incluídos seiscentos porcos e 2 mil pavões. Os porcos, antes de terem as gargantas cortadas, foram perfumados com atar de rosas, o perfume favorito da moça falecida.

E eles também construíram pirâmides maias (segundo alguns, para a navegação e a cronografia, como o Stonehenge), mas sabemos muito bem que as pirâmides egípcias eram e são... grandes monumentos fúnebres, as maiores lápides do mundo. Aqui jaz Ramsés II. Ele era obediente, Louis pensou e deu vazão a uma gargalhada frenética, indefesa.

Jud virou para ele, mas não parecia espantado.

— Agora enterre o animal — disse. — Vou dar umas pitadas no meu cigarro. Gostaria muito de ajudá-lo, mas tem de fazer isso sozinho. Cada um enterra o que é seu. Era desse jeito que se faziam as coisas.

— Jud, o que significa tudo isso? Por que me trouxe aqui?

— Porque você salvou a vida de Norma — Jud respondeu e, embora parecesse sincero (e, sem dúvida, ele próprio acreditava que estava sendo sincero), Louis teve uma sensação súbita, muito forte, de que o velho estava mentindo... Ou que, pelo menos, estava se deixando enganar e passando o engano para Louis. Recordou-se da expressão que vira, ou pensou ter visto, no olhar de Jud.

Mas lá em cima nada disso parecia ter grande importância. O vento era mais importante, rodopiando livremente naquela torrente contínua, tirando-lhe o cabelo das orelhas e de cima da testa.

Jud sentou, encostou-se numa das árvores, fez concha com as mãos em torno de um fósforo e acendeu um Chesterfield.

— Quer descansar um pouco antes de começar?

— Não, estou bem — Louis respondeu. Podia ter continuado a fazer perguntas a Jud, mas achou que realmente não estava interessado. Tudo aquilo parecia absurdo, mas, ao mesmo tempo, também parecia sensato. Era melhor deixar as coisas naquele pé... Pelo menos por enquanto. Na realidade, só havia uma coisa que precisava saber.

— Será que vou mesmo conseguir cavar a sepultura de Church? A camada de terra parece muito fina e logo abaixo só deve haver rocha. — Louis esticou o pescoço para a escadaria, onde as pedras se soltavam na beira dos degraus.

Jud inclinou lentamente a cabeça.

— Vai conseguir — disse. — O solo é fino, sem dúvida. Mas um chão suficientemente fundo para que uma árvore cresça sobre ele também é suficientemente fundo para que se possa enterrar alguma coisa. E muita, muita gente tem sido enterrada aqui, Louis. Pode ser que não seja muito fácil cavá-lo, mas...

E não era fácil. Mesmo a camada superficial de terra era dura, pedregosa. Rapidamente Louis percebeu que precisaria usar a picareta para conseguir abrir um buraco bastante profundo para sepultar Church. Resolveu então alternar as ferramentas, primeiro usando a picareta para soltar a terra dura e livrá-la das pedras, depois a pá para remover o que estava mais solto. Suas mãos começaram a ficar esfoladas. O calor do corpo aumentava. Sentia uma forte, irresistível necessidade de fazer um bom trabalho. Começou a cantarolar à meia-voz, algo que às vezes fazia ao suturar uma ferida. De vez em quando, a picareta batia numa rocha com tanta força que soltava fagulhas; o impacto subia pelo cabo de madeira e vibrava em suas mãos. Podia sentir as bolhas se formando nas palmas, mas não se importou, embora, como a maioria dos médicos, fosse muito cuidadoso com as mãos. Acima e em torno dele, o vento zumbia sem parar, como se assobiasse uma melodia monótona.

Em contraponto, Louis ouvia o suave rolar e cair do cascalho na beira dos degraus. Olhou para trás e viu Jud abaixando-se para pegar as pedras maiores que ele removia da terra. Parecia querer fazer um monte com elas.

— Para a lápide — disse ao ver que Louis o fitava.

— Oh! — Louis exclamou e voltou ao trabalho.

Cavou uma sepultura de cerca de 60 centímetros de largura por um metro de comprimento. *Um baita de um túmulo para um gatinho de nada,* pensou. Quando estava atingindo mais de 70 centímetros de profundidade e a picareta começava a tirar fagulhas de pedras em quase todos os golpes, largou as ferramentas e perguntou a Jud se já não estava bom.

Jud levantou e deu uma olhada rápida no buraco.

— Pra mim está bom — disse. — De qualquer modo, o que importa é o que você acha...

— Será que pode me contar agora o que é este lugar?

Jud sorriu ligeiramente.

— Os *micmacs* acreditavam que esta colina fosse um lugar mágico — disse ele. — Achavam que toda a floresta, até os limites do pântano, era mágica. Construíram este local e aqui enterravam seus mortos, longe de tudo e de todos. Outras tribos o evitavam. Os *penobscots* diziam que os bosques estavam cheios de fantasmas. Mais tarde, os negociantes de peles diriam praticamente a mesma coisa. Acho que alguns viram um fogo-fátuo no Pequeno Pântano de Deus e acharam que estavam vendo fantasmas.

Jud sorriu e Louis pensou:

Sem dúvida isso não é o que você pensa.

— A partir de certa época — Jud continuou —, nem mesmo os próprios *micmacs* queriam voltar aqui. Um deles alegou ter visto um Wendigo* e achava que este solo tinha se tornado uma coisa ruim. Seus feiticeiros fizeram uma grande conferência para discutir o assunto... Ou, pelo menos, foi o que me contaram quando eu era rapaz... É verdade que ouvi a história da boca de um velho beberrão, Stanny B. — o "B." era de Bouchard... E o que ele não sabia, inventava.

Louis sabia que, na crença dos índios, o Wendigo era um espírito do norte do país.

— Você acha que o solo se tornou uma coisa má? — perguntou.

Jud sorriu, ou pelo menos seus lábios se curvaram.

— Acho que é um lugar perigoso — disse num tom suave —, mas não para gatos, cachorros ou *hamsters.* Enterre logo o animal, Louis.

Louis pôs o saco plástico dentro do buraco e, lentamente, começou a jogar de novo a terra sobre ele. Agora sentia frio e estava cansado. O som da terra batendo no plástico o deprimia; embora não lamentasse ter ido até lá, a sensação de contentamento estava se dissipando e ele começava a ansiar pelo fim da aventura. Mas ainda havia uma longa caminhada de volta.

O ruído da terra caindo no plástico foi sendo abafado, depois cessou: havia somente o *vuuum* de terra sobre terra. Louis derramou a úl-

* Criatura sobrenatural da mitologia do povo indígena *ojibwa*, que de acordo com a lenda surgiu a partir de um ser humano que passou muita fome durante um inverno rigoroso e, para se alimentar, comeu seus próprios companheiros. (N. da E.)

tima porção com a pá se erguendo no ar (*a terra nunca é suficiente*, pensou, recordando-se do que o seu tio, agente funerário, dissera-lhe há muitos anos: *nunca é suficiente para tornar a encher o buraco*). Ele se virou para Jud.

— Coloque aí o seu monumento — disse o velho.

— Olhe, Jud, estou muito cansado e...

— É o gato de Ellie — disse Jud, e a voz, embora gentil, tinha um tom implacável. — Ela gostaria que você fizesse o serviço direito.

Louis suspirou.

— Acho que sim.

Demorou mais dez minutos para empilhar as pedras que Jud lhe passava, uma por uma. Quando tudo estava concluído, havia um pequeno monte de pedras, de forma cônica, sobre a cova de Church. Embora estivesse exausto, Louis sentiu um certo prazer ao contemplar sua obra. Erguendo-se à luz das estrelas, não deixava de parecer solene. Estava certo de que Ellie jamais veria o túmulo (a simples ideia de conduzir a filha por aquela trilha, no meio de um pântano onde havia areias movediças, faria Rachel ficar de cabelos brancos), mas ele o tinha visto e estava benfeito.

Louis ficou em pé e limpou a calça na altura dos joelhos. Agora via mais claramente ao redor. Em vários pontos, distinguia com nitidez outros montes de pedras soltas. Mas Jud se encarregara de fazê-lo construir o monumento fúnebre de Church apenas com as pedras tiradas da própria sepultura que ele escavara.

— As pedras nos outros túmulos estão desabando — disse a Jud.

— Pois é — Jud respondeu. — Eu disse a você: o lugar é muito antigo.

— Cumprimos nossa obrigação?

— Sim.

Jud deu um tapinha no ombro de Louis.

— Você trabalhou muito bem, Louis. Sabia que ia fazer tudo direito. Vamos voltar.

— Jud — Louis começou, mas Jud já apanhava a picareta e se punha em marcha para a escadaria. Louis pegou a pá, correu alguns metros para alcançar o velho, mas logo regulou o passo, tentando poupar o fôlego para a longa caminhada. Ainda olhou para trás, mas o monumento que marcava o túmulo de Winston Churchill, o gato de sua filha, já mergulhara nas sombras. Não podia mais distingui-lo.

Foi só fazer o filme andar para trás, Louis pensou bastante cansado quando, mais tarde, saíram dos bosques e entraram no campo que levava à sua casa. Não sabia em quanto tempo tinham feito a viagem de volta; tirara o relógio quando se deitara depois do almoço e o deixara no parapeito da janela, junto à cama. Sabia apenas que estava morrendo de cansaço, estourado, esgotado. A última vez que se sentira tão exausto fora no primeiro dia de trabalho com uma turma de coleta de lixo, nas férias de sua escola secundária em Chicago, há 16 ou 17 anos.

O caminho de volta fora o mesmo de ida, mas não conseguia recordar muita coisa da jornada. Lembrava-se de ter tropeçado nos troncos caídos — cambaleou para a frente e pensou fantasticamente em Peter Pan... *Oh, Meu Deus, perdi meus bons pensamentos e lá vou eu!...* Então a mão de Jud o amparou, firme, segura; e alguns momentos depois eles se arrastavam pelo derradeiro lugar de repouso do Gato Smucky, de Trixie, de Marta, Nossa Coelha de Estimação. Por fim, entrou no caminho que uma vez atravessara não apenas com Jud, mas com toda a família.

Achava que, ao menos superficialmente, pensara no sonho com Victor Pascow, o sonho terrível que acompanhara seu episódio de sonambulismo. Mas não viu qualquer ligação entre aquela caminhada noturna e Pascow. Achava que toda a aventura do enterro de Church fora perigosa, não num sentido melodramático, tipo Wilkie Collins, mas de um modo muito real. Que tivesse enchido violentamente as mãos de bolhas num estado emocional que, sem dúvida, *se aproximara* do sonambulismo, já era realmente desagradável. Podia ter se matado no monte de árvores caídas. Os dois podiam ter morrido. Era difícil justificar esse comportamento, era difícil admitir que não agira de uma forma racional. Na exaustão do momento, estava inclinado a atribuir tudo o que fizera ao transtorno emocional, à confusão gerada pela morte de um animal que toda a família adorava.

E pouco depois, lá estavam eles, outra vez em casa.

Andaram lado a lado até a margem da estrada, em silêncio. Pararam na entrada da casa de Louis. O vento murmurava, gemia. Sem nada a dizer, Louis passou a Jud a picareta.

— É melhor eu atravessar — Jud disse por fim. — Louella Bisson ou Ruthie Parks vão trazer Norma de volta, e ela vai ficar preocupada, sem saber onde eu estava.

— Sabe que horas são? — Louis perguntou. Achou estranho que Jud acreditasse que Norma ainda não estivesse em casa; todos os seus músculos lhe diziam que, sem dúvida, passava da meia-noite.

— Oh, rapaz! — Jud exclamou. — Eu ando com o relógio aqui dentro da roupa... Mas me esqueço dele!

Tirou um relógio de corrente do bolso da calça e com um movimento rápido abriu a tampa ornamentada do mostrador.

— Já passa das oito e meia — disse ele, fechando o relógio com um estalo.

— Oito e meia? — Louis repetiu estupefato. — Só isso?

— Você queria mais?

— Achei que era bem mais tarde.

— Vejo você amanhã, Louis — disse Jud, começando a se afastar.

— Ei, Jud!

O velho se virou com um leve ar de interrogação no rosto.

— Jud, o que foi que fizemos hoje à noite?

— Ora! Enterramos o gato de sua filha.

— Foi só *isso*?

— Nada mais que isso — Jud respondeu. — Você é um bom sujeito, Louis, mas faz perguntas demais. Às vezes as pessoas fazem coisas simplesmente porque lhes parecem certas. Isto é, parecem certas ao coração. Mas se fazem as coisas e depois ficam achando que não agiram direito, se enchem de perguntas, e ficam cheias de dúvidas que provocam indigestão, mas não no estômago e sim na cabeça, e pensam que cometeram um erro. Entende o que estou dizendo?

— Entendo — disse Louis, achando que Jud devia ter lido tudo o que se passara em sua mente enquanto os dois desciam a colina, atravessavam o campo e se aproximavam das luzes da casa.

— O que eu acho é que as pessoas deviam questionar esses sentimentos de dúvida em vez de questionar o que o coração mandou que elas fizessem — Jud continuou, os olhos fixos nele. — Não acha que tenho razão, Louis?

— Acho... — Louis respondeu de modo hesitante. — Acho que talvez esteja certo.

— E as coisas que estão no coração de um homem... Bem, às vezes ele não gosta muito de falar sobre elas, não é?

— Bem...

— Exato — disse Jud, como se Louis tivesse simplesmente concordado. — Não gosta... — E com sua voz calma, tão firme e tão fria, naquela voz que, por alguma razão, podia dar calafrios em Louis, concluiu. — Existem coisas secretas. Achamos que só as mulheres são boas para segredos e acho que elas guardam alguns. Mas qualquer mulher, qualquer mulher que entenda um pouco da vida poderia lhe falar que nunca conseguiu ver o que realmente se passa no coração de um homem. O solo do coração de um homem é mais empedernido, Louis... Como o solo que existe lá em cima, no velho campo onde *micmacs* enterravam seus mortos. Perto da superfície há logo uma rocha... Mas um homem planta o que pode... e cuida do que plantou.

— Jud...

— Não faça tantas perguntas, Louis. Aceite o que está feito e siga o seu coração.

— Mas...

— Mas nada. *Aceite o que está feito, Louis, e siga o seu coração.* Fizemos o que era certo... Pelo menos desta vez, eu espero, Deus queria que sim... Amanhã ou depois, isso poderia ser errado, terrivelmente errado!

— Mas quer ao menos me responder uma única pergunta?

— Bem, depende da pergunta...

— Como conheceu aquele lugar?

A pergunta já ocorrera a Louis no caminho da volta para casa. Suspeitara que o próprio Jud pudesse ser em parte *micmac*, embora não parecesse; parecia, ao contrário, descender de ancestrais cem por cento anglo-americanos.

— Ora, soube pela boca de Stanny B. — ele respondeu com um ar de espanto.

— Ele só contou a você?

— Não — disse Jud. — Não é o tipo de lugar pra se comentar só com uma pessoa. Quando eu tinha 10 anos, enterrei meu cachorro Spot lá em cima... O bicho estava correndo atrás de um coelho e se arranhou num arame farpado cheio de ferrugem. As feridas infeccionaram e ele morreu.

Havia alguma coisa errada, algo que não combinava com o que Louis já ouvira, mas estava muito cansado para tentar descobrir o que era. Jud não disse mais nada, limitou-se a fitá-lo com os olhos velhos, inescrutáveis.

— Boa noite, Jud — disse Louis.

— Boa noite.

O velho atravessou a estrada, carregando a picareta e a pá.

— Obrigado! — Louis gritou num impulso.

Jud não virou a cabeça, só ergueu a mão para indicar que ouvira.

E dentro de casa, subitamente, o telefone começou a tocar.

Louis correu, contraindo-se com as dores que davam pontadas nos quadris e nas costas. Quando penetrou no calor da cozinha, o telefone já havia tocado seis ou sete vezes e parou assim que ele encostou a mão no aparelho. Apesar disso, tirou o fone do gancho e disse alô, mas só escutou o ruído da linha desocupada.

Era Rachel, pensou. *Vou ligar para ela.*

Mas subitamente, achou muito trabalhoso discar o número, falar meio sem jeito com a mãe dela (ou, pior ainda, com o pai, brandindo talões de cheques), ser passado para Rachel... e depois para Ellie. Sem dúvida Ellie ainda estaria acordada — em Chicago, era uma hora a menos. A filha iria perguntar como ia Church.

Oh, ele está ótimo. Foi atropelado por um caminhão da Orinco. Não sei por que, mas tenho certeza absoluta de que foi um caminhão da Orinco. Qualquer outro veículo romperia a unidade dramática, se é que você entende o que eu quero dizer. Não? Bem, não importa. O caminhão o matou, mas não deixou muitas marcas no corpo dele. Jud e eu o enterramos no velho cemitério micmac, *uma espécie de anexo do "simitério" de bichos, você está entendendo, não é? Foi um passeio espantoso, "chocante". Um dia vou levá-la até lá e poderemos deixar algumas flores ao lado das pedras... Desculpe, ao lado do monumento fúnebre... é só esperar as areias movediças congelarem um pouco e os ursos hibernarem.*

Tornou a pôr o fone no gancho, foi até a pia e encheu-a de água quente. Tirou a camisa e lavou-a. Apesar do frio, suara como um porco e seu cheiro era exatamente o de um porco.

Tinha sobrado bolo de carne na geladeira. Louis cortou-o em fatias, colocou-as num pedaço de pão de fôrma e acrescentou duas grandes rodelas de cebola. Contemplou um instante o recheio do sanduíche antes de botar *ketchup* e cobrir com outro pedaço de pão. Se Rachel e Ellie estivessem ali, torceriam o nariz em gestos idênticos de repugnância — ah, que coisa horrível!...

Bem, pior pra vocês, madames, Louis pensou com inegável satisfação e deu uma dentada no sanduíche. Estava ótimo. *Confúcio dizia que quem cheira como um porco come como um lobo,* pensou e sorriu.

Devorou o sanduíche com vários e longos tragos de leite bebido diretamente da caixa — outro hábito que Rachel desaprovava ostensivamente. Depois, se dirigiu para o andar de cima, tirou a roupa e foi se deitar sem ao menos escovar os dentes. Suas dores tinham se reduzido a um fraco latejar que quase não o incomodava.

O relógio estava onde o tinha deixado. Dez para as nove. Era realmente incrível.

Louis desligou a luz, virou-se de lado e adormeceu.

Acordou quando já passava das três da madrugada e se arrastou para o banheiro. Estava urinando, piscando os olhos como coruja, no brilho esbranquiçado da luz fluorescente, quando a discrepância surgiu com nitidez em sua mente. Os olhos se alargaram. Era como se uma coisa que parecia perfeitamente ajustada tivesse se quebrado em dois pedaços.

Jud lhe dissera que seu cachorro morrera quando ele tinha 10 anos... Morrera de uma infecção por ter se machucado numa cerca de arame farpado enferrujado. Mas naquele dia de fim de verão, quando foram todos até o "simitério" de bichos, Jud tinha dito que o cão morrera de velhice e fora enterrado ali. Chegara a apontar o marco, embora os anos tivessem apagado a inscrição.

Louis deu a descarga, desligou a luz e voltou para a cama. Havia mais alguma coisa errada... E logo começou a perceber o que era.

Jud nascera em 1900 e, naquele dia no "simitério" de bichos, dissera que seu cão morrera durante o primeiro ano da Primeira Guerra Mundial. Se Jud quis se referir ao eclodir da guerra na Europa, estaria com 14 anos. Mas se pretendeu indicar o ano em que os Estados Unidos entraram na guerra, estaria com 17.

E ontem tinha dito que Spot morrera quando ele, Jud, tinha 10 anos.

Bem, é um velho e a memória dos velhos costuma confundir as coisas, Louis ponderou um tanto apreensivo. *Ele mesmo diz que tem observado sinais de crescente esquecimento, vacilando em nomes e endereços que antigamente lhe vinham facilmente à memória, às vezes acordando de manhã sem se lembrar das coisas que planejara na véspera. Na realidade, para um homem da idade dele, ainda está bem lúcido... Provavelmente nem se pode dizer que já esteja senil. Na senilidade, o esquecimento é mais constante, mais insistente. Que um homem não se lembre exatamente de quando seu cachorro morreu cerca de setenta anos atrás é perfeitamente natural. Não se recordar das circunstâncias em que ele morreu, também. Esqueça, Louis.*

Mas Louis não voltou a dormir de imediato; rolou um bom tempo na cama, pensando demais na casa vazia e no vento que gemia entre os beirais do telhado.

Conseguiu dormir quase sem querer, pois no exato momento em que deslizava para o sono teve a sensação de ter ouvido pés descalços subindo lentamente a escada. Ainda pensou: *Deixe-me em paz, Pascow, deixe-me em paz; o que está feito, está feito, o que está morto, está morto...* E os passos cessaram.

Embora muitas outras coisas inexplicáveis ainda fossem acontecer à medida que o ano se aproximasse do fim, Louis nunca mais seria incomodado pelo espectro de Victor Pascow, nem acordado, nem em sonhos.

23

Louis acordou às nove da manhã. A luz do sol brilhava nas janelas do lado direito do quarto. O telefone tocou. Estendeu o braço e conseguiu pegá-lo.

— Alô?

— Ei — disse Rachel. — Será que acordei você? Acho que sim.

— É claro que acordou, sua filha da mãe — ele disse, sorrindo.

— Oh, essa linguagem grosseira, seu velho urso malcriado... Tentei falar com você ontem à noite. Estava na casa de Jud?

Ele só hesitou uma fração de segundo.

— Estava — respondeu. — Tomamos algumas cervejas. Norma tinha ido a uma espécie de festa de Ação de Graças. Pensei em lhe dar um telefonema, mas... você sabe como é.

Jogaram um pouco de conversa fora. Rachel colocou-o a par das novidades da família dela, coisa que de bom grado Louis teria dispensado, embora tenha sentido uma pequena, mesquinha satisfação ao saber que a careca do pai dela parecia estar aumentando com mais rapidez.

— Quer falar com Gage? — Rachel perguntou.

Louis sorriu.

— É, não seria uma má ideia. Mas não deixe ele desligar o telefone como da outra vez.

Havia muito barulho do outro lado da linha. Ouviu vagamente Rachel estimulando o garotinho a dizer "Oi, papai".

— Oi, pa... pai! — disse Gage por fim.

— Oi, Gage — Louis respondeu cheio de alegria. — Como vai você? Como vão as coisas por aí? Já quebrou outro cachimbo do vovô? Espero que sim, rapaz. Quem sabe desta vez você não estraga a coleção de selos?

Gage balbuciou satisfeito por mais ou menos trinta segundos, entremeando os resmungos e gluglus com as poucas palavras identificáveis de seu crescente vocabulário: *mamãe, Ellie, vovô, vovó, carro* (pronunciado com o melhor sotaque do norte, Louis observou e achou engraçado), *xixi* e *cocô*.

Por fim, Rachel pegou o fone, provocando um grito de indignação de Gage e uma sensação de alívio no marido. Ele gostava do filho e estava morrendo de saudades, mas manter uma conversa com um menino que ainda não completara 2 anos de idade era como jogar cartas com um lunático: as cartas podiam ir para qualquer lugar e, de repente, você mesmo começava a atirá-las para trás.

— Tudo em ordem por aí? — Rachel perguntou.

— Tudo — Louis respondeu, desta vez sem qualquer hesitação. Mas percebeu que já tinha cruzado a barreira quando Rachel perguntara se fora até a casa de Jud na véspera e respondera que sim. Em sua mente, ouviu Jud Crandall dizer: *O solo do coração de um homem é mais empedernido, Louis... Mas um homem planta o que pode... e cuida do que plantou.* — Mas se quer saber, com toda a honestidade, está um pouco monótono. Saudades suas.

— Acha que vou mesmo acreditar que não está gostando de tirar umas férias da mulher e dos filhos.

— Oh, estou gostando do silêncio — ele admitiu —, é claro. Mas fica estranho depois do primeiro dia.

— Posso falar com o papai? — era a voz de Ellie ao fundo.

— Louis? Ellie quer falar com você.

— Muito bem, passe o telefone para ela.

Conversou com a filha por quase cinco minutos. A menina contou da boneca que a avó lhe dera, do passeio que fizera com o avô até os currais ("puxa, como eles *cheiram mal,* papai", disse Ellie e Louis pensou: *o cheiro de seu avô também não é dos melhores, meu bem*), contou como ajudara a fazer pão e como Gage fugira da mãe quando ela estava mudando sua roupa. Gage tinha corrido pelo corredor e caído na porta do escritório do avô (*Cuidado Gage!, mas olhe quanta coisa bonita tem aí dentro!*, Louis pensou, um sorriso largo se abrindo no rosto).

Chegou realmente a acreditar que ia escapar do problema do gato — pelo menos naquela manhã — e ia pedir que Ellie chamasse de novo a mãe quando a menina perguntou:

— Como está o Church, papai? Está sentindo a minha falta?

O sorriso desapareceu da boca de Louis, mas ele respondeu prontamente, num tom de perfeita despreocupação:

— Acho que está ótimo. Dei a ele um ensopado de carne que sobrou ontem à noite e depois mandei que fosse dormir. Hoje ainda não vi o Church, mas também estou acordando agora.

Oh, rapaz, você daria um bom assassino... Frio como uma lagartixa. Quando viu pela última vez o morto, dr. Creed? Ele veio para jantar. Tinha um prato de ensopado, eu me lembro. Não o vi mais desde então.

— Bem, dê um beijo nele por mim.

— Eu não, beije você o Church — Louis brincou e a filha riu.

— Quer falar outra vez com a mamãe, papai?

— Quero. Passe o telefone pra ela.

E o assunto estava encerrado. Conversou por mais um ou dois minutos com Rachel, mas não houve menção do nome de Church. Trocaram beijos e abraços e Louis desligou.

— É isso aí — disse para o aposento vazio, ensolarado.

E o pior de tudo é que não se sentia mal, não se sentia nem um pouco culpado.

24

Steve Masterton telefonou por volta das nove e meia convidando Louis para jogar tênis na universidade; o lugar estava deserto, disse num tom vibrante; se quisessem, podiam jogar o dia inteiro.

Louis entendia a vibração. Quando havia movimento na universidade, às vezes era preciso esperar dois dias por uma quadra de tênis. Mesmo assim, não aceitou o convite, dizendo que precisava trabalhar num artigo para a *Revista da Faculdade de Medicina.*

— Tem certeza de que não quer jogar? — Steve insistiu. — Você sabe que trabalhar demais faz mal à saúde.

— Ligue mais tarde — disse Louis. — Quem sabe eu não mudo de ideia.

Steve disse que telefonaria de novo e desligou. Desta vez, Louis dissera apenas uma meia mentira; de fato pretendia trabalhar no artigo, que abordava o tratamento de moléstias contagiosas, como catapora e mononucleose, no ambiente da enfermaria, mas a principal razão que o fez declinar a oferta de Steve foram todas as dores que estava sentindo. Tomara consciência delas assim que terminou de conversar com Rachel e foi para o banheiro escovar os dentes. Os músculos das costas pareciam vergados, rangentes, os ombros estavam doloridos pelo esforço de carregar o gato naquele maldito saco de lixo, os tendões atrás dos joelhos pareciam cordas de guitarra tocadas três oitavas acima do tom normal. *Deus,* ele pensou, *e você tinha a estúpida impressão de que ainda estava em forma!* Teria sido engraçado jogar tênis com Steve, dobrando-se pra lá e pra cá como um velho com artrite.

E por falar em velhos, lembrou-se de que não fizera sozinho a caminhada da véspera; fora com um sujeito que se aproximava dos 85 anos... Mas era capaz de jurar que Jud estava menos dolorido que ele!

Passou uma hora e meia trabalhando no artigo, mas não conseguiu fazê-lo progredir. O vazio da casa e o silêncio começaram a mexer com seus nervos e, por fim, empilhou as folhas de papel amarelo e algumas fotocópias de textos de consulta na prateleira acima da máquina de escrever. Depois vestiu o casaco e atravessou a estrada.

Jud e Norma não estavam em casa, mas havia um envelope com seu nome pregado à porta da varanda. Desprendeu-o e abriu-o com o polegar.

Louis,

A patroa e eu fomos a Bucksport fazer umas compras e dar uma olhada num armário de cozinha do Emporium Galorium que Norma anda de olho há séculos. Devemos almoçar no McLeod's e só voltaremos no final da tarde. Se quiser, venha até aqui hoje à noite para uma ou duas cervejas.

Sua família é sua família. Não quero me meter na vida dos outros, mas se Ellie fosse minha filha, eu não teria pressa em contar que o gato foi atropelado na estrada... Por que não deixar ela aproveitar o passeio?

E por falar nisso, Louis, eu também não comentaria o que fizemos ontem à noite, pelo menos não nas vizinhanças de North Ludlow. Há outras pessoas na cidade que conhecem o velho cemitério micmac *e há gente que enterrou ali seus animais... Pode-se dizer que é uma outra parte do "Simitério" de bichos. Acredite ou não, existe até um touro enterrado lá em cima! O velho Zack McGovern, que viveu o resto de seus dias na estrada de Stackpole, enterrou Hanratty, um touro premiado, no cemitério* micmac. *Foi em 1967 ou 1968. Ha, ha, ha! Eu quase explodi de tanto rir quando ele me disse que tinha levado aquele touro lá pra cima com os dois filhos!... Mas por aqui, Louis, as pessoas não gostam muito de falar do lugar e também não gostam que gente que consideram* "forasteiros" *façam comentários sobre ele... Não porque existam essas velhas superstições, de trezentos anos ou mais (embora elas existam, é claro), mas porque têm vergonha de admitir que acreditam nessas coisas; acham que qualquer* "forasteiro" *ficaria rindo delas. É um comportamento absurdo, você não acha? Não faz sentido, mas é assim que funciona. Então, se quiser me fazer um favor, não comente sobre o assunto com ninguém, combinado?*

Voltaremos a falar sobre isso, talvez hoje à noite, e vai compreender melhor, mas pode ter certeza de que agiu muito bem. Eu sabia que ia fazer a coisa direito.

Jud

P.S.: Norma não sabe o que diz o bilhete. Contei a ela outra história. Se não se importa, gostaria que ela não ficasse sabendo aonde fomos ontem. Não é a primeira mentira que conto à patroa em 52 anos de casamento. Acho que a maioria dos homens diz algumas mentiras às suas mulheres, mas você sabe, a maior parte deles poderia confessá-las diante de Deus sem ter de abaixar os olhos.
Bem, passe por aqui à noite e vamos biritar um pouco.

J.

Louis continuou parado no último degrau da escada que conduzia à varanda de Jud e Norma, agora vazia, as confortáveis cadeiras de palhinha guardadas para a primavera seguinte. Franzia a testa e olhava o bilhete. Não dizer a Ellie que o gato foi atropelado... Ele não tinha dito. Outros animais enterrados lá em cima? Superstições de trezentos anos?

... e vai compreender melhor.

Tocou a frase com o dedo e pela primeira vez deixou que sua mente voltasse a se concentrar no que tinham feito na noite anterior. A coisa já estava meio borrada em sua memória, tinha uma textura difusa, como a de uma névoa de flocos de algodão, uma textura de sonho ou de ações executadas sob o efeito de drogas. Lembrava-se de ter subido nos troncos caídos e do estranho brilho da luz no pântano; lembrava-se também de que lá a temperatura parecia mais alta, 5 ou 10 graus a mais... Todas as lembranças, porém, eram como a conversa que se tem com o anestesista antes que ele nos apague como uma lâmpada.

... e acho que a maioria dos homens diz algumas mentiras às suas mulheres...

Às mulheres e também às filhas, Louis pensou. Era fantástico como Jud parecia adivinhar o que se passara com ele naquela manhã, tanto no telefonema quanto em sua mente.

Dobrou lentamente o bilhete (escrito numa folha de papel pautado, como as dos cadernos escolares) e colocou-o no envelope. Pôs o envelope no bolso da calça e tornou a cruzar a estrada.

25

Era por volta de uma hora da tarde quando Church voltou como um gato de conto de fadas. Louis estava na garagem, onde há seis semanas vinha trabalhando num conjunto um tanto ousado de prateleiras. Serviriam para guardar, fora do alcance de Gage, coisas como frascos de fluido para limpar para-brisas, anticongelantes e ferramentas de pontas afiadas. Martelava um prego quando Church se aproximou, a cauda no ar. Não deixou cair o martelo nem acertou o dedo; o coração se contraiu no peito, mas não chegou a pular; um fio quente pareceu queimar-lhe por um instante o estômago mas logo esfriou (como o filamento de uma lâmpada que brilha muito forte por um ou dois segundos e depois se apaga). Mais tarde diria a si mesmo que era como se tivesse passado toda a ensolarada manhã daquela sexta-feira esperando que Church voltasse; como se, numa região mais profunda, mais primitiva de sua mente, soubesse qual era o sentido de toda a caminhada noturna até o cemitério *micmac*.

Apoiou o martelo devagar, cuspiu na palma da mão os pregos que segurava na boca e colocou-os no bolso do avental. Caminhou em direção a Church e suspendeu o gato.

O peso normal, ele pensou com uma espécie de excitação mórbida. *O mesmo que pesava antes de ser atropelado. Peso de um gato vivo. Estava mais pesado no saco. Era mais pesado quando estava morto.*

Desta vez, seu coração deu um tranco, saltou pela boca, e por um momento a garagem pareceu oscilar.

Church abaixou as orelhas e deixou que Louis o acariciasse. Louis o levou para o sol, sentando-se nos degraus da porta da cozinha. Então o gato quis ir para o chão, mas Louis o abraçou, mantendo-o firme no colo. O coração pulava, mas de maneira cada vez mais regular.

Afundou a mão no pescoço peludo de Church, lembrando-se do modo nauseante como, na véspera, a cabeça do gato rolara sobre o pescoço quebrado. Agora sentia apenas músculos saudáveis e tendões. Esticou Church e concentrou os olhos no focinho do animal.

A visão fez com que deixasse o gato cair na relva, cobrisse o rosto com as mãos e fechasse os olhos. Tudo pareceu oscilar de novo; a vertigem o envolveu, fazendo-o cambalear — era o tipo de sensação que já tivera no amargo fim de longas bebedeiras, pouco antes de vomitar.

Havia sangue ressecado no focinho de Church, e presos nos bigodes compridos estavam dois pequenos fragmentos de plástico verde. Pedaços do saco do inferno.

Voltaremos a tocar no assunto e vai compreender melhor...

Oh, meu Deus, ele já compreendia mais do que queria compreender.

Falta muito pouco, Louis pensou, *para eu ser compreendido no quarto de hospício mais próximo.*

Levou Church para dentro, pegou a vasilha azul de comida e abriu uma lata de ração de fígado e atum. Enquanto tirava da lata a mistura acinzentada, Church ronronou e se esfregou de um lado para o outro nas pernas de Louis. O contato causou-lhe um arrepio; precisou apertar violentamente os dentes para não dar um chute no animal. Os pelos pareciam lustrosos demais, espessos demais — numa palavra, repugnantes. Achou que nunca mais encostaria a mão em Church.

Quando se curvou para pôr a vasilha no chão, Church se atirou como um raio para pegá-la e Louis poderia jurar que tinha sentido cheiro de terra, como se ainda houvesse terra no pelo do animal.

Recuou vendo o gato comer. Podia ouvi-lo mastigar... Será que Church sempre mastigara daquele jeito? Talvez, mas nunca tinha reparado. Sem dúvida era um som desagradável. *Que nojo!,* Ellie diria.

Num impulso, Louis deu meia-volta e foi para o andar de cima. Quando atingiu o alto da escada, estava quase correndo. Despiu-se e pôs toda a roupa na cesta de roupa suja (embora a tivesse tirado da gaveta naquela manhã). Encheu a banheira de água quente, o mais quente que pôde suportar, e mergulhou.

O vapor se erguia à sua volta. Podia sentir a quentura atuando nos músculos, afrouxando-os, atuando em sua cabeça, fazendo a tensão diminuir. Quando a água começou a esfriar, sentiu-se sonolento e bem-disposto outra vez.

O gato voltou, como um gato de conto de fadas: tudo bem, era isso, um passe de mágica.

Fora apenas um equívoco. Ontem mesmo achara que, para um animal que tinha sido atropelado, as marcas no corpo de Church eram muito pequenas.

Ponderou:

Pense em todas as marmotas, em todos os cães e gatos que você já viu estirados nas estradas: corpos estraçalhados, vísceras espalhadas; pasta sem forma nem cores, como diz Loudon Wainwright naquela música sobre uma doninha morta.

Era evidente agora. Church levara um grande golpe e perdera os sentidos. O gato que conduzira até o velho cemitério *micmac* estava inconsciente, não morto. Não se costuma dizer que um gato tem sete vidas? Graças a Deus, não tinha contado nada a Ellie! Melhor que ela nunca soubesse o quanto Church esteve perto da morte.

O sangue no focinho e no peito... o modo como a cabeça estava solta...

Mas era médico, não veterinário. Fizera um diagnóstico errado, só isso. As circunstâncias para um exame acurado não foram as melhores: o gato estatelado no gramado de Jud sob uma temperatura de 7 graus abaixo de zero, e já era quase noite fechada. Além do mais, estava usando luvas. Isso podia ter...

Uma sombra volumosa, disforme, se ergueu nos ladrilhos da parede. Como a cabeça de um pequeno dragão ou de uma serpente monstruosa. Alguma coisa tocou-lhe o ombro nu, algo que deslizava. Louis recuou como se tivesse levado um choque, derramando água pela borda da banheira e encharcando o tapete de espuma. Depois se virou, o corpo contraído... E defrontou-se com os olhos turvos, de um verde amarelado, do gato da filha. Church havia se empoleirado na tampa do vaso sanitário.

O gato parecia oscilar lentamente de um lado para o outro. Como se estivesse bêbado. Louis o fitava, nauseado, cerrando os dentes com esforço para não gritar. Church nunca tivera aquela aparência, nem antes nem depois de ser castrado. Nunca balançara como uma cobra tentando hipnotizar sua presa. Pela primeira vez lhe veio a ideia de que aquele seria um gato diferente, um gato que apenas se parecia com Church, um gato que entrara por acaso em sua garagem quando ele estava fazendo aquelas prateleiras... O verdadeiro Church continuava enterrado sob um monte de pedras no penhasco do bosque.

Mas a fisionomia tinha os mesmos traços... o rasgo na orelha... e a pata com aquele jeito engraçado. Ellie esmagara um pedaço daquela pata na porta dos fundos da pequena casa em que moravam, no subúrbio. Na época, Church era pouco mais que um filhotinho.

Era Church, sem dúvida.

— Saia daqui! — Louis murmurou num tom áspero.

Church o encarou por mais alguns instantes (*Deus, os olhos eram diferentes, tinham alguma coisa diferente!*), e depois pulou na tampa do vaso. O pulo não teve a agilidade tão comum nos gatos. Church pareceu cambalear desajeitadamente, o lombo batendo na banheira; depois foi embora.

Não é um gato, Louis pensou. *É uma coisa. É uma coisa castrada, não esqueça!*

Saiu da banheira e se enxugou depressa, vigorosamente. Tinha feito a barba e estava quase vestido quando o telefone tocou, ecoando na casa vazia. O barulho o fez rodopiar, arregalar os olhos, levantar as mãos. Abaixou-as devagar. O coração disparava. Os músculos se enchiam de adrenalina.

Era Steve Masterton, ligando outra vez por causa do tênis. Louis acabou concordando em encontrá-lo no ginásio em uma hora. Realmente perdera toda a noção do tempo e jogar tênis seria a última coisa do mundo que ia querer fazer, mas precisava sair de casa. Queria se afastar do gato, daquele gato misterioso cujo lugar não era de modo algum ali.

Vestiu-se rapidamente, enfiou uma bermuda, uma camiseta e uma toalha na sacola de mão e desceu correndo as escadas.

Church estava deitado no quarto degrau a contar de baixo. Louis saltou por cima do gato e quase caiu. Conseguiu agarrar o corrimão e escapou por um triz do que podia ter sido uma queda fatal.

Quando chegou ao fim da escada, tinha a respiração convulsa, o coração aos pulos, a adrenalina espalhando-se desconfortavelmente pelo seu corpo.

Church continuou lá, esticado... Parecia sorrir para ele.

Louis saiu. Podia ter colocado o gato na rua, mas não o fez. Até aquele instante, porém, não acreditava que conseguisse tocá-lo de novo.

26

Jud acendeu o cigarro com um fósforo da cozinha, sacudiu a chama e jogou o palito no cinzeiro de metal com um anúncio descorado de Jim Beam impresso no fundo.

— Sim, foi Stanley Bouchard quem me falou do lugar...

Fez uma pausa, meditando.

De barriga cheia, ele começava a se sentir melhor. Era capaz de ver as coisas com mais clareza, mas não estava nem um pouco ansioso por voltar àquela casa escura e vazia onde o gato — vamos encarar o fato, rapaz! — podia estar, literalmente, em qualquer lugar.

Norma passara um bom tempo com eles, vendo televisão e trabalhando num bordado que mostrava o sol se pondo atrás de um pequeno templo do interior. A cruz na cumeeira do telhado tinha uma silhueta negra contra o sol poente. Segundo ela, era para vender no leilão da igreja, uma semana antes do Natal. O leilão era sempre um acontecimento.

Os dedos moviam-se com agilidade, espetando a agulha no tecido, trabalhando o ponto dentro da moldura. Naquela noite, sua artrite era quase imperceptível. Louis achava que podia ser o tempo, frio mas muito seco. Recuperava-se muito bem do ataque cardíaco e, ali na cozinha, menos de dez semanas antes do derrame cerebral que iria matá-la, parecia menos pálida e até mais jovem. Louis podia perceber a bela moça que havia sido.

Às quinze para as dez, Norma deu boa-noite e Louis ficou sozinho com Jud, que tinha parado de falar e parecia apreciar a fumaça do cigarro subindo mais e mais, como um garoto contemplando um mastro de barbeiro* para ver aonde vão as listas.

— Stanny B... — Louis procurou estimulá-lo num tom delicado. Jud piscou, parecendo voltar a si.

— Oh, sim — disse ele. — Todo mundo em Ludlow, e acho que também nos arredores de Bucksport, Prospect e Orrington, chamava-o Stanny B. Foi no ano em que morreu meu cachorro Spot, 1910, eu acho. A *primeira* vez que ele morreu. Stanny estava bem mais velho e não regulava muito bem. Não era só Stanny que sabia do cemitério *micmac*, mas foi através dele que fiquei sabendo do lugar, e ele ouviu a história do pai, e o pai tinha ouvido do avô. Era uma família de franco-canadenses, eu me lembro.

---

* Pequeno mastro com listras vermelhas, brancas e azuis em espiral, colocado na porta das barbearias nos Estados Unidos como símbolo da profissão. (N. do T.)

Jud riu e deu um gole na cerveja.

— Ainda posso ouvir ele falar com aquele sotaque inglês maluco. Me encontrou sentado atrás de uma cocheira que havia na Rodovia 15 (naquele tempo era apenas uma estrada que ia de Bangor a Bucksport). A cocheira ficava bem no lugar onde hoje é a Orinco. Spot ainda não estava morto, mas ia ser morto... Meu pai me mandou buscar um pouco de milho. Era o velho Yorky que vendia. Como a gente precisava tanto de milho quanto uma vaca precisa de um quadro-negro, percebi de cara por que ele me mandou sair de casa.

— Ele ia matar o cachorro?

— Meu pai sabia como eu gostava do Spot, foi por isso que me mandou sair. Pedi o milho ao velho Yorky (o Yorky tomava conta da cocheira), e enquanto ele foi buscar me sentei numa pedra de amolar que havia lá atrás. Então abri um berreiro.

Jud balançou a cabeça lenta e suavemente, sorrindo.

— Então o velho Stanny B. veio andando em minha direção — disse ele. — Metade das pessoas da cidade achava que era um bobalhão; a outra metade, que era perigoso. Seu avô tinha sido um grande caçador e negociante de peles. Isso foi idos de 1800. O avô de Stanny andava de um lado pro outro, do Canadá a Derry, chegando às vezes a Skowhegan. Sempre negociando peles, ou pelo menos foi o que me disseram. Guiava uma grande carroça coberta com lonas de couro cru. Era como aqueles carroções dos vendedores ambulantes de remédios milagrosos. A carroça tinha cruzes por todo lado, pois era um bom cristão, e sempre que bebia demais proclamava a ressurreição dos mortos. Era isso que Stanny contava, e ele adorava falar sobre o avô. Só que na carroça também havia amuletos pagãos dos índios. O velho acreditava que todos os índios, não importa de que tribo, pertenciam a uma única e grande tribo, a tribo perdida de Israel de que a Bíblia fala. Achava que a magia dos índios funcionava porque, apesar de eles serem pobres condenados, eram também cristãos, por mais estranho e esquisito que pudesse parecer.

"O avô de Stanny continuou comprando dos *micmacs*, continuou fazendo bons negócios com eles muito tempo depois que quase todos os caçadores e negociantes já tinham ido para o oeste... porque não queriam negociar com os índios a um preço justo e porque, Stanny dizia, o velho sabia a Bíblia inteira de cor. Os *micmacs* gostavam de ouvi-lo repetir as palavras que os homens brancos diziam a eles antes da chegada dos caçadores de peles e dos lenhadores."

Jud ficou em silêncio. Louis esperou.

— Os *micmacs* falaram ao avô de Stanny B. sobre um cemitério que não usavam mais porque o Wendigo azedara o solo. Falaram também do Pequeno Pântano de Deus, dos degraus e tudo mais...

Jud continuou.

— Naquele tempo, você podia ouvir as histórias do Wendigo por todo o norte do país. Eram histórias de que os índios precisavam, assim como temos as nossas histórias cristãs. Norma me chamaria de herege se me ouvisse dizer isso, mas acredite, Louis, é verdade. Às vezes, se o inverno era muito longo e duro, e se a comida era pouca, alguns índios tinham de enfrentar a difícil escolha entre morrer de fome ou... ou fazer outra coisa.

— Canibalismo?

Jud balançou os ombros numa expressão de dúvida.

— Quem sabe. Talvez pegassem alguém que já estivesse velho e não servisse pra mais nada a não ser dar um bom ensopado. Inventavam, então, que tinham sido tocados por um Wendigo que atravessou a aldeia ou o acampamento quando todos estavam dormindo. Achavam que o Wendigo dava a todos aqueles que tocava um gosto pela carne de sua própria espécie.

Louis sacudiu a cabeça.

— Era como dizer que o diabo os mandava fazer isso.

— Exato. Em minha opinião, os *micmacs* que viviam aqui tiveram de fazer a coisa (uma ou duas vezes, talvez dez ou uma dúzia de vezes) e enterravam os ossos das pessoas que comiam lá em cima, no cemitério deles.

— Acharam então que o solo tinha se tornado ruim — Louis murmurou.

— Pois é. E Stanny B. foi para trás da cocheira, acho que pra tirar uma soneca — disse Jud. — Era meio biruta mesmo. Herdou um milhão de dólares quando o avô morreu, pelo menos é o que diziam, mas a única coisa que conseguiu na vida foi ser o bobo local. Ele me perguntou por que eu estava chorando, e eu contei. Então Stanny disse que havia um meio de resolver o problema, mas só se eu tivesse coragem e tivesse certeza de que queria aquilo.

"Eu disse que daria tudo para Spot ficar vivo e perguntei se ele conhecia algum veterinário. 'Veterinário, eu não conheço', Stanny respondeu, 'mas sei como salvar o cachorro, rapaz. Vá pra casa e mande o seu pai colocar o bicho num saco de farinha, mas não enterre, não enterre de jeito nenhum! Arraste o saco até o 'simitério' de bichos e deixe-o perto daquelas árvores caídas. Vá sozinho. Depois volte pra cá, depois que fizer tudo direito".

"Eu perguntei para que serviria aquilo, e Stanny mandou que eu ficasse acordado naquela noite e saísse de casa quando ele atirasse uma pedra na janela. 'E vou fazer isso à meia-noite, garoto. Se você esquecer Stanny B. e dormir, o problema é seu! Stanny B. também vai esquecer você, e então adeus cachorro, pode acreditar que ele vai direto pro inferno!'"

Jud encarou Louis e acendeu outro cigarro.

— Resolvi fazer o que Stanny mandou. Quando voltei, meu pai disse que metera uma bala na cabeça do Spot, para ele parar de sofrer. Nem precisei falar do "simitério" de bichos. Ele me perguntou se eu não achava que o Spot ia querer ser enterrado lá, e eu respondi que sim. Saí de casa arrastando o cachorro num saco de farinha. Meu pai perguntou se eu queria ajuda e respondi que não, porque me lembrei do que Stanny B. tinha dito.

"Fiquei acordado de noite... Pareceu uma eternidade. Você sabe como as crianças veem essa coisa do tempo. Eu achava que já devia estar quase amanhecendo, mas o relógio só batia dez horas, depois onze... Uma vez ou duas quase caí no sono, mas sempre voltava a ficar acordado e bastante alerta. Era como se alguém me sacudisse: 'Acorde Jud! Acorde!' Como se alguém ou alguma coisa quisesse ter certeza de que eu não ia mergulhar no sono."

Louis ergueu as sobrancelhas e Jud moveu os ombros com indiferença.

— Quando o relógio da sala, no primeiro andar, bateu meia-noite, eu me levantei, me vesti e fiquei sentado na cama, a lua brilhando na janela. E então o relógio bateu meia-noite e meia, depois uma hora, e nada de Stanny B. Esse estúpido francês do Canadá se esqueceu de mim, pensei comigo. Estava começando a tirar de novo a roupa quando duas pedras atingiram a janela, com força suficiente pra quebrar o vidro. De fato, uma das pedras rachou uma vidraça, mas só reparei na manhã seguinte, e minha mãe só viu quando o inverno chegou, e achou que fora obra da neve.

"Voei até a janela e a suspendi com força. Era uma janela de guilhotina, que rangeu e fez um barulhão no batente. Acho que as janelas fazem sempre isso quando se é criança e se quer sair de casa depois da meia-noite..."

Louis riu, embora não lembrasse de tentar sair de casa no meio da noite quando tinha apenas 10 anos. No entanto, parecia óbvio que, se alguma vez tivesse tentado, as janelas iam ranger como nunca acontecia à luz do dia.

— Achei que meu pai e minha mãe iam pensar que a casa estava sendo assaltada, mas quando meu coração parou de pular, ouvi meu pai roncando como uma serralheria no quarto do primeiro andar. Olhei para fora e vi Stanny B. Estava na entrada da casa, olhando pra cima, o corpo balançando como num vendaval, embora não houvesse mais que um sopro de brisa. Acho que ele nunca teria vindo se não atingisse aquele estágio de bebedeira em que se fica com os olhos arregalados, como uma coruja com diarreia, e nada mais importa... Stanny deve ter achado que estava sussurrando, mas abriu um berreiro: "Ei, garoto, você vai descer ou será que tenho de ir aí em cima pegá-lo?"

"*Shhh!*", eu coloquei o dedo na boca, morrendo de medo que meu pai acordasse e me desse a maior surra da minha infância. 'O que você disse?', Stanny perguntou, ainda mais alto que antes. Se a janela do quarto dos meus pais desse para a estrada, eu estaria arruinado. A sorte é que eles dormiam no quarto que é hoje o meu quarto e o de Norma, com vista para o rio."

— Aposto que desceu a escada como um foguete — disse Louis. — Será que tem outra cerveja, Jud?

Louis já passara dois copos de seu limite habitual, mas naquela noite não fazia mal. Parecia quase obrigatório beber um pouco mais.

— Se eu descesse a escada como um foguete, pode acreditar que me pegariam — disse Jud, acendendo outro cigarro. Esperou até Louis se sentar de novo. — Não, eu não me atreveria a ir pela escada. Teria de passar na porta do quarto dos meus pais. Resolvi descer pelo caramanchão, me segurando aqui e ali, o mais depressa que pude. Tive um pouco de medo, admito, mas depois que estava a caminho do "simitério" de bichos com Stanny B. até esqueci do meu pai.

Jud soltou a fumaça numa nuvem compacta.

— Subimos lá, nós dois, e acho que Stanny B. deve ter caído mais de meia dúzia de vezes. Estava realmente de porre. Cheirava como se tivesse mergulhado num tanque cheio de uísque. Levava uma picareta e uma pá e, em determinado ponto, quase caiu de garganta em cima de um galho pontudo. Quando chegamos ao "simitério" de bichos, achei que fosse me atirar a picareta, a pá, e ir embora, me deixando sozinho pra cavar o buraco.

"Em vez disso, parecia ter ficado sóbrio, ao menos por um instante. Disse aonde íamos, disse que atravessaríamos os troncos caídos e mergulharíamos no bosque, onde havia outro local pra enterrar os mortos. Olhei para Stanny, que voltou a parecer tão embriagado que mal conseguia se manter em pé; depois olhei para as árvores caídas: 'Não pode escalar isso aí, Stanny B.', eu disse. 'Vai quebrar o pescoço.'

"E ele respondeu: 'Não vou quebrar meu pescoço, nada disso... Nem eu nem você. Posso andar muito bem e você pode arrastar tranquilamente seu cachorro.' E estava com a razão. Stanny deslizou como uma seda sobre os troncos, jamais olhando pra baixo. Consegui fazer o mesmo, arrastando Spot, embora ele estivesse pesando mais de 15 quilos (eu pesava pouco mais de 40). Tenho de dizer a verdade, Louis, senti-me um tanto dolorido e empenado no dia seguinte. Está tudo bem com você?"

Louis não respondeu, só balançou a cabeça.

— Andamos e andamos — disse Jud. — O caminho parecia não ter fim. E os bosques pareciam mais frequentados naquele tempo. Havia pássaros gritando nas árvores, mas você não conseguia identificar de que espécie eles eram. Havia animais perambulando, provavelmente cervos. É claro que também devia haver alguns alces, ursos e gatos-do-mato. Eu arrastava Spot. Após algum tempo, comecei a imaginar que o velho Stanny B. tinha ido embora e eu estava seguindo um índio. Seguindo um índio que, de repente, se virou pra mim, os olhos muito negros e muito sorridentes, o rosto coberto com as listras daquela pintura fedorenta feita de gordura de urso. Também imaginei que tinha um *tomahawk* feito de pedra e uma bandeja de madeira e couro trançado. Achei que o índio havia me agarrado pela nuca e me arrancado o cabelo, e junto arrancara a parte superior do meu crânio.

"Stanny não estava mais cambaleando nem caindo. Andava em linha reta, com firmeza, cabeça erguida, e esse comportamento de alguma forma alimentava minha ilusão.. Quando chegamos à beira do Pequeno Pântano de Deus e ele se virou pra falar comigo, vi que era mesmo o Stanny, sem dúvida. Não cambaleava nem caía porque estava assustado. Era o medo que o deixava sóbrio.

"Disse as mesmas coisas que lhe contei ontem à noite: falou das gralhas, do fogo de santelmo, e mandou que eu não desse importância a nada que visse ou ouvisse. 'Principalmente', disse ele, 'não fale uma só palavra se alguém se dirigir a você'. Então começamos a atravessar o pântano. E vi uma coisa. Não sei dizer o que foi, mas acredite que já voltei lá umas cinco vezes desde aquele dia e nunca vi nada como aquilo. Nem verei, Louis, porque a caminhada de ontem à noite foi minha última jornada ao cemitério *micmac*."

Não estou aqui sentado acreditando em tudo que ele diz, estou?, Louis perguntou a si mesmo, quase em voz alta, mas muito descontraído. As três cervejas o ajudavam a parecer descontraído, pelo menos aos olhos de sua própria mente. *Não estou aqui sentado engolindo essa história de cemitérios indígenas, um velho francês do Canadá, uma coisa chamada Wendigo, bichos que voltam a viver, não é? Pelo amor de Deus, o gato estava desmaiado, só isso. Um carro o atropelou e ele DESMAIOU — nem mais, nem menos. O resto são divagações senis de um velho, mais nada!*

Contudo, as coisas não eram bem assim, e Louis sabia disso. Três cervejas não eram capazes de lhe tirar a lucidez. Nem mesmo 33 cervejas seriam.

Church estivera morto, isso era um fato; mas agora estava vivo; por fim, havia algo essencialmente diferente no animal, algo essencialmente errado. Alguma coisa tinha acontecido. Jud retribuía o que, no seu entender, fora um favor. Mas a medicina do cemitério *micmac* talvez fosse das melhores, e agora Louis percebia que algo nos olhos de Jud dizia que o velho tinha consciência disso. Louis pensou no que tinha visto — ou julgou ter visto — no rosto de Jud na noite anterior. Era um brilho de travessura e contentamento, mas muito desagradável. Já lhe passara pela cabeça que a decisão de levá-lo naquela jornada noturna para enterrar o gato da filha podia não ter partido inteiramente de Jud.

Mas se não partiu dele, de quem partiu?, sua mente perguntava. Não encontrando resposta, Louis deixou a deconfortável pergunta de lado.

— Enterrei o Spot e construí a lápide, e enquanto fazia isso Stanny B. adormeceu. Precisei sacudi-lo insistentemente para fazer com que se levantasse. Mas quando acabamos de descer aqueles 44 degraus...

— São 45 — Louis murmurou.

Jud balançou a cabeça.

— Sim, é isso, não é? 45... Quando acabamos de descer aqueles 45 degraus, ele já caminhava com bastante firmeza. Como se tivesse voltado a ficar sóbrio. Voltamos atravessando o pântano, o bosque e os troncos caídos. Finalmente cruzamos a estrada e chegamos em casa. Eu achava que deviam ter se passado dez horas, mas ainda era noite fechada.

"'O que vai acontecer agora?', perguntei a Stanny B. 'Agora você vai esperar e vai ver o que acontece', disse Stanny e foi embora, de novo cambaleando, o corpo balançando de um lado pro outro. Deve ter dormido atrás da cocheira naquela noite. O fato é que meu cachorro Spot viveu dois anos a mais que Stanny B. Depois o fígado ficou fraco e o envenenou. Foi encontrado por dois garotinhos, na estrada, a 4 de julho de 1912, duro como um pedaço de pau.

"Quanto a mim, a única coisa que fiz foi escalar o caramanchão, cair na cama e adormecer quase no mesmo instante em que encostei a cabeça no travesseiro.

"Na manhã seguinte, só me levantei às nove. Minha mãe estava chamando por mim. Meu pai trabalhava na estrada de ferro e tinha saído de casa às seis horas."

Jud fez uma pausa, meditando:

— Minha mãe não estava só chamando por mim, Louis. Estava *gritando* o meu nome.

Jud foi até a geladeira, apanhou uma pequena garrafa de Miller's e abriu-a na alça da gaveta de uma mesinha onde havia um cesto de pão e uma torradeira. Seu rosto parecia amarelado sob a lâmpada do teto; tinha cor de nicotina. Bebeu metade da cerveja, arrotou como um tiro de canhão e deu uma olhada no corredor, para ver se Norma estava mesmo dormindo. Virou-se de novo para Louis.

— Pra mim é difícil falar sobre isso — disse. — A coisa ficou revirando na minha mente, anos e anos, mas nunca contei a ninguém. Algumas pessoas sabiam o que tinha acontecido, mas nunca tocaram no assunto. É como falar sobre sexo, eu acho. Estou lhe contando, Louis, porque agora você tem um tipo diferente de bicho na sua casa. Não necessariamente um bicho perigoso, mas... diferente. Já notou?

Louis se lembrou do modo como Church pulara desajeitadamente do vaso sanitário, o lombo batendo na banheira; lembrou-se dos olhos embaçados, um olhar quase, mas não inteiramente, estúpido, cravado sobre ele.

Balançou afirmativamente a cabeça.

— Quando cheguei ao andar de baixo, minha mãe estava encostada num canto da copa, entre a geladeira e a mesa. No chão, havia um monte de tecido branco, cortinas que ela pretendia pendurar. Spot, meu cachorro, estava de pé na soleira da porta. Tinha sujeira por todo o corpo e manchas de lama subindo pelas patas. O pelo da barriga estava imundo, todo enroscado e cheio de nós. Ele simplesmente estava ali, sem rosnar, nem nada, mas simplesmente ali. Acho, no entanto, muito compreensível que tivesse acuado minha mãe, pretendesse ou não fazer isso. Ela parecia aterrorizada, Louis. Não sei até que ponto você gostava dos seus pais, mas eu sei o quanto gostava dos meus: eu os adorava. Saber que tinha feito uma coisa que deixava minha mãe tão apavorada tirou toda a alegria que senti ao ver o Spot na porta. Se bem que não fiquei muito espantado ao vê-lo chegar.

— Entendo o que está dizendo — Louis interrompeu. — Quando vi o Church hoje de manhã, simplesmente... pareceu que era uma coisa...

Ele fez uma pausa. *Perfeitamente natural?* Aquelas foram as palavras que lhe vieram à cabeça, mas não eram as palavras certas.

— Pareceu que era uma coisa *esperada*.

— Exatamente — disse Jud acendendo um novo cigarro. Suas mãos tremiam um pouco. — O fato é que minha mãe me viu ali, ainda de pijama, e gritou: "Dê comida ao seu cachorro, Jud! Ele precisa ser alimentado. Tire-o daqui antes que ele suje as cortinas!"

“Então pus algumas sobras de comida na vasilha do Spot e o chamei. Em princípio ele não veio. Era como se não conhecesse o próprio nome e eu quase pensei: bem, este não é o Spot, é algum cachorro da rua *parecido* com o Spot, mas não é ele...”

— *Sim!* — Louis exclamou.

Jud sacudiu a cabeça.

— Mas na segunda ou terceira vez que o chamei, ele veio. Deu uma espécie de *bote* na minha direção. Quando o quis levar para a varanda ele bateu com força na porta e quase caiu de quatro. Mas devorou a comida, comeu como um lobo. A esse tempo, o susto inicial já tinha passado e eu começava a fazer uma ideia do que havia acontecido. Eu me ajoelhei e abracei o Spot, estava muito contente em vê-lo de novo. Então, ele lambeu o meu rosto e...

Jud estremeceu e acabou a cerveja.

— Louis, a língua dele estava *fria*. Ser lambido pelo Spot era como esfregar um peixe morto no rosto.

Por um momento, nenhum dos dois falou. Louis quebrou o silêncio.

— Continue.

— O Spot comeu. Quando vi que estava satisfeito, levei-o para uma banheira velha que guardávamos para ele na varanda dos fundos. Dei-lhe um banho. Spot sempre detestou tomar banho. Geralmente era preciso eu e meu pai para dar banho nele e terminávamos sem camisa e com a roupa toda ensopada, meu pai falando palavrões e o Spot parecendo meio envergonhado, como fazem os cachorros. Na maioria das vezes, rolava no chão assim que saía do banho e depois corria para perto do varal onde minha mãe estendia a roupa, sacudia-se e respingava sujeira por todos os lençóis que ela havia pendurado. Minha mãe gritava pra nós dois que, antes de ficar de cabelos brancos, ia atirar aquele cachorro nas mãos do primeiro que passasse na rua.

“Mas, naquele dia, o Spot se sentou tranquilamente na banheira e deixou que eu o levasse. Não fez o menor movimento e eu não gostei nada daquilo. Era como... como lavar um pedaço de carne. Depois do banho, peguei uma toalha velha e o enxuguei. Pude ver os lugares onde o arame farpado o ferira. Não havia pelo em nenhum desses pontos e a carne parecia levemente afundada. Era como se as feridas tivessem cicatrizado há cinco anos ou mais.”

Louis balançou a cabeça. Em seu trabalho, já vivenciara essas coisas de vez em quando. A ferida nunca parecia fechar completamente. Isso o fez pensar em túmulos, nos dias que passou como aprendiz de agente funerário — e como nunca havia terra suficiente para cobrir novamente o buraco.

— Então observei a cabeça dele. Havia outra ferida ali, perto da orelha, mas o pelo voltou a crescer; era um pelo branco, que formava um pequeno círculo.

— Foi onde seu pai deu o tiro — Louis concluiu.

Jud confirmou.

— Um homem ou animal que recebe um tiro na cabeça não tem uma morte assim tão certa, Jud. Há gente que tentou se matar desse jeito e agora vive nas enfermarias dos hospitais ou mesmo andando por aí, firme como o diabo. Uma bala pode atingir a placa do crânio, viajar em volta dele num semicírculo e sair do outro lado sem chegar a penetrar no cérebro. Eu mesmo vi o caso de um sujeito que deu um tiro acima da orelha direita, mas a bala contornou o cérebro e só o matou porque rasgou a veia jugular, lá do outro lado da cabeça. A trajetória dessa bala parecia um detalhado mapa rodoviário.

Jud sorriu.

— Acho que soube da história por um dos jornais de Norma, o *Star* ou o *Enquirer*, um deles... Mas se o meu pai disse que Spot estava morto, Louis, pode ter certeza de que era verdade.

— Muito bem — disse Louis —, se você diz que é assim, por que não acreditar?

— O gato de sua filha tinha mesmo morrido?

— Eu achei que sim.

— Mas não teve certeza? É médico!

— Você parece estar dizendo: "Tem de ter certeza, Louis. Você é Deus!" E eu não sou Deus. Estava escuro...

— Certo, estava escuro, mas a cabeça dele girou no pescoço... E quando você o puxou, ele foi *arrancado* do chão congelado, Louis. Como tirar um pedaço de fita adesiva do papel. Coisas que estão vivas não fazem isso. Você só para de derreter o gelo onde está estendido quando já morreu.

Na sala, o relógio bateu dez e meia.

— O que o seu pai disse quando chegou em casa e viu o cachorro? — Louis perguntou.

— Eu estava do lado de fora, jogando bola de gude no chão, de certa forma à espera dele. Me sentia como se tivesse feito alguma coisa errada e soubesse que, provavelmente, ia levar uma surra. Ele apareceu no portão por volta das oito horas, usando o macacão com avental e um boné de aba comprida... Já viu um desses?

Louis fez que sim, depois abafou um bocejo com as costas da mão.

— Sim, está ficando tarde — disse Jud. — Vou acabar logo a história.

— Não é que esteja ficando tarde — disse Louis. — Eu é que estou algumas cervejas acima da minha marca. Continue, Jud. Não tenha pressa. Quero saber o que aconteceu.

— Meu pai tinha uma velha marmita onde levava o almoço — disse o velho. — Atravessou o portão com ela balançando, vazia, na mão. Assobiava alguma coisa. Estava escurecendo, mas pôde me ver ali. Eu tinha o olhar meio triste e ele perguntou: "O que andou aprontando, Judkins?", e depois: "Cadê sua...?"

"Foi então que Spot saiu da escuridão. Não vinha correndo como costumava fazer, pronto para pular sobre o pai e dar-lhe uma lambida, mas apenas andando, abanando o rabo... Meu pai deixou cair a marmita e deu um passo para trás. Aposto que se não batesse com as costas na cerca pontuda, teria dado meia-volta e corrido. Ficou parado ali, contemplando o cachorro. E vendo que Spot não ia pular para lhe fazer festa, pegou-o gentilmente pelas patas e suspendeu-o um pouco, como se pegasse as mãos de uma dama para dançar uma valsa. Ficou muito tempo olhando para o cachorro. Depois se virou pra mim: 'Ele precisa de um banho, Jud. Está com cheiro da terra em que você o enterrou.' Aí entrou em casa."

— E o que você fez? — Louis perguntou.

— Dei-lhe outro banho. Como da outra vez, ele se sentou tranquilamente na banheira enquanto eu o lavava... Quando entrei em casa, minha mãe tinha ido deitar, embora ainda não fosse nem nove horas... Então meu pai falou: "Temos de conversar, Judkins." Eu me sentei na frente dele e ele me tratou como adulto pela primeira vez na vida, enquanto o cheiro da madressilva atravessava a estrada vindo do terreno onde agora é a sua casa e o cheiro das rosas vinha do nosso quintal mesmo.

Jud Crandall suspirou.

— Sempre achei que seria bom se ele converssasse comigo daquele jeito, mas não foi. Não foi nada bom. Hoje, Louis, eu tenho a estranha sensação de estar vivendo uma história que já se repetiu muitas vezes. É como olhar num espelho que está na frente de outro espelho e reflete sua imagem por todo um corredor de novos espelhos. É uma história que deve ter sido sempre a mesma, exceto pelos nomes... É como sexo, não é?

— Seu pai compreendeu o que se passou com Spot?

— Sim. E sabia de tudo. "Quem o levou lá em cima, Jud?", ele me perguntou, e eu contei. Só balançou a cabeça, como se tivesse suas suspeitas confirmadas. Sem dúvida, desconfiou de Stanny, embora naquele tempo já houvesse em Ludlow seis ou oito pessoas que poderiam ter me levado até lá. Mas acho que teve certeza de que Stanny B. era o único sujeito louco o bastante para realmente fazer aquilo.

— Você não perguntou por que *ele mesmo* não o levou até lá, Jud?

— Perguntei — Jud respondeu. — Num momento daquela longa conversa, eu fiz a pergunta. E ele respondeu que era um mau lugar, muito deserto. E que não costumava fazer qualquer coisa boa pelas pessoas que tinham perdido seus bichos, nem pelas pessoas nem pelos bichos. Ele me perguntou se eu gostava do Spot do modo como ele estava e, você pode imaginar, Louis, que tive um certo receio de responder. É importante que me compreenda bem. Mais cedo ou mais tarde, acho que vai me perguntar por que o levei até lá se isso era uma coisa que não se devia fazer. Não é verdade?

Louis concordou. Como Ellie ia encarar Church ao voltar? A dúvida não lhe saíra da cabeça enquanto jogava tênis com Steve Masterton naquela tarde.

— Talvez eu tenha feito isso porque acho que as crianças precisam aprender que às vezes a morte é melhor — disse Jud com alguma hesitação. — É uma coisa que sua Ellie não sabe, e tenho o pressentimento de que talvez ela não saiba porque sua mulher também não sabe. Ainda vai poder me dizer se estou errado ou não.

Louis abriu a boca, mas não pronunciou uma palavra.

Jud continuou, agora falando devagar, parecendo saltar de palavra em palavra, como tinha saltado de elevação em elevação no Pequeno Pântano de Deus, na noite anterior.

— Tenho visto isso acontecer ao longo de anos — disse. — Acho que já lhe contei que Lester Morgan enterrou um touro premiado lá em cima. Um touro escocês preto, chamado Hanratty. Parece nome de touro? Bem, o bicho morreu por causa de uma espécie de úlcera, e Lester arrastou-o num trenó até o cemitério *micmac*. Não sei como conseguiu, tendo que passar pelos troncos caídos, mas alguns dizem que nada é impossível. E pelo menos no que diz respeito àquele cemitério, acho que é verdade.

"Bem, Hanratty voltou, mas Lester o matou com um tiro, duas semanas depois. O touro se tornara traiçoeiro, realmente traiçoeiro. Foi o único animal com quem isso aconteceu. A maioria deles fica apenas... um pouco estúpidos, um pouco lentos, um pouco..."

— Um pouco mortos?

— Sim — disse Jud. — Um pouco mortos. Como se tivessem estado... em algum lugar... e voltado... mas não inteiramente. No entanto, Louis, sua filha não vai saber de nada disso. Isto é, não vai saber que o gato foi atropelado, morreu e voltou. Já sei que você está pensando que não se pode ensinar uma lição a uma criança a menos que ela saiba que há uma lição a aprender. Mas...

— Mas às vezes acontece — disse Louis, mais para si mesmo que para Jud.

— Sim — Jud concordou —, às vezes acontece. Talvez ela aprenda alguma coisa sobre o que a morte realmente é: o ponto em que a dor cessa e as boas memórias começam. Não é o fim da vida, mas o fim da dor. Você não vai lhe dizer isto, é claro, ela pode descobrir por si mesma.

"E se ela for como eu estou pensando, continuará a gostar muito do gato. Church não vai se tornar perverso, morder, nem nada disso. Ela vai continuar a amá-lo... mas vai tirar suas conclusões... e dará um suspiro de alívio quando ele finalmente morrer."

— Foi por isso que me levou até o cemitério *micmac?* — Louis perguntou.

Sentia-se melhor agora. Tinha uma explicação. Era obscura, estava mais relacionada à lógica dos impulsos nervosos que à lógica da mente racional, mas naquelas circunstâncias achou que era aceitável. Isso significava que podia esquecer a expressão que, na véspera, julgou ter visto brevemente no rosto de Jud, aquela alegria travessa e sinistra.

— Sim, foi por isso...

Bruscamente, quase de forma agressiva, Jud cobriu o rosto com ambas as mãos. Por um segundo, Louis achou que estivesse sendo vítima de alguma dor súbita e começou a se levantar da cadeira, preocupado. Viu então a ondulação convulsa no peito de Jud e percebeu que o velho lutava para não chorar.

— Foi por isso e não foi — disse numa voz estrangulada, abafada. — Fiz isso pela mesma razão que Stanny B. fez e pela mesma razão que Lester Morgan. Lester levou Linda Lavesque até lá em cima depois que o cachorro dela foi atropelado na estrada. Levou-a até lá, embora tenha precisado sacrificar o touro, porque ele corria pelo pasto atrás das crianças, como se estivesse louco. Mesmo assim a levou até lá. *Mesmo assim,* Louis — Jud lamentou. — O que, *pelo amor de Deus*, você pode deduzir de tudo isso?

— Jud, do que você está falando? — Louis perguntou, alarmado.

— Lester fez isso e Stanny também pela mesma razão que eu. Você fez isso porque a coisa se apoderou de você. Agiu daquela maneira porque aquele cemitério é um lugar secreto e você queria compartilhar do segredo. Quando a gente encontra uma razão que parece suficientemente boa, ora... — Jud tirou as mãos do rosto e encarou Louis com olhos que pareciam incrivelmente velhos, incrivelmente pálidos. — Então resolvemos ir em frente e fazer a coisa. Inventamos razões... e elas sempre parecem boas razões... mas, em geral, agimos assim simplesmente porque queremos. Ou porque temos de agir assim. Meu pai não me levou até o cemitério *micmac* porque só tinha ouvido falar dele; não tinha *ido lá*. Mas Stanny B. havia ido até lá... e me levou. Passaram-se setenta anos... e então... de modo totalmente inesperado...

Jud sacudiu a cabeça, levou a mão à boca e tossiu.

— Escute — disse ele —, escute, Louis. Pelo que eu sei, o touro de Lester foi o único animal que ficou realmente perverso. Mas acho que o pequinês de Linda Lavesque pode ter mordido o carteiro uma vez, depois que voltou... Também ouvi algumas outras histórias... animais que ficaram um tanto desagradáveis... Mas Spot sempre foi um bom cachorro. Tinha sempre um cheiro de terra, não importa quantas vezes eu desse banho nele, ia sempre ter um cheiro de terra... mas era um bom cachorro. Depois daquilo minha mãe nunca mais encostou a mão nele, mas sem dúvida era um bom animal. Escute, Louis, se quiser pegar o gato hoje à noite e matá-lo, não vou contar nada a ninguém.

"Aquele lugar... toma conta de você da forma mais inesperada possível. E você inventa as mais diferentes explicações do mundo. Mas eu posso estar errado, Louis. É o que estou lhe dizendo. Lester podia estar errado. Stanny B. podia estar errado. Diabo, eu não sou Deus. Mas trazer os mortos de volta à vida... Isso é mais ou menos brincar de Deus, você não acha?"

Louis abriu outra vez a boca, mas tornou a fechá-la. O que ia falar soaria errado, errado e cruel: *Jud, só vou conseguir superar isso tudo quando matar de novo esse maldito gato.*

Jud acabou a cerveja e arrumou-a cuidadosamente junto às outras garrafas vazias.

— Eu acho que sim — ele concluiu. — Bem, já disse o que devia dizer.

— Posso lhe fazer mais uma pergunta? — disse Louis.

— Faça — respondeu Jud.

— Alguém já enterrou uma *pessoa* lá em cima?

O braço de Jud tremeu convulsivamente, duas garrafas de cerveja caíram da mesa e uma delas quebrou.

— Deus, nosso Senhor! — ele exclamou. — Não! E quem faria uma coisa dessas? Nem devia fazer essa pergunta, Louis!

— Pura curiosidade — disse Louis, pouco à vontade.

— Não é bom ser curioso a respeito de certas coisas — retrucou Jud Crandall.

Pela primeira vez, Jud pareceu realmente velho e acabado aos olhos de Louis Creed: como se estivesse à beira de seu túmulo, um túmulo aberto e pronto para recebê-lo.

E mais tarde, em casa, uma outra coisa veio à mente de Louis sobre o aspecto de Jud naquele momento.

Parecia que ele estava mentindo.

27

Louis só percebeu que estava embriagado quando chegou à garagem de sua casa. Lá fora havia um céu estrelado e um luar um tanto desbotado. Não era tão luminoso que fizesse sombra, mas iluminava a estrada.

Assim que entrou na garagem, Louis não enxergou mais nada. Havia um interruptor em algum lugar, mas não conseguia se lembrar onde. Foi avançando lentamente, arrastando os pés, a cabeça rodando, antecipando uma dolorosa pancada no joelho. Teve medo de esbarrar num dos brinquedos das crianças, ouvi-lo cair, tropeçar nele. A bicicleta de Ellie, com rodinhas vermelhas de treino. O robô de Gage.

Onde estaria o gato? Será que tinha deixado Church dentro de casa?

Seu corpo oscilou para um dos lados e jogou-o contra a parede. Atingiu a ponta de um cano quebrado com a palma da mão. Gritou "Merda!" para o escuro ao seu redor, percebendo pelo som da palavra que estava mais assustado que enfurecido. A garagem parecia ter virado de pernas pro ar. Não era apenas o interruptor de luz, agora já não sabia onde estava porra nenhuma, inclusive a porta da cozinha.

Recomeçou a andar, devagar, a palma da mão doendo. *Ser cego é assim,* pensou, o que o fez lembrar de um concerto de Stevie Wonder a que assistira com Rachel... quando? Há seis anos? Parecia incrível, mas já devia ter sido há seis anos. Na época, ela estava grávida de Ellie. Dois rapazes conduziram Stevie Wonder ao sintetizador, guiando-o por entre os cabos que se enroscavam no palco. E mais tarde, quando Stevie se levantou para dançar com uma das cantoras do coro, a moça soube levá-lo cuidadosamente para um espaço desimpedido. Dançou muito bem, Louis se recordava, mas, para fazê-lo, teve de ser conduzido a um espaço adequado.

E que tal a mão de alguém para me levar à porta da cozinha?, ele pensou e, bruscamente, estremeceu.

Se algum tipo de mão saísse naquele momento do escuro, ele gritaria muito — muito, muito mesmo!

Ficou imóvel, o coração batendo forte.

Vamos lá, disse para si mesmo. *Pare com essa palhaçada. Venha logo, venha...*

Onde, afinal, estava a merda do gato?

Então *bateu em cheio* em alguma coisa... o para-choque traseiro da caminhonete. A dor percorreu todo o seu corpo desde a canela esfolada, levando-o quase às lágrimas. Ele segurou a perna e esfregou o local da batida, equilibrando-se num pé só, como uma garça, mas em compensação descobriu onde estava. A geografia da garagem voltou a se fixar com nitidez na sua mente; além disso, a vista estava se acostumando à escuridão e já distinguia o ambiente num tom arroxeado. Sim, deixara o gato dentro de casa, lembrava-se agora. Realmente não quisera se aproximar dele, pegá-lo, tirá-lo de casa e...

E foi então que o corpo peludo e quente de Church escorregou oleoso em seu pé, como um vagaroso redemoinho d'água. Depois veio a cauda repulsiva, enroscando-se na barriga da perna dele como serpente traiçoeira. E aí Louis gritou. Abriu bem a boca e gritou.

28

— Papai! — gritou Ellie.

Ela desceu correndo a rampa de desembarque na direção dele, fazendo zigue-zague entre os passageiros como um atacante driblando na grande área. A maior parte das pessoas abria caminho, sorrindo. Louis ficou um tanto embaraçado pelo ardor da filha, mas acabou sentindo um grande, imenso sorriso se estampando também no seu rosto.

Rachel trazia Gage no colo, e quando Ellie gritou o menino viu o pai.

— *Pááá!* — ele se manifestou efusivamente, começando a pular nos braços de Rachel. Ela sorriu (um pouco cansada, Louis pensou) e pôs Gage no chão. O garoto começou a correr atrás de Ellie, as pernas bamboleando com rapidez. — *Pááá! Pááá!*

Louis observou que o filho usava um casaco que não conhecia, com certeza presente do avô. Então Ellie se arremessou contra ele, subiu por ele acima como se Louis fosse uma árvore.

— Oi, papai! — a menina berrou e deu um caloroso beijo em seu rosto.

— Oi, meu bem — disse ele curvando-se para pegar Gage. Pôs o garoto na curva do braço, abraçou-o e suspendeu-o junto com Ellie. — Como estou contente em ter vocês de volta!

Rachel se aproximou. Num dos braços, a bolsa e a sacola de viagem; no outro, a sacola de fraldas de Gage. Na lateral da sacola estava escrito em breve serei um meninão, visando antes ao ânimo dos pais que às intenções da criança. Rachel parecia uma fotógrafa profissional ao término de longa e estafante missão.

Louis se curvou entre os filhos e beijou-a na boca.

— Oi.

— Oi, doutor — ela respondeu e sorriu.

— Você parece esgotada.

— *Estou* esgotada. Chegamos a Boston sem nenhum problema. Fizemos a conexão sem nenhum problema. Decolamos sem problemas. Mas quando o avião começou a se aproximar daqui, Gage olhou pela janela, disse "Bonito, bonito" e vomitou na roupa toda.

— Oh, Deus.

— Mudei a roupa dele no banheiro do avião — disse Rachel. — Não deve ser nenhum vírus nem nada desse tipo. Só um enjoo por causa da viagem.

— Vamos pra casa — disse Louis. — Tenho uma carne assada no forno.

— *Carne assada!* — Ellie gritou no ouvido do pai, cheia de prazer e agitação.

— *Assada! Sada!* — Gage gritou no outro ouvido de Louis, o que, pelo menos, equalizou a ressonância.

— Vamos indo — disse Louis. — Vamos pegar as malas e ir pra casa.

— Papai, como está o Church? — Ellie perguntou quando Louis a pôs no chão.

Louis esperava a pergunta, mas não contava com o rosto ansioso de Ellie, a profunda ruga de preocupação que apareceu entre seus olhos muito azuis. Louis franziu a testa e olhou para Rachel.

— Ela acordou gritando neste fim de semana — explicou calmamente a mulher. — Teve um pesadelo.

— Sonhei que Church tinha sido atropelado — disse Ellie.

— Acho que foi um excesso de sanduíches de peru no Dia de Ação de Graças — disse Rachel. — Teve um pouco de diarreia também. Mas passou logo, não se preocupe. Vamos sair deste aeroporto. Esta semana me fartei de aeroportos pelos próximos cinco anos.

— Ora, Church está ótimo, querida — Louis respondeu pausadamente.

Sim, está ótimo. Ronda o dia inteiro pela casa e fica me olhando com aqueles olhos estranhos, turvos — como se tivesse visto alguma coisa que tenha feito explodir quase toda a sua inteligência de gato. Está muito bem! À noite, coloquei-o fora de casa com uma vassoura, porque não gosto de encostar a mão nele. Mas consegui varrê-lo e ele saiu. Outro dia, quando abri a porta da sala, Ellie, Church tinha um rato na boca, ou pelo menos o que sobrou do rato. Engolira as tripas todas, como desjejum. E por falar em desjejum, eu vomitei o meu naquela manhã. Descontando tudo isso...

— Ele está ótimo!

— Ah — disse Ellie, desfranzindo as sobrancelhas. — Ainda bem. Quando eu tive aquele sonho, fiquei achando que ele tivesse morrido.

— Foi mesmo? — Louis perguntou e sorriu. — Os sonhos são engraçados, não são?

— *Sooonho!* — Gage gritou. Atingira o estágio de papagaio que Louis já conhecia dos primeiros anos de Ellie. — *Sooonho!*

Puxou com força o cabelo do pai.

— Vamos lá, pessoal — disse Louis, e foram todos para o setor de bagagem.

Já tinham chegado à caminhonete no estacionamento quando Gage começou a dizer "Bonito, bonito" com uma voz estranha, soluçante. Desta vez, vomitou em cima de Louis, que pusera uma calça nova de lã para receber a mulher e os filhos. Gage parecia achar que *bonito* era a palavra-código para *eu tenho de vomitar agora, sinto muito, mas abram caminho.*

Afinal, devia ser algum vírus.

Durante os 26 quilômetros do aeroporto de Bangor à casa deles, em Ludlow, Gage começou a mostrar sinais de febre e caiu numa desagradável sonolência. Quando Luis deu a ré para entrar na garagem, viu, pelo canto do olho, Church deslizar furtivamente por cima de um muro, a cauda no ar, olhos estranhos fixados no carro. O gato desapareceu nas sombras do crepúsculo e, logo a seguir, Louis notou um camundongo de barriga aberta ao lado de uma pilha de quatro pneus (ele trocara os pneus da caminhonete enquanto Rachel e os meninos estavam fora). Sob o último clarão de luz do sol entrando na garagem, as tripas do camundongo tinham um brilho cor-de-rosa de carne crua.

Louis saltou e esbarrou de propósito na pilha de pneus, arrumados um sobre o outro como peças de um jogo de damas. Os dois pneus de cima caíram e cobriram o rato.

— Opa! — ele exclamou.

— Você é um desastrado, papai — disse Ellie num tom carinhoso.

— Acho que tem razão — Louis concordou numa espécie de bom humor febril. Teve vontade de dizer *bonito, bonito* e vomitar tudo que havia em seu estômago.

— O papai é um desastrado...

Louis lembrava que Church só tinha matado um rato uma vez antes daquela esquisita ressurreição. Às vezes acuava um camundongo e brincava com o bicho, daquela fatal maneira felina que acaba em destruição, mas ele, a filha ou Rachel sempre intervinham antes do fim. E sabia que, quando um gato é castrado, dificilmente faria mais do que conceder ao camundongo um olhar de interesse, pelo menos se estivesse bem-alimentado.

— Você vai continuar aí sonhando ou fará a gentileza de me ajudar com este menino? — Rachel perguntou. — Volte do Planeta Mongo, dr. Creed. Aqui na Terra há gente que precisa de você.

Rachel parecia cansada e irritada.

— Desculpe, meu bem — disse Louis.

Contornou o carro para pegar Gage, que parecia quente como brasa num fogão a lenha.

Só ele, a filha e a mulher comeram sua famosa carne assada com tempero à moda do Sul. Gage ficou reclinado no sofá da sala, febril e apático, sorvendo na mamadeira uma canja de galinha morna e vendo desenhos animados na tevê.

Depois do jantar, Ellie foi até a porta da garagem e chamou por Church. Louis, que lavava os pratos enquanto Rachel desfazia as malas no andar de cima, achou que o gato não viria, mas ele veio... Veio caminhando naquele passo lento, quase imediatamente, como se ele — como se *aquela coisa* — estivesse preparando uma emboscada lá fora. *Emboscada!* A palavra assaltou de imediato a mente de Louis.

— Church! — Ellie gritou. — Oi, Church!

A menina pegou o gato e abraçou-o. Louis observava pelo canto do olho; as mãos, que antes remexiam no fundo da pia em busca de algum talher esquecido, ficaram imóveis. Viu a expressão de contentamento no rosto da filha se transformar aos poucos num certo ar de perplexidade. O gato repousava tranquilo em seus braços, orelhas baixas, os olhos nos dela.

Após algum tempo — pareceu *muito* tempo — a menina pôs Church no chão. O gato foi se afastando para a sala de jantar sem olhar para trás. *Carrasco de camundongos,* Louis pensou distraído. *Meu Deus, o que fizemos naquela noite?*

Tentou honestamente se recordar, mas tudo já parecia muito longínquo, vago e obscuro como a agitada morte de Victor Pascow no chão do vestíbulo da enfermaria. Podia lembrar somentes das lufadas de vento cruzando o ar e o brilho alvo da neve no terreno atrás da casa que levava aos bosques. Mais nada.

— Papai? — Ellie chamou numa voz baixa, contida.

— O que é, meu bem?

— Church tem um cheiro engraçado.

— É mesmo? — Louis perguntou, a voz cuidadosamente neutra.

— É! — Ellie respondeu perturbada. — Tem mesmo! Nunca teve esse cheiro antes! Parece um cheio de... Parece um cheiro de *caca*!

— Bem, talvez tenha se esfregado em alguma sujeira no chão, querida — disse Louis. — Seja lá o que for, esse cheiro vai passar.

— *Espero* que sim — disse Ellie num timbre cômico de matrona. Depois saiu da cozinha.

Louis encontrou o último garfo, lavou-o e destampou a pia. Ficou ali parado, contemplando a noite lá fora enquanto a água oleosa escorria pelo ralo com um forte ruído de sucção.

Quando o ralo parou de fazer barulho, pôde ouvir o vento, não muito impetuoso, mas constante, vindo do norte, trazendo o inverno. Então, percebeu que estava com medo, simplesmente, estupidamente com medo, do modo como se tem medo quando uma nuvem cruza subitamente o sol e ouvimos, em algum lugar, uma batida que não sabemos identificar.

— Trinta e nove e *meio*? — Rachel perguntou. — Meu Deus, Lou! Você tem certeza?

— É uma virose — disse Louis.

Procurou não deixar que a voz de Rachel, parecendo quase acusadora, lhe irritasse os ouvidos. Ela estava cansada. Fora um dia longo, cruzara metade do país com os meninos. Eram 11 horas da noite e o dia ainda não terminara. Ellie dormia profundamente em seu quarto. Gage estava na cama deles, num estado que podia ser mais bem descrito como de semiconsciência. Louis medicara o filho uma hora antes.

— A aspirina vai fazer a febre cair de manhã, querida.

— Não vai lhe dar um antibiótico ou qualquer coisa assim?

Pacientemente, Louis explicou:

— Se fosse um resfriado ou uma infecção da garganta, eu lhe daria isso. Mas não é. O que ele tem é uma virose e os antibióticos não funcionam muito bem nesses casos. Poderiam provocar uma diarreia e desidratá-lo ainda mais.

— Tem *certeza* de que é uma virose?

— Bem, se quiser uma segunda opinião — Louis falou irritado —, chame outro médico.

— Não precisa gritar comigo! — disse Rachel em voz alta.

— Eu não estava gritando!

— *Estava* — Rachel insistiu —, você estava gri-gri-gritando...

Os lábios da mulher começaram a tremer; ela pôs as mãos no rosto. Louis percebeu que havia olheiras fundas e escuras sob seus olhos e ficou com remorsos.

— Desculpe — disse ele, sentando-se a seu lado. — Meu Deus, não sei o que está havendo comigo. Me perdoe, Rachel.

— Esqueça, tudo bem — disse ela, sorrindo palidamente. — Você não me disse uma vez que viajar era uma droga? Bem, foi uma droga... Fiquei com medo que você se aborrecesse quando desse uma espiada nas gavetas do Gage. Acho que talvez seja melhor contar agora, enquanto está sentindo pena de mim.

— Por que me aborrecer?

Ela repetiu o sorriso sem graça.

— Minha mãe e meu pai compraram dez casacos novos para o Gage. Ele estava usando um deles hoje.

— Reparei que estava de roupa nova — Louis disse laconicamente.

— Vi que reparou — ela respondeu e torceu o rosto numa careta cômica que o fez rir, embora não sentisse nenhuma vontade de rir. — E seis vestidos novos para Ellie.

— Seis vestidos! — ele exclamou, sufocando o ímpeto de berrar. De repente, sentia-se furioso, morbidamente furioso, e ofendido de uma forma que não podia explicar. — *Por quê*, Rachel? Por que deixou que seu pai fizesse isso? Nós não precisamos... podemos comprar...

Ele se calou. A raiva o deixara sem voz e, por um momento, viu-se carregando o gato de Ellie através dos bosques, passando o saco plástico de uma para outra mão... E enquanto isso, Irwin Goldman, aquele filho da puta de Lake Forest, tentava comprar a afeição de Ellie sacando o famigerado talão de cheques e a famigerada caneta-tinteiro.

Por um instante, esteve à beira de explodir.

Ele comprou seis vestidos e eu trouxe o maldito gato de volta depois que estava morto. Quem gosta mais dela?

Engoliu as palavras. Nunca poderia fazer aquilo. *Nunca.*

Rachel encostou suavemente a mão na sua nuca.

— Louis — disse. — Foram os dois juntos. Por favor, tente compreender. *Por favor*. Gostam muito das crianças e não têm muito contato com elas. E estão ficando *velhos*. Louis, você mal reconheceria meu pai. Pode acreditar.

— Eu o reconheceria muito bem — Louis murmurou.

— Por favor, querido. Procure compreender. Tente ser gentil. Isso não humilha você.

Ele a encarou por um longo tempo.

— Humilha, sim — acabou dizendo. — Talvez você não entenda, mas humilha.

Rachel abriu a boca para responder. Foi então que Ellie gritou de seu quarto:

— *Papai, Mamãe! Alguém!*

Rachel se levantou bruscamente, mas Louis a fez sentar-se de novo.

— Fique aqui com o Gage, eu vou ver...

Já desconfiava qual era o problema. Mas tinha posto o gato lá fora, maldição! Depois que Ellie foi deitar, surpreendera Church na cozinha farejando perto da vasilha de comida e colocou-o lá fora. Não queria o gato dormindo com a filha. Não queria mais. Estranhos pensamentos de doença, misturados a lembranças da agência funerária do tio Carl, tinham-lhe ocorrido ao imaginar o gato dormindo na cama de Ellie.

Ela vai perceber que há algo errado, que antes Church era melhor.

Pusera o gato na rua, mas quando entrou no quarto, Ellie estava sentada na cama, semiadormecida, e Church esparramado sobre a colcha, como uma sombra achatada. Os olhos do gato estavam abertos e brilhavam com ar estúpido à luz que vinha do corredor.

— Papai, tira ele daqui! — Ellie quase implorou. — Ele está cheirando tão *mal*.

— *Shhh*, Ellie, durma! — disse Louis espantado com a própria calma. Lembrou-se da manhã após o incidente de sonambulismo, o dia que se seguiu à morte de Pascow. Chegou à enfermaria e foi direto para o banheiro olhar-se no espelho, convencido de que devia estar com uma cara terrível. Mas tinha uma aparência perfeitamente normal. Não podia deixar de imaginar quanta gente havia, andando por aí, com segredos medonhos trancados no peito.

Isto não é um segredo, maldição! É apenas um GATO!

Ellie tinha razão. Ele estava cheirando muito mal.

Tirou o gato do quarto da menina e levou-o para o andar de baixo, tentando respirar pela boca. Havia cheiros piores: merda era pior, colocando as coisas sem cerimônia. Há um mês enfrentara um problema com a fossa. Jud veio ver a Puffer & Sons bombeando a fossa e comentou: "Este perfume não é dos melhores, não acha, Louis?" O cheiro de uma ferida gangrenada — que o velho dr. Bracermunn, da faculdade de Medicina, chamava "carne apimentada" — também era pior. Até o cheiro que vinha do catalisador do Civic quando ficava muito tempo parado era pior.

Mas, sem dúvida, era um cheiro bastante desagradável. E, afinal, como o gato conseguira entrar? Ele o pusera para fora, enxotando-o com a vassoura quando todos estavam no andar de cima. Aquela era a primeira vez que realmente segurava o gato desde que o viu comer no dia do seu retorno, há quase uma semana. Parecia quente em seus braços, imóvel como um doente. Louis se perguntou: *Em que buraco você foi se meter, heim, seu sacana?*

Pensou no sonho daquela noite... Pascow simplesmente atravessando a porta entre a cozinha e a garagem.

Talvez não houvesse qualquer buraco. Talvez ele simplesmente tivesse passado através da porta, como um fantasma.

— Esqueça isso — murmurou alto, num tom ligeiramente áspero.

Então, repentinamente, Louis teve certeza de que o gato começaria a arranhá-lo, a lutar em seus braços. Mas Church continuava absolutamente imóvel, irradiando aquele estúpido calor e aquele cheiro nojento, fitando o rosto de Louis como se pudesse ler os pensamentos que lhe ocorriam.

Abriu a porta e atirou o gato na garagem, talvez com um pouco de violência.

— Fique aí fora — disse ele. — Mate outro rato ou qualquer coisa assim!

Church atingiu o solo desajeitadamente, o traseiro elevando-se como um calombo e depois desmoronando. Pareceu lançar a Louis um olhar de raiva, esverdeado, sinistro. Depois foi se afastando num passo embriagado e desapareceu.

Deus me livre, Jud, ele pensou, *eu preferia que você tivesse mantido a boca fechada.*

Foi até a pia da cozinha e lavou as mãos e os braços com vigor, como se estivesse fazendo a assepsia para uma operação. *Você fez isso porque a coisa se apoderou de você... Inventou razões... E elas sempre parecem boas razões... Mas fez isso principalmente porque se já esteve lá em cima, aquele é o seu lugar, você pertence a ele... E inventa as razões mais absurdas do mundo...*

Não, não podia censurar Jud. Fora por sua própria vontade e não podia censurá-lo.

Fechou a torneira e começou a enxugar as mãos e os braços. Subitamente a toalha parou de se mover e ele encarou o que tinha à frente: o pequeno pedaço de noite emoldurado pela janela da pia.

Então isso significa que agora é o meu lugar? Que também é meu?

Não. Não se eu não quiser.

Pendurou a toalha no cabide e subiu as escadas.

Rachel estava deitada, com as cobertas puxadas até o queixo e Gage bem agasalhado a seu lado. Pousou os olhos no marido com um ar de desculpas.

— Você se importa, querido? Só por esta noite? Vou me sentir melhor com ele do meu lado. Está tão *quente*.

— Não — disse Louis. — Tudo bem. Vou abrir o sofá--cama lá embaixo.

— Você realmente não se importa?

— Não. Isso não fará mal nenhum a Gage e vai fazer você se sentir melhor.

Ele fez uma pausa e sorriu.

— Mas você também vai pegar a virose. É quase certo. Acho que isso não a fará mudar de ideia, certo?

Ela devolveu o sorriso e balançou a cabeça.

— Por que Ellie estava fazendo aquele alvoroço?

— Church. Queria que eu tirasse Church de lá.

— *Ellie* queria que você *tirasse* Church de lá? É inacreditável.

— Sim, é — Louis concordou, acrescentando. — Disse que ele estava cheirando mal, eu também achei que ele está um tanto *perfumado*. Deve ter se esfregado em algum canteiro ou coisa parecida.

— Isso é muito estranho — disse Rachel, virando de lado na cama. — Acho que Ellie teve mais saudades de Church que de você.

— Pois é — disse Louis. Ele se curvou e beijou-a suavemente na boca. — Durma, Rachel.

— Eu te amo, Lou. Estou muito contente de estar novamente em casa. E desculpe por eu dormir com Gage.

— Tudo bem — disse Louis, apagando a luz.

No andar térreo, pegou as almofadas, montou o sofá-cama e procurou se preparar mentalmente para uma noite com as molas do estrado enfiadas nas costas. Pelo menos havia um lençol na cama, e escaparia dos arranhões do colchão. Tirou dois cobertores da prateleira mais alta do armário do corredor e esticou-os sobre o sofá-cama. Começou a se despir, mas parou.

Acha que Church entrou de novo? Ótimo... Dê um giro pela casa e verifique. Não fará mal nenhum, como você disse a Rachel. Pode ser até bom. Dar uma olhada para ver se as portas estão bem fechadas não vai fazê-lo pegar nenhuma virose.

Andou lentamente pelo andar de baixo, verificando se as portas e janelas estavam trancadas. Sem dúvida, tinha fechado tudo e não viu Church em lugar algum.

— Vamos ver — disse ele. — Vamos ver você entrar esta noite, seu gato estúpido.

Isso foi seguido por um desejo mental de que as bolas de Church congelassem lá fora. Se bem que Church não tinha mais nenhuma, é claro.

Apagou as luzes e foi deitar. Quase imediatamente começou a sentir o estrado nas costas. Estava jurando que ficaria metade da noite acordado quando adormeceu. Dormiu confortavelmente, deitado de lado na cama de abrir, mas quando despertou...

... estava no cemitério indígena além do "simitério" de bichos. Desta vez, sozinho. Desta vez ele mesmo matara Church e, por algum motivo, decidira trazê-lo de volta à vida pela segunda vez. Por que, só Deus sabia, não Louis. Enterrou Church numa cova mais profunda e o gato não conseguia sair de dentro dela. Podia ouvi-lo miando em algum lugar debaixo da terra, um miado que mais parecia um choro de criança. O som atravessava os poros do solo, filtrava-se pela camada pedregosa... O som e o cheiro, aquele cheiro terrivelmente enjoativo de podridão, decomposição. O simples fato de respirá-lo fazia com que sentisse o peito pesado, como se houvesse um peso em cima dele.

O choro... O choro...

... o choro ainda continuava...

... e o peso ainda estava sobre seu peito.

— *Louis!*

Era a voz de Rachel, o tom alarmado.

— *Louis, quer vir aqui?*

Estava mais do que alarmada: estava verdadeiramente assustada. O choro parecia engasgado, abafado. Era Gage.

Abriu os olhos e deu com os olhos verde-amarelados de Church. A menos de 10 centímetros dos dele. O gato se aninhara em seu peito, enroscado como um bichinho de estimação de um comovente romance para moças. Exalava um fedor em ondas lentas e nauseantes enquanto ronronava.

Louis teve uma exclamação de susto e mal-estar. Estendeu ambas as mãos num gesto instintivo de defesa. Church caiu da cama com um baque surdo, batendo com o lombo no chão e se afastando com aquele passo cambaleante.

Meu Deus! Meu Deus! Ele estava em cima de mim! Oh, Senhor, ele estava bem em cima de mim!

Não sentiria maior aversão se acordasse com uma aranha na boca. Por um instante, achou que ia vomitar.

— *Louis!*

Afastou os cobertores e foi tropeçando até a escada. Uma luz fraca saía pela porta de seu quarto. Rachel estava de pé, no alto da escada, de camisola..

— Louis, ele está vomitando de novo... Engasgando com o vômito... Estou assustada.

— Pronto, já vou — disse ele, aproximando-se do corredor e pensando, *Conseguiu entrar. De alguma forma conseguiu entrar. Pelo porão, só pode ser. Talvez haja alguma janela quebrada lá embaixo. Tem de haver uma janela quebrada. Vou ver isso amanhã quando voltar. Diabo, posso ver antes mesmo de ir para o trabalho! Posso...*

Gage parou de chorar e começou a emitir um desagradável e abafado som gargarejante.

— *Louis!* — Rachel gritou.

Louis andou rápido. Gage estava deitado de lado e vomitava na toalha velha que Rachel colocara perto dele. Vomitava, mas não muito. O maior problema era nos pulmões. Gage estava ficando roxo com um início de asfixia.

Louis agarrou o menino pelas axilas, percebendo o quanto o filho estava quente sob o macacão felpudo. Virou-o de cabeça para baixo, para fazê-lo arrotar. Depois se inclinou para trás e sacudiu-o. O pescoço do menino balançou convulsivamente. Antes tossiu em voz alta e depois arrotou. E uma surpreendente rajada de vômito, quase sólido, espalhou-se pela mesa de cabeceira e pelo chão. Gage começou a chorar de novo: um som estridente, consistente, mas que soou como música aos ouvidos de Louis. O filho só poderia gritar daquele jeito se estivesse absorvendo um suprimento ilimitado de ar.

Os joelhos de Rachel vergaram e ela se deixou cair na cama, as mãos segurando a cabeça. Tremia violentamente.

— Ele quase morreu, não foi, Louis? Ele quase mo-mo-mo... oh, meu *Deus*...

Louis andava em volta do quarto com o filho nos braços. Os gritos de Gage iam se transformando num choro lamuriento; já estava quase dormindo de novo.

— Tinha 99 por cento de chances de conseguir sair dessa sozinho, Rachel. Só dei uma ajuda.

— Mas foi por pouco — disse Rachel.

Levantou um olhar opaco para o marido. Parecia atônita, como se não pudesse acreditar que aquilo tinha acontecido.

— Louis, foi por tão pouco.

Subitamente Louis se lembrou de Rachel gritando na cozinha ensolarada:

Ele não vai MORRER, ninguém vai MORRER por aqui...

— Querida — disse Louis —, nós todos estamos por pouco. Sempre estamos.

Sem dúvida, o último acesso de vômito tinha sido causado pelo leite. Gage acordara por volta da meia-noite, disse Rachel, mais ou menos uma hora depois de Louis ter ido dormir, com seu "choro de fome". Dera-lhe uma mamadeira. Cochilou um pouco enquanto ele estava bebendo. Cerca de uma hora depois, o acesso de vômito começou.

— Não dê mais leite — disse Louis, e Rachel concordou, quase com humildade. — Nada de leite!

Às duas e quinze, Louis tornou a descer, e passou quinze minutos procurando o gato. Durante a busca, viu que a porta ligando a cozinha com o porão estava entreaberta, exatamente como ele suspeitara. Lembrou-se de sua mãe lhe falando de um gato que aprendera a abrir aqueles trincos antigos, como o daquela porta. O gato simplesmente subia no corrimão da escada e batia com a pata na maçaneta da porta até conseguir abrir o trinco. Um truque muito esperto, Louis pensou, mas não pretendia deixar que Church se acostumasse a executá-lo. Afinal, a porta do porão também tinha uma fechadura...

Encontrou o gato cochilando sob o fogão e, sem cerimônia, colocou-o fora de casa. A caminho do sofá-cama, fechou de novo a porta do porão.

E, desta vez, girou a chave na fechadura.

29

De manhã, a temperatura de Gage estava quase normal. Embora a palidez do rosto ainda fosse muito intensa, o menino tinha um brilho de animação no olhar e parecia cheio de vida. Muito depressa, praticamente em uma única semana, seu balbuciar sem sentido convertera-se num amontoado de palavras; repetia quase tudo que ouvia. Ellie se esforçava para ensiná-lo a dizer "merda".

— Diga merda, Gage — Ellie mandava, comendo um mingau de aveia.

— Merda, Gage — o menino respondia satisfeito diante de seu próprio pratinho de mingau. Louis permitira o mingau de aveia, mas Gage teria de comê-lo com pouco açúcar. Como de hábito, Gage parecia usá-lo mais para lavar a cabeça do que para comer.

Ellie morria de rir.

— Diga peido, Gage.

— Pei-Gage — disse Gage abrindo um sorriso, o mingau de aveia espalhado no rosto. — Pei e merda.

Ellie e Louis explodiram numa gargalhada. Era impossível não rir.

Rachel não parecia tão satisfeita.

— Acho que essa conversa é vulgar demais para começar o dia — disse ela, servindo os ovos de Louis.

— Merda e pei e pei e merda — Gage entoava com alegria e Ellie ria tampando a boca. O lábio de Rachel contorceu-se um pouco e Louis achou que ela parecia cem por cento melhor que na véspera, apesar de não ter dormido bem. Grande parte daquilo seria simplesmente alívio, Louis supôs. Gage estava melhor e ela estava em casa.

— Não diga isso, Gage — Rachel exclamou.

— Bonito — disse Gage, para variar, e vomitou em sua tigela todo o cereal que tinha comido.

— Oh, que coisa *nojenta*! — Ellie gritou e fugiu da mesa.

Louis então explodiu de rir. Não pôde evitar. Riu até chorar e chorou até voltar a rir de novo. Rachel e Gage olhavam-se como se ele tivesse ficado maluco.

Não, Louis podia ter dito a eles. *Andei meio maluco, mas acho que agora vou ficar bom. Acho mesmo.*

Não sabia se tudo estava acabado ou não, mas se sentia como se tudo estivesse em ordem. E talvez isso fosse suficiente.

Durante algum tempo, pelo menos, foi suficiente.

30

A virose de Gage durou uma semana, então passou. Uma semana depois, ele voltou a cair de cama com um princípio de bronquite. Ellie também a pegou, e depois Rachel. Durante os dias que antecederam o Natal, os três andaram pela casa ofegantes como velhos e asmáticos cães de caça. Somente Louis não ficou doente, e Rachel parecia quase ressentir-se disso.

A última semana de aulas na universidade foi bem agitada para Louis, Steve, Surrendra e Charlton. A gripe ainda não tinha aparecido — pelo menos *ainda* não —, mas havia muitos casos de bronquite, mononucleose e pneumonia branda. Dois dias antes do recesso de Natal, seis rapazes do diretório estudantil foram levados à enfermaria. Estavam embriagados e gemiam. Alguns instantes de confusão lembraram terrivelmente o caso de Pascow. Todos os seis malditos idiotas tinham se espremido num trenó (na realidade, pelo que Louis pôde deduzir, o sexto rapaz estava sentado nos ombros do último). E, assim, começaram a escorregar pela colina no alto da usina termoelétrica. Hilariante. Contudo, após ganhar uma boa velocidade, o trenó ficou desgovernado e bateu num antigo canhão. O resultado foi um pulso e dois braços quebrados, sete costelas fraturadas no total, uma concussão e um número de contusões tão grande que não valia a pena contar. Só o rapaz que vinha sobre os ombros do outro escapou sem um arranhão. Quando o trenó bateu no canhão, aquela alma sortuda voou pelos ares e caiu de cabeça num monte de neve. Encaixar todos aqueles ossos não tinha sido nada engraçado. Enquanto enfaixava e dava pontos nos rapazes, Louis encarava-os bem nos olhos e repreendia-os severamente. Mais tarde, no entanto, quando contou a Rachel o que tinha acontecido, riu novamente até chorar. Rachel contemplou-o com um ar de estranheza, não entendendo o que podia ser tão engraçado. Louis não poderia dizer-lhe que aquilo fora um acidente sem maiores consequências. As pessoas tinham se ferido, mas todas superariam o problema com facilidade. Seu riso era em parte de alívio da tensão, mas era também um riso de triunfo. Mais uma vitória hoje, Louis.

Os casos de bronquite na família começaram a melhorar quando, a 16 de dezembro, a escola de Ellie suspendeu as aulas e os quatro se prepararam para desfrutar um feliz e antiquado Natal provinciano. A casa de North Ludlow, que parecera tão estranha naquele dia de agosto quando entraram no caminho que conduzia ao galpão-garagem (estranha e até hostil, com Ellie se machucando e, quase ao mesmo tempo, Gage sendo picado por uma abelha), nunca fora mais aconchegante que agora.

Na noite de Natal, após as crianças terem caído finalmente no sono, Louis e Rachel escapuliram para o andar de baixo como ladrões, os braços cheios de caixas coloridas: um conjunto de Matchbox para Gage, que recentemente descobrira quanto os carrinhos de brinquedo eram divertidos, uma boneca Barbie e um boneco Ken para Ellie, um velocípede, um enorme triciclo, roupinhas de boneca, um fogão de brinquedo com uma luzinha no forno e outras coisas.

Louis e Rachel sentaram-se lado a lado sob as lâmpadas da árvore de Natal. Remexeram os presentes com satisfação, Rachel num macio pijama de seda, Louis de roupão. Não lembravam de terem passado uma noite tão agradável como aquela. A lareira estava acesa, e de vez em quando um deles se levantava para atiçar o fogo.

Winston Churchill roçou uma vez na perna de Louis e ele empurrou o animal com uma repugnância quase distraída. Aquele cheiro... Mais tarde, viu Church tentando se instalar perto de Rachel, mas a mulher também o empurrou com uma exclamação impaciente: "Passa!" Logo a seguir, viu Rachel esfregando a palma da mão no pijama, como se costuma fazer quando tocamos alguma coisa suja ou repleta de micróbios. Achou que ela fazia aquilo inconscientemente.

Church deslizou para junto da lareira e esticou-se desajeitadamente diante do fogo. O gato parecia ter perdido tudo que tivera de gracioso. Perdera tudo naquela noite, uma noite que Louis raramente se permitia lembrar. E Church também perdera outra coisa. Louis tinha consciência disso, mas levou um mês inteiro para perceber com exatidão. O gato não ronronava mais, não fazia mais aquele barulhento ronco de motor, típico de quando dormia. Havia noites em que Louis precisava se levantar e fechar a porta do quarto de Ellie para conseguir pegar no sono.

Agora o gato dormia como uma pedra. Como um animal morto.

Não, ele se lembrou, houve uma exceção: a noite em que despertou no sofá-cama com Church enroscado em seu peito, como um cobertor fedorento... Naquela noite, Church tinha ronronado. Ou, pelo menos, produzira algum som.

Mas como Jud Crandall observara (ou adivinhara) muito bem, as coisas não eram assim tão más. Louis encontrou uma janela quebrada no porão, atrás da fornalha. Ao consertá-la, o vidraceiro fez com que poupassem alguns dólares de combustível para o aquecimento. Achou que, por ter chamado sua atenção para a vidraça quebrada (coisa que podia ter levado semanas, até meses, para descobrir), Church não deixava de merecer sinceros agradecimentos.

Ellie não queria mais dormir com o gato, é verdade, mas às vezes, quando estava assistindo a TV, deixava Church subir em seu colo e cochilar. Contudo, Louis pensou enquanto remexia o saco de peças de plástico que serviam para montar o triciclo da filha, às vezes ela o afugentava, dizendo: "Vá embora, Church, você está cheirando mal." Mas dava-lhe comida regularmente, e com carinho. Mesmo Gage não estava livre de dar ao velho Church um eventual puxão na cauda. Aquilo era um gesto de amizade, não de malvadeza, Louis estava convencido. Gage parecia um velho monge puxando uma felpuda corda de sino. Nessas ocasiões, Church se arrastava apaticamente para baixo de um dos aquecedores, onde o menino não poderia alcançá-lo.

Podíamos ter notado mais diferenças se fosse um cachorro, Louis pensou, *mas os gatos são sempre animais tão independentes. Independentes e estranhos. Misteriosos mesmo.* Não era de admirar que as rainhas e os faraós do velho Egito quisessem ter os gatos mumificados e instalados com eles nas tumbas triangulares para servirem de guias no outro mundo. Sem dúvida, os gatos eram muito estranhos...

— Como está se saindo com esse triciclo, chefe?

Louis mostrou o resultado do esforço.

— Está pronto!

Rachel apontou para o saco, que ainda tinha três ou quatro peças de plástico.

— E essas?

— São peças sobressalentes — Louis respondeu sorrindo, com um certo ar de culpa.

— É melhor que sejam mesmo. A menina pode quebrar o pescoço.

— Isso só mais tarde — Louis retrucou maliciosamente. — Quando tiver 12 anos e começar a fazer exibições de skate.

Rachel murmurou.

— Vamos lá, doutor, tenha pena!

Louis esticou o corpo, pôs a mão nas costas e flexionou o tronco. A espinha estalou.

— Aí estão os brinquedos.

— E todos montados! Lembra do ano passado?

Ela riu e Louis também. No ano anterior, praticamente tudo que compraram teve de ser montado. Os dois ficaram de pé até as quatro da madrugada. Acabaram exaustos e mal-humorados. E lá pelo meio da tarde do dia seguinte, Ellie achou que as caixas dos brinquedos eram mais interessantes que os próprios brinquedos.

— Que *coisa nojenta*! — disse Louis, imitando a filha.

— Bem, vamos deitar — disse Rachel —, e amanhã de manhã eu lhe dou seu presente de Natal...

— Rachel — disse Louis, ficando finalmente de pé —, este presente é meu por direito.

— Você não gostaria que... — disse ela, escondendo um riso com as mãos. Naquele momento, ficou surpreendentemente parecida com Ellie... e com Gage.

— Só um minuto — disse Louis. — Tenho de fazer mais uma coisa.

Foi até o armário do corredor e pegou uma de suas botas. Tirou a tela da frente da lareira, onde o fogo ia se apagando.

— Louis, o que...

— Você vai ver.

No lado esquerdo da lareira já não havia fogo, só uma grossa camada de cinzas, escura e fofa. Louis cravou a bota em cima, deixando uma marca profunda. Depois usou a bota como um grande carimbo, fazendo pegadas.

— Aí está — disse ele, depois de guardar a bota no armário. Gostou?

Rachel estava rindo de novo.

— Louis, Ellie vai ficar *maluca* com isso!

Durante as duas últimas semanas de aula, Ellie ouvira rumores inquietantes no jardim de infância de que os pais é que eram o Papai Noel. A ideia fora reforçada por um Papai Noel um tanto magricela que vira na lanchonete de um shopping em Bangor. O Papai Noel estava sentado no balcão, a barba para o lado, comendo um *cheeseburger*. Aquilo deixou Ellie bastante perturbada (talvez mais *o cheeseburger* que a barba postiça), apesar de Rachel assegurar-lhe que os Papais Noéis das lojas e dos grupos do Exército da Salvação eram na verdade "auxiliares" enviados pelo verdadeiro Papai Noel. Este estava muito ocupado, no Polo Norte, completando relações de brinquedos e lendo cartinhas chegadas na última hora, sem tempo para se envolver em trabalhos de relações públicas nas ruas.

Louis tornou a colocar cuidadosamente a grade na lareira. Agora havia duas nítidas pegadas de botas ali, uma nas cinzas e outra na borda da fornalha. As duas se voltavam para a árvore de Natal, como se o Papai Noel tivesse descido pela chaminé e deixado junto da árvore os presentes destinados à casa dos Creed. A ilusão era perfeita, a não ser que Ellie percebesse que eram duas pegadas de pé esquerdo... Louis, porém, não acreditava que a filha fosse assim tão analítica.

— Louis Creed, eu te amo! — disse Rachel, beijando o marido.

— Você se casou com um cara esperto, meu bem — disse Louis, sorrindo com afeto. — É só me provocar e não há o que eu não seja capaz de fazer.

Caminharam para a escada. Ele apontou para a mesinha de jogo que Ellie colocara na frente da TV. Em cima dela havia biscoitos de aveia e dois tabletes de chocolate. Havia também uma lata de bolachas. *"PARA VOCÊ, PAPAI NOEL"*, dizia um bilhete na grande e caprichada caligrafia da menina.

— Você quer um biscoito ou um chocolate? — Louis perguntou.

— Um chocolate — Rachel respondeu, comendo imediatamente metade da barra.

Louis abriu uma lata de cerveja.

— Acho que uma cerveja assim tão tarde vai me dar um pouco de azia — disse.

— Azar o seu — ela respondeu bem-humorada. — Vamos subir, doutor!

Louis largou a cerveja e, bruscamente, agarrou o bolso do roupão, como se tivesse esquecido alguma coisa, embora estivesse plenamente consciente daquele pequeno peso durante toda a noite.

— Olhe aqui — disse. — Para você. Se quiser, pode abrir agora. Afinal, já passa da meia-noite. Feliz Natal, meu bem.

Ela virou a pequena caixa, embrulhada em papel prateado e amarrada com um grande cordão de cetim azul.

— Louis, o que é?

Ele sacudiu os ombros.

— Um sabonete, uma amostra grátis de xampu, sei lá...

Abriu o presente sentada num degrau, viu a caixa da Tiffany e quase deu um grito de satisfação. Removeu o enchimento de algodão e ficou imóvel, de boca ligeiramente aberta.

— E então? — ele perguntou ansioso. Era a primeira vez que lhe comprava uma verdadeira joia e estava nervoso. — Gostou?

Ela estendeu a fina corrente de ouro nos dedos e colocou a pequena safira contra a luz do corredor. Depois girou-a lentamente e a pedra pareceu atirar frios raios de luz azulada.

— Oh, Louis, é tão maravilhosa...

Rachel começou a chorar e Louis se sentiu ao mesmo tempo comovido e alarmado.

— Ei, meu bem, não faça isso — disse. — Ponha o cordão no pescoço.

— Louis, nós não podemos... você não pode comprar...

— *Shhh* — disse ele. — Consegui guardar algum dinheiro desde o Natal passado... e não foi assim tão caro.

— Quanto custou, Louis?

— Nunca vou dizer, Rachel — respondeu solenemente. — Nem um exército de torturadores chineses conseguiria me fazer contar. Dois mil dólares.

— *Dois mil...!*

Ela o abraçou com tanta força e tão repentinamente que quase o fez rolar pela escada.

— Louis, você está louco!

— Ponha no pescoço — ele pediu de novo.

Rachel obedeceu. Louis ajudou-a com o fecho. Depois ela se virou com um sorriso.

— Quero subir e dar uma olhada no espelho — disse. — Quero me admirar um pouco.

— Então se admire um pouco — disse ele. — Vou colocar o gato lá fora e apagar as luzes.

— Quando fizermos amor — disse Rachel, olhando bem nos olhos dele —, vou tirar tudo, menos isto.

— Admire-se rápido, então — disse Louis, e ela riu.

Louis pegou Church e prendeu-o debaixo do braço. Já não se preocupava muito em ter uma vassoura para enxotá-lo. Achava que, apesar de tudo, tinha quase se acostumado outra vez com o gato. Seguiu para os fundos da casa, apagando as luzes por onde passava. Ao abrir a porta que comunicava a cozinha com a garagem, uma corrente de ar frio rodopiou em volta de suas pernas.

— Tenha um feliz Natal, Ch...

Ele parou. Havia um corvo morto estendido no capacho. A cabeça estava estraçalhada. Uma das asas fora arrancada e jazia atrás do corpo como uma folha queimada. Church imediatamente pulou dos braços de Louis e começou a farejar avidamente o corvo congelado. Inclinou a cabeça para a frente, abaixou as orelhas e, antes que Louis pudesse virar o rosto, arrancou um dos leitosos olhos arregalados do animal.

Church ataca de novo, Louis pensou morbidamente e virou o rosto. Não, porém, sem antes ter visto a cavidade sangrenta e funda que alojava o olho do corvo. *Eu nem devia me incomodar, não devia. Já vi coisas piores, sem dúvida, Pascow, por exemplo, Pascow foi pior, muito pior...*

Mas a coisa o incomodou. Sentiu o estômago se revirar. O quente fluxo de excitação sexual se extinguiu de repente. *Deus, este pássaro é praticamente do tamanho dele. Com certeza pegou-o desprevenido. Muito, muito desprevenido.*

Aquilo teria de ser limpo. Ninguém precisa de um presente desse tipo na manhã de Natal. Competia a ele, não é? Claro que sim. A ele e a mais ninguém. Inconscientemente, reconhecera toda a responsabilidade que caíra sobre seus ombros desde a noite do retorno da família, quando derrubou de propósito os pneus para esconder o corpo dilacerado do camundongo que Church matara.

O solo do coração de um homem é mais empedernido, Louis.

A frase surgiu tão clara em sua mente. Parecia ter adquirido um caráter tridimensional e audível. Louis estremeceu um pouco, como se Jud tivesse se materializado perto de seu ombro e falasse em voz alta.

Um homem planta o que pode... e cuida do que plantou.

Church ainda estava curvado vorazmente sobre o pássaro morto. Ocupava-se agora da outra asa. Havia um tenebroso ruído de roçar à medida que o gato a puxava de um lado para o outro, de um lado para o outro. Mas não conseguia soltá-la do chão. É isso aí, a carne da porra do pássaro devia ser tão infecta quanto merda de cachorro, mas também podia servir de alimento para o gato, também podia...

De repente, Louis deu um chute no animal, um chute forte. O lombo do gato se ergueu e depois se abaixou, encostando no chão. Church se afastou, dispensando-lhe mais um daqueles estranhos olhares verde-amarelados.

— Vá se foder! — disse Louis, ele próprio bufando como um gato.

— Louis?

A voz de Rachel vinha fraca do banheiro no andar de cima.

— Não vem deitar?

— Fique aí — ele respondeu. — Já vou!

Só tenho de dar um jeito nesta sujeira, Rachel, está bem? Porque é minha responsabilidade.

Tateou em busca do interruptor de luz da garagem. Foi até o armário sob a pia da cozinha e pegou um dos amaldiçoados sacos verdes de lixo. Levou o saco para a garagem e tirou a pá de um prego na parede. Com ela, arrancou o corvo do capacho e despejou-o no saco. Depois removeu a asa despedaçada e também a fez deslizar para o saco. Deu um nó fechando o saco e colocou-o na cesta de lixo perto do Civic. Quando acabou, suas pernas estavam ficando entorpecidas pelo frio.

Church estava parado na porta da garagem. Louis fez-lhe um gesto ameaçador com a pá e o animal foi embora, deslizando como lodo.

* * *

Rachel já estava deitada, usando apenas o cordão de safira... Exatamente como prometera. Sorriu languidamente para o marido.

— Por que demorou tanto tempo, chefe?

— A lâmpada da pia estava queimada — disse Louis. — Tive de trocar.

— Venha cá — disse Rachel, segurando-o delicadamente... mas não pela mão. — Bicho-papão, sai de cima do telhado — cantava em voz baixa, um breve sorriso ondulando o canto dos lábios. — Deixa o menino dormir seu sono sossegado... Oh, Louis querido, o que é isso?

— Algo que acabou de acordar, eu acho — disse ele, deslizando para fora do roupão. — Vamos ver se conseguimos fazer com que ele durma de novo antes do Papai Noel chegar, o que você acha?

Ela se apoiou num cotovelo. Louis sentiu-lhe a respiração quente e doce.

— Boi, boi, boi... Boi da cara preta... Pega este menino que tem medo de careta... Você tem medo de careta, Louis?

— Acho que sim — disse ele. Sua voz não foi de todo firme.

— Vamos ver se você é tão gostoso quanto parece — disse Rachel.

O sexo foi bom, mas depois Louis não se sentiu mergulhando serenamente no sono, como geralmente acontecia nesses momentos... mergulhando no sono em paz consigo mesmo, satisfeito com a esposa, a vida. Ficou deitado de olhos abertos, na escuridão da madrugada de Natal, ouvindo a respiração lenta e profunda de Rachel, pensando no pássaro morto na porta da cozinha. O presente que Church lhe dera.

Não se esqueça, dr. Creed. Eu estava vivo, depois morto e agora estou vivo de novo. Completei o ciclo e estou aqui para dizer que você sai do outro lado com a máquina de ronronar quebrada e um gosto renovado pela caça. Estou aqui para dizer que um homem planta o que pode e cuida do que plantou. Não esqueça, dr. Creed, faço parte do que o seu coração terá agora de cultivar... Existe sua esposa, sua filha, seu filho... e existo eu. Tenha sempre em mente o segredo e cuide bem do seu jardim.

Neste ponto, Louis adormeceu.

31

O inverno passou. A crença de Ellie no Papai Noel foi restaurada — ao menos temporariamente — pelas pegadas na lareira. Gage abrira os presentes fazendo um carnaval, parando de vez em quando para mascar um pedaço de papel de embrulho de aparência particularmente saborosa. E, naquele ano, as *duas* crianças concluíram no meio da tarde que as caixas de brinquedos eram mais divertidas que os próprios brinquedos.

Na noite de Ano-novo, os Crandall vieram provar o *eggnog** que Rachel fazia, e sem perceber Louis começou a examinar Norma mentalmente. Tinha aquele olhar pálido, quase transparente, que já encontrara em outras ocasiões. Sua avó teria dito que Norma estava começando a "definhar", o que talvez não fosse uma palavra tão inadequada para classificar o processo. As mãos, inchadas e desfiguradas pela artrite, estavam cobertas de manchas por causa de problemas no fígado. O cabelo parecia mais ralo. Os Crandall foram embora por volta das dez e os Creed passaram o Ano-novo juntos, diante da TV. Foi a última vez que Norma esteve na casa deles.

A maior parte dos dias do recesso de Louis foi chuvosa e lamacenta. Em termos de custos de aquecimento, ficou satisfeito com o degelo, mas o tempo continuou bastante melancólico. Fez alguns serviços domésticos, montando prateleiras e armários para a esposa, e também um modelo Porsche para a sua coleção, no escritório. Quando as aulas recomeçaram, em 23 de janeiro, sentiu-se satisfeito por voltar à universidade.

O surto de gripe finalmente chegou. Uma epidemia razoavelmente séria irrompeu no *campus* menos de uma semana após o início do semestre, deixando Louis muito atarefado. Trabalhava dez, e às vezes 12 horas por dia, chegando em casa exausto. Mas o ânimo continuava relativamente bom.

O frio voltou repentinamente em 29 de janeiro. Houve uma nevasca seguida por uma semana com temperaturas entorpecedoras, abaixo de zero. Louis examinava o braço engessado de um jovem que queria

---

* Tradicional bebida norte-americana, à base de conhaque, leite, ovo, açúcar e noz-moscada, servida na ceia de Natal. (N. do E.)

desesperadamente — e em sua opinião, inutilmente — jogar beisebol naquela primavera, quando uma das auxiliares de enfermagem pôs a cabeça na porta e avisou que Rachel estava ao telefone.

Louis foi atender em sua sala. Rachel estava chorando, o que o deixou imediatamente alarmado. *Ellie,* pensou. *Caiu do trenó e quebrou o braço. Ou fraturou o crânio.* Lembrou-se dos rapazes malucos do diretório escorregando de trenó.

— Alguma coisa com as crianças? — perguntou. — Rachel?

— Não, não — ela respondeu, chorando ainda mais. — Não houve nada com as crianças. É Norma, Lou. Norma Crandall. Morreu hoje de manhã. Por volta das oito horas, logo após o café da manhã, Jud contou. Ele veio ver se você estava aqui. Eu disse que você tinha saído há meia hora. Ele... Oh, Lou, ele parecia tão perdido, tão atordoado... tão *velho...* Graças a Deus, Ellie já tinha ido para a escola e Gage é pequeno demais para entender.

Louis franziu as sobrancelhas, e apesar da terrível notícia percebeu que sua mente se voltava para Rachel, era o ânimo de Rachel que sua mente tentava apreender. Pois lá estava a coisa de novo! Nada em que se pudesse pôr o dedo, porque era uma atitude global e imutável. Aquela morte era um segredo, um terror, e tinha de ser mantida longe das crianças, sobretudo longe delas, do mesmo modo como as senhoras e os cavalheiros vitorianos acreditavam que a verdade nua e crua das relações sexuais devia ser mantida longe das crianças.

— Meu Deus! — exclamou. — Foi o coração?

— Não sei — Rachel respondeu. Não estava mais chorando, mas a voz era embargada e rouca. — Não pode vir, Louis? Você é amigo dele e acho que está precisando do seu apoio.

Você é amigo dele.

Bem, é verdade, Louis pensou com ligeira surpresa. *Nunca esperei fazer amizade com um homem de 80 anos, mas foi isso que aconteceu*. E ocorreu-lhe que agora não podiam deixar de ser amigos, considerando o segredo que havia entre eles. Supunha que há muito tempo Jud sentira que eram amigos. Servira-lhe de guia naquela noite e, apesar de tudo que acontecera desde então, apesar dos camundongos mortos, apesar dos pássaros, Louis acreditava que provavelmente a decisão de Jud fora correta. Pelo menos fora uma decisão movida pela compaixão. Faria o que pudesse por Jud, e se isso significasse ficar do seu lado como um irmão na morte de Norma, ele o faria.

— Estou a caminho — disse Louis, desligando o telefone.

32

Não fora um ataque cardíaco. Fora um derrame cerebral, repentino e provavelmente indolor. Quando Louis ligou para Steve Masterton à tarde e contou o que havia acontecido, Steve disse que não se importaria em morrer daquele mesmo jeito.

— Às vezes Deus também apronta — disse Steve —, e manda você sair de campo e pendurar as chuteiras.

Rachel não quis falar sobre o assunto de jeito nenhum, e não parecia disposta sequer a permitir que Louis fizesse comentários.

Ellie ficou mais surpresa e curiosa do que transtornada. Na opinião de Louis, era uma reação perfeitamente saudável numa menina de 5 anos. Queria saber se a sra. Crandall morrera com os olhos abertos ou fechados. Louis disse que não sabia.

Jud parecia bastante controlado, principalmente levando-se em conta que Norma compartilhara cama e mesa com ele por quase sessenta anos. Louis encontrou o velho (que naquele dia parecia realmente um velho de 83 anos) sentado sozinho na mesa da cozinha, fumando um Chesterfield, bebendo uma garrafa de cerveja, com os olhos perdidos na direção da sala.

Levantou-se quando Louis entrou.

— Bem, ela se foi, Louis.

Falara num tom irremediável e calmo. Louis achou que o significado da coisa ainda não lhe penetrara integralmente na consciência, ainda não lhe atingira os pontos mais fracos. Mas então a boca de Jud começou a tremer e ele cobriu os olhos com a mão. Louis aproximou-se e pôs o braço em volta dele. Jud desistira de se controlar. Chorava. Tinha percebido a realidade, tudo bem. Agora Jud compreendia perfeitamente. A mulher tinha morrido.

— Isso faz bem — disse Louis. — Isso faz bem, Jud. Ela ia querer que você chorasse um pouco, eu acho. Provavelmente ficaria furiosa se não chorasse.

O próprio Louis começou a chorar. Os dois se abraçaram com força.

Jud chorou por mais ou menos dez minutos, depois a tempestade passou. Louis prestava bastante atenção às coisas que Jud falava. Ouvia-o como médico e como amigo. Queria saber se Jud tinha uma consciência nítida de *quando* acontecera (não precisava verificar se tinha plena consciência de *onde* acontecera, isto não provaria nada, porque para Jud Crandall *onde* fora sempre Ludlow, no Maine). Esteve particularmente atento a qualquer menção do nome de Norma no presente do indicativo. Jud deu pouco ou nenhum sinal de estar perdendo o discernimento. Louis sabia que muitas vezes um casal de velhos, convivendo juntos anos e anos, morria quase de mãos dadas. Às vezes, só havia um mês, uma semana, até um dia de intervalo entre a morte de um e a morte de outro. Seria o choque, talvez, ou mesmo alguma profunda urgência interior de acompanhar aquele que se foi. (Louis percebia que muitos de seus pensamentos referentes ao mundo espiritual e ao mundo sobrenatural tinham sofrido uma serena, mas significativa, transformação.)

Louis concluiu que Jud estava sofrendo bastante com a morte da esposa, mas ainda conservava a vontade de viver. Não via nele qualquer traço daquele "definhar", daquela transparência que cercava Norma no dia de Ano-novo, quando os quatro tinham se sentado em sua sala de estar bebendo *eggnog*.

Jud tirou uma cerveja da geladeira, o rosto ainda vermelho e inchado.

— Foi logo de manhã — disse ele. — Mas o sol não brilha em todo lugar, e quando é dia num lado, é noite no outro...

— Tudo bem, fique tranquilo — disse Louis, abrindo a cerveja. Fixou os olhos em Jud. — Devemos fazer um brinde a Norma?

— Acho que sim — disse Jud. — Você devia tê-la visto aos 16 anos, Louis, voltando da igreja com o casaco desabotoado... Seus olhos saltariam das órbitas. Podia ter feito o diabo parar de beber. Graças a Deus, nunca me pediu para fazer isso.

Louis balançou a cabeça e ergueu um pouco a cerveja.

— A Norma — disse.

Jud brindou contra o copo de Louis. Estava chorando de novo, mas também sorria.

— Que ela fique em paz — disse Jud — e, onde quer que esteja, que a artrite não lhe cause mais dor.

— Amém — disse Louis, e bebeu a cerveja com Jud.

Foi a única vez que Louis viu Jud ficar um pouco mais que ligeiramente alto. Ainda assim, porém, não ficou embriagado. Falava de suas lembranças, um fluxo contínuo de memórias e casos, cheios de colorido, nitidez, às vezes emocionantes. Mas entre as histórias do passado, Jud sabia enfrentar o presente, e com uma coragem que só Louis podia admirar. Se fosse Rachel que tivesse morrido depois de tomar seu suco de laranja e seu cereal matinal, sem dúvida não seria capaz de lidar tão bem com a situação.

Jud ligou para a funerária Brookings-Smith, em Bangor, e procurou tratar quase tudo pelo telefone. Agendou um horário para tratar do restante dos assuntos no dia seguinte. Sim, queria Norma perfumada, queria Norma num vestido que ele escolheria; sim, também escolheria a roupa de baixo; não, não queria que a funerária fornecesse os sapatos especiais amarrados no calcanhar. Será que teriam alguém para lavar-lhe o cabelo?, ele perguntou. A mulher lavara a cabeça na segunda-feira à noite e, portanto, os cabelos já deviam estar sujos quando morreu. Prestava atenção no que lhe diziam, e Louis, cujo tio estivera no que o pessoal do meio chamava "negócio silencioso", sabia que o agente funerário estava explicando que lavar e preparar o corpo fazia parte do serviço prestado. Jud balançou a cabeça e agradeceu ao homem, depois ouviu de novo. Sim, respondeu, queria que usassem pintura, mas só uma coisa muito leve.

— Todo mundo sabe que está morta — disse, acendendo um Chesterfield. — Não precisam transformá-la numa máscara de pintura.

O caixão seria fechado durante o funeral, Jud explicou ao dono da agência com serena autoridade, mas ficaria aberto antes do enterro, para que pudessem velar o corpo. Norma seria enterrada no cemitério de Mount Hope, onde os dois tinham comprado lotes em 1951. Estava com os papéis na mão e deu o número do lote ao agente, para que a sepultura pudesse ser preparada: H-101. Como contaria mais tarde, reservara o H-102 para ele.

Pôs o fone no gancho e se virou para Louis:

— Não conheço outro cemitério mais bonito no mundo que esse de Bangor — disse. — Se quiser, abra outra cerveja, Louis. Isto vai demorar um pouco.

Louis ia recusar — sentia-se um pouco alto — quando uma imagem grotesca surgiu repentinamente diante dos seus olhos: Jud puxando o cadáver de Norma numa maca através dos bosques. Ia para o cemitério *micmac*, além do "simitério" de bichos.

Aquilo teve o efeito de um tapa. Levantou-se sem pronunciar uma palavra e tirou outra cerveja da geladeira. Jud fez um sinal de aprovação e pegou de novo o telefone.

Por volta das três da tarde, quando Louis foi à sua casa para comer um sanduíche e tomar um prato de sopa, Jud já se adiantara bastante na organização dos últimos ritos de Norma; passava de um ponto a outro como alguém planejando um jantar importante. Telefonou para a Igreja Metodista de North Ludlow, onde ocorreria o verdadeiro funeral, e para o escritório da administração do cemitério em Mount Hope. Eram telefonemas que competiam ao agente funerário da Brookings-Smith, mas Jud resolveu fazê-los pessoalmente. Pouca gente pensaria naquelas providências ou, se pensasse, dificilmente encontraria forças para tomá-las. Louis só via razões para admirar a coragem do amigo.

Mais tarde, Jud telefonou para os poucos parentes ainda vivos de Norma e dele, seguindo o índice de uma velha agenda de telefones com páginas soltas e capa de couro. E entre as chamadas tomava cerveja e rememorava o passado.

Louis sentia grande admiração por ele... e carinho?

Sim, seu coração confirmava. Carinho.

Naquela noite, quando desceu de pijama para dar um beijo no pai, Ellie perguntou se a sra. Crandall iria para o céu. Quase sussurrou a pergunta no ouvido de Louis, como se percebesse que seria melhor a mãe não ouvir. Rachel estava na cozinha fazendo uma torta de galinha, que pretendia dar a Jud no dia seguinte.

Do outro lado da estrada, todas as luzes estavam acesas na casa de Jud Crandall. Havia carros estacionados defronte ao jardim, bem como de ambos os lados da estrada, por mais de 30 metros em cada direção. O derradeiro velório seria no dia seguinte, na funerária, mas muita gente tinha vindo à noite para confortar Jud, para ajudá-lo a recordar o passado e a chorar a morte de Norma (a que uma vez, durante a tarde, Jud se referira como a "ida de Norma na frente"). Entre aquela casa e a dos Creed, soprava um vento frio de fevereiro. Uma camada escura de gelo ia manchando a estrada. O período mais frio do inverno do Maine finalmente chegara.

— Bem, eu realmente não sei, querida — disse Louis, pondo Ellie no colo. Na TV passava um faroeste cheio de correrias. Sem despertar a atenção de nenhum dos dois, um homem rodopiou e caiu. Louis tinha consciência (e não se sentia muito à vontade com isso) de que a filha provavelmente sabia muito mais sobre o Homem-Aranha, o Ronald McDonald e o Burger King do que sobre Moisés, Jesus e São Paulo. Era filha de uma judia não praticante e de um descuidado metodista; supunha que suas ideias sobre o *spiritus mundi* eram as mais vagas possíveis: nem mitos, nem sonhos, mas sonhos de sonhos. *E já é tarde para lhe ensinar alguma coisa*, foi o que pensou. *Ela só tem 5 anos, mas já é tarde. Meu Deus, está ficando tarde tão depressa!*

Mas os olhos da menina estavam cravados nele. Tinha de conversar com ela.

— As pessoas acreditam em coisas muito variadas sobre o que acontece conosco quando morremos — disse. — Algumas acham que vamos para o céu ou para o inferno. Outras acreditam que nascemos de novo, como crianças pequenas...

— Sei, "carnação". Foi o que aconteceu a Audrey Rose naquele filme da TV.

— Mas você não viu esse filme!

Rachel, ele pensou, teria seu próprio derrame cerebral se achasse que Ellie andava vendo filme de terror.

— Marie me contou na escola.

Marie era a autoproclamada melhor amiga de Ellie, uma menininha magricela e suja que parecia estar sempre à beira da anemia, da hepatite ou mesmo do escorbuto. Tanto Louis quanto Rachel encorajavam a amizade, mas um dia Rachel lhe confessou que quando Marie ia embora sentia um ímpeto de verificar se não havia pulgas ou piolhos na cabeça da filha. Louis tinha rido e concordado.

— A mãe de Marie deixa ela ver *todos* os programas.

Louis preferiu ignorar a crítica implícita na afirmação.

— Bem, a coisa se chama *reencarnação*, mas acho que você pegou a ideia. Os católicos acreditam em céu e inferno, mas acham que há também um lugar chamado limbo e outro chamado purgatório. E os hindus e budistas acreditam no nirvana...

Havia uma sombra na parede da sala de jantar. Era Rachel. Escutando.

Louis continuou, mais devagar.

— Há provavelmente muitas outras crenças. Mas o que realmente acontece, Ellie, ninguém sabe. As pessoas *dizem* que sabem, mas o que pretendem dizer é que acreditam nisso ou naquilo por causa da fé. Sabe o que é a fé?

— Bem...

— Aqui estamos nós dois, sentados em minha poltrona — disse Louis. — Você acha que esta poltrona ainda estará aqui amanhã?

— Sim, claro.

— Então você tem fé que ela estará aqui. E eu também. A fé é acreditar que encontraremos uma coisa num certo lugar. Entendeu?

— Sim — Ellie confirmou com a cabeça.

— Mas não *sabemos* se a coisa estará lá. Afinal, algum ladrão maluco pode entrar e levar a poltrona, certo?

Ellie riu. Louis sorriu.

— Simplesmente temos fé de que não vai acontecer. A fé é uma grande coisa, Ellie, e as pessoas realmente religiosas querem que acreditemos que não há diferença entre fé e conhecimento, mas não acho que seja assim. Porque há muitas ideias diferentes sobre o assunto. O que *sabemos* é o seguinte: quando se morre, uma das duas coisas acontece, ou nossas almas e nossos pensamentos sobrevivem de alguma forma à experiência da morte ou não sobrevivem. Se sobrevivem, podemos pensar muita coisa, há possibilidades infinitas. Se não sobrevivem, então não sobra nada. É o fim.

— É como ir dormir?

Ele pensou um pouco e depois respondeu:

— É mais como evaporar, eu acho.

— Em que você tem fé, papai?

A sombra na parede moveu-se e voltou a ficar imóvel.

Por quase toda a sua vida adulta — desde os dias da universidade, ele supunha — acreditara que a morte era o fim. Já vira muita gente morrer e nunca sentira o sopro de uma alma passando por perto a caminho... de algum lugar. Não tivera esse mesmo pensamento quando Victor Pascow morreu? Concordava com seu professor de Psicologia I. Provavelmente as experiências de vida após a morte narradas em revistas eruditas, e depois vulgarizadas na imprensa popular, nada mais significavam que um desesperado expediente mental contra a investida da morte. A inventividade infinita da mente humana tentando afugentar o absurdo de seu próprio fim pela construção de uma ilusão de imortalidade. Também concordava com um colega de alojamento que, numa conversa informal que durou a noite toda, quando ele estava no segundo ano da faculdade de Medicina em Chicago, dissera que a Bíblia parecia estranhamente cheia de milagres que cessaram quase completamente durante a era da racionalidade ("cessaram completamente", ele dissera em princípio, mas fora forçado a recuar por alguns colegas que, com certa razão, alegaram que ainda aconteciam muitas coisas misteriosas, pequenos bolsões de perplexidade num mundo que, de um modo geral, se transformara num lugar bem-iluminado, tanto pela eletricidade quanto pelo conhecimento — havia, por exemplo, o caso do sudário de Turim, que resistira a todos os esforços empreendidos para desmascará-lo). "Então Cristo devolveu a vida a Lázaro", disse esse colega (o rapaz se tornou um obstetra altamente respeitado em Dearbon, no Michigan). "Para mim, tudo bem. Se tiver de engolir isso, posso até conseguir. Isto é, tive de admitir a ideia de que um feto de um par de gêmeos às vezes engole o outro no útero, como uma espécie de canibal ainda não nascido, e vinte ou trinta anos depois aparece com dentes nos pulmões, para provar que fez a coisa. Acho que, se sou capaz de admitir isso, sou capaz de admitir qualquer coisa. Mas gostaria de ter visto o atestado de óbito de Lázaro... Entendem o que estou dizendo? Não estou discutindo que tenha saído da tumba. Mas gostaria de ter visto o atestado de óbito original. Sou como São Tomé, dizendo que só iria acreditar que Jesus tinha ressuscitado se pudesse ver os buracos dos pregos e encostar as mãos no corpo do homem. Pelo que sei, *ele* era o verdadeiro médico da patota, não Lucas."

Sem sombra de dúvida, jamais acreditara em ressurreição. Pelo menos, não até o que aconteceu com Church.

— Acho que continuamos... — respondeu lentamente à filha. — Mas de que modo continuamos é coisa que eu não sei. Pode até ser que aconteçam coisas diferentes para diferentes pessoas. Pode ser que uma pessoa obtenha aquilo em que acreditou durante toda a vida. Mas acredito que continuamos, acredito que a sra. Crandall deve estar em algum lugar, onde com certeza se sentirá feliz.

— Você tem fé nisso — disse Ellie.

Não era uma pergunta. A menina parecia fascinada.

Louis sorriu, satisfeito, mas um pouco embaraçado.

— Acho que sim. E também tenho fé de que você já deveria ter ido para a cama há dez minutos.

A menina o beijou duas vezes, uma nos lábios, outra no nariz.

— Você acha que os animais continuam?

— Sim — ele respondeu sem pensar, e por pouco não acrescentou: *especialmente os gatos.* Na realidade, as palavras chegaram a ondular por um segundo em sua língua, e sentiu a pele ficar fria, pálida.

— Está bem — disse a filha escorregando para o chão. — Vou dar um beijo na mamãe.

— Vá logo.

Louis ficou contemplando a menina. Na porta da sala, ela se virou para trás.

— Fui realmente uma boba por causa do Church naquele dia, não fui? — ela perguntou. — Chorando daquele jeito!

— Não, querida — disse o pai. — Não acho que tenha sido uma boba.

— Se Church morresse agora, eu poderia aguentar — disse Ellie e, ligeiramente surpresa consigo mesma, pareceu refletir sobre o pensamento que deixara escapar. Depois, como se concordasse consigo mesma, concluiu. — Sem dúvida poderia!

E foi dar um beijo na mãe.

Mais tarde, na cama, Rachel falou:

— Ouvi o que estava conversando com ela.

— E não acha que estou certo? — Louis perguntou. Julgou que talvez fosse melhor discutir logo o assunto, se era isso que Rachel queria.

— Não... — disse a mulher com uma hesitação que não lhe era muito característica. — Não, Louis, o problema não é bem esse. É que fiquei... assustada. E você me conhece. Quando fico com medo, fico agressiva.

Louis não se lembrava de alguma vez ter ouvido Rachel falar com tanto esforço. Achou que deveria ser mais cauteloso do que fora com a filha. Estava pisando em campo minado.

— Com medo de quê? De morrer?

— Não *eu mesma* morrer — ela respondeu. — Não penso... mais nisso. Mas quando era menina, pensava bastante. Às vezes custava a dormir. Sonhava com monstros vindo me pegar na cama. E todos os monstros eram parecidos com a minha irmã Zelda.

Sim, Louis pensou. *Aí está. Finalmente, depois de tanto tempo de casados, aí está!*

— Você não fala muito sobre Zelda — disse.

Rachel sorriu e acariciou-lhe o rosto.

— Está sendo gentil, Louis. Eu nunca falo sobre ela. Tento *nunca* pensar nela.

— Sempre deduzi que devia ter suas razões.

— E tenho.

Ela fez uma pausa, pensando.

— Sei que morreu de... meningite raquidiana...

— Meningite raquidiana — repetiu. — Não há mais retratos dela lá em casa.

— Há um retrato de uma menina na escrivaninha de seu pai...

— No escritório! Sim, tinha me esquecido desse. E acho que minha mãe também leva um na carteira. Ela era dois anos mais velha do que eu. Pegou a doença... e ficou no quarto dos fundos. Ficou no quarto dos fundos como um segredo sujo, Louis. Estava morrendo lá, minha irmã morria no quarto dos fundos e era isso que ela era, um segredo sujo... Foi sempre um segredo sujo!

De repente, Rachel perdeu inteiramente o controle. Pelos soluços cada vez mais altos, Louis pressentiu um início de histeria e ficou assustado. Estendeu a mão e lhe tocou o ombro, mas Rachel imediatamente se esquivou. Ele sentiu a camisola escapulir sob a ponta dos dedos.

— Rachel... meu bem... não...

— Não me diga que não — disse ela. — Não me faça calar, Louis. Consegui reunir forças para falar agora, mas jamais quero voltar a tocar no assunto. Provavelmente não vou dormir nada esta noite.

— Foi assim tão horrível? — ele perguntou, embora conhecesse a resposta. Aquilo explicava muita coisa, mesmo coisas que nunca relacionara diretamente com o trauma da mulher. Rachel nunca comparecera a um enterro com ele, nem mesmo ao de Al Locke, um colega da faculdade de Medicina que morreu quando sua moto bateu num ônibus. Al visitava regularmente o apartamento dos dois e Rachel gostava muito dele. No entanto, não foi ao funeral.

Estava doente naquele dia, Louis se lembrou. *Pegou um resfriado ou algo semelhante. Parecia sério, mas no dia seguinte já estava bem.*

Depois do enterro *estava bem outra vez*, ele se corrigiu. Lembrou-se de ter pensado, já naquela época, que o problema podia ter sido psicossomático.

— Foi horrível, pode acreditar. Muito pior do que você possa imaginar. Nós a vimos definhar dia a dia, Louis, e não havia nada que pudéssemos fazer. Não parava de sentir dores. Seu corpo parecia atrofiado... mirrado. Os ombros formavam uma corcunda e o rosto foi se franzindo até ficar parecido com uma máscara. As mãos eram como pés de passarinho. Às vezes eu tinha de alimentá-la. Odiava fazer aquilo, mas fazia, e nunca de cara feia. Quando as dores aumentaram, começaram a dar analgésicos, em princípio suaves, depois drogas que a teriam transformado numa viciada se ela sobrevivesse. Mas, é claro, todos sabiam que não ia sobreviver. Acho que por isso é que ela se transformou num tamanho... segredo para todos nós. Porque nós *queríamos* que ela morresse, Louis, *desejávamos* que ela morresse. Só desse modo *ela* não sofreria mais. Só desse modo *nós* não sofreríamos mais. Ela estava começando a parecer um monstro, estava começando a *ser* um monstro... Oh, Deus, sei como isso deve soar terrível aos seus ouvidos.

Rachel pôs a cabeça entre as mãos. Louis tocou-a de maneira delicada.

— Rachel, isso não soa terrível.

— Não minta! — ela gritou. — Isso *é* terrível!

— Mas é o que acontece — disse ele. — Vítimas de enfermidade prolongada frequentemente se tornam monstros exigentes, desagradáveis. A ideia do paciente que sofre um longo tempo como um santo é uma grande ficção romântica. Quando o primeiro ciclo de dores vem à tona e cerca um paciente amarrado à cama, ele começa a reagir de forma agressiva, a pôr pra fora toda a sua angústia. Não pode deixar de agir assim, embora isso em nada o ajude.

Rachel fixou os olhos nele, espantada... com um certo ar esperançoso. Mas logo a dúvida se estampou em seu rosto.

— Está inventando coisas.

Louis sorriu com um ar severo.

— Quer que eu mostre os meus livros? Que tal estatísticas sobre suicídios? Quer dar uma olhada? Em famílias nas quais um paciente com doença incurável foi mantido em casa, a incidência de suicídios sobe para a estratosfera, principalmente nos seis meses que se seguem à morte do doente.

— *Suicídio?*

— As pessoas engolem pílulas, abrem um cano de gás ou dão um tiro nos miolos. O ódio... a fraqueza... a repugnância... a mágoa que elas provocam...

Ele balançou os ombros e uniu suavemente os punhos fechados.

— Os sobreviventes começam a se sentir como se tivessem cometido um assassinato. Uma sensação que às vezes não conseguem suportar.

Uma espécie absurda de alívio envolveu o rosto inchado de Rachel.

— Ela estava impertinente... odiosa. Às vezes urinava na cama de propósito. Minha mãe perguntava se queria ajuda para ir ao banheiro... e mais tarde, quando não podia mais se levantar, se queria a comadre... Zelda dizia que não... depois urinava na cama para minha mãe, ou minha mãe e eu, termos de trocar os lençóis. E dizia que tinha sido sem querer, mas era possível ver o sorriso nos olhos dela, Louis. Era possível *ver*. O quarto tinha sempre o cheiro de urina e de remédios... Havia vidros e vidros de um analgésico que tinha cheiro de cereja, como de xarope contra a tosse. O cheiro estava sempre lá... Às vezes eu acordava no meio da noite... mesmo agora ainda acordo de vez em quando sentindo o cheiro de cereja... e penso, enquanto ainda não acordei de todo... penso "Zelda já morreu? Já?"... Penso...

Rachel tomou fôlego. Louis pegou-lhe a mão e ela apertou seus dedos com uma força incrível, selvagem.

— Quando mudávamos a roupa de Zelda, podíamos ver como as costas estavam contorcidas e cheias de calombos. Perto do fim, Louis, perto do fim parecia que... parecia que o ânus tinha sido repuxado até o meio das costas.

Agora os olhos úmidos de Rachel tinham adquirido uma aparência vítrea, apavorada, como os olhos de uma criança recordando um pesadelo repetitivo e horripilante.

— E às vezes ela me tocava com suas... suas mãos... suas mãos de passarinho. E às vezes eu quase gritava para que não encostasse em mim. E uma vez, quando ela encostou a mão no meu rosto, entornei um pouco de sopa no braço, me queimei e *gritei*... e chorei e também pude ver o sorriso nos olhos dela.

— Perto do fim — Rachel continuou — as drogas deixaram de fazer efeito. Então ela era a única que gritava e nenhum de nós conseguia lembrar como ela era antes, nem mesmo minha mãe. Havia apenas aquela *coisa* repugnante, louca, gritando no quarto dos fundos. Nosso segredo sujo.

Rachel engoliu em seco. A garganta estalou.

— Meus pais não estavam em casa quando finalmente... quando ela... você sabe, quando ela...

Com um esforço terrível, desesperado, Rachel extraiu a palavra.

— Quando ela *morreu*, meus pais não estavam em casa. Eu tinha ficado sozinha com Zelda. Era a semana do Pessach e eles saíram rapidamente para visitar uns amigos. Uma saída de poucos minutos. Eu estava na cozinha, lendo uma revista. Pelo menos a folheava. Esperava a hora de dar mais remédios a ela, porque estava gritando. Estava gritando desde que meus pais haviam saído. Não conseguia ler com ela gritando daquele jeito. E então... o que aconteceu foi que... bem... Zelda parou de gritar. Louis, eu tinha pesadelos todas as noites. Comecei a pensar que ela me odiava porque *minhas* costas eram boas, porque eu não estava sempre com dor, porque *eu* podia andar, porque *eu* ia viver... Comecei a imaginar que ela queria me matar. Mesmo hoje, agora, ainda não tenho certeza de que tudo tenha sido fruto da minha imaginação. *Ainda* acho que ela me odiava. Não acredito que fosse capaz de me matar, mas se pudesse se apoderar do meu corpo... me expulsar do meu corpo como numa história fantástica, acho que teria feito. Quando parou de gritar, fui até o quarto para ver se estava tudo bem... para ver se não caíra da cama nem jogara os travesseiros no chão. Entrei e olhei-a. Parecia ter engolido a própria língua e estava nos engasgos finais da morte. Louis — a voz de Rachel elevou-se mais uma vez, chorosa e assustadoramente infantil, como se ela estivesse regredindo, revivendo a experiência —, Louis, eu não sabia o que *fazer*! Eu tinha *8 anos!*

— Não, é claro que não podia saber — disse Louis.

Ele se virou e abraçou-a. Rachel agarrou-se a ele com o pânico de um mau nadador cujo barco virou no meio do lago.

— Alguém lhe fez algum tipo de censura, meu bem?

— Não — disse ela —, ninguém me censurou. E ninguém poderia ter feito nada. Ninguém poderia alterar a realidade. Ninguém conseguiria impedir que aquilo acontecesse, Louis. Ela não havia engolido a língua. Ela começou a fazer um barulho, uma espécie de, eu não sei... *Aaaaaaaaah*... mais ou menos isso...

Na angustiante recordação daquele dia, Rachel fez uma imitação mais que fidedigna do modo como a irmã Zelda devia ter gemido. A mente de Louis se voltou para Victor Pascow. Apertou mais a mulher.

— E houve cuspidelas, cuspes pelo queixo...

— Rachel, já chega — disse ele, com a voz não muito firme. — Conheço os sintomas.

— Eu estou *explicando* — ela disse obstinada. — Estou explicando por que não posso ir ao enterro da pobre Norma e por que tivemos aquela estúpida discussão outro dia...

— *Shhh*... Isso está esquecido.

— Eu não esqueci, não. Lembro muito bem, Louis. Lembro tão bem quanto me lembro de minha irmã Zelda tendo aqueles engasgos na cama. Foi em 14 de abril de 1965.

Por um instante, houve silêncio no quarto.

— Eu a virei contra o travesseiro e bati-lhe nas costas — Rachel continuou. — Era tudo que eu sabia fazer. Seus pés estavam se debatendo... e as pernas tortas... e houve um som como se ela estivesse soltando gases intestinais. Achei que ela ou eu estávamos fazendo aquilo, mas era outra coisa, era a costura sob ambas as mangas da minha blusa que se descoseram quando acabei de virá-la de costas. Ela começou a... ter convulsões... e vi que seu rosto estava virado de lado no travesseiro. Pensei, oh, ela está sufocando, Zelda está sufocando e vão dizer que fui eu quem a sufocou. Vão dizer, *Você a odiava, Rachel,* e era verdade, e eles iam dizer, *Você queria que ela morresse,* e isso também era verdade. O primeiro pensamento, Louis, o primeiro pensamento que me ocorreu quando Zelda começou a se debater na cama daquele jeito foi, *Oh, bom, finalmente Zelda está morrendo e isso vai terminar.* Então virei-a de novo e seu rosto tinha ficado *negro.* Os olhos estavam esbugalhados e o pescoço inchado. Então ela morreu, Louis. Comecei a recuar pelo quarto. Acho que pretendia atravessar a porta, mas bati na parede e derrubei um quadrinho. Era uma gravura tirada de um dos livros do Mágico de Oz, que Zelda gostava de ler antes de cair de cama por causa da meningite, quando estava bem... Era uma gravura de Oz, o Grande e Terrível, só que Zelda sempre o chamou de Oz, o "Gande e Teível". Desde pequenininha se acostumou a chamá-lo assim. Ficava parecida com Elmer Fudd. Minha mãe mandou colocar a gravura num quadro porque... era a gravura de que Zelda mais gostava... Oz, o "Gande e Teível". O quadro caiu, bateu no chão e o vidro se espatifou. Eu comecei a gritar porque sabia que ela estava morta e pensei... acho que pensei que fosse o fantasma dela, vindo me pegar, e eu sabia que seu fantasma me odiaria, como ela me odiava, só que o fantasma não estaria preso à cama. Então eu gritei, gritei e saí correndo de casa. *Zelda morreu! Zelda morreu! Zelda morreu!* E os vizinhos... todos chegaram às janelas... me viram descer a rua correndo, a blusa toda rasgada sob os braços. Eu não parava de gritar: *Zelda morreu!* Talvez todos tenham pensado que eu estava chorando, Louis, mas acho... acho que talvez eu estivesse rindo. Acho que era isso o que eu estava fazendo.

— Se estava rindo, eu a cumprimento por ter conseguido — disse Louis.

— Não está falando sério — disse Rachel, com a extrema segurança de quem tinha revivido muitas, muitas vezes aquela cena.

Louis percebia que finalmente sua mulher poderia livrar-se das lembranças horríveis, rançosas, que por tanto tempo vinham-na assombrando. Talvez nunca daquela parte, nunca de todo, mas certamente da maioria das outras. Louis Creed não era psiquiatra, mas sabia que na vida de qualquer pessoa existem coisas enferrujadas, mas não de todo enterradas. Sabia que as pessoas parecem compelidas a voltar a essas coisas, a trazê-las à tona, por mais dolorido que seja. Naquela noite, Rachel tentara extrair tudo do fundo de si mesma, como um dente grotesco, apodrecido, fétido, a coroa enegrecida, os nervos inflamados, a raiz cheirando mal. Fora extraído. Tudo bem se ficasse alguma cicatriz, Deus ia ajudar e ela permaneceria adormecida, exceto no fundo dos sonhos de Rachel. Sem dúvida, já era extraordinário que ela tivesse sido capaz de remover o dente podre. Aquilo não apenas depunha a favor de sua coragem, mas também a proclamava em alto e bom som. Louis estava admirado. Tinha vontade de comemorar.

Sentou-se na cama e acendeu a luz.

— Sim — disse —, eu a cumprimento. E se precisasse de mais uma razão para... para realmente não simpatizar com sua mãe e seu pai, acho que já a teria. Nunca deviam ter deixado você sozinha com ela, Rachel. *Nunca.*

Como uma criança, a criança de 8 anos que era quando a coisa incrível e torpe aconteceu, Rachel protestou.

— Lou, era a semana do Pessach...

— Nem que fosse o dia do Juízo Final — ele falou em voz baixa, mas num tom áspero e brusco que a fez recuar um pouco. Louis se lembrou das estagiárias da enfermaria, aquelas duas auxiliares cujo azar foi estarem de plantão na manhã em que Pascow morreu. Uma delas, uma valente moça chamada Carla Shavers, voltou no dia seguinte e trabalhou tão bem que mesmo Charlton ficou impressionada. A outra nunca mais foi vista. Louis não ficou surpreso e não a censurou.

Onde estava a enfermeira? Deviam ter contratado uma para cuidar de Zelda. Saíram, simplesmente saíram, deixando uma criança de 8 anos para cuidar da irmã que morria, que provavelmente já estava clinicamente insana. Por quê? Porque era a semana do Pessach. E porque a elegante Dory Goldman não podia suportar o mau cheiro precisamente naquela manhã e tinha de se afastar um pouco de casa, mesmo que apenas por pouco tempo. Então Rachel se encarregou da coisa. Não tinham vizinhos, amigos? Mas foi Rachel quem se encarregou da coisa. Oito anos de idade, rabo de cavalo, blusa de marinheiro. Rachel se encarregou da coisa. Rachel podia ficar e suportar o mau cheiro. Por que a mandavam para Camp Sunset, em Ver-

mont, seis semanas por ano, senão por ter aguentado o mau cheiro da irmã moribunda, quase em coma? Dez novas mudas de roupa para Gage, seis vestidos novos para Ellie e "eu pago suas despesas durante a faculdade de Medicina se você se afastar de minha filha...", mas onde estava o exuberante talão de cheques quando a filha estava morrendo de meningite raquidiana e a outra filha estava sozinha com a irmã, seu filho da puta? Onde estava a porra da enfermeira?

Louis se levantou da cama.

— Aonde você vai? — Rachel perguntou, alarmada.

— Pegar um Valium pra você.

— Você sabe que eu não gosto...

— Esta noite vai gostar.

Ela tomou o comprimido e contou o resto da história. A voz continuou calma do início ao fim. O tranquilizante estava agindo.

Uma vizinha pegou a Rachel de 8 anos de idade de trás de uma árvore onde ela havia se agachado, gritando sem parar: "Zelda morreu!". O nariz sangrava. Havia sangue por toda a roupa. A mesma vizinha chamou a ambulância e os pais. Conseguiu fazer cessar a hemorragia nasal, acalmou-a com uma xícara de chá quente, deu-lhe duas aspirinas e Rachel foi capaz de dizer onde estavam os Goldman. Estavam visitando o sr. e a sra. Cabron do outro lado da cidade. Peter Cabron era o contador do pai.

Naquela noite, muita coisa mudou na família Goldman. Zelda tinha morrido. Seu quarto foi limpo e perfumado. Toda a mobília foi retirada. O quarto ficou como uma caixa vazia. Mais tarde, muito mais tarde, transformou-se no quarto de costura de Dory Goldman.

O primeiro pesadelo aconteceu naquela noite. Quando despertou às duas horas da madrugada, gritando pela mãe, Rachel ficou horrorizada ao descobrir que mal podia se levantar da cama, porque suas costas doíam muito. Fizera muita força para virar Zelda no leito. Com o jorro de energia propiciado pelo aumento da adrenalina, conseguira levantar a irmã com força suficiente para rasgar as mangas da blusa.

Que tinha feito muita força tentando impedir que Zelda morresse era uma coisa indiscutível, óbvia, "elementar, meu caro Watson". Evidente para todo mundo, menos para Rachel. A menina Rachel teve certeza de que aquilo era uma vingança de Zelda, vinda de além-túmulo. Zelda sabia que Rachel estava satisfeita por ela ter morrido. Zelda sabia que quando Rachel saiu correndo de casa, gritando com toda a força dos pulmões, proclamando aos quatro ventos que *Zelda morreu, Zelda morreu*, estava rindo, não chorando. Zelda sabia que tinha sido assassinada e por isso faria Rachel ter meningite raquidiana. Em breve as costas de Rachel começariam a se contorcer, a se deformar, e também ela ficaria de cama para sempre, lenta e irremediavelmente se transformando num monstro, as mãos virando garras de passarinho.

Logo ela começaria a gritar de dor, exatamente como Zelda, depois passaria a molhar a cama. Finalmente, iria morrer se engasgando com a própria língua. Seria a vingança de Zelda.

Ninguém conseguiu demover Rachel dessa convicção. Nem a mãe, nem o pai, nem o dr. Murray, que diagnosticou uma ligeira distensão nas costas e bruscamente (cruelmente, diriam alguns; Louis, por exemplo) mandou que Rachel parasse de se comportar tão mal. Devia se lembrar que a irmã tinha acabado de morrer, disse o dr. Murray, os pais estavam arrasados e não era hora de ela armar um espetáculo infantil para chamar atenção.

Só a lenta diminuição da dor foi capaz de convencê-la de que não estava sendo vítima de alguma vingança sobrenatural de Zelda nem de alguma justa punição de Deus.

Durante meses a fio (na realidade anos, oito anos, ela acabou confessando), acordava no meio da noite com pesadelos. A irmã morria sem parar nesses pesadelos. Na escuridão do quarto, as mãos de Rachel voavam para as costas, para ter certeza de que estava tudo bem. Na sequência terrível desses sonhos, frequentemente acreditava que a porta ia abrir de repente e Zelda cambalearia em sua direção, roxa e deformada, os olhos totalmente esbranquiçados e brilhantes, a língua escura caindo pelos lábios, as mãos transformadas em verdadeiras garras para matar a criminosa que estava ali deitada, assustada, as mãos apertando as costas...

Desde então, não compareceu ao enterro de Zelda nem a nenhum outro enterro.

— Se tivesse me contado isso antes — disse Louis —, muita coisa teria ficado esclarecida.

— Lou, eu não podia — ela respondeu. Já parecia muito sonolenta. — Desde essa época, fiquei... acho que fiquei com uma certa fobia do assunto.

Só uma certa fobia?, Louis pensou. *Bem, tudo bem.*

— Não posso... evitar isso. Racionalmente, sei que você tem razão, que a morte é perfeitamente natural. Sim, por que não? Mas o que a minha mente sabe e o que acontece... dentro de mim...

— Entendo.

— No dia em que briguei com você... eu sabia que era muito natural Ellie ter chorado... era um meio de se acostumar à ideia... mas não pude evitar. Sinto muito, Louis.

— Não precisa se desculpar — disse ele, acariciando-lhe o cabelo. — Mas se você se sente melhor assim...

Ela sorriu.

— É claro. Eu me sinto melhor... e acho que consegui pôr pra fora algo que durante anos envenenou uma parte de mim.

— Também acho.

Os olhos de Rachel foram se fechando sem querer e depois se abriram de novo, devagar.

— E não culpe meu pai pelo que aconteceu, Louis. Por favor. Aquela época foi terrível para os dois. As contas do tratamento de Zelda chegavam aos céus. Meu pai tinha perdido a chance de se expandir para os subúrbios e as vendas na loja do centro não andavam boas. Minha mãe também estava ficando meio enlouquecida com tudo aquilo.

Rachel acrescentou:

— Bem, tudo passou. Foi como se a morte de Zelda tivesse dado o sinal para os bons tempos voltarem. Tinha havido um aperto, mas os juros baixaram e papai conseguiu um empréstimo. Desde então, só andou para a frente. Acho que os dois se tornaram muito ciumentos com relação a mim. Não só porque eu fui a única filha que restou, mas...

— Por causa do sentimento de culpa — disse Louis.

— Sim, acho que sim... Espero que não fique furioso comigo se eu adoecer durante o enterro de Norma...

— Não, querida, não vou ficar furioso.

Louis pegou-a pela mão.

— Posso levar Ellie?

A mão de Rachel apertou a dele.

— Oh, Louis, eu não sei... Ela é tão criança...

— Já sabe de onde vêm os bebês há pelo menos um ano — Louis lembrou.

Rachel ficou um bom tempo em silêncio, olhando para o teto e mordendo os lábios.

— Se acha que é melhor assim — disse finalmente. — Se acha que não vai... não vai magoá-la.

— Tome conta da casa, Rachel — disse ele, e naquela noite os dois dormiram bem abraçados. Quando Rachel acordou tremendo, no meio da noite, passado o efeito do Valium, ele a acariciou com as duas mãos e sussurrou em seu ouvido que estava tudo bem. Ela dormiu de novo.

33

— Para o homem e para a mulher, é como as flores no vale, que hoje desabrocham e amanhã são atiradas ao fogo: o tempo do homem é apenas uma estação; tem um começo e um fim. Rezemos.

Ellie, resplandecente num vestido azul-marinho comprado especialmente para a ocasião, abaixou a cabeça tão bruscamente que Louis, sentado a seu lado no banco da igreja, ouviu o pescoço estalar. Ellie estivera em poucas igrejas e, naturalmente, era seu primeiro funeral. A combinação das duas coisas a levara a guardar um respeitoso e inabitual silêncio.

Para Louis, foi uma experiência incomum com a filha. Sempre ofuscado pelo amor que sentia por ela (como sempre estava ofuscado pelo amor que sentia por Gage), raramente a observava com maior cuidado. Mas naquele dia percebeu que se defrontava com um caso típico de criança chegando ao fim do primeiro grande estágio de desenvolvimento da vida: um ser formado de quase pura curiosidade, estocando sem parar novas informações em circuitos quase infinitos. Ellie continuou em silêncio, mesmo quando Jud, estranho mas elegante no terno preto e sapatos sociais (Louis achou que era a primeira vez que o via calçar qualquer outra coisa além de chinelos ou botas verdes de borracha), curvou-se para beijá-la.

— É uma satisfação ver você aqui, meu bem — disse Jud. — E aposto que Norma também está muito contente.

Ellie tinha arregalado os olhos.

Agora o pastor metodista, reverendo Laughlin, pronunciava a bênção, pedindo que Deus voltasse Sua face para eles e lhes trouxesse a paz.

— Por favor, os que vão levar o caixão, se aproximem — disse.

Louis começou a se levantar, mas Ellie o fez parar, puxando-o freneticamente pelo braço. Parecia assustada.

— *Papai!* — ela sussurrou em voz alta. — Aonde você vai?

— Sou um dos que vão levar o caixão, querida — disse Louis, sentando um momento do lado dela e pondo o braço em volta de seus ombros. — Somos eu e mais três pessoas: dois sobrinhos de Jud e o irmão de Norma.

— Onde vamos nos encontrar?

Louis olhou à frente. Os outros três já estavam se reunindo ao lado de Jud. As demais pessoas começavam a sair da igreja, algumas chorando.

— Se ficar lá fora na escada, encontro você lá — disse. — Tudo bem, Ellie?

— Tudo bem. Mas não esqueça de mim.

— Não vou esquecer.

Ele tornou a se levantar, mas Ellie puxou-o outra vez pela mão.

— Papai?

— O quê, meu bem?

— Não a deixe cair — Ellie sussurrou.

Louis juntou-se a Jud e este apresentou-o aos sobrinhos, que na realidade eram primos em segundo ou terceiro grau, descendentes do irmão do pai de Jud. Eram rapazes fortes, de 20 e poucos anos, muito parecidos. O irmão de Norma já teria bem mais de 50, Louis imaginou, e embora o pesar de uma morte na família se revelasse em seu rosto, reagia bastante bem.

— É um prazer conhecê-los — disse Louis. Sentia-se um pouco encabulado. Era um estranho no círculo da família.

Os três o cumprimentaram com sinais de cabeça.

— Ellie está bem? — Jud perguntou. A menina parara no vestíbulo, olhando.

É claro que está. Ela simplesmente quer ter certeza de que eu não vou desaparecer numa nuvem de fumaça, Louis pensou e quase sorriu. Mas então aquilo chamou outro pensamento: Oz, o Gande e Teível. E o sorriso desapareceu.

— Sim, acho que sim — disse e acenou para a filha. A menina respondeu ao aceno e finalmente saiu da igreja rodopiando o vestido azul. Por um instante, Louis ficou impressionado em ver como ela parecia adulta. Por mais fugidia que fosse, era o tipo de ilusão capaz de fazer um homem pensar.

— Todos prontos? — perguntou um dos sobrinhos.

Louis balançou a cabeça, o irmão mais novo de Norma também.

— Vamos devagar com ela — disse Jud. Sua voz tinha se tornado rouca. Ele se virou e, de cabeça baixa, desceu lentamente o corredor.

Louis foi para uma das pontas do caixão cinza-metálico da American Eternal que Jud escolhera para a mulher. Pegou sua alça e os quatro foram carregando lentamente o corpo de Norma para fora da igreja, no claro, embora frio, ar do início de fevereiro. Alguém, possivelmente o zelador da igreja, tinha espalhado uma boa camada de cinzas sobre o caminho que a neve batida tornara escorregadio. Junto à calçada, o motor de um Cadillac fúnebre aguardava em ponto morto, lançando no ar de inverno uma fumaça branca. O agente funerário, ao lado do filho robusto, acompanhava o transporte do corpo, pronto para ajudar se alguém (talvez o irmão de Norma) escorregasse ou desse sinais de fraqueza.

Jud também estava perto do agente e observou os quatro fazendo a urna deslizar para a traseira do veículo.

— Adeus, Norma — ele disse e acendeu um cigarro. — Daqui a pouco estarei com você, minha velha.

Louis pousou o braço em volta do ombro de Jud e o irmão de Norma postou-se do outro lado, fazendo o agente funerário e o filho recuarem. Os dois sobrinhos corpulentos (primos em segundo grau, ou o que quer que fossem) já haviam se afastado, cumprida a missão de levantar e transportar o caixão. Talvez só conhecessem o rosto da morta de fotografias ou de umas poucas visitas de cortesia, tardes que devem ter parecido intermináveis na sala de Norma, comendo biscoitos e tomando a cerveja de Jud. Dificilmente teriam prestado atenção às velhas histórias de tempos que não viveram e de pessoas que não conheceram. Mas, sem dúvida, lamentavam o tempo perdido (um carro que podia ter sido lavado e polido, um jogo de boliche no clube, pelo menos assistir a uma luta de boxe na TV ao lado de amigos), e aguardavam ansiosos o momento de ir embora quando o dever estivesse cumprido.

Pelo menos na visão dos sobrinhos, a participação de Jud na família fazia agora parte do passado. Jud era como um asteroide sendo corroído pela erosão, perdendo a maior parte de sua massa, minguando, tornando-se pouco mais que um grão de poeira. O passado. Fotografias num álbum. Histórias antigas contadas em quartos que talvez parecessem quentes demais para eles. Eles não eram velhos, não havia artrite em suas juntas, o sangue deles não tinha enfraquecido. O passado eram alças de caixões a pegar, erguer e depois largar. Afinal, se o corpo humano era um envelope para guardar a alma — cartas de Deus para o universo, como muitas igrejas ensinavam, o caixão da American Eternal era um envelope para guardar o corpo. Para aqueles primos ou sobrinhos jovens e fortes, o passado era apenas uma carta não reclamada a ser arquivada.

Deus guarde o passado, Louis pensou, e estremeceu ao imaginar que um dia ele também pareceria pouco familiar aos olhos de gente do seu próprio sangue — seus netos (se Ellie ou Gage tivessem filhos e ele vivesse tempo suficiente para conhecê-los). O centro se deslocava. Linhas familiares degeneravam. Sobravam rostos jovens olhando velhas fotos.

Deus guarde o passado, ele pensou outra vez, e apertou com mais força os ombros de Jud.

Os condutores do carro puseram as flores junto do caixão. O vidro elétrico da traseira do furgão se levantou e estalou nos encaixes. Louis voltou para onde a filha se encontrava e foi junto com ela para sua caminhonete, segurando-lhe o braço para que não escorregasse com os sapatos novos de sola de couro. Os motores dos carros começavam a funcionar.

— Por que estão acendendo os faróis, papai? — Ellie perguntou com um certo ar de curiosidade. — Por que estão acendendo os faróis se está de dia?

— Estão fazendo isso — Louis explicou, sentindo a voz um pouco embargada — em honra da morta, Ellie.

Puxou o botão que ligava os faróis da caminhonete.

— Vamos.

Por fim, encerrada a cerimônia fúnebre (que na realidade limitou-se ao rito na pequena capela de Mount Hope; nenhuma sepultura seria cavada para Norma antes da primavera), Ellie e o pai voltavam para casa quando a menina irrompeu em lágrimas.

Louis se virou para a filha, surpreso, mas não propriamente alarmado.

— Ellie, o que há?

— Não vai ter mais biscoitos — Ellie soluçou. — Norma fazia os melhores biscoitos de aveia que eu já comi. Mas não vai fazer mais biscoito nenhum porque *morreu.* Papai, por que as pessoas precisam morrer?

— Realmente eu não sei — disse Louis. — Para dar lugar a outras pessoas, talvez. Pessoas novas como você e seu irmão Gage.

— Nunca vou me casar, nem fazer sexo e ter bebês! — Ellie declarou, chorando mais que nunca. — Então talvez isso nunca aconteça comigo! É *terrível*! É *no-no-nojento*!

— Mas é o fim de todo o sofrimento — disse Louis num tom calmo. — E como médico, já vi muito sofrimento. Uma das razões que me levaram a querer o emprego na universidade foi que estava cansado de ver gente sofrendo dia após dia. Gente nova muitas vezes fica doente, até mesmo muito doente... mas isso não é exatamente a mesma coisa que sofrimento.

Ele fez uma pausa.

— Acredite você ou não, querida, quando as pessoas ficam muito velhas, a morte não parece tão má nem tão assustadora. Bem, mas você ainda tem anos e anos pela frente.

Ellie chorou mais um pouco, fungou e depois parou. Antes de chegarem, perguntou se podia ouvir o rádio. Louis disse que sim e ela sintonizou Shakin' Stevens cantando "This Ole House" na WACZ. Logo estava cantarolando também. Quando chegaram em casa, correu para a mãe e contou tudo sobre o enterro. Apesar dos pesares, Rachel ouviu tranquila, compreensiva e solidária, embora Louis percebesse uma certa palidez e um ar de preocupação em seu rosto.

Então Ellie perguntou se ela sabia fazer biscoitos de aveia. Rachel pousou o tricô e se levantou, como se já estivesse esperando alguma coisa desse tipo.

— Sei — disse. — Quer me ajudar?

— Oba! — Ellie gritou. — Vamos mesmo fazer os biscoitos, mamãe?

— Vamos se o seu pai ficar uma hora tomando conta do Gage.

— Eu fico com ele — disse Louis. — Com todo o prazer.

Louis passou a noite ocupado com um longo artigo do *The Duquesne Medical Digest*, lendo e fazendo anotações. A velha controvérsia sobre suturas que se abriam começara de novo. Entre o relativamente pequeno número de pessoas preocupadas em coser ferimentos, a discussão parecia interminável, como aquele velho problema psicológico, natureza versus educação.

Pretendia escrever, naquela mesma noite, uma carta externando sua discordância do artigo, provando que a argumentação do articulista era falaciosa, os exemplos viciosos, a pesquisa quase criminosamente descuidada. Procuraria, em suma, com muito bom humor, não deixar pedra sobre pedra de toda aquela estúpida baboseira. Tentava encontrar na estante do escritório o *Tratamento das Feridas,* de Troutman, quando Rachel desceu até o meio da escada.

— Não vai subir, Lou?

— Daqui a pouco...

Ele voltou os olhos para a mulher.

— Tudo bem?

— Os meninos estão dormindo profundamente, os dois.

Louis a contemplou com carinho.

— Só eles... você não.

— Tudo bem. Estava lendo.

— Tudo bem mesmo?

— Tudo — ela respondeu e sorriu. — Amo você, Louis.

— Também amo você, meu bem.

Virou-se de novo para a estante e lá estava, onde sempre estivera, o livro de Troutman. Pegou-o.

— Church trouxe um rato pra dentro de casa quando você e Ellie estavam no enterro — disse Rachel, tentando sorrir. — Ah, que porcaria!...

— Diabo, Rachel, sinto muito!

Esperou não parecer tão culpado como de fato se sentia.

— Deu muito trabalho?

Rachel se sentou na escada. No penhoar de flanela cor-de-rosa, o rosto sem maquiagem, a testa muito clara, o cabelo amarrado para trás com um elástico, formando um curto rabo de cavalo, parecia uma criança.

— Bom, eu dei conta de tudo — disse ela —, mas, você sabe, precisei enxotar o cretino do gato com o tubo do aspirador. Só assim ele parou de acuar o... cadáver. Chegou a *bufar* pra mim. Foi a primeira vez que Church bufou pra mim. Ultimamente, parece um gato diferente. Acha que pode estar com algum problema de saúde, Louis?

— Não — ele respondeu com hesitação —, mas posso levá-lo ao veterinário se você quiser.

— Acho que seria bom — disse ela e olhou para o marido com ar indefeso. — Mas não vai subir? Eu só... Eu sei que está trabalhando, mas...

— Já estou indo — disse ele, levantando-se como se já não tivesse qualquer coisa importante a fazer no escritório. E realmente não tinha... exceto que, agora, a carta jamais seria escrita porque perdera o ritmo da coisa e amanhã suas preocupações seriam outras. Sem dúvida, era responsável pelos ratos de Church. Os ratos que Church podia trazer para dentro de casa, arranhões ensanguentados feitos pelas garras, intestinos à mostra, talvez até sem cabeça. Sim. Era responsável pelos ratos de Church.

— Vamos dormir — disse, apagando as luzes.

Ele e Rachel subiram juntos a escada. Louis pôs-lhe o braço em volta da cintura e amou-a o mais intensamente que pôde. No entanto, mesmo ao penetrar nela, e apesar da forte ereção, não deixou de ouvir o vento de inverno do outro lado das janelas cobertas de neve, não deixou de pensar em Church, o gato que pertencera à sua filha e que agora lhe pertencia — pensar onde estaria ele, o que estaria emboscando ou matando. O solo do coração de um homem é mais empedernido... O vento gemia seu canto amargo e, não a muitos quilômetros dali, Norma Crandall, que uma vez tricotara gorrinhos iguais para Ellie e Gage, jazia no caixão cinza-metálico da American Eternal, provisoriamente num escaninho de laje do cemitério de Mount Hope. Agora, o algodão branco que o agente funerário usou para encher suas bochechas já estaria ficando preto.

34

No dia do seu aniversário, Ellie voltou às seis horas. Chegou do jardim de infância com um chapéu de papel torto na cabeça, a mão cheia de desenhos que os coleguinhas fizeram dela (no melhor desses desenhos, Ellie parecia um simpático espantalho) e histórias fantásticas sobre uma briga durante o recreio.

Na universidade, o surto de gripe passou. Tiveram de mandar dois estudantes para o Centro Médico do Maine, em Bangor, e Surrendra Hardu provavelmente salvou a vida de um calouro em estado bastante grave, um rapaz com o terrível nome de Peter Humperton. Ele tivera convulsões pouco depois de chegar à enfermaria.

Rachel desenvolveu uma ligeira fascinação por um ajudante louro de uma loja de confecções em Brewer. Certa noite, contou entusiasmada a Louis como o jeans que o menino usava parecia vestir um corpo de homem.

— Mas deve ser somente papel higiênico — ela acrescentou.

— Um dia desses dê um apertão no lugar certo — Louis sugeriu. — Se ele gritar, pode não ser.

Rachel riu até chorar.

A meia-estação de céu azul, atmosfera tranquila, mas temperatura ainda bem fria, foi substituída pelos dias de março, onde as geadas se alternavam com os aguaceiros. As estradas ficaram em péssimo estado e por toda parte havia tabuletas alaranjadas sinalizando: “BURACO”. A dor profunda, íntima e angustiante de Jud Crandall passou, aquela dor que, segundo os psicólogos, começa cerca de três dias após a morte de um ser amado e, na maioria dos casos, dura de quatro a seis semanas (como o período de tempo que os habitantes da Nova Inglaterra às vezes chamam de "inverno profundo"). Mas o tempo passa e com isso vai somando um estado de espírito a outro, até construir uma espécie de arco-íris. A dor mais forte diminui, transforma-se numa dor relativamente branda; a dor relativamente branda transforma-se em tristeza e a tristeza em lembrança. Um processo que, se levar de seis meses a três anos, pode ser considerado normal. O dia do primeiro corte de cabelo de Gage veio e passou. Quando Louis viu que o cabelo do filho ganhara força, riu por fora mas sentiu tristeza dentro do peito.

A primavera veio, e durou algum tempo.

35

Louis Creed passaria a acreditar que o último dia realmente feliz de sua vida fora 24 de março de 1984. As coisas que estavam por vir, que iam pairar sobre ele e a família como lâminas de guilhotina, ainda estavam ocultas, a mais de sete semanas no futuro. No entanto, naquelas sete semanas de intervalo, nada mais pareceu conservar a mesma coloração de antes. Mesmo se nenhuma daquelas coisas terríveis tivesse acontecido, Louis jamais ia esquecer aquele dia. Os dias realmente bons, achava ele, bons do primeiro ao último minuto, eram bastante raros. Talvez na vida normal de um homem, mesmo nas melhores circunstâncias, houvesse menos que um mês de dias realmente bons. Deus, em Sua infinita sabedoria, parecia muito mais generoso quando distribuía a dor.

Aquele dia caiu num sábado e ele passou a tarde em casa, tomando conta de Gage, enquanto Rachel e Ellie foram ao mercado. Tinham ido com Jud na velha e barulhenta pickup IH, de 1959, não porque a caminhonete de Louis estivesse enguiçada, mas porque Jud realmente gostava da companhia das duas e ficara satisfeito em levá-las. Rachel perguntou se ele cuidaria de Gage, ele respondeu que podia ir sossegada. Estava contente por vê-la sair: após um inverno no Maine, passado quase inteiramente em Ludlow, achava que a mulher devia aproveitar toda e qualquer oportunidade para se afastar um pouco de casa. Não tinha se queixado e entregava-se com ânimo aos afazeres domésticos, mas Louis percebia que começava a ficar um tanto nervosa e agitada.

Gage acordou de sua soneca por volta das duas horas, ranheta, mal-humorado. Tinha entrado naquela fase difícil que precede os dois anos de idade e resolvera aprontar todas as manhas típicas do período. Louis recorreu a vários expedientes para divertir o filho, mas sem nenhum resultado. Gage recusou todos.

Para tornar as coisas piores, o menino começou a esfregar a barriga como se estivesse com fortes cólicas e, perto de seu umbigo, Louis encontrou uma das bolas de gude azuis com que Ellie brincava. Sorte o garoto não a ter engolido, pois costumava pôr na boca tudo que pegava. Decidiu guardar todas as bolas de gude que pudesse haver pela casa e sentiu-se aliviado com a decisão. Gage parou de contrair a barriga, mas continuou rabugento.

Louis ouvia o vento do início de primavera soprar em volta da casa. As sombras das árvores agitavam-se no terreno vizinho da sra. Vinton. De repente, lembrou-se da pipa em formato de abutre que, num impulso, comprara há cinco ou seis semanas quando voltava da universidade. Teria comprado linha também? Sem dúvida, graças a Deus!

— Gage! — ele chamou. O menino encontrara um lápis verde embaixo do sofá e estava fazendo rabiscos num dos livros favoritos de Ellie. *Mais uma coisa para alimentar o fogo da rivalidade fraterna*, Louis pensou e sorriu. Se Ellie ficasse realmente furiosa com os rabiscos feitos no *Onde Vivem os Monstros* antes de conseguir tirá-lo da mão do filho, Louis simplesmente mencionaria o singelo tesouro que encontrara perto do umbigo de Gage.

— Quê?! — Gage respondeu com ar esperto. Já estava falando bastante. Louis achava que até bem demais para a idade dele.

— Não quer sair?

— Sair! — Gage exclamou agitado. — Quero. Onde estão meus sapatos, papai?

Esta frase, se reproduzida foneticamente, seria algo como: *Om tá meu tapato, papai?* Louis ficava frequentemente impressionado pela fala de Gage, não porque fosse "engraçadinha", mas porque achava que as crianças pequenas pareciam imigrantes aprendendo uma língua estrangeira, de uma forma atabalhoada, mas razoavelmente simpática. Sabia que os bebês fazem *todos* os sons que a voz humana é capaz de produzir: o *erre* arrastado, tão difícil para estudantes de primeiro ano de francês, os grunhidos e estalos que os boximanes da Austrália fazem na abertura da laringe, as grossas, ásperas consoantes do alemão. Perdiam a aptidão quando aprendiam a língua materna, e Louis frequentemente se perguntava se a infância não seria antes um período de esquecimento que de aprendizado.

Os "tapatos" de Gage foram finalmente encontrados... também estavam embaixo do sofá. Uma das outras crenças de Louis era que, em famílias que têm crianças pequenas, a área sob as poltronas começa, após algum tempo, a desenvolver uma forte e misteriosa força eletromagnética que passa a sugar todo o tipo de coisa: de garrafas e alfinetes de fralda a lápis de cor e velhas revistas infantis, com pedaços de doces amassados entre as páginas.

O casaco de Gage, porém, não estava sob o sofá, mas no meio da escada. Por sua vez, o gorro dos Red Sox, sem o qual ele se recusava a sair, foi bem mais difícil de achar, porque estava onde devia estar — no armário. Aquele, naturalmente, era o último lugar onde alguém pensaria em procurá-lo.

— Vamos aonde, papai? — Gage perguntou num tom bastante amistoso, dando a mão a Louis.

— Vamos até o terreno da sra. Vinton. Vamos soltar uma pipa, rapaz!

— Uma piiiipa?! — Gage perguntou sem entender muito bem.

— Você vai gostar — disse Louis. — Espere um instante, garoto.

Agora estavam na garagem. Louis encontrou o molho de chaves, abriu o pequeno armário que servia como depósito e acendeu a luz. Revirou o armário e achou a pipa, ainda na embalagem da loja, com a etiqueta do preço. Comprara-a num dia bastante nublado de meados de fevereiro, quando sua alma ansiava por um pouco de sol.

— Pai? — Gage perguntou na inflexão do idioma "gagês" para "que diabo você tem aí, papai?".

— É a pipa — Louis respondeu, tirando-a da embalagem. Interessado, Gage observou-o abrir o abutre, que esparramou as asas por talvez um metro e meio de plástico resistente. Os olhos salientes, avermelhados, encararam os dois da pequena cabeça no alto de um pescoço descarnado e rosado.

— Pássaro! — Gage gritou. — Pássaro, papai! Virou um pássaro!

— Sim, é um pássaro — Louis concordou, enfiando as varetas nos encaixes atrás da pipa e vasculhando de novo o armário em busca dos 150 metros de linha que comprara. Olhou por sobre o ombro e repetiu para Gage:

— Você vai gostar, garotão!

Gage gostou.

Levaram a pipa para o terreno da sra. Vinton e Louis a fez subir para o céu com o vento daquele final de março. Não soltava uma pipa desde... desde os 12 anos? Dezenove? Deus, era terrível!

A sra. Vinton era uma mulher quase da idade de Jud, embora extremamente mais frágil. Morava numa casa de tijolos vermelhos, na frente do terreno, e saía muito raramente. Atrás da casa, o quintal acabava onde começavam os bosques — os bosques que primeiro conduziam ao "simitério" de bichos e depois ao cemitério *micmac.*

— A pipa está voando, papai! — Gage gritou.

— É, olhe como ela sobe! — Louis também gritou, entusiasmado, rindo. Deu linha com tanta rapidez que o cordão se transformou num fio em brasa correndo na palma da mão.

— Olhe o abutre, Gage! Está subindo pra cachorro!

— *Pra cachorro!* — Gage gritou e riu alto, morrendo de alegria.

O sol saiu de detrás de uma espessa nuvem cinzenta de primavera e, quase de imediato, a temperatura pareceu subir dois ou três graus. Foram envolvidos pela luz brilhante, pelo calor instável de um final de março se esforçando para ser abril. Pisavam no mato do terreno da sra. Vinton. Acima deles, o abutre subia em direção ao céu azul, cada vez mais alto, as asas de plástico abertas e tensas contra a firme corrente de ar, ainda mais alto, e Louis começava a se sentir como uma criança, subindo com a pipa, saltando em direção a ela, vendo o mundo ficar cada vez menor, como deve ser o mundo no sonho dos cartógrafos. O terreno da sra. Vinton, tranquilo e ainda branco, mas com camadas de relva cada vez mais densas seguindo o recuo da neve. Não apenas um terreno agora, mas um grande paralelograma cercado por encostas rochosas em dois de seus lados. Depois a estrada no fundo, uma cicatriz preta e reta, e o vale do rio. O abutre via tudo isso com os olhos injetados planando lá no alto. Via o rio como uma faixa acinzentada, serena, metálica, pedaços de gelo ainda flutuando sobre as águas. Do outro lado via Hampden, Newburgh, Winterport com um navio nas docas; talvez visse o moinho de St. Regis em Bucksport, sob sua contínua exalação de fumaça; talvez o fim do próprio continente, onde o Atlântico batia com força na rocha nua.

— Olhe a pipa aonde vai, Gage! — Louis gritou, rindo.

Gage tinha a cabeça tão inclinada para trás que corria o risco de cair de costas. Um enorme sorriso cobria-lhe o rosto. Acenava para o abutre.

Louis deu folga na linha e mandou Gage segurá-la com uma das mãos. Gage obedeceu sem pestanejar. Não podia tirar os olhos da pipa, sacudindo e dançando no vento, fazendo sua sombra deslizar de um lado para outro no terreno.

Louis enrolou duas vezes a linha na mão de Gage e olhou para o filho, boquiaberto com o forte puxão da pipa.

— E aí?! — Gage exclamou.

— Você está soltando a pipa — disse Louis. — Agarre bem, garotinho. A pipa é sua.

— Gage está soltando a pipa? — disse Gage, como se pedisse uma confirmação não ao pai, mas a si mesmo. Puxou de novo a linha para experimentar, a pipa balançou no ar. Gage puxou mais forte, a pipa mergulhou. Louis ria junto com ele. Gage estendeu a outra mão, tateou no ar e Louis segurou-a. Permaneceram assim, um ao lado do outro, no meio do terreno da sra. Vinton, olhando o abutre.

Louis jamais esqueceria aquele momento. Quando se sentiu subindo com a pipa, como uma criança, sentiu-se também mais próximo de Gage. Era como se tivesse encolhido até caber dentro do corpo do filho e olhar pelas janelas que eram seus olhos: contemplar um mundo enorme e radiante, onde o terreno da sra. Vinton era quase tão grande quanto o pântano de Bonneville, onde a pipa planava, quilômetros acima dele, a linha dando coices em seu punho como uma coisa viva, o vento soprando e lhe revirando os cabelos.

— A pipa está voando! — Gage gritou para o pai. Louis pôs o braço em volta dos ombros do filho e beijou-o no rosto, onde o vento tinha feito surgir um tom rosado.

— Gosto muito de você, Gage — disse o pai. Era uma confissão entre os dois, e era ótimo.

E Gage, que agora tinha menos de dois meses para viver, riu num tom estridente e muito alegre.

— *A pipa está voando! A pipa está voando, papai!*

Ainda estavam soltando pipa quando Rachel e Ellie chegaram. Os dois faziam o abutre subir tão alto que quase perdiam a linha. Não viam mais a face do pássaro; a pipa era apenas uma silhueta negra no céu.

Louis ficou satisfeito ao vê-las e deu uma gargalhada quando Ellie pegou a pipa e deixou cair o carretel, que foi rolando, aos trambolhões, pela relva. Quando Ellie o alcançou, pouco faltava para o final da linha escapar. No entanto, soltar pipa no meio dos dois filhos alterava um pouco as coisas, e Louis não ficou muito aborrecido em voltar para casa quando Rachel o chamou, vinte minutos depois, dizendo que Gage já apanhara vento demais. Podia se resfriar.

Então a pipa foi puxada para baixo, lutando para subir a cada volta do carretel, mas finalmente se rendendo. Louis dobrou-a, fazendo as asas negras encolherem, escondendo os olhos salientes e avermelhados. Depois colocou o abutre debaixo do braço e voltou a aprisioná-lo no armário da garagem. Naquela noite, Gage teve um jantar farto, com cachorro-quente e feijões, e enquanto Rachel vestia-lhe o macacão de dormir, Louis levou Ellie para um canto e teve uma conversa franca sobre o perigo de deixar as bolas de gude ao alcance do irmão. Em outras circunstâncias, acabaria gritando com a filha, pois Ellie costumava se tornar extremamente arrogante — até mesmo insolente — quando se sentia acusada de ter cometido algum erro. Simplesmente era esse o seu jeito de lidar com a crítica negativa, o que, sem dúvida, não impedia que o pai ficasse furioso quando ela se tornava muito ríspida e ele estava particularmente cansado. Mas, naquele dia, a pipa o deixara muito bem-humorado e Ellie parecia disposta a ser razoável. Concordou em ser mais cuidadosa e desceu para assistir à televisão até às oito e meia, uma indulgência comum nos dias de sábado, e ela adorava. *Muito bem, agora as bolas de gude devem ficar fora do caminho e o perigo maior está afastado*, Louis pensou, não sabendo que bolas de gude não eram realmente o problema, que resfriados também não eram o problema, que o problema seria um grande caminhão da Orinco, que o problema seria a estrada... Um perigo de que Jud Crandall já os advertira naquele 1º de agosto do ano anterior.

Naquela noite, subiu quinze minutos depois de Gage ter sido posto na cama. Encontrou o filho tranquilo, mas ainda acordado, bebendo um resto de leite da mamadeira e olhando contemplativamente para o teto.

Louis pegou um dos pés do garoto e beijou-o.

— Boa noite, Gage.

— A pipa está voando, papai.

— Ela voa mesmo, não é?

Sem absolutamente qualquer razão, Louis sentiu lágrimas nos olhos.

— Vai subindo até o céu, meu garoto.

— A pipa está voando — disse Gage. — Até o céu.

E de um momento para o outro, o menino virou de lado, fechou os olhos e adormeceu.

Louis estava entrando no corredor quando olhou para trás e viu olhos sem corpo, verde-amarelados, fitando-o do armário de Gage. A porta do armário estava entreaberta... era só uma fenda. Seu coração deu um salto para a garganta, a boca se contraiu e desenhou um esgar.

Abriu a porta do armário, pensando

(Zelda, é Zelda no armário, a língua escura saindo por entre os lábios.)

que não sabia bem o que era, mas, é claro, era apenas Church, o gato estava no armário, e quando viu Louis arqueou as costas como os gatos dos cartões de Dia das Bruxas. Bufou, a boca parcialmente aberta, revelando dentes afiados como agulhas.

— Passa! — Louis sussurrou.

Church bufou outra vez e não se mexeu.

— Passa *fora,* vamos!

Pegou a primeira coisa que lhe caiu nas mãos entre a bagunça dos brinquedos de Gage. Era uma brilhante locomotiva de plástico, que na semiobscuridade tinha um tom marrom de sangue coagulado. Brandiu-a na direção de Church, mas além de não sair do lugar, o gato tornou a bufar.

E de repente, sem raciocinar, Louis atirou o brinquedo no animal, a sério, não pretendendo errar: ele *martelou* o brinquedo no gato o mais forte que pôde, furioso e também assustado, assustado com aquela coisa que se escondia na escuridão do armário do quarto do filho e se recusava a sair, como se tivesse um direito adquirido de estar ali.

A locomotiva atingiu em cheio a cabeça do gato. Church proferiu um grasnido e fugiu, revelando sua habitual falta de jeito ao esbarrar na porta e quase cair.

Gage se mexeu na cama, resmungou alguma coisa, mudou de posição e voltou a ficar quieto. Louis sentiu uma ligeira náusea. O suor lhe escorria em gotas pela testa.

— Louis? — Rachel gritou no andar de baixo, parecendo assustada. — Gage caiu do berço?

— Ele está bem, querida. Foi Church que bateu em alguns brinquedos.

— Oh, tudo bem.

Irracionalmente ou não, Louis se sentia como se ao subir para dar uma olhada no filho tivesse encontrado uma cobra rastejando sobre ele, ou um rato enorme empoleirado na prateleira sobre o berço. É *claro* que aquilo era irracional. Mas quando Church bufara daquela maneira no armário...

(Zelda você acha que Zelda você acha que Oz o Gande e Teível?)

Fechou a porta do armário de Gage, empurrando com o pé alguns brinquedos para dentro dele. Ouviu o estalo curto do trinco. Depois de mais um instante de hesitação, fechou o armário a chave.

Voltou para o berço de Gage. Ao se mexer, o menino chutara os dois cobertores até os joelhos. Louis desembaraçou as cobertas, puxou-as para cima e ficou parado, um longo tempo, contemplando o filho.

PARTE DOIS

O CEMITÉRIO *MICMAC*

Quando Jesus chegou a Betânia, viu que Lázaro já estava sepultado há quatro dias. Assim que Marta soube que Jesus estava chegando, correu ao encontro dele. — Senhor — disse ela —, se estivesses aqui, meu irmão não teria morrido. Mas agora estás aqui, e sei que tudo o que pedires a Deus, ele te concederá. Jesus lhe respondeu:

— Teu irmão ressuscitará.

O EVANGELHO DE SÃO JOÃO (paráfrase)

Hey, ho, let's go!

THE RAMONES

36

Provavelmente é um erro acreditar que exista um limite para o horror que a mente humana pode suportar. Parece, ao contrário, que certos mecanismos exponenciais começam a prevalecer à medida que o infortúnio se torna mais profundo. Por menos que se goste de admitir, a experiência humana tende, sob muitos aspectos, a corroborar a ideia de que quando o pesadelo se torna terrível o bastante, o horror produz mais horror, um mal que acontece por acaso engendra outro, frequentemente menos ocasional, até que finalmente a desgraça parece tomar conta de tudo. E a mais aterradora de todas as questões talvez seja simplesmente querer saber quanto horror a mente humana consegue suportar conservando uma atenta, viva, implacável sanidade. É redundante dizer que esses eventos são extremamente absurdos, como os quadrinhos de Rube Goldberg. E em determinado momento, tudo passa a se tornar um tanto engraçado. Pode ser esse o ponto em que a sanidade começa a resgatar a si mesma ou a ceder, sucumbir; o ponto em que o senso de humor de uma pessoa começa a fazer valer seus direitos.

Louis Creed podia ter nutrido tais pensamentos se estivesse pensando racionalmente depois do enterro do filho, Gage William Creed, em 17 de maio, mas qualquer pensamento racional — ou tentativa disso — cessara na capela, onde uma briga de socos com o sogro (bastante grave) resultou num evento ainda mais terrível, um trecho final de escandaloso melodrama gótico, que espatifou tudo que restava do frágil autocontrole de Rachel. Os terríveis e lamentáveis eventos registrados naquele dia só terminaram quando Rachel foi arrastada, gritando, da sala leste da funerária Brookings-Smith, onde Gage jazia num caixão fechado, e entorpecida com um sedativo pelo marido.

A grande ironia é que ela não teria vivido aquele episódio final, aquela *extravagância* de horror, podemos dizer assim, se a briga entre Louis Creed e o sr. Irwin Goldman, de Dearborn, tivesse ocorrido nas horas de velório da manhã (dez às onze e meia) e não nas horas de velório da tarde (duas às três e meia). Rachel não comparecera de manhã: simplesmente não fora capaz de ir. Ficou em casa com Jud Crandall e Steve Masterton. Louis não conseguia imaginar como teriam atravessado as últimas 48 horas sem o apoio de Jud e Steve.

Foi uma sorte para Louis — e uma sorte para todos os três membros restantes da família — que Steve tivesse se apresentado tão prontamente, pois Louis, ao menos por certo tempo, ficara incapaz de tomar qualquer iniciativa, mesmo uma tão insignificante quanto dar à esposa algum remédio para amortecer a dor profunda. Nem ao menos reparou que Rachel tinha pretendido ir ao velório na parte da manhã com o casaco que usava em casa, do qual arrancara alguns botões. Seu cabelo estava despenteado, sujo, embaraçado. Os olhos, buracos inexpressivos e sombrios, pareciam tão afundados nas órbitas quanto os olhos de uma caveira. Todo o corpo estava flácido. A carne pendia do rosto. Naquela manhã, sentou-se à mesa do café mastigando cuidosamente uma torrada sem manteiga e dizendo frases soltas, que não faziam qualquer sentido.

— Sobre aquele Winnebago que você quer comprar, Lou... — dissera em certo ponto.

A última vez que Louis falara em comprar aquele carro fora em 1981.

Louis limitou-se a balançar a cabeça e continuou tomando seu café da manhã. Bebia um copo grande de chocolate. O chocolate fora um dos alimentos favoritos de Gage e naquela manhã Louis quis bebê-lo. Detestava chocolate, mas ainda assim quis bebê-lo. Estava caprichosamente metido no seu melhor paletó (não era preto, não tinha paletó preto, mas, pelo menos, era de um cinza bem escuro). Acabara de fazer a barba, tomar banho e pentear o cabelo. Parecia até elegante, embora estivesse entorpecido pelo choque.

Ellie vestira uma calça jeans azul e uma blusa amarela. Trouxe uma fotografia para a mesa de café. A foto, uma ampliação do instantâneo tirado por Rachel com a câmara SX-70 que ganhara de Louis e das crianças no último aniversário, mostrava Gage sorrindo dos fundos do capuz do casaco da Sears, sentado no trenó de Ellie e puxado pela irmã. Rachel surpreendera Ellie olhando pelo ombro e sorrindo para Gage. Gage devolvia o sorriso.

Ellie trouxe a fotografia, mas não falou muita coisa.

Louis estava incapacitado de perceber o estado emocional da esposa ou da filha. Limitava-se a fazer o desjejum, enquanto a mente respirava o acidente vezes sem conta. Mas no filme de sua mente a conclusão era outra. No filme de sua mente, ele era mais rápido, e tudo o que acontecia era que Gage levava uma surra por não ter parado quando o pai e a mãe gritaram.

Era Steve quem realmente prestava assistência a Rachel e Ellie. Proibiu Rachel de ver o corpo na parte da manhã (embora "ver o corpo" não fosse boa expressão, devido ao caixão fechado; se estivesse aberto, Louis pensou, todos sairiam gritando da sala, inclusive ele) e proibiu terminantemente que Ellie fosse ao velório. Rachel protestou. Ellie continuou sentada, com a expressão grave, silenciosa, seu retrato com Gage numa das mãos.

Foi Steve quem deu a Rachel a injeção de que ela precisava e a Ellie uma colher de chá de um líquido sem cor. Geralmente Ellie choramingava e resmungava quando precisava tomar remédios — qualquer tipo de remédio —, mas dessa vez bebeu silenciosamente e sem caretas. Por volta das dez horas da manhã estava dormindo no quarto (sempre com o retrato na mão), e Rachel, sentada diante da televisão, vendo a "Roda da Fortuna". Suas respostas às perguntas de Steve eram lentas. Permanecia atônita, mas o rosto perdera aquele olhar de loucura que tanto preocupara (e assustara) Steve quando ele chegou às oito e quinze daquela manhã.

Jud, é claro, fizera todos os preparativos. Fizera-os com a mesma calma e eficiência com que tratou do enterro da mulher três meses antes. Mas foi Steve Masterton quem levou Louis para um canto, pouco antes de ele sair para o velório.

— Talvez ela vá até lá hoje à tarde, se eu achar que vai resistir — disse Steve.

— Tudo bem.

— À tarde, o efeito da injeção já terá passado. Seu amigo, o sr. Crandall, diz que vai ficar com Ellie durante o velório...

— Está bem.

— Vai jogar Banco Imobiliário ou alguma coisa com ela...

— Ahn...

— Mas...

— Certo.

Steve parou. Estavam na garagem, a área favorita de Church, o lugar para onde ele trazia os pássaros e ratos mortos. Pelo menos os que Louis encontrava. Lá fora brilhava o sol de maio e um tordo cruzava apressado o caminho da garagem, como se tivesse importantes negócios a tratar. Talvez tivesse.

— Louis — disse Steve. — Você tem de esfriar um pouco a cabeça.

Louis se virou para Steve, interrogando-o gentilmente com o olhar. Não ouvira muita coisa do que Steve dissera — estava pensando que se tivesse sido um pouco mais rápido podia ter salvo a vida do filho —, mas não deixou de perceber a última observação.

— Não sei se reparou — disse Steve —, mas Ellie não está falando. E Rachel teve tamanho choque que sua própria noção de tempo parece ter se deformado.

— É verdade! — disse Louis. Percebeu mais energia em sua resposta, mas não entendeu por que respondera assim.

Steve pousou a mão no ombro de Louis.

— Lou, elas nunca precisaram tanto de você como agora. E talvez jamais voltem a precisar dessa maneira. Por favor, rapaz. Posso dar um remédio à sua mulher, mas... você... olhe, Louis, você tem... Oh, *Meu Deus,* droga, que merda de *porra* foi acontecer!

Louis viu, com uma espécie de alarme, que Steve começava a chorar.

— Pois é!

Em sua mente, viu Gage correndo pelo gramado em direção à estrada. Gritavam para Gage voltar, mas ele não obedecia (ultimamente sua brincadeira preferida era correr do papai e da mamãe). Saíram correndo atrás dele, Louis rapidamente deixando Rachel para trás, mas Gage estava com grande vantagem, Gage estava rindo, Gage estava correndo do papai — era esse o jogo — e Louis ia encurtando a distância, mas muito devagar. Gage corria pelo suave declive do gramado, agora para a beira da Rodovia 15, e Louis pediu a Deus que Gage caísse (quando crianças pequenas correm, quase *sempre* caem, porque o controle de uma pessoa sobre as pernas só se torna realmente eficaz aos 7 ou 8 anos). Louis pediu a Deus que Gage caísse, caísse, sim, caísse e quebrasse o nariz, e precisasse levar alguns pontos na cabeça, qualquer coisa, porque agora podia ouvir o ronco de um caminhão vindo na direção deles, um daqueles grandes caminhões com dez rodas, que não paravam de andar de um lado para o outro entre Bangor e a fábrica da Orinco, em Bucksport. Então ele berrou o nome de Gage. Achou que ele tinha ouvido e tinha tentado parar. Gage parecia ter percebido que era o fim da brincadeira, que os pais não *berram* pela gente quando é só uma brincadeira, e Gage tentou parar, e então o som do caminhão era *muito* alto, o som do caminhão enchia o mundo — era trovejante. Louis se atirou para a frente num grande arremesso, sua sombra manchando o chão como, naquele dia de março, a sombra da pipa-abutre manchara a relva ainda esbranquiçada pela neve do terreno da sra. Vinton. Teve a impressão de que as pontas dos dedos chegaram a roçar nas pontas da jaqueta do filho, mas o movimento de Gage já o levara para dentro da estrada, e o caminhão tinha se transformado num trovão, tinha se transformado na luz do sol que brilhava no para-choques cromado, tinha se transformado no guincho áspero, profundo, de uma buzina, e tudo aquilo era o resumo do sábado, três dias atrás.

— Estou bem — disse. — Tenho de ir agora.

— Se você puder esfriar a cabeça e ajudá-las — disse Steve, limpando os olhos com a manga do casaco —, estará ajudando a si mesmo. Vocês três têm de superar isso juntos, Louis. Não há outro jeito. Todo mundo sabe que não há outro jeito.

— Está bem — Louis concordou e, em sua mente, tudo começou de novo a acontecer, só que dessa vez ele conseguia pular meio metro na frente, agarrar as costas da jaqueta de Gage e o resultado era diferente.

* * *

Quando houve a cena na sala leste, Ellie andava com o pino do Banco Imobiliário pelo tabuleiro, distraída e silenciosa. Jud Crandall estava a seu lado. A menina sacudiu os dados com uma das mãos e apertou na outra a fotografia em que puxava Gage no trenó.

Steve Masterton achou que Rachel tinha condições de enfrentar o velório à tarde. (À luz dos acontecimentos posteriores, foi uma decisão que veio a lamentar profundamente.)

Os Goldman tinham voado para Bangor naquela manhã e estavam hospedados no Holiday Inn. O pai de Rachel ligou quatro vezes por volta do meio-dia e Steve teve de ser muito firme com o velho (quase ameaçador na quarta chamada). Irwin Goldman queria ir até lá e nem todos os cães do inferno o fariam ficar longe da filha naquele momento de necessidade, disse ele. Steve respondeu que naquele momento Rachel precisava descansar um pouco antes de ir ao velório para se refazer o melhor possível do choque inicial. Disse que não conhecia todos os cães do inferno, mas conhecia um médico-assistente, sueco-americano, que não tinha qualquer intenção de permitir a entrada fosse lá de quem fosse na casa dos Creed antes que Rachel aparecesse em público por sua livre e espontânea vontade. Após o velório daquela tarde, disse Steve, seria uma satisfação deixar a rede de apoio dos parentes assumir a direção das coisas. Até então, queria que Rachel ficasse sozinha.

O velho xingou-o em iídiche e bateu o telefone no gancho. Steve ficou na expectativa de que Goldman realmente aparecesse por lá. Mas, ao que tudo indicava, resolvera esperar. Por volta do meio-dia, Rachel parecia um pouco melhor. Pelo menos tinha consciência do período do dia em que estava e foi até a cozinha para ver se havia sanduíches ou alguma coisa para comer.

— Depois, provavelmente as pessoas vêm pra cá, não é? — ela perguntou a Steve.

Steve concordou com a cabeça.

Não encontrou salsichas, nem carne assada, mas havia um peru na geladeira. Rachel o levou para descongelar no escorredor. Pouco depois, Steve deu uma espiada na cozinha e viu-a de pé junto à pia, olhando fixamente o peru no escorredor e chorando.

— Rachel?

Ela se virou para Steve.

— Gage gostava muito de peru. Principalmente do peito. Mas nunca mais ele vai comer outro pedaço...

Steve mandou que ela fosse se vestir. Sem dúvida o teste final de sua capacidade para se controlar. Quando desceu usando um vestido preto, simples, amarrado na cintura, e carregando uma pequena carteira também preta (na realidade uma bolsa para acompanhar um vestido de noite), Steve achou que estava muito bem e Jud concordou.

Steve levou-a até a cidade. Ficou com Surrendra Hardu no saguão da sala leste e contemplou Rachel deslizar pelo corredor como alma penada, na direção do caixão coberto de flores.

— Como estão as coisas, Steve? — Surrendra perguntou em voz baixa.

— Terríveis, uma merda! — Steve também respondeu num tom baixo, mas áspero. — Como você achava que elas deviam estar?

— Achava que deviam estar terríveis, uma merda — disse Surrendra, e suspirou.

O problema realmente começara durante o velório, pela manhã, quando Irwin Goldman recusou-se a apertar a mão do genro.

Sem dúvida, a presença de tantos amigos e parentes forçara Louis a sair um pouco do casulo onde se metera devido ao choque, forçara-o a reparar no que acontecia ao redor, a voltar-se para fora. Atingira aquele estágio maleável de dor que os agentes funerários conhecem bem e sabem manejar e dirigir em proveito próprio. Louis foi levado de um lado para o outro como uma pedra num jogo de gamão.

Do lado de fora da sala leste havia um pequeno saguão onde as pessoas podiam fumar e sentar em poltronas confortáveis. As poltronas pareciam ter vindo diretamente de um leilão tumultuado em algum velho clube de cavalheiros ingleses que tivesse falido. Ao lado da porta que conduzia à sala do velório, havia um pequeno cavalete de metal negro, com moldura dourada. Sobre ele fora afixada uma pequena tabuleta que dizia apenas: GAGE WILLIAM CREED. Do outro lado do espaçoso prédio branco, cheio de portas e corredores como uma boa e velha casa, havia um saguão idêntico na saída da sala oeste, onde a tabuleta do cavalete indicava: ALBERTA BURNHAM NEDEAU. Nos fundos da casa ficava a sala que dava de frente para o rio. O cavalete à esquerda da porta que ligava esta sala com seu respectivo saguão estava vazio; não havia ninguém lá naquela manhã de terça-feira. No andar de baixo, ficava a exposição dos caixões, cada modelo iluminado por um pequeno *spot* preso no teto. Se o comprador olhasse para o teto (Louis olhou e o agente funerário franziu severamente a testa), as sombras dos *spots* sugeririam a presença de estranhos animais empoleirados pelo salão.

Jud fora lá com ele no domingo, um dia depois da morte de Gage, para escolher o caixão. Entraram pelo andar de baixo e, em vez de dobrar imediatamente à direita para o *showroom,* Louis, meio atordoado, continuou seguindo o corredor em direção a uma porta branca de vaivém, como aquelas portas que comunicam o salão com a cozinha em certos restaurantes. Jud e o agente funerário falaram rapidamente e ao mesmo tempo: "Não é por aí!", e Louis desviou obedientemente. Sabia o que havia atrás daquela porta. Afinal, seu tio fora agente funerário.

A sala leste estava mobiliada com fileiras bem-arrumadas de cadeiras dobráveis (aquelas caras, com assento e encosto forrados com um tipo de pelúcia). Logo na frente, numa área que parecia um misto de nave de igreja com varanda, ficava o caixão de Gage. Louis escolhera o modelo em jacarandá da American Casket Company. "Repouso Eterno", era assim que o chamavam. Estava forrado com seda cor-de-rosa, tipo pelúcia. O agente funerário concordou que, sem dúvida, era um bonito caixão, e desculpou-se por não ter nenhum com forro azul. Louis respondeu que ele e Rachel nunca fizeram tais distinções. O agente concordou e perguntou se ele já havia pensado como iria custear as despesas do funeral. Caso contrário, poderia acompanhá-lo até o escritório e passar rapidamente em revista três de seus planos de financiamento mais populares...

Na mente de Louis, um locutor apregoou brusca e animadamente: *Compre agora e pague depois o caixão do seu garoto!*

Sentindo-se como participante de um sonho, ele respondeu:

— Vou pagar tudo com meu MasterCard.

— Ótimo — disse o agente.

O caixão não tinha mais que 1,20 metro de comprimento, um minicaixão. Não obstante custou a Louis mais de seiscentos dólares.

Louis supunha que estivesse apoiado num cavalete, mas as flores tornavam difícil qualquer verificação e ele não queria chegar perto demais. O cheiro de todas aquelas rosas teriam lhe causado náuseas.

No fundo do corredor, junto da porta que levava ao saguão-sala de estar, havia um livro sobre um suporte. Preso ao suporte, havia uma caneta esferográfica. Foi ali que o agente funerário o colocou, para que ele pudesse "receber os pêsames de parentes e amigos".

Supostamente, os parentes e amigos deviam assinar o livro com seus nomes e endereços. Louis nunca fizera a menor ideia da finalidade daquele costume fantástico, e não seria agora que ia perguntar. Acreditava que, quando o funeral acabasse, o livro ficaria com ele e Rachel. Parecia a mais maluca de todas as coisas. Guardava em algum lugar o álbum da escola primária, o álbum do ginásio e o álbum da faculdade de medicina. Havia também o álbum de casamento, com O DIA DO MEU CASAMENTO estampado na capa, letras imitando ouro numa capa de couro falso. O álbum começava com uma foto de Rachel na frente do espelho, experimentando o véu de noiva na manhã da cerimônia, ajudada pela mãe; acabava com a foto de dois pares de sapatos do lado de fora de uma porta trancada de hotel. Também havia o "livro do bebê" de Ellie (estavam cansados de colocar, talvez um pouco exageradamente, novas fotografias nele). Este álbum, com espaços para meu primeiro corte de cabelo (onde se acrescentava um cacho de cabelo do bebê) e upa! (onde se colocava uma foto do bebê caindo de bunda no chão), era simplesmente engraçadinho demais.

Agora, para guardar junto com os outros, havia um novo álbum. *Como podemos chamá-lo?*, Louis se perguntou, parado e entorpecido ao lado do suporte com o livro, esperando a recepção começar. MEU LIVRO DA MORTE? AUTÓGRAFOS DO MEU FUNERAL? O DIA EM QUE ENTERRAMOS GAGE? Ou quem sabe alguma coisa mais digna, tipo UMA MORTE NA FAMÍLIA?

Virou a capa do livro, que, como aquela de O DIA DO MEU CASAMENTO, era uma imitação de couro.

Não havia nada escrito.

Como era quase de se esperar, a sra. Dandridge foi a primeira a chegar, a bondosa jovem que tomara conta de Ellie e Gage em dezenas de ocasiões. Louis recordou que fora ela quem ficara com as crianças na noite do dia em que Victor Pascow morreu. A sra. Dandridge viera pegar os meninos e Rachel tinha feito amor com ele, primeiro na banheira, depois na cama.

Ela estava chorando, chorando muito e ao ver a fisionomia calma, serena de Louis, explodiu em novas lágrimas e se aproximou dele (foi como se tateasse em sua direção). Louis abraçou-a, percebendo que era assim que as coisas funcionavam, ou pelo menos era assim que deviam funcionar: uma espécie de peso humano que oscilava de um lado para o outro, afrouxando o impacto da perda, dando-lhe uma válvula de escape dissolvendo a rocha do choque com o calor do pesar.

Sinto muito, a sra. Dandridge estava dizendo, sacudindo o escurecido cabelo do rosto pálido. Um menino tão meigo. Eu gostava tanto dele, Louis, estou sentindo tanto, é uma estrada terrível, espero que ponham o motorista do caminhão na cadeia pra sempre, estava indo em alta velocidade, ele era tão meigo, tão doce, tão esperto, por que Deus quis levar Gage, eu não sei, nós não podemos compreender, não é, mas estou sentindo tanto, tanto, tanto...

Louis confortou-a; abraçou-a e confortou-a. Sentiu suas lágrimas no colarinho, a pressão dos seios contra ele. Ela queria saber onde estava Rachel, e Louis disse que sua esposa estava descansando. A sra. Dandridge prometeu ir vê-la, e disse que ficaria com Ellie a qualquer hora que precisassem e pelo tempo que precisassem. Louis agradeceu.

Ela se afastou, ainda fungando, os olhos mais vermelhos que nunca sobre o lenço preto. Já se aproximava do caixão quando Louis a chamou de volta. O agente funerário, cujo nome Louis não conseguia lembrar, pedira-lhe que fizesse as pessoas assinarem o livro. Que o diabo o levasse se não as mandasse fazer isso.

Convidado misterioso, assine aqui por favor, ele pensou e por pouco não explodiu em cacarejos de riso barulhento, histérico.

Foram os olhos inconsoláveis, pungentes, da sra. Dandridge que afastaram as gargalhadas.

— Senhora, se importaria em assinar o livro? — pediu, e como parecesse necessário dizer mais alguma coisa, acrescentou: — É para Rachel.

— É claro — disse ela. — Pobre Louis e pobre Rachel.

E subitamente Louis percebeu o que ela ia dizer em seguida, e, por alguma razão, teve medo; contudo lá vinha a coisa, inevitável, como a bala do revólver de grosso calibre de algum matador. Percebeu que seria repetidamente atingido por aquela bala nos próximos e intermináveis noventa minutos, e de novo na parte da tarde, enquanto as feridas da manhã ainda estivessem gotejando sangue.

— Graças a Deus, ele não sofreu, Louis. Pelo menos foi rápido.

Sim, foi rápido, não se preocupe, pensou em dizer — ah, como aquilo desarmaria completamente o rosto da sra. Dandridge e como ele sentiu uma urgência doentia em dizê-lo, simplesmente borrifar-lhe as palavras na cara. *Foi rápido, disso não há dúvida. E é por isso que o caixão está fechado, nada podia ter sido feito com Gage, mesmo se eu e Rachel achássemos que os mortos da família devem ser vestidos com o máximo de apuro, como manequins de grandes lojas de departamento, e ainda por cima pintados com* blush, *pó de arroz e batom. Foi rápido, minha querida senhorita. Num instante ele estava entrando na estrada e no instante seguinte estava caído no chão, mas lá na frente da casa do Ringers. A coisa bateu nele, matou-o, depois o arrastou, e é melhor você imaginar que foi rápido. Uns 100 metros ou um pouco mais, incluindo tudo, a extensão de um campo de futebol americano. Eu corri atrás dele, senhorita, saí gritando sem parar o nome dele. Como se eu, um médico, ainda esperasse que estivesse vivo. Corri 10 metros e lá estava o boné de beisebol, corri mais 20 e lá estava um dos tênis de Star Wars; corri mais 40 e o caminhão já tinha saído da estrada, a cabine se dobrando ao meio naquele terreno em frente ao celeiro do Ringers. As pessoas estavam saindo das casas e eu continuei gritando o nome dele, sra. Dandridge, e na marca dos 50 metros lá estava a jaqueta virada pelo avesso, e na marca dos 70 lá estava o outro tênis, e depois, lá estava Gage.*

Subitamente, tudo ficou embaçado. Tudo desapareceu de vista. Podia sentir vagamente a ponta do suporte do livro perfurando a palma de sua mão, mas não passou disso.

— Louis? — era a voz da sra. Dandridge. Distante. Um misterioso som de pombos ecoando nos ouvidos dele.

— Louis?

Mais perto agora. Alarmada.

O mundo voltou a entrar em foco.

— Você está bem?

Ele sorriu.

— Ótimo — disse. — Estou ótimo.

A sra. Dandridge assinou por ela e pelo marido — sr. e sra. David Dandridge — em letras de forma arredondadas. Acrescentou também o endereço: Estrada de Old Buscksport, 67, Rural Box. Depois ergueu os olhos para Louis e abaixou-os depressa, como se ter aquele endereço na própria estrada onde Gage morrera constituísse um crime.

— Fique em paz, Louis — ela sussurrou.

David Dandridge apertou a mão de Louis e murmurou alguma coisa inarticulada, o saliente pomo de adão, pontudo como uma flecha, movendo-se para cima e para baixo. Depois, correu atrás da esposa pelo corredor, para a contemplação ritual de um caixão construído em Storyville, Ohio, um lugar onde Gage nunca fora e onde não o conheciam.

Atrás dos Dandridge vieram todos, numa fila que arrastava os pés. Louis recebeu-os, os apertos de mão, os abraços, as lágrimas. O colarinho e o ombro do paletó cinza-escuro logo ficaram bastante úmidos. O perfume das flores começou a atingir até mesmo os fundos da sala e a permear o local com cheiro de enterro. Era um cheiro de que se lembrava dos tempos de infância, aquele doce, espesso, fúnebre aroma de flores. Pelos cálculos de Louis, informaram-no 32 vezes de que "Felizmente Gage não sofreu", 25 de que "Ninguém conhece os caminhos de Deus" e, por último, num total de 12 vezes, que "Agora ele está com os anjos".

A coisa começou a afetá-lo. Em vez daqueles pequenos aforismos irem perdendo qualquer sentido que pudessem ter (assim como nosso próprio nome perde seu sentido e identidade se for repetido indefinidamente), pareciam perfurar cada vez mais fundo, ameaçando atingir seus pontos vitais. Quando a sogra e o sogro fizeram sua inevitável aparição, já se sentia como um lutador agarrado numa chave de braço.

A primeira coisa que lhe veio à mente foi que Rachel tinha razão... e como tinha razão! De fato, Irwin Goldman estava bem mais velho. Teria... quantos anos? Cinquenta e oito, 59? Naquela manhã parecia um calmo e circunspecto septuagenário... absurdamente parecido com o primeiro-ministro de Israel, Menachem Begin, a cabeça calva, os óculos que lembravam o fundo de garrafas de Coca-Cola. Ao voltar da viagem na semana do Dia de Ação de Graças, Rachel dissera que Irwin Goldman envelhecera, mas Louis não esperava tanto. Sem dúvida, não estaria tão mal no Dia de Ação de Graças. Afinal, ainda não havia perdido um dos netos.

Dory caminhava a seu lado, o rosto praticamente invisível sob duas — talvez três — camadas de um pesado véu negro. O cabelo estava elegantemente pintado de azul, cor preferida pelas senhoras idosas que julgam pertencer às classes superiores norte-americanas. Vinha agarrada ao braço do marido. Tudo que Louis conseguiu ver atrás do véu foi o brilho das lágrimas.

E de repente ele achou que era hora de admitir que águas passadas não movem moinho. Não podia mais conservar o velho rancor. Tornara-se pesado demais. Ou, talvez, fosse apenas o peso acumulado de tantas bobagens.

— Irwin, Dory — ele murmurou. — Obrigado por terem vindo.

Fez um gesto com os braços, como se quisesse ao mesmo tempo apertar a mão do pai de Rachel e abraçar-lhe a mãe, ou, quem sabe, abraçar os dois. De um modo ou de outro, o fato é que sentiu suas próprias lágrimas caírem pela primeira vez e, por um instante, teve a ideia maluca de que todas as brigas poderiam ser apagadas, de que ao menos a morte de Gage serviria para fazerem as pazes. Era como se tivesse pisado em algum romance para senhoras, onde o legado da morte é a reconciliação, onde a morte é capaz de engendrar alguma coisa mais construtiva que aquela dor interminável, estúpida, sufocante, crescente.

Dory se inclinou, fez um gesto, como se quisesse abrir os braços.

Disse algo como: "Oh, Louis... " e mais alguma coisa que não deu para entender. E então Goldman puxou a mulher. Por um momento, criou-se um embaraço entre os três que passou despercebido de todos os outros (excluindo, talvez, o agente funerário, que discretamente de pé no canto mais afastado da sala pode ter notado — Louis achou que o tio Carl perceberia). Ele permaneceu com os braços parcialmente estendidos, mas Irwin e Dory Goldman continuaram tão duros, tão rígidos quanto um casal num bolo de casamento.

Louis viu que não havia lágrimas nos olhos do sogro: eles brilhavam de raiva. (*Será que está pensando que eu matei Gage para contrariá-lo?*) Os olhos pareciam avaliá-lo, julgá-lo o mesmo homem insignificante e imprestável, o homem que raptara Rachel para causar-lhe toda aquela dor... Depois os olhos desviaram, moveram-se para a esquerda, para o caixão de Gage, e então se suavizaram.

Louis ainda fez um último esforço.

— Irwin — disse. — Dory, por favor. Temos de enfrentar isso unidos.

— Louis — Dory disse outra vez... *gentilmente*, Louis pensou. Mas logo estavam se afastando, Irwin Goldman puxando a mulher e não olhando mais para lado nenhum, muito menos para Louis Creed. Aproximaram-se do caixão e Goldman tirou um pequeno barrete preto do bolso do paletó.

Vocês não assinaram o livro, Louis pensou. Então subiu-lhe pelo tubo digestivo um arroto silencioso, mas tão desagradavelmente ácido que seu rosto se contorceu num esgar.

O velório da parte da manhã finalmente acabou. Louis telefonou para casa. Jud atendeu e perguntou como iam as coisas. Tudo bem, disse Louis. Depois pediu que Jud chamasse Steve.

— Se ela conseguir se vestir sozinha, vou deixá-la ir à tarde — disse Steve. — Por você, tudo bem?

— Sim — disse Louis.

— Como é que você está, Lou? Sinceramente, como é que você está?

— Estou bem — Louis respondeu lacônico. — Aguentando o tranco.

Fiz todos assinarem o livro. Todos exceto Dory e Irwin. Esses dois não quiseram.

— Tudo bem — disse Steve. — Olhe, vamos nos encontrar para o almoço, está bem?

Almoço! Encontrar para o almoço! Parecia uma ideia tão fantástica que Louis se lembrou dos livros de ficção científica que lera na adolescência: histórias de Robert A. Heinlein, Murray Leinster, Gordon R. Dickson. *Os nativos aqui no planeta Quark têm um costume estranho quando um de seus filhos morre, Tenente Abelson: eles se "encontram para o almoço". Sei que parece grotesco e bárbaro, mas lembre-se, este planeta ainda não foi colonizado pela Terra.*

— Certo — disse Louis. — Que tal um bom restaurante para passar o tempo entre as visitas do funeral, Steve?

— Vamos devagar, Lou — disse Steve, mas pelo tom não parecia muito aborrecido. No seu estado absurdo de calma, Louis nunca se sentira tão capaz de analisar as pessoas. Talvez fosse apenas uma ilusão, mas, naquele momento mesmo, desconfiou que Steve estaria pensando que um jorro súbito de sarcasmo, esguichado com um punhado de bílis, era preferível ao anterior estado de desligamento da realidade.

— Não se preocupe — disse a Steve. — Que tal o Benjamin's?

— Certo — disse Steve. — O Benjamin's está ótimo.

Louis telefonara do gabinete do agente funerário. Na saída, ao passar pela sala leste, viu que estava quase vazia, mas Irwin e Dory Goldman continuavam sentados na primeira fila, as cabeças curvadas. Louis achou que iam ficar ali para sempre.

O Benjamin's foi a escolha certa. Bangor era uma cidade onde se almoçava cedo e por volta de uma da tarde o restaurante já estava quase deserto. Jud fora junto com Steve e Rachel e todos comeram frango frito. Durante o almoço, Rachel foi até o banheiro e demorou tanto tempo que deixou Steve nervoso. Ele estava à beira de pedir à garçonete que fosse verificar, quando Rachel voltou, os olhos vermelhos.

Louis comeu um pouco do frango e tomou bastante cerveja Schlitz. Jud acompanhou-o copo a copo, falando pouco.

Os pratos voltaram quase intactos, e com seu discernimento além do comum, Louis percebeu que a garçonete, uma moça gorda de rosto bonito, debatia-se intimamente sem saber se devia ou não perguntar se haviam gostado da comida, dar outra olhada nos olhos vermelhos de Rachel e concluir que a pergunta seria inoportuna. Durante o café, de forma brusca e bastante desagradável, Rachel disse uma coisa que chocou a todos (particularmente a Louis, que começava a ficar sonolento com a cerveja).

— Vou dar as roupas dele para o Exército da Salvação.

— Vai? — Steve perguntou um momento depois.

— Vou — disse Rachel. — De qualquer modo, já estão bem usadas. Todos os casacos... as calças de veludo... as camisas. Alguém ficará contente em recebê-las. Ainda podem ser muito úteis. Exceto, é claro, as roupas que ele estava vestindo. Essas estão... destroçadas.

A última palavra causou um choque terrível. Rachel ainda tentou beber o café, mas foi inútil. Logo estava soluçando com o rosto nas mãos.

Foi um momento estranho. Havia linhas de tensão se cruzando sobre a mesa, mas, de repente, todas pareceram convergir para Louis. Ele percebeu a coisa com aquele mesmo discernimento sobrenatural que experimentava desde a manhã. De todas as suas percepções, aliás, aquela foi a mais nítida, a mais certa. Mesmo a garçonete sentia as linhas convergentes no ar. Louis observou-a ficar imóvel por um instante diante de uma mesa ao fundo, onde arrumava guardanapos e talheres. De início, ficou um tanto confuso, mas depois entendeu: esperavam que ele consolasse a mulher.

Não podia fazer isso. Queria fazer. Sabia que era o seu dever. Mesmo assim, não podia. Foi o gato que atravessou em seu caminho. Súbita e inexplicavelmente. O gato. A porra do gato. Church com todos os camundongos estraçalhados, com os pássaros que pôs pra sempre fora de forma. Quando os encontrava, Louis limpava prontamente a sujeira, sem queixa nem comentário, sem absolutamente qualquer protesto. Tinha, afinal, arranjado a sarna para se coçar. Mas será que também era responsável pelo que acontecera a Gage?

Olhou para os dedos. Observou os próprios dedos. Viu-os rasparem de leve nas costas da jaqueta de Gage. Então a jaqueta do menino escapou. Gage escapou.

Olhou para a xícara de café e deixou a esposa chorando ao lado dele. Não procurou consolá-la.

Após um momento (provavelmente um momento bem curto em termos do tempo dos relógios, mas que não deixou de parecer longo a todos eles), Steve pôs o braço em volta de Rachel e apertou-a carinhosamente. Seus olhos se voltaram para os de Louis — um ar de irritação. Louis desviou o olhar para Jud, mas Jud olhava para baixo, como se estivesse envergonhado. Não havia ajuda ali.

37

— Sabia que ia acontecer alguma coisa desse tipo — disse Irwin Goldman.

Foi assim que a confusão começou.

— Já sabia disso quando ela se casou com você. "Vai comer o pão que o diabo amassou e muito mais", eu disse. E agora olhe isso... este *caos.*

Louis olhou lentamente para o sogro, que aparecera diante dele como se tivesse saído de uma caixa de surpresas, um maligno boneco usando barrete. Depois, instintivamente, olhou para onde Rachel devia estar, perto do livro sobre o suporte (o turno da tarde era dela, que não comparecera de manhã), mas Rachel se fora.

Na parte da tarde, o velório estava mais vazio. Após mais ou menos meia hora, Louis foi para a primeira fila de cadeiras e ficou ali sentado, perto do corredor, consciente de muito pouca coisa (marginalmente consciente do mau cheiro das flores saturando o ambiente), exceto do fato de estar muito cansado e sonolento. Fora apenas em parte por causa da cerveja, ele achava. Sua mente finalmente parecia pronta para se desligar por algum tempo. Sem dúvida, isso não era mau. Depois de 12 ou 16 horas de sono, talvez conseguisse consolar um pouco Rachel.

Pouco depois sua cabeça afundou e ficou contemplando as mãos, frouxamente unidas entre os joelhos. Atrás dele, o rumor de vozes ia diminuindo. Quando retornou do almoço, ficou aliviado ao ver que Irwin e Dory não estavam lá, mas devia ter percebido que aquela ausência era algo bom demais para durar muito tempo.

— Onde está Rachel? — Louis perguntou.

— Com a mãe. De onde nunca devia ter saído — Goldman respondeu. Tinha o estudado ar de triunfo de um homem que tivesse acabado de fechar um bom negócio. O hálito tinha cheiro de uísque. Bastante uísque. Estava na frente de Louis como um ridículo advogado de província diante de um homem no banco dos réus, um homem indubitavelmente culpado. O corpo não parecia muito firme.

— O que você disse a ela? — Louis perguntou, sentindo agora um início de pânico. Sabia que Goldman tinha dito alguma coisa. Estava estampado no rosto.

— Nada além da verdade. Eu disse: "Foi isto o que você arranjou, casando-se contra a vontade de seus pais." Eu disse...

— Disse isso mesmo? — Louis perguntou com ar incrédulo. — Não teve coragem de dizer isso, não é?

— Disse isso e ainda mais — Goldman respondeu. — Sempre tive certeza de que as coisas acabariam assim, assim ou de forma parecida. Percebi o tipo de homem que você era desde a primeira vez que o vi.

Goldman se inclinou para a frente, exalando um bafo de *scotch*.

— Você nunca me enganou, seu medicozinho metido a besta. Induziu minha filha a um casamento estúpido, irresponsável, a transformou numa lavadora de pratos, depois deixou o filho dela ser atropelado na estrada como um... um animal.

A maioria dessas palavras não chegou a penetrar na cabeça de Louis. Ele ainda se agarrava à ideia de que aquele homenzinho imbecil pudesse ter...

— Você *disse* isso? — ele repetiu. — Disse *mesmo* isso?

— Espero que apodreça no inferno! — bradou Goldman e algumas cabeças se viraram acintosamente. Lágrimas começavam a escorrer dos olhos castanhos e vermelhos de Irwin Goldman. A cabeça calva brilhava sob a luz mortiça das lâmpadas fluorescentes. — Você transformou minha filha adorada numa ajudante de cozinheira. Destruiu o futuro dela... levou-a embora... deixou meu neto morrer numa estrada de província, uma morte suja!

A voz elevou-se num berreiro provocador.

— Onde você estava? Sentado de bunda no chão enquanto ele brincava na estrada? Pensando em seus estúpidos artigos médicos? O que você estava fazendo, seu merda? Seu merdinha! Assassino de crianças! Assa...

E ali estavam os dois. Ali estavam os dois, na frente da sala leste. Ali estavam, e Louis viu seu braço avançar. Viu a manga do paletó revelar o punho da camisa branca. Viu o brilho suave de uma abotoadura. Rachel dera-lhe as abotoaduras no terceiro aniversário de casamento, jamais podendo adivinhar que um dia o marido iria usá-las para ir ao funeral do filho deles, um filho que na época ainda nem tinha nascido. O punho estava ali na ponta do braço. E entrou em contato com a boca de Goldman.

Sentiu os lábios do velho achatarem, se contorcerem. Sem dúvida foi uma sensação nauseante, esmagar uma lesma seria parecido. Não teve qualquer satisfação fazendo aquilo. Sob a carne dos lábios do sogro, pôde sentir a severa e firme regularidade da dentadura.

Goldman oscilou para trás. Seu braço bateu de lado no caixão de Gage. Um dos vasos repletos de flores caiu com ruído. Alguém gritou.

Era Rachel, debatendo-se nos braços da mãe que tentava puxá-la para trás. Todos que lá estavam — um total de dez ou 15 pessoas — pareceram petrificados entre o susto e o constrangimento. Steve levara Jud de volta a Ludlow e Louis estava contente por ele ter feito isso. Não gostaria que Jud testemunhasse aquela cena. Era uma coisa indecente.

— Não o machuque! — Rachel gritou. — Louis, não machuque o meu pai!

Irwin Goldman, do talão de cheques ilimitado, gritou num tom estridente:

— Gosta de bater em velhos, não é?

Sorria com a boca cheia de sangue.

— Gosta de bater em velhos, não é? Eu já esperava por isso, seu sacana nojento. Eu já esperava por isso.

Louis se virou e Goldman atingiu-o no pescoço. Foi um golpe com o lado da mão, desajeitado mas forte. Pegou Louis de surpresa. Uma dor paralisante, que lhe tornaria difícil engolir qualquer coisa nas próximas duas horas, explodiu em sua garganta. A cabeça rodopiou para trás e ele caiu no corredor apoiado num dos joelhos.

Primeiro as flores, agora eu, pensou. *O que é mesmo que diz aquela música dos Ramones? Hey, ho, let's go!*

Achou que estava com vontade de rir, mas não havia riso dentro dele. Da garganta ferida só saiu um pequeno gemido.

Rachel gritou outra vez.

Irwin Goldman, a boca gotejando sangue, avançou para o genro ajoelhado e chutou-o violentamente nos rins. A dor foi como um jato de angústia. Louis apoiou-se no tapete para não cair de barriga no chão.

— Você não presta nem pra bater em velhos, rapaz! — Goldman gritou com um entusiasmo frenético. Chutou novamente Louis, desta vez não acertando nos rins, atingindo o alto da nádega esquerda com o sapato preto. Louis gemeu de dor e se estatelou no tapete. O queixo bateu no chão com um baque audível. Mordeu a língua.

— Aí está! — Goldman gritou. — Aí está o chute no traseiro que eu devia ter dado na primeira vez em que rondou minha casa, seu filho da puta. Aí está!

Chutou-o outra vez, agora na outra nádega. Goldman ria e chorava ao mesmo tempo. Louis reparou que o velho estava com a barba por fazer — um sinal de luto.

O agente funerário correu na direção deles. Rachel se soltara dos braços da sra. Goldman e também correu, gritando.

Louis se virou com dificuldade e sentou-se no chão. Então o sogro chutou-o mais uma vez, mas Louis pegou-lhe o pé com as duas mãos, apertou-o com força, como uma bola bem defendida, e puxou o mais forte que pôde.

Goldman foi arremessado para trás, berrando, rodopiando com os braços abertos para tentar manter o equilíbrio. Caiu sobre a urna "Repouso Eterno", de Gage, que fora fabricada na cidade de Storyville, em Ohio, e não custara nada barato.

Oz, o Gande e Teível, acabou de cair em cima do caixão do meu filho, Louis pensou atordoado. O caixão caiu do cavalete com um enorme estrondo. A ponta esquerda caiu primeiro, depois a direita. O trinco estalou. Apesar dos gritos e choros, apesar dos berros de Goldman (que afinal estava apenas brincando de gato e rato), Louis ouviu o trinco estalar.

O caixão não chegou a abrir, espalhando no chão, para horror de todos, os restos feridos e lúgubres de Gage. Mas Louis teve a mórbida certeza de que só foram poupados do espetáculo pelo modo como caiu (pelo fato de não ter sido de lado). Podia muito bem ter caído de outro jeito. Mesmo assim, na fração de segundos antes de a tampa encaixar de novo no trinco quebrado, ele viu alguma coisa cinzenta — a roupa que tinham trazido para envolver o corpo de Gage. E uma ponta rosada. Talvez a mão do menino.

Sentado ali no chão, Louis tapou o rosto e começou a chorar. Perdera todo interesse no sogro, no que acontecia à sua volta, nas suturas permanentes *versus* suturas que se dissolviam, no ser supremo do universo. Nesse momento, Louis Creed quis estar morto. E de repente, estranhamente, uma imagem o dominou: Gage usando orelhas de Mickey Mouse, Gage rindo e apertando as mãos de um enorme Pateta na via principal da Disney World. Viu a cena com muita nitidez.

Um dos pés do cavalete também caíra; o outro ficara inclinado contra o tablado baixo, e um pastor poderia subir ali e fazer um discurso. Goldman estava esparramado no meio das flores, também chorando. Pingava água dos vasos derramados. As flores, algumas amassadas e quebradas, exalavam mais forte que nunca um perfume atroz.

Rachel gritava sem parar.

Louis não podia atendê-la. A imagem de Gage usando orelhas de Mickey Mouse ia se desbotando, mas agora ele ouvia uma voz anunciando que haveria fogos de artifício no encerramento daquela noite. Tapou o rosto com as mãos, não querendo que ninguém mais o visse, que visse sua face manchada de lágrimas, que visse sua ruína, sua culpa, sua dor, sua vergonha e, principalmente, que lhe pressentisse o desejo covarde de estar morto, longe de todo aquele infortúnio.

O agente funerário e Dory Goldman tiraram Rachel dali. Rachel ainda estava gritando. Mais tarde, em outra sala (uma sala que Louis presumiu que fosse reservada especialmente para aqueles que não suportavam a dor: a Sala dos Histéricos, talvez), ficou imersa em silêncio. O próprio Louis, entorpecido, mas já controlado e sabendo o que estava fazendo, deu-lhe uma injeção calmante — depois de insistir para que o deixassem sozinho com a mulher.

Quando chegaram em casa, levou-a para a cama e deu-lhe outra injeção. Depois, puxou-lhe o cobertor até o queixo e contemplou o rosto muito pálido, branco como cera.

— Rachel, sinto muito — disse. — Daria qualquer coisa para isso não ter acontecido.

— Tudo bem — ela respondeu com voz estranha, apática; em seguida virou de lado, afastando-se dele.

Louis ouviu a maçante indagação: *Tudo bem com você?*, subindo para seus lábios, mas a fez recuar. Não era uma pergunta sincera, não era o que realmente queria saber.

— Você está muito mal? — perguntou por fim.

— Bastante mal, Louis — respondeu a mulher, emitindo depois um som que podia sugerir um riso. — Estou péssima, sem dúvida.

Ainda faltava alguma coisa, mas Louis não seria capaz de fornecê-la. De repente, sentiu um certo ressentimento da mulher, de Steve Masterton, da sra. Dandridge com o marido que tinha um pomo de adão em forma de flecha, de toda a maldita turma. Por que teria de ser ele o eterno consolador? Que porra era aquela?

Apagou a luz e saiu do quarto. Achou que também não conseguiria fazer grande coisa pela filha.

Por um instante absurdo, contemplando Ellie na obscuridade do quarto, pensou estar diante de Gage; chegou a acreditar que tudo não passara de um pesadelo tenebroso, como o sonho de Pascow levando-o pelos bosques. Por um instante, sua mente cansada agarrou-se à ideia. As sombras ajudavam — havia apenas a luz oscilante da televisão portátil que Jud levara para o quarto de Ellie... para ajudá-la a passar as horas. As longas, longas horas.

Mas não era Gage, é claro, era Ellie, que agora não apenas segurava o retrato em que puxava Gage no trenó, como também estava sentada na cadeira do irmão. Trouxera a cadeira do quarto dele. Era uma pequena "cadeira de diretor", com o assento e as costas de lona. Atrás estava escrito: *Gage.* Rachel encomendara pelo correio quatro cadeiras daquelas. Cada membro da família tinha a sua, com o respectivo nome atrás.

Ellie já era muito grande para a cadeira de Gage. Parecia muito apertada e o fundo de lona curvava-se perigosamente. Segurava a fotografia contra o peito e olhava a tevê, onde passava um filme.

— Ellie — disse o pai, desligando repentinamente a televisão —, hora de dormir!

Ela conseguiu se soltar da cadeira e dobrou-a. Talvez pretendesse levá-la para a cama.

Louis vacilou, querendo falar alguma coisa sobre a cadeira, mas resolveu ceder.

— Quer que eu ajeite o cobertor?

— Quero, por favor — disse ela.

— Você... quer dormir com a mamãe esta noite?

— Não, obrigada.

— Tem certeza?

A menina sorriu ligeiramente.

— Tenho. Ela puxa o cobertor.

Louis devolveu o sorriso.

— Vamos lá, então.

Em vez de tentar pôr a cadeira na cama, Ellie tornou a abri-la junto da cabeceira, e uma imagem absurda veio à mente de Louis: lá estava o consultório do menor psiquiatra do mundo.

Enquanto mudava de roupa, Ellie pôs seu retrato com Gage em cima do travesseiro. Vestiu a camisola, pegou de novo o retrato, foi para o banheiro, pousou o retrato para lavar o rosto, escovar os dentes, fazer xixi e tomar o tablete de flúor. Apanhou de novo o retrato e foi se deitar com ele.

Louis se sentou ao lado da filha.

— Ellie, quero que saiba que se continuarmos nos amando, vamos conseguir ultrapassar tudo isso.

Cada palavra era como mover um vagão repleto de fardos molhados; o esforço fazia Louis se sentir exausto.

— Vou desejar com todo o coração — Ellie disse calmamente — e pedir a Deus para Gage voltar.

— Ellie...

— Deus pode trazer ele de volta se quiser. Pode fazer qualquer coisa que quiser.

— Ellie, Deus não faz coisas desse tipo — disse Louis um tanto angustiado, sua mente revendo Church agachado na tampa do vaso sanitário, fitando-o com aqueles olhos turvos quando ele estava na banheira.

— Faz sim — disse a menina. — Na aula de catecismo, o professor contou a história de Lázaro. Ele estava morto e Jesus trouxe ele de volta. Disse: "Lázaro, levanta-te!" O professor explicou que, se ele só tivesse dito "Levanta-te!" provavelmente todo mundo que estava enterrado no cemitério teria se levantado e Deus só queria Lázaro.

Um comentário absurdo surgiu na boca de Louis (se bem que o dia tenha sido repleto de coisas absurdas):

— Isso foi há muito tempo, Ellie.

— Vou deixar as coisas preparadas — disse ela. — Tenho o retrato e vou sentar na cadeira dele...

— Ellie, você está grande demais para a cadeira de Gage — disse Louis, pegando-lhe a mão quente, febril. — Vai quebrá-la.

— Deus não vai deixar que ela quebre.

O tom de Ellie era sereno, mas Louis observou-lhe as olheiras fundas. Vê-la assim partia-lhe o coração, e ele logo desviou o olhar. Talvez quando a cadeira do irmão quebrasse, Ellie começasse a entender um pouco melhor o que havia acontecido.

— Vou andar com o retrato e sentar na cadeira dele. E vou tomar o café da manhã por ele.

Ellie e Gage tinham, cada um, seu café da manhã especial. Ellie dissera uma vez que Gage devorava seu mingau de aveia como um bicho-papão; às vezes reclamava: se o único mingau daquela casa fosse mingau de aveia, preferia comer um ovo cozido... ou até mesmo nada.

— Vou comer aveia mesmo que eu deteste, vou ler todos os livros com figuras do Gage e vou... vou... você sabe... deixar as coisas prontas... para o caso...

Agora ela estava chorando. Louis não procurou consolá-la, limitou-se a afastar o cabelo que caía em sua testa. O que ela falava fazia um certo sentido, mesmo que possuísse uma lógica um tanto maluca. Conservar os circuitos abertos. Conservar as coisas em ordem. Conservar Gage no presente, cem por cento presente. Recusar-se a deixar que ele se afastasse. Lembrar quando Gage fez isso ou aquilo... sim, aquela foi boa... o velho Gage era um garoto incrível! Aos poucos, a coisa iria deixando de parecer tão nítida, iria deixando de causar tanta ansiedade. Talvez ela achasse, Louis pensou, que seria fácil demais admitir desde o primeiro momento que Gage estava morto.

— Ellie, não chore mais — disse ele. — Isso vai passar.

O choro *não* passava. Chorou por 15 minutos. Na realidade, dormiu antes de as lágrimas cessarem. Mas, afinal, dormiu. No andar de baixo, o relógio bateu dez horas no silêncio da casa.

Se é isto que você quer, Ellie, conserve-o vivo, Louis pensou e beijou-a. *Os psicanalistas provavelmente iriam achar que não é nada saudável, mas por mim tudo bem. Porque sei que um dia (talvez esta sexta-feira mesmo) você vai se esquecer do retrato; vou encontrá-lo sobre sua cama, neste quarto vazio, enquanto você anda de bicicleta no jardim, passeia no terreno atrás da casa ou brinca na casa de Kathy McGown, fazendo roupas de bonecas na maquininha de costura dela. Gage não estará mais com você, não ocupará mais todo o espaço que existe em sua cabecinha de menina. Terá começado a se tornar "uma coisa que aconteceu em 1984". Um sopro do passado.*

Louis saiu do quarto e parou um instante no patamar da escada, pensando (não seriamente) em ir se deitar. Sabia do que precisava e desceu para buscar.

* * *

Louis Albert Creed estava determinado a se embriagar. No porão, havia cinco caixas de cerveja Schlitz Light. Louis bebia cerveja, Jud também, Steve Masterton idem, até a sra. Dandridge beberia às vezes uma ou duas cervejas enquanto tomasse conta dos meninos (*da menina*, Louis se corrigiu, descendo a escada do porão). Mesmo Charlton, nas poucas vezes em que fora à casa dele, preferira cerveja (desde que fosse uma cerveja leve) a um copo de vinho. Por isso, no último inverno, Rachel saíra um belo dia e fizera a desconcertante compra de dez caixas, quando a Schlitz Light estava em promoção no supermercado Brewer A&P. *Assim você para de correr para o Julio's, em Orrington, toda vez que aparece alguém lá em casa*, ela dissera. *E para de repetir o que disse Robert Parker: qualquer cerveja no congelador depois dos bares fecharem é uma boa cerveja, não é isso? Então beba a que temos em casa e pense nos dólares que está economizando.*

No último inverno... quando as coisas estavam bem. *Quando as coisas estavam bem*. Engraçado como sua mente fizera rápida e facilmente aquela divisão crucial.

Louis trouxe para cima uma das caixas e pôs as latas no refrigerador. Pegou uma delas e abriu. Com o barulho da porta da geladeira, Church veio ondulando lento e enferrujado da copa e olhou interrogativamente para Louis. Não chegou muito perto, talvez Louis já o tivesse chutado um número excessivo de vezes.

— Não há nada pra você — disse ao gato. — Já comeu sua lata de ração. Se quiser mais alguma coisa, mate um pássaro.

Church continuou ali, os olhos fixos nele. Louis tomou metade da lata de cerveja e sentiu-a subir à cabeça quase de imediato.

— Você nem ao menos gosta de comê-los, não é? — perguntou. — Matar já o satisfaz.

Church se afastou para a sala, concluindo que não conseguiria nada. Louis seguiu-o pouco depois.

De repente, ocorreu-lhe de novo: *Hey, ho, let's go!*

Louis sentou-se em sua poltrona contemplando Church. O gato estava reclinado no tapete, perto do aparelho de TV, observando Louis, talvez pronto para correr se este se mostrasse agressivo e decidido a lhe dar um chute no traseiro.

Mas Louis apenas ergueu a cerveja.

— A Gage — disse. — A meu filho, que poderia ter sido um artista, um nadador olímpico ou a porra do presidente dos Estados Unidos. O que você diz, seu gato babaca?

Church fitou-o com aqueles olhos baços, estranhos.

Louis bebeu o resto da cerveja em grandes goles que feriram sua garganta ainda sensível, levantou-se, foi até a geladeira e pegou a segunda lata.

Quando acabou a terceira, sentiu que, pela primeira vez naquele dia, recuperara um certo equilíbrio. E depois de esvaziar toda a primeira embalagem de seis latas, achou que dali a mais ou menos uma hora ia conseguir dormir. Voltou da geladeira com a oitava ou nona lata (realmente já perdera a conta e começava a andar em zigue-zague). Seus olhos caíram sobre Church: agora o gato estava sonolento no tapete (ou fingia estar). O pensamento veio de modo tão natural que, provavelmente, devia estar ali há muito tempo, simplesmente esperando a hora de saltar de seu esconderijo na mente.

Quando vai pôr mãos à obra? Quando vai enterrar Gage no anexo do "simitério" de bichos?

E em seguida:

Lázaro, levanta-te!

E a voz sonolenta, entorpecida de Ellie:

O professor explicou que se ele só tivesse dito "Levanta-te!", provavelmente todo mundo que estava enterrado no cemitério teria se levantado.

Louis foi tomado por um calafrio de tamanha intensidade que segurou os próprios braços quando o tremor lhe atravessou o corpo. Lembrou-se do primeiro dia de Ellie na escola, como Gage dormira no colo dele enquanto a menina tagarelava sobre o "Velho MacDonald" e a sra. Berryman. Ele dissera: *Deixe eu pôr o Gage na cama*, e quando levou o menino para o andar de cima foi assaltado por uma terrível premonição, uma premonição que agora era capaz de compreender — naquele dia, em setembro, uma parte dele soube que Gage ia morrer em breve. Uma parte dele pressentiu que Oz, o Gande e Teível, estava à espreita. Era um absurdo, uma coisa tola, uma superstição besta, do tipo mais vulgar... e, no entanto, era verdade. Ele *soube*. Louis derramou um pouco de cerveja na camisa e Church ergueu indagadoramente os olhos para descobrir se aquilo era um sinal de que o festival de chute ao gato ia começar.

Louis se lembrou da pergunta que fizera a Jud. Lembrou-se do modo como o braço de Jud tinha tremido, derrubando duas garrafas de cerveja vazias que havia na mesa. Uma delas tinha quebrado. *Nem devia fazer essa pergunta, Louis!*

Mas ele queria fazer a pergunta — ou pelo menos pensar nela. O "simitério" de bichos. O que estava além do "simitério" de bichos. A ideia exercia uma atração fatal. Havia um equilíbrio lógico que era impossível negar. Church fora morto na estrada; Gage fora morto na estrada. Lá estava Church (diferente, é claro, até mesmo desagradável sob certos aspectos), mas lá estava ele. Ellie, Gage, Rachel, todos mantinham um relacionamento bastante razoável com o gato. Ele matava pássaros, certo, e virava alguns camundongos pelo avesso, mas matar pequenos animais era coisa normal num gato. Church de modo algum se transformara num gato *Frankenstein*. Sob muitos pontos de vista, era tão bom quanto antes.

Você está racionalizando, uma voz sussurrou. *Ele não é tão bom quanto antes. Ele está enfeitiçado, Louis... Lembra-se do corvo?*

— Meu Deus! — Louis exclamou em voz alta, num tom perturbado, trêmulo, que mal conseguiu reconhecer como seu.

Deus, oh, sim, ótimo, certo. Se havia um momento apropriado para invocar o nome de Deus fora de uma história de fantasmas ou vampiros, o momento era aquele. Afinal, em que — em que, em nome de *Deus* — ele estava pensando? Estava pensando numa suja blasfêmia na qual nem ele mesmo era capaz de acreditar completamente. Pior, estava mentindo para si mesmo. Não apenas racionalizando, mas simplesmente *mentindo*.

Então qual é a verdade? Você está querendo tanto a porra da verdade, e qual é a verdade?

A verdade é que Church não era mais um gato de jeito nenhum — começa por aí. *Parecia* um gato, *agia* como um gato, mas na realidade era apenas um pobre arremedo. As pessoas, sem dúvida, não podiam compreender este arremedo, mas podiam *senti-lo*. Lembrou-se de uma noite em que Charlton fora visitá-los. Era um pequeno jantar pouco antes do Natal. Depois da refeição, estavam conversando na sala e Church pulou no colo dela. Charlton empurrara imediatamente o gato, um rápido e instintivo *esgar* de aversão repuxando-lhe a boca.

A coisa passara em branco. Ninguém fizera comentários. Mas... foi o que aconteceu. Charlton sentira que havia alguma coisa *errada* com o gato.

Louis acabou de entornar a cerveja e saiu em busca de outra. Seria uma obscenidade se Gage voltasse modificado daquela maneira.

Fez a alça da lata pipocar e tomou um grande gole. Estava bêbado, realmente bêbado, e amanhã estaria com a cabeça em pandarecos. *Como Fui de Ressaca ao Enterro de Meu Filho,* por Louis Creed, autor de *Como Não Consegui Segurá-lo no Momento Decisivo* e várias outras obras.

Bêbado. Certo. E suspeitava agora de que se embriagara porque não seria capaz de pensar naquela ideia maluca em estado sóbrio.

A despeito de tudo, a ideia tinha aquela atração fatal, aquele brilho angustiante, *aquele fascínio.* Sim, sobretudo isso... *fascínio.*

Sentiu Jud atrás dele, falando dentro de sua mente:

Você fez isso porque a coisa se apoderou de você. Agiu daquela maneira porque aquele cemitério é um lugar secreto e você queria compartilhar do segredo. Inventamos razões... e elas sempre parecem boas razões... mas em geral, agimos assim simplesmente porque queremos, ou porque temos de agir assim.

A voz de Jud, baixa e arrastada, cheia de inflexões do norte, a voz de Jud provocando, arrepiando sua pele, fazendo os cabelos na nuca ficarem em pé.

Há coisas secretas, Louis. O solo do coração de um homem é mais empedernido... como o solo no velho cemitério micmac. *Mas um homem planta o que pode... e cuida do que plantou.*

Louis começou a passar em revista as outras coisas que Jud lhe dissera sobre o cemitério *micmac.* Começou a conferir os dados, a classificá-los, a sintetizá-los, exatamente como fazia quando se preparava para os exames mais importantes na faculdade de medicina.

O cachorro. Spot.

Pude ver os lugares onde o arame farpado o ferira... Não havia pelo em nenhum desses pontos e a carne parecia levemente afundada.

O touro. Outra ficha aberta na mente de Louis.

Lester Morgan enterrou um touro premiado lá em cima. Um touro escocês preto, chamado Hanratty... Lester arrastou-o num trenó até o cemi-

tério micmac... *matou-o com um tiro duas semanas depois. O touro se tornara traiçoeiro, realmente traiçoeiro. Mas foi o único animal com quem isso aconteceu.*

Ele se tornou traiçoeiro.

O solo do coração de um homem é mais empedernido.

Ele se tornou realmente traiçoeiro.

Foi o único animal com quem isso aconteceu.

Mas fez isso principalmente porque se já esteve lá em cima, aquele é o seu lugar.

A carne parecia levemente afundada.

Hanratty... Parece nome de touro?

Um homem planta o que pode... e cuida do que plantou.

São meus ratos. E meus pássaros. Eu enganei os babacas.

É seu lugar, um lugar secreto. Ele pertence a você e você pertence a ele.

Ele se tornou traiçoeiro, mas foi o único animal com quem isso aconteceu.

O que você pretende fazer mais tarde, Louis, quando o vento soprar com força no meio da noite e a lua estender um caminho branco através dos bosques até aquele lugar? Não quer subir de novo aqueles degraus? Quando as pessoas estão vendo um filme de terror acham sempre que o herói ou a heroína são estúpidos porque sobem aqueles degraus, mas na vida real as pessoas sempre agem assim. Fumam, não usam cintos de segurança, mudam-se com a família para a margem de estradas movimentadas, onde as grandes jamantas ficam passando dia e noite de um lado para o outro. E então, Louis, o que você me diz? Quer subir os degraus? Pretende conservar seu filho morto ou avançar para o que está atrás da Porta Número Um, Porta Número Dois, Porta Número Três?

Hey, ho, let's go!

Ele se tornou traiçoeiro... o único animal... a carne parecia... um homem... seu... dele...

Sentindo que ia vomitar, Louis despejou o resto da cerveja na pia. A sala oscilava em grandes movimentos giratórios.

Houve uma batida na porta.

Durante um bom tempo (pelo menos o tempo pareceu bastante longo), acreditou que fosse apenas em sua cabeça, uma alucinação. Mas a batida continuou, paciente, sem parar, implacável. E de súbito Louis se descobriu pensando na história da mão do macaco e um terror gélido tomou conta dele. Parecia sentir aquela mão com total realidade física... Era como uma mão sem vida que tivesse sido conservada numa geladeira, mão que bruscamente revivia sem corpo, e deslizava por dentro de sua camisa para lhe apertar a carne sobre o coração. Era uma imagem tola, tola e de mau gosto, mas, oh, ele não a *sentia* como uma coisa tola. Não!

Caminhou até a porta. Andou com pés que não podia sentir e levantou o trinco com dedos inseguros. Quando puxou a porta, pensou:

É Pascow. De volta do túmulo e maior do que nunca, como dizem de Jim Morrison. Pascow aí de pé no calção de ginástica, cheio de vida, mas bolorento como pão há um mês dormido. Pascow com sua horrível cabeça destroçada, Pascow trazendo novamente o aviso: não vá lá em cima. Como era aquela velha música do The Animals? Meu bem, por favor, não vá, meu bem, POR FAVOR, não vá, você sabe que eu a amo, meu bem, por favor, não vá...

A porta escancarou e ali no degrau, de pé no escuro, no vento daquele meio de noite entre o dia do velório de Gage e o dia do enterro, ali estava Jud Crandall. O ralo cabelo branco esvoaçava na friorenta escuridão.

Louis tentou dar uma risada. O tempo parecia ter voltado agilmente para o passado. De novo era o Dia de Ação de Graças. Logo colocariam o corpo rígido e insolitamente pesado do gato de Ellie, Winston Churchill, num saco plástico de lixo e se poriam a caminho. *Oh, não me pergunte o que há; vamos logo fazer nossa visita.*

— Posso entrar, Louis? — Jud perguntou. Tirou um maço de Chesterfield do bolso da camisa e pôs um deles na boca.

— Escute — disse Louis —, é tarde e já tomei um monte de cervejas.

— Ah, eu posso até sentir o cheiro.

Jud riscou um fósforo. O vento apagou. Riscou outro fósforo fazendo concha com as mãos, mas as mãos tremeram e deixaram de novo o fósforo ao sabor do vento. Pegou um terceiro fósforo, preparou-se para riscá-lo e então ergueu os olhos para Louis, de pé no umbral da porta.

— Não consigo acender esta coisa — disse Jud. — Vai me deixar entrar ou não?

Louis se pôs de lado para Jud passar.

38

Sentaram-se à mesa da cozinha diante das latas de cerveja. *A primeira vez que Jud põe os pés em nossa cozinha*, Louis pensou, um tanto surpreso. Quando estavam atravessando a sala, Ellie gritara no meio do sono e os dois tinham se congelado como bonecos de algum jogo infantil. O grito, porém, não havia se repetido.

— Muito bem — disse Louis —, o que você está fazendo aqui à meia-noite e quinze do dia em que meu filho vai ser enterrado? Você é amigo, Jud, mas isso já é exagerar um pouco.

Jud tomou a cerveja, limpou a boca com as costas da mão e encarou Louis. Havia alguma coisa clara e positiva naquele olhar, mas Louis acabou se desviando dele.

— Você sabe por que estou aqui — disse Jud. — Você está pensando em coisas que não devem ser pensadas, Louis. Pior ainda, tenho medo de que esteja pensando seriamente nelas.

— Não estava pensando em coisa alguma, a não ser em ir me deitar — disse Louis. — Tenho um enterro amanhã.

— Hoje à noite há uma angústia extra no seu coração, um sofrimento além do que seria normal, e eu sou responsável por isso — Jud falou em voz baixa. — Pelo que sei, posso ter sido até mesmo responsável pela morte de seu filho.

Louis ergueu os olhos, sobressaltado.

— O quê!?... Jud, não fale bobagem!

— Você está pensando em levá-lo lá pra cima — disse Jud. — Não negue que a ideia tem lhe passado pela cabeça, Louis.

Louis não respondeu.

— Até que ponto vai a influência daquele lugar? — insistiu Jud. — Seria capaz de me dizer? Não, é claro. Eu também não saberia responder, e olhe que vivi toda a minha vida neste canto do mundo. Sei alguma coisa sobre os *micmacs*, e aquele lugar sempre foi considerado uma espécie de lugar sagrado para eles... mas não num bom sentido. Stanny B. me contou. Meu pai também me contou, mais tarde, depois que Spot morreu pela segunda vez. Agora os *micmacs*, o estado do Maine e o governo dos Estados Unidos estão brigando na justiça pela posse daquelas terras. Quem de fato as possui? Na verdade, ninguém sabe, Louis. Ninguém sabe mais. De tempos em tempos, muita gente tem reivindicado as terras, mas a coisa nunca ficou resolvida. Anson Ludlow, o bisneto do pai do fundador da cidade, é um exemplo. Sua reivindicação talvez fosse a mais justificada entre os pretendentes brancos, pois Joseph Ludlow, o Velho, teve tudo isso como concessão do Bom Rei Georgie, um privilégio da época em que o Maine era apenas uma grande província da Colônia de Massachusetts Bay. Mas até mesmo ele enfrentou muitos problemas em juízo porque havia outras reivindicações se cruzando com a dele. Outros Ludlow queriam a área, e também um sujeito chamado Peter Dimmart, que alegava poder provar de forma bastante convincente que, por debaixo dos panos, também era um Ludlow... No fim da vida, Joseph Ludlow, o Velho, tinha pouco dinheiro, mas possuía muitas terras e, de vez em quando, simplesmente presenteava com duzentos ou quatrocentos acres alguém que tivesse caído em suas boas graças.

— Não há registro de nenhuma escritura? — Louis perguntou, fascinado apesar de tudo.

— Oh, nossos antepassados eram todos rudes demais para registrar escrituras — Jud respondeu, acendendo outro cigarro na ponta do anterior. — A concessão original da terra diz o seguinte...

Jud fechou os olhos e citou:

— "Do grande e velho bordo que se acha localizado no alto de Quinceberry Ridge até a beira do riacho Orrington; assim corre o traçado de norte a sul."

Jud sorriu sem muita convicção.

— Mas dizem que o velho e grande bordo caiu em 1882. Por volta de 1900 já estava totalmente apodrecido e coberto de musgo. O riacho Orrington, por sua vez, foi-se cobrindo de lodo e transformou-se num pântano nos dez anos entre o fim da Primeira Guerra Mundial e a quebra da Bolsa de Valores. Um problema e tanto esse estouro da bolsa, hein! De qualquer modo, não chegou a prejudicar o velho Anson. Ele foi atingido e morto por um raio em 1921, bem no lugar onde está aquele cemitério dos *micmacs*.

Louis fitava Jud. Jud bebia a cerveja.

— Não importa. Há muitos lugares onde o problema da posse é tão complicado que nunca fica resolvido e só serve para os advogados ganharem dinheiro. Coisas do diabo! Mas penso que, no fim, os índios vão conseguir de volta essas terras e acho que é o mais certo... Não importa, Louis. Vim aqui esta noite para lhe falar de Timmy Baterman e do pai dele.

— Quem é Timmy Baterman?

— Timmy Baterman foi um dos vinte e poucos rapazes de Ludlow que foi lutar contra Hitler lá fora. Partiu em 1942. Voltou em 1943, numa urna com uma bandeira em cima. Morreu na Itália. O pai, Bill Baterman, viveu toda a vida nesta cidade. Quase enlouqueceu quando recebeu o telegrama... mas depois se acalmou. Sabia da história do cemitério *micmac*... e logo percebeu o que estava disposto a fazer.

O calafrio voltou. Louis encarou Jud por um longo tempo, tentando ler a mentira nos olhos do velho. Não havia mentira neles. Mas o fato de aquela história vir à superfície naquele momento parecia extremamente conveniente.

— Por que não me contou isso naquela noite? — disse Louis por fim. — Depois daquilo... depois daquilo que fizemos com o gato? Quando perguntei se já tinham enterrado alguém lá em cima, respondeu que não.

— Porque você não precisava saber — disse Jud. — Mas agora precisa.

Louis ficou um longo tempo em silêncio.

— Ele foi o único?

— O único de quem eu soube — Jud respondeu num tom grave. — Mas se foi o *único* a passar por isso? Duvido, Louis. Duvido muito. Gosto bastante daquele sermão do Eclesiastes: "Não há nada de novo debaixo do sol." Oh, às vezes o brilho que cintila sobre uma coisa se modifica, mas isso é tudo. O que foi experimentado uma vez já foi experimentado antes... e antes... e antes.

Jud baixou o olhar para as mãos manchadas. Na sala, o relógio bateu suavemente meia-noite e meia.

— Acredito que um homem com sua profissão esteja acostumado a observar os sintomas para descobrir as doenças que se escondem sob eles... e cheguei à conclusão de que devia lhe falar sem rodeios quando Mortonson, da agência funerária, me contou que você havia encomendado uma sepultura comum em vez de um túmulo fechado.

Louis fitou-o por um longo tempo, sem nada dizer. Jud enrubesceu, mas não desviou o olhar.

— Parece que está ficando um tanto bisbilhoteiro — disse Louis, por fim. — Isso é um pouco chato.

— Mas não perguntei nada a ele.

— Não diretamente, talvez.

Jud não respondeu. Embora seu rubor ficasse ainda mais carregado (a pele do rosto se aproximou de uma coloração arroxeada), os olhos não tremeram.

Finalmente, Louis suspirou. Sentia-se muito cansado.

— Oh, merda. Não importa. Talvez você tenha razão. Talvez a coisa estivesse em minha mente. Mas se estava, era no fundo. Não pensei muito no tipo de sepultura que encomendei. Estava pensando em Gage.

— Sei que estava pensando em Gage. Mas você sabe a diferença. Seu tio era agente funerário.

Sim, ele sabia a diferença. Um túmulo fechado era feito de cimento, uma coisa destinada a durar muito, muito tempo. O cimento formava uma urna retangular reforçada com vigas de aço e, depois da cerimônia fúnebre, um braço móvel abaixava uma tampa de concreto ligeiramente curva sobre o túmulo. A tampa era selada com uma substância semelhante ao asfalto derretido que os departamentos de estradas de rodagem usam para tapar buracos. O tio Carl contara a Louis que esse material (marca registrada "Sempre Trancado") adquiria um fantástico poder de vedação depois de estar completamente seco.

O tio Carl, que, como todo mundo, gostava de contar suas lorotas (pelo menos quando estava em companhia de colegas de profissão, e encarava Louis, que trabalhou alguns verões com ele, como uma espécie de aprendiz de agente funerário), falou ao sobrinho de uma exumação que fizera por ordem do procurador municipal do Condado de Cook. Tio Carl fora a Groveland para supervisionar o trabalho. Essas coisas são complicadas, ele dizia, e as pessoas cujas ideias sobre exumação vêm dos filmes de terror com Boris Karloff como o monstro do Dr. Frankenstein e Dwight Frye como Igor têm uma visão inteiramente fantasiosa. Abrir um túmulo lacrado não era trabalho para dois homens com pás e picaretas — a não ser que dispusessem de seis semanas para fazer a coisa. Mas o tempo costumava ser mais curto. O túmulo era aberto com um guindaste colocado à beira da sepultura. Ao contrário do que se supunha, porém, não se tratava simplesmente de puxar a tampa. A sepultura inteira, com as paredes de concreto já um pouco úmidas e manchadas, era arrancada do chão. Tio Carl gritou para o operador do guindaste recuar. Queria voltar à funerária e apanhar alguma coisa que pudesse enfraquecer um pouco o lacre.

Das duas uma, ou o operador do guindaste não ouviu ou resolveu continuar por sua própria conta, como um menino tentando pegar ursinhos de pelúcia naquelas gruas de fliperama. Segundo tio Carl, o estúpido operador quase acabou cavando a própria sepultura. Três quartos da câmara mortuária já haviam sido removidos (tio Carl e seu assistente podiam ouvir a água gotejando do fundo da urna de cimento; tinha sido uma semana de muita chuva na região), quando, de repente, o guindaste tombou e projetou-se com um baque sobre o túmulo. O operador bateu no para-brisas e quebrou o nariz. As brincadeiras daquele dia custaram ao Condado de Cook cerca de três mil dólares, dois mil e cem a mais que o preço normal daquelas divertidas operações. Na opinião do tio Carl, o ponto mais interessante da história era que, seis anos depois, o operador do guindaste foi eleito presidente do sindicato local de operadores de máquinas.

Sepulturas comuns eram coisas mais simples. Na realidade, não passavam de modestas caixas de concreto abertas em cima. São colocadas no buraco da sepultura na manhã do funeral. Ao término da cerimônia, baixa-se o caixão para o seu interior. Os coveiros, então, trazem a tampa, que geralmente se divide em duas partes. Essas partes ficam apoiadas verticalmente nas extremidades do túmulo, ali permanecendo como anteparos de livros. Cada uma dessas partes tem anéis de ferro encaixados nas pontas. Os coveiros passam correntes por eles e as arriam suavemente sobre a boca do túmulo. Cada segmento da tampa pesa cerca de 30, talvez 35 quilos — 40, no máximo. E não é usado nenhum tipo de lacre.

Um homem abriria uma sepultura dessas com razoável facilidade. Era isso que Jud estava insinuando.

Seria razoavelmente fácil um homem desenterrar o corpo do filho e sepultá-lo em outro lugar.

Shhh... shhh. Não vamos falar dessas coisas. São coisas secretas.

— Sim, acho que sei a diferença entre um túmulo fechado e uma sepultura comum — disse Louis. — Mas eu não estava pensando em... em que você acha que eu estava pensando.

— Louis...

— É tarde — disse Louis. — É tarde, estou bêbado e com dor de cabeça. Se tem alguma história para contar, comece logo e acabe logo com ela.

Talvez eu devesse ter bebido martínis, Louis pensou. *Assim já estaria suficientemente inconsciente quando ele bateu à porta.*

— Tudo bem, Louis. Obrigado.

— Vá em frente.

Jud parou um momento para pensar e começou a falar.

39

— Naquele tempo (foi durante a guerra), o trem ainda parava em Orrington, e Bill Baterman tinha um carro fúnebre estacionado na plataforma, à espera do trem de carga que traria o corpo do filho Timmy. O caixão foi descarregado por quatro ferroviários. Eu era um deles. No trem, vinha um sujeito do exército encarregado do registro de óbitos, uma espécie de versão militar de agente funerário, Louis, comum em tempo de guerra. Mas o homem não saltou. Estava bêbado, sentado num dos vagões de carga ao lado de outros 12 caixões.

"Pusemos Timmy na traseira de um Cadillac fúnebre (naquele tempo ainda se ouvia algumas pessoas chamarem os carros fúnebres de 'carruagens rápidas', porque antigamente a preocupação maior era fazer os corpos chegarem ao cemitério antes de apodrecer). Bill Baterman acompanhou tudo, o rosto duro como pedra, incrivelmente... eu não sei... incrivelmente seco, eu acho. Não deixava cair uma lágrima. Naquele dia, o maquinista do trem era Huey Garber, e ele contou que sem dúvida o sujeito do exército estava fazendo uma viagem muito longa. Disse que o homem já entregara um vagão repleto daqueles caixões em Limestone, Presque Isle, e a partir de lá ele e os caixões tomaram o rumo do sul.

"O sujeito do exército se aproximou de Huey, tirou uma garrafinha de uísque barato do bolso do uniforme e disse naquele sotaque macio e arrastado do sul: 'Bem, senhor maquinista, hoje o senhor está levando o trem da morte, sabia disso?'

"Huey balançou a cabeça.

"'É verdade, está mesmo. Isso é o que chamam de trem fúnebre lá no Alabama.' Huey disse que o sujeito tirou uma lista do bolso e passou os olhos nela. 'Agora temos de deixar dois caixões em Houlton, depois temos um para Passadumkeag, dois para Bangor, um para Derry, um para Ludlow e por aí vai. Estou me sentindo como um leiteiro fedorento. Quer um gole?'

"Bem, Huey não quis beber alegando que Bangor e Aroostook eram muito rígidas no que dizia respeito a maquinistas com bafo de uísque, mas o sujeito do registro de óbitos propôs que um fizesse vista grossa à bebedeira do outro. 'Apertamos as mãos e ficou tudo bem', disse Huey.

"E assim continuaram, descarregando aqueles caixões cobertos com bandeiras a cada uma ou duas estações. Entregaram 18 ou vinte naquele dia. Huey contou que a coisa continuou assim até Boston, e em cada parada havia parentes chorando e gemendo. Menos em Ludlow... Em Ludlow ele ficou assustado ao ver a cara de Bill Baterman. Bill, disse ele, parecia estar morto por dentro, só à espera de que a alma subisse para começar a cheirar mal. No fim do dia, Huey acordou o sujeito do exército e os dois fizeram uma farra (beberam 15 ou vinte copos). Huey ficou mais embriagado do que nunca, dormiu com uma prostituta, o que nunca fizera em toda a sua vida, e acordou com uma quantidade de chatos tão grandes e nojentos que chegava a dar arrepios. Disse que se o trem fosse o que chamavam trem da morte, nunca mais queria voltar a conduzir um deles.

"O corpo de Timmy foi levado para a Casa Funerária Greenspan, na rua Fern (ficava do outro lado de onde agora é a Lavanderia New Franklin). Dois dias depois, foi enterrado no Cemitério da Boa Vista, com todas as honras militares.

"Bem, é o que eu lhe digo, Louis, a sra. Baterman já estava morta há dez anos. Morrera com a segunda criança que tinha tentado trazer ao mundo, e isso teve muito a ver com o que aconteceu. Um segundo filho podia ter ajudado a aliviar a dor, você não acha? Um segundo filho podia ter feito o velho Bill não esquecer que havia outros sentindo a mesma dor que ele, outros que dependiam da ajuda dele para superar a crise. Acho que, pelo menos sob esse ponto de vista, você teve mais sorte, isto é, ainda tem uma filha e tudo mais. Uma filha e uma esposa, vivas e bem de saúde.

"Segundo a carta que Bill recebeu do tenente encarregado do pelotão do filho, Timmy foi baleado a 15 de julho de 1943, na estrada que ia para Roma. O corpo foi embarcado para os Estados Unidos dois dias depois e chegou a Limestone no 19º dia. Já na manhã seguinte era colocado no trem da morte de Huey Garber. A maioria dos praças que morriam na Europa era enterrada lá mesmo, mas todos os rapazes que voltaram para casa naquele trem eram casos especiais. Timmy morrera atacando um ninho de metralhadoras e, após a morte, ganhou a Estrela de Prata.

"Timmy foi enterrado... não posso jurar, mas acho que foi em 22 de julho... quatro ou cinco dias depois, Marjorie Washburn, que naquele tempo entregava a correspondência do correio, viu Timmy caminhando pela estrada na direção da cocheira do velho York. Bem, Marjorie, que chamavam de Margie, quase perdeu o controle do carro, e você pode imaginar por quê. Voltou para os correios, jogou a sacola de couro cheia de cartas ainda não entregues em cima da escrivaninha de George Anderson e disse que ia pra casa dormir.

"'Margie, você está doente?', George perguntou. 'Está branca como asa de gaivota.'

"'Levei o maior susto de minha vida e não quero falar sobre isso', disse Margie Washburn. 'Também não vou tocar no assunto com Brian, nem com a minha mãe, nem com ninguém. Quando eu for para o céu, se Jesus me pedir pra contar a ele, aí talvez eu conte. Mas não tenho muita certeza.' Depois foi embora.

"Todo mundo sabia que Timmy tinha morrido. O obituário fora publicado uma semana antes no *Daily News*, de Bangor, e no *American*, de Ellsworth, com retrato e tudo. Metade dos moradores da região acompanhara o enterro até a cidade. E de repente Margie o encontrava, caminhando pela estrada — cambaleando pela estrada, ela finalmente revelou a George Anderson... mas só vinte anos depois, no leito de morte. George me disse que ela parecia ter necessidade de contar a alguém o que havia visto. George achava que a coisa devia estar pesando na cabeça dela, você sabe...

"Timmy estava pálido, ela confessou, usava calças muito largas e uma camisa de flanela gasta e desbotada, embora naquele dia a temperatura fosse de mais ou menos 32 graus à sombra. Margie tinha sentido todo o seu cabelo se arrepiar. 'Os olhos dele eram como passas enfiadas em massa de pão. Vi um fantasma, Georgie. Foi isso o que me assustou tanto. Nunca pensei que veria uma coisa dessas, mas vi.'

"Bem, para encurtar a história, logo algumas outras pessoas também viram Timmy. A sra. Stratton, bem, nós a chamávamos de 'senhora' mas ninguém sabia se era solteira, divorciada ou desquitada. Morava numa pequena casa de quarto e sala ali onde a estrada Pedersen se junta com a estrada Hancock. Stratton tinha um monte de discos de jazz e às vezes deixava você participar de uma festinha com ela se tivesse alguma nota de dez dólares que não fosse fazer muita falta. Bem, ela viu Timmy da varanda. Disse que o rapaz atravessou a estrada e parou no acostamento.

"Simplesmente ficou ali parado, ela disse, as mãos balançando ao lado do corpo, a cabeça um pouco curvada, como um lutador de boxe à beira de receber um nocaute. Stratton ficou parada na varanda, o coração disparado, apavorada demais para se mexer. Então disse que ele se virou e parecia um bêbado tentando dar meia-volta. Uma perna foi à frente, a outra quis se virar para trás e ele quase caiu. Ela disse que ele olhou em sua direção e ela sentiu as mãos perderem a força. Deixou cair um cesto com a roupa que acabara de lavar e a roupa se esparramou no chão, sujando-se toda de novo.

"Disse que os olhos de Timmy... disse que pareciam mortos e turvos como bolas de gude, Louis. Mas ele a viu... e sorriu... e Stratton contou que falou com ela. Perguntou se ainda tinha aqueles discos, porque gostaria de ouvir um pouco de vitrola ao lado dela. Talvez naquela noite mesmo. E a sra. Stratton se trancou dentro de casa, ficou quase uma semana sem sair, e custou muito a se recuperar do susto.

"Muita gente viu Timmy Baterman. Muitos estão mortos agora, a sra. Stratton por exemplo. Outros se mudaram. Mas ainda sobraram alguns velhos faladores como eu que poderão contar a história... se alguém souber lhes perguntar.

"Nós o vimos, é o que estou lhe dizendo, andando pra lá e pra cá na estrada Pederson, um quilômetro e meio para leste da casa do pai e um quilômetro e meio para oeste. Ia de um lado pro outro, de um lado pro outro o dia todo, e pelo que se dizia, a noite toda. Camisa amassada, rosto pálido, cabelo espigado, a calça às vezes aberta e aquele olhar... aquele *olhar*..."

Jud fez uma pausa para acender um cigarro, depois apagou o fósforo e encarou Louis por entre a nuvem deslizante de fumaça azulada. E embora a história fosse, é claro, inteiramente absurda, não havia traço de mentira em seus olhos.

— Você sabe, existem essas histórias e esses filmes (não sei se são verdadeiros) sobre os zumbis lá do Haiti. Nos filmes, eles simplesmente saem cambaleando por aí, o olhar sem expressão voltado fixamente para a frente, um passo muito lento, o corpo meio torto. Timmy Baterman era assim, Louis, como um zumbi num filme, mas *não era* só isso. Havia *mais* alguma coisa. Havia algo *em movimento* atrás dos olhos dele. Às vezes se podia notar e às vezes não. *Alguma coisa atrás dos olhos dele, Louis.* Não acho que se possa chamar aquilo de pensamento. Não sei que maldito nome se poderia dar.

"Antes de mais nada, era um olhar malicioso. O olhar com que deve ter dito à sra. Stratton que queria ouvir discos com ela. Havia alguma coisa *se passando* ali, mas não acredito que fosse pensamento e não creio que tivesse muito a ver (talvez não tivesse nada a ver) com Timmy Baterman. Lembrava mais um... um sinal de rádio que viesse de algum lugar. Quando se olhava pra ele, uma ideia vinha logo à cabeça: 'Se encostar a mão em mim, vou dar um grito.' Era assim.

"Ia de um lado pro outro, pra cima e pra baixo da estrada. E um dia, quando cheguei do trabalho (deve ter sido, bem, digamos que mais ou menos em 30 de julho), encontrei George Anderson, o encarregado dos correios, sentado na varanda de trás, tomando chá gelado com Hannibal Benson, que era então nosso segundo representante no conselho municipal, e Alan Purinton, chefe dos bombeiros. Norma também estava sentada lá, mas não dizia uma palavra.

"George não parava de esfregar o toco da perna direita. Tinha perdido quase toda a perna num acidente na estrada de ferro e o toco o incomodava demais nos dias quentes e abafados. Mas sofrendo ou não, lá estava ele.

"'Isto já foi longe demais', George me disse. 'Em primeiro lugar, Margie não quer mais entregar a correspondência na estrada Pedersen. E em segundo lugar, a coisa está começando a criar problemas com o governo.'

"'Como está criando problemas com o governo?', perguntei.

"Hannibal então disse que recebera um telefonema do Ministério da Guerra. Era um tenente chamado Kinsman, cuja função era impedir que uma ou outra intriga cercando os militares adquirisse proporções maiores. 'Quatro ou cinco pessoas escreveram cartas anônimas para o Ministério da Guerra', explicou Hannibal, 'e este tenente Kinsman está começando a ficar preocupado. Se tivesse recebido apenas uma carta, teria rido e tudo bem. Se fosse a mesma pessoa escrevendo um monte de cartas, chamaria a polícia estadual em Derry Barracks informando que havia um psicopata em Ludlow com muita raiva da família Baterman. Mas as cartas vinham de pessoas diferentes. Tinha certeza disso porque as caligrafias eram diferentes. E todas as cartas diziam a mesma coisa absurda: se Timothy Baterman está morto, seu cadáver anda muito ágil pra cima e pra baixo na estrada Pedersen, a cabeça balançando de um lado pro outro.'

"'Este Kinsman vai mandar alguém aqui ou talvez ele mesmo venha se a coisa não parar', Hannibal concluiu. 'Vão querer saber se Timmy está morto, ou se houve algum engano e ele está vivo, andando por aí sem licença do comando. Não gostam de imaginar que possa haver algum erro em seus registros de óbitos. E se houve, vão querer saber quem foi enterrado no caixão de Timmy.'

"Bem, você pode imaginar a enrascada, Louis. Ficamos ali sentados quase uma hora, bebendo chá gelado e conversando. Norma perguntou se queríamos sanduíches, mas ninguém quis.

"Passamos e repassamos o assunto e, por fim, decidimos ir até a casa de Baterman. Nunca vou esquecer aquela noite, nem que fique duas vezes mais velho do que estou agora. Estava quente, mais quente que as portas do inferno, o sol caindo detrás das nuvens. Nenhum de nós queria ir, mas tínhamos que ir. Norma percebeu isso antes mesmo de nós. Me levou pra dentro de casa dando alguma desculpa e disse: 'Não vão ficar aí tagarelando e deixar a coisa passar em brancas nuvens. Precisam tomar uma providência. É uma abominação.'"

Jud mediu calmamente Louis com o olhar.

— Foi assim que ela chamou a coisa, Louis. A expressão foi dela. Uma abominação. E Norma não se esqueceu de cochichar no meu ouvido: "Se acontecer alguma coisa, Jud, saia correndo. Não importam os outros, cada um terá de cuidar de si. Fuja daquela casa ao primeiro sinal de perigo."

"Fomos no carro de Hannibal Benson — aquele filho da puta conseguia todos os cupons de desconto que queria, eu não sei como. Ninguém falou muito, mas todos nós fumávamos como chaminés. Estávamos com medo, Louis, não podíamos estar com medo maior. E o único que acabou falando alguma coisa foi Alan Purinton. Disse a George: 'Aposto o que vocês quiserem como Bill Baterman foi pedir ajuda ao diabo naqueles bosques ao norte da Rodovia 15.' Ninguém respondeu, mas lembro que George concordou com a cabeça.

"Bem, chegamos lá e Alan bateu na porta, mas ninguém veio atender. Então fomos para os fundos da casa e lá estavam os dois. Bill Baterman sentado na espreguiçadeira perto de uma garrafa de cerveja e Timmy, nos fundos do quintal, contemplando aquele sol vermelho-sangue ao poente. Sob o crepúsculo, o rosto dele tinha um tom alaranjado, como se o tivesse esfolado. E Bill... era como se o diabo já tivesse levado sua alma. Flutuava dentro das roupas. Achei que devia ter perdido uns vinte quilos. Os olhos estavam afundados nas órbitas, como pequenos animais no fundo de duas cavernas... e a boca não parava de tremer do lado esquerdo."

Jud fez uma pausa, parecendo meditar, depois mexeu ligeiramente a cabeça.

— Louis, ele parecia *possuído*...

"Timmy se virou para nós e sorriu. E apenas por vê-lo sorrir uma pessoa já tinha vontade de gritar. Depois se virou de novo para o sol que ia caindo no horizonte. Bill disse: 'Não escutei vocês baterem', o que sem dúvida era uma mentira descarada. Alan batera naquela porta com força suficiente para acordar... para acordar um defunto.

"Ninguém parecia estar com muita vontade de falar, então tomei a iniciativa. Disse: 'Bill, soube que seu filho morreu na Itália.'

"'Foi um engano', disse ele me olhando de frente.

"'Foi mesmo?', perguntei.

"'Não estão vendo Timmy ali em pé?', ele insistiu.

"'Então quem você acha que estava naquele caixão que foi enterrado no Cemitério da Boa Vista?', Alan Purinton perguntou.

"'E eu sei lá?', disse Bill. 'Isso pouco me importa.'

"Ele se levantou para pegar um cigarro, mas deixou cair todos os que estavam no maço sobre degraus da cozinha, e quando tentou apanhá-los, partiu dois ou três.

"'Provavelmente terá de haver uma exumação', disse Hannibal. 'Sabe disso, não é? Recebi um telefonema do Ministério da Guerra, Bill. Estão querendo saber se enterraram o filho de alguma outra mãe sob o nome de Timmy.'

"'Bem, o que tenho a ver com isso?', disse Bill em voz alta. 'Não é problema meu, certo? Tenho o meu rapaz. Timmy chegou em casa no dia seguinte. Voltou com neurose de guerra ou algo parecido. Está um pouco estranho, mas vai ficar bom.'

"'Vamos colocar as cartas na mesa, Bill', eu disse, ficando repentinamente furioso. 'Se, e quando, abrirem aquele caixão do exército, vão encontrá-lo vazio, a não ser que você tenha se dado o trabalho de enchê-lo de pedras depois que tirou seu filho de lá, e acho que não se preocupou com isso. Sei o que aconteceu. Hannibal, George e Alan, que vieram comigo, sabem o que aconteceu. E você sabe muito bem. Andou rondando lá pelos bosques, Bill, e trouxe um monte de problemas para este lugar e para si mesmo.'

"'Acho que vocês também sabem onde fica a porta da rua', disse ele. 'Não tenho de explicar nada, nem me justificar pra vocês, nem coisa alguma. Quando recebi aquele telegrama, a vida saiu de dentro de mim. Senti a vida escorrendo, como escorre a urina de dentro do meu corpo. Bem, eu consegui trazer meu filho de volta. Eles não tinham o direito de levá-lo. Era apenas um garoto de 17 anos. Era tudo que me restava de sua querida mãe, e o dever que o obrigaram a cumprir foi uma merda. Então foda-se o exército, foda-se o Ministério da Guerra, fodam-se os Estados Unidos da América e fodam-se vocês quatro. Consegui que ele voltasse. E ele vai ficar bom. Isso é tudo que eu tenho a dizer! Agora façam o favor de dar meia-volta e voltar pelo mesmo caminho de onde vieram!'

"Sua boca tremia tique-tique-tique, o suor lhe cobria a testa em gotas enormes, e foi aí que percebi que ele estava maluco. E eu também teria ficado maluco... vivendo com... aquela coisa."

Louis sentia um embrulho no estômago. Bebera cerveja demais e depressa demais. Sentia que ia vomitar. A sensação de peso, de carga no estômago, dizia-lhe que não ia demorar muito para acontecer.

— Bem, não podíamos fazer grande coisa. Estávamos prontos para ir embora. Hannibal disse: "Bill, que Deus o ajude."

"Bill respondeu: 'Deus nunca me ajudou. Eu ajudei a mim mesmo.'

"Foi então que Timmy veio andando em nossa direção. Havia alguma coisa errada até no *modo como ele andava*, Louis. Caminhava como um homem velho, muito velho. Suspendia e abaixava um dos pés num movimento arrastado; depois erguia o outro. Era como ver um caranguejo andar. As mãos pendiam do lado das pernas. E quando ele chegou perto, podiam-se ver marcas vermelhas em seu rosto. Pareciam espinhas ou pequenas queimaduras. Calculo que foi onde a metralhadora Kraut o atingiu. Acho que por pouco não lhe arrancou a cabeça.

"Tinha cheiro de sepultura. Era um cheiro nauseante, como se tudo dentro dele estivesse sem vida, podre. Vi Alan Purinton levantar a mão para cobrir o nariz e a boca. O fedor era terrível. Quase esperávamos ver pequenos vermes se contorcendo no cabelo dele..."

— Chega — disse Louis num tom áspero. — Já ouvi o bastante.

— Ainda não — disse Jud. Falou com extrema veemência. — Sem dúvida, *ainda* não. E olhe que não consigo fazer a coisa parecer tão má quanto de fato foi. Só mesmo quem viu pôde compreender como foi terrível. Ele estava *morto*, Louis. Mas estava vivo também. E ele... ele... ele *sabia* algumas coisas.

— Sabia algumas coisas? — Louis puxou a cadeira para a frente.

— É. Deitou os olhos em Alan por um longo tempo, uma espécie de sorriso na boca (pelo menos pudemos ver seus dentes) e falou com uma voz muito rouca; todos tiveram de esticar a cabeça para ouvi-lo. Era como se tivesse cascalho nos pulmões. "Sua mulher está fodendo com o homem que trabalha com ela na farmácia, Purinton. O que acha disso? Ela grita quando goza. O que você acha?"

"Alan deu uma espécie de arfada e todos notaram que Timmy conseguira atingi-lo profundamente. Alan está agora num asilo de velhos em Gardener, ou pelo menos estava até pouco tempo atrás. Já deve estar bem perto dos 90 anos. Na época em que isso aconteceu, tinha cerca de 40 e havia algum falatório sobre sua segunda esposa. Era prima em segundo grau e fora morar com Alan e Lucy, a primeira mulher de Alan, pouco antes da guerra. Bem, Lucy morreu, e, um ano e meio depois, Alan se casou com aquela moça. Laurine era o nome dela. Não teria mais de 24 anos quando casou com Alan. Realmente *havia* certos comentários em torno da vida dela, você sabe. Como homem, você ia dizer que tinha uns modos livres e fáceis, mas pouco mais que isso. As mulheres, porém, achavam que era uma moça sem moral. Talvez o próprio Alan tivesse algumas desconfianças. Ele disse: 'Cale a boca! Cale a boca ou vou lhe dar um soco, seja lá que diabo você for!'

"'Agora chega, Timmy', disse Bill com um aspecto pior que nunca — como se fosse vomitar, perder os sentidos ou ambas as coisas. 'Cale-se agora, Timmy.'

"Mas Timmy não deu importância a Bill. Olhou para George Anderson e disse: 'Aquele neto por quem você sente tanta afeição está apenas esperando você morrer, meu velho. O dinheiro é tudo que ele quer, o dinheiro que ele acha que você enfiou num cofre no banco do leste de Bangor. É por isso que o agrada tanto, embora pelas costas o despreze, tanto ele quanto a irmã. Velho perna de pau, é assim que chamam você', disse Timmy e... Louis, a voz dele estava *modificada*. Tinha um tom ameaçador. Era daquele modo que a voz do neto de George teria soado se... você sabe, se as coisas que Timmy estava dizendo fossem verdadeiras.

"'Ei, velho perna de pau', disse Timmy, 'não acha que eles vão ficar putos quando descobrirem que você é pobre como um rato de igreja porque perdeu tudo em 1938? Não vão ficar putos, George? Não vão ficar simplesmente *putos*?'

"George deu um passo atrás, perdeu o equilíbrio, a perna de pau se vergou e ele caiu de costas na varanda de Bill, derrubando a garrafa de cerveja. Estava branco como a camiseta que usava, Louis.

"Bill ajudou-o a ficar de pé e esbravejou com o filho: 'Timmy, pare com isso! Pare com isso!' Mas Timmy não estava disposto a parar. Disse alguma coisa negativa sobre Hannibal e também disse alguma coisa ruim sobre mim... Timmy parecia estar... delirando, eu diria. Sem dúvida, estava delirando. Gritava! E nós começamos a recuar, e depois começamos a correr, arrastando George pelos braços o mais rápido que podíamos, pois as correias e cintas da prótese da perna dele estavam todas torcidas, o pé virado pra trás e arrastando na grama.

"Na última visão que tive de Timmy Baterman, ele estava nos fundos do quintal, perto do varal, o rosto todo vermelho sob o sol poente, as marcas do rosto bem nítidas, o cabelo todo espigado e parecendo um tanto... poeirento. Ria e berrava sem parar: 'Velho perna de pau! Velho perna de pau! E o chifrudo do lado! Marido de puta! Até logo, cavalheiros! Até logo! Até logo!' Continuou rindo, mas o riso era uma espécie de grito, realmente um grito... Havia alguma coisa dentro dele... gritando... gritando... gritando."

Jud parou. Seu peito moveu-se rapidamente para cima e para baixo.

— Jud — disse Louis —, as coisas que esse Timmy Baterman falou a você... eram verdadeiras?

— Eram verdadeiras — Jud sussurrou. — Meu Deus! Era tudo verdade. Eu costumava ir a um bordel em Bangor. A maioria dos homens faz isso, eu acho, embora talvez um bom número deles ande sempre na linha com a esposa. Eu simplesmente sentia necessidade — ou compulsão — de transar de vez em quando com uma mulher diferente. Às vezes o sujeito paga uma mulher pra fazer as coisas que não tem coragem de pedir à esposa. Os homens também cuidam de seus jardins, Louis. E sem dúvida o que eu fazia não era nenhum absurdo. Continuava indo lá às escondidas pelos últimos oito ou nove anos. Norma não teria me deixado se soubesse da história. Mas alguma coisa dentro dela morreria para sempre. Alguma coisa preciosa, doce.

Os olhos de Jud estavam vermelhos, inchados e lacrimejantes. *As lágrimas dos velhos são singularmente desagradáveis*, Louis pensou. Mas quando a mão de Jud avançou sobre a mesa, Louis apertou-a com firmeza.

— Ele só nos disse coisas más — Jud continuou pouco depois. — Só coisas más. Deus sabe que há muita coisa ruim na vida de qualquer ser humano, não é? Dois ou três dias depois, Laurine Purinton deixou Ludlow para sempre. As pessoas que a viram na cidade antes de ela subir no trem disseram que exibia dois olhos roxos e tinha um decote muito decente. Alan nunca fez qualquer comentário sobre o caso. George morreu em 1950, e se deixou alguma coisa para o neto e a neta, eu não sei. Hannibal foi chutado do conselho municipal por causa de uma acusação muito semelhante à que Timmy Baterman lhe fizera. Não vou contar exatamente o que foi (você não precisa saber), mas desvio de fundos públicos se aproxima bastante da coisa, eu acho. Falaram até em processá-lo por desfalque, mas não chegaram a esse ponto. Sem dúvida perder o cargo já foi punição suficiente, ele nunca mais conseguiu fazer nada na vida.

"Mas aqueles homens também tinham seu lado bom. Isso tem de se admitir, embora as pessoas não costumem se lembrar muito dessas coisas. Foi Hannibal quem, um pouco antes da guerra, conseguiu as verbas para começar a construção do Hospital Geral da região leste do Maine. Alan Purinton foi um dos homens mais generosos e mão-aberta que conheci. E a única ambição do velho George Anderson era continuar a vida toda como encarregado dos correios.

"Mas aquela *coisa* só quis falar sobre o que eles tinham de ruim. Só quis lembrar do mal porque era uma *coisa* má... e porque sabia que nós representávamos uma ameaça. O Timmy Baterman que tinha ido pra guerra era um garoto bom, simples, talvez um pouco tolo, mas de bom coração. A coisa que vimos naquela noite, contemplando aquele sol vermelho... aquilo era um monstro. Talvez um zumbi, um *dibbuk** ou um demônio. Talvez nem exista nome para designar uma coisa daquelas, mas os *micmacs* logo iam descobrir o que era, com ou sem nome."

— E o que era? — Louis perguntou um tanto entorpecido.

— Uma coisa que foi tocada pelo Wendigo — disse Jud num tom sereno. Aspirou profundamente, prendeu o ar por um instante, soltou-o. Depois consultou o relógio.

— Está na hora de eu ir embora. Já é tarde, Louis. Falei nove vezes mais do que pretendia.

---

* No folclore hebraico, uma alma penada que pode entrar no corpo de um homem e controlar suas ações. (N. do T.)

— Acho que não — disse Louis. — Foi bastante revelador. Conte como tudo acabou.

— Duas noites depois, houve um incêndio na casa dos Baterman — disse Jud. — A casa ardeu completamente. Alan Purinton disse que não tinha dúvidas de que não fora um acidente. Alguém tinha derramado querosene de uma ponta à outra da pequena casa. Três dias depois do incêndio ainda se podia sentir o cheiro.

— Então os dois acabaram carbonizados.

— Oh, sim, acabaram carbonizados. Mas já estavam mortos antes. Timmy fora baleado duas vezes no peito com o revólver que Bill Baterman tinha em casa, um velho Colt. Foi encontrado na mão de Bill. O que ele fez, ou ao menos parece ter feito, foi matar o filho, deitá-lo na cama e depois esparramar o querosene. Então se sentou na espreguiçadeira ao lado do rádio, acendeu um fósforo e pôs na boca o cano do Colt .45.

— Meu Deus! — disse Louis.

— Estavam bastante carbonizados, mas o legista do condado disse que Timmy Baterman parecia já estar morto há duas ou três semanas.

Silêncio, a batida do relógio.

Jud se levantou.

— Eu não estava exagerando quando disse que posso ter matado seu menino, Louis, ou ao menos ter desempenhado algum papel na coisa. Os *micmacs* conheciam aquele lugar, o que não quer necessariamente dizer que eles é que o transformaram no que é agora. Afinal, os *micmacs* não viveram sempre aqui. Talvez tenham vindo do Canadá, talvez da Rússia, talvez da Ásia, há muito, muito tempo. Só habitaram o Maine por uns mil, talvez dois mil anos. É difícil saber, porque não deixam muitas marcas na terra que ocupam. E agora já se foram outra vez do mesmo modo como nós, um dia, também não estaremos mais aqui, embora eu ache que deixaremos traços bem mais profundos, para uso melhor ou pior por parte dos que nos substituírem. O lugar continuará, Louis, não importa quem viva no Maine. Não é como se alguém fosse dono do lugar e pudesse levar seu segredo quando se mudasse. É um lugar ruim, amaldiçoado, e eu não tinha nada de levá-lo até lá para enterrar aquele gato. Agora tenho consciência disso. Se você sabe o que é bom para você e sua família, nunca deixe de estar alerta ao poder daquele lugar. Eu não tive forças para resistir. Você salvou a vida de Norma e eu queria fazer alguma coisa para recompensá-lo, mas aquele lugar fez minhas boas intenções servirem aos seus maus propósitos. Tem uma força muito grande e acho que essa força atravessa determinadas fases, assim como a lua. Foi cheio de força no passado e estou com medo de que esteja voltando a ter pleno poder. Estou com medo de que o lugar tenha se servido de mim para chegar até você através de seu filho. Você entende, Louis, o que estou querendo dizer?

Encarou Louis com olhos suplicantes.

— Está dizendo que o lugar sabia que Gage ia morrer, não é? — disse Louis.

— Não. Estou dizendo que o lugar pode ter *feito* Gage morrer porque eu iniciei você na força que existe lá em cima. Estou dizendo que posso ter matado seu filho, mesmo cheio de boas intenções.

— Eu não acredito nisso — disse Louis por fim, com voz trêmula. Não acreditava, não queria. *Não podia.*

Apertou com força a mão de Jud.

— Vamos enterrar Gage amanhã. Em Bangor. E é em Bangor que ele vai ficar. Nunca mais pretendo subir ao "simitério" de bichos, muito menos passar para o outro lado.

— Prometa! — disse Jud num tom áspero. — Prometa!

— Prometo — disse Louis.

Mas, no fundo de sua mente, a intenção persistia — um breve cintilar de esperanças que não se dissipavam totalmente.

40

Mas nenhuma dessas coisas aconteceu.

Todas elas — o caminhão da Orinco roncando; os dedos que tocaram as costas da jaqueta de Gage e depois escorregaram; Rachel preparando-se para ir ao velório com o casaco que usava em casa; Ellie carregando o retrato de Gage e pondo a cadeirinha dele perto da cama; as lágrimas de Steve Masterton; a briga com Irwin Goldman; a terrível história que Jud Crandall contou sobre Timmy Baterman —, tudo isso existiu apenas na mente de Louis Creed durante os poucos segundos em que ele corria atrás do filho, sorridente, até a beira da estrada.

Rachel tinha gritado de novo: *Gage, volte, não CORRA!* Mas Louis não perdeu tempo. E foi se aproximando cada vez mais, cada vez mais de Gage, e, sim, uma daquelas coisas realmente aconteceu: de algum lugar, lá no fim da estrada, veio o ronco de um caminhão se aproximando. Um circuito de memória se abriu em algum ponto da mente de Louis e ele ouviu Jud Crandall, naquele primeiro dia em Ludlow, falando com Rachel: *A senhora deve vigiá-los quando eles estiverem perto da estrada, sra. Creed. É uma estrada perigosa para crianças e animais.*

Agora Gage corria pelo suave declive do gramado que se fundia ao acostamento da Rodovia 15, as perninhas gorduchas bamboleando. Sem qualquer hipótese de dúvida ia cair, se estatelar no chão. Mas ele continuava avançando, e o barulho do caminhão estava sem dúvida muito perto, era diferente daquele som baixo, abafado, que às vezes Louis ouvia flutuando na cama, quase do outro lado da barreira do sono. Nessas horas parecia até um som agradável, mas agora era apavorante.

Oh, meu bom Deus, oh, meu bom Jesus, deixe-me pegá-lo, não deixe que ele passe para a estrada!

Louis deu uma acelerada final e até saltou, jogou-se para a frente, paralelo ao chão como um jogador de futebol americano prestes a agarrar o adversário pela cintura. Pelo canto do olho pôde ver sua sombra deslizando na grama... Pensou na pipa, no abutre, na sombra que a pipa foi imprimindo no terreno da sra. Vinton... E no momento exato em que a corrida de Gage o fazia entrar na estrada, os dedos de Louis atingiram as costas da jaqueta... e não soltaram.

Louis puxou o filho para trás, batendo com a cara no chão, batendo no cascalho duro do acostamento, sentindo o nariz sangrar. Ainda por cima, uma dor muito mais forte subiu-lhe dos testículos.

Ohhh, se eu soubesse que ia jogar futebol, tinha colocado meu suporte atlético.

Mas tanto a dor no nariz quanto a sufocante agonia nos testículos se dissiparam no doce alívio de ouvir Gage berrando. O menino gritava de dor e susto por ter batido com o traseiro no chão do acostamento, por ter caído para trás e batido com a cabeça na beira do gramado. Logo depois, seus gritos foram afogados pelo ronco do caminhão passando e o quase imponente balido da buzina externa.

Louis conseguiu se levantar, apesar da ardência no baixo-ventre, e aninhou o filho nos braços. Segundos depois, Rachel os alcançou, chorando e gritando com Gage:

— Nunca mais corra na estrada, Gage! Nunca mais, nunca mais, nunca mais! A estrada é má! *Má!*

E Gage ficou tão espantado com o sermão que parou de chorar e arregalou os olhos para a mãe.

— Louis, você está com sangue no nariz — disse ela e depois se abraçou ao marido com tanta força e tão de repente que por um momento ele nem pôde respirar.

— Podia ter sido pior — disse Louis. — Mas acho que fiquei estéril, Rachel. Puxa, cara, que dor!

E ela riu tão histericamente que Louis chegou a ficar assustado. Uma ideia lhe veio à cabeça: *Acho que se Gage tivesse morrido, ela seria levada à loucura.*

Mas Gage não tinha morrido; tudo não passara de um momento diabolicamente detalhado de sua imaginação, um momento em que antecipara a morte do filho, do filho correndo pelo gramado verde numa tarde ensolarada de maio.

Gage foi para a escola primária e aos 7 anos começou a acampar. Nos acampamentos mostrou uma formidável e surpreendente aptidão para nadar. Chegou a causar uma surpresa quase desagradável aos pais mostrando ser capaz de ficar um mês longe deles sem qualquer trauma. Aos 10 anos, já passava todo o verão fora, no camping Agawam, em Raymond; aos 11, ganhou duas medalhas azuis e uma vermelha nas piscinas dos Acampamentos Swimathon, que encerraram as atividades de verão. Tornou-se um rapaz alto, mas continuou sendo o mesmo Gage, carinhoso e um tanto deslumbrado com as coisas que o mundo tinha a oferecer. Para Gage, os frutos da terra nunca eram amargos nem estavam podres.

Foi um excelente aluno na escola secundária e membro da equipe de natação na John Bapst, a escola paroquial que insistiu em frequentar estimulado pelo ótimo parque aquático. Rachel ficou transtornada, mas Louis não se admirou quando, aos 17 anos, Gage anunciou sua intenção de se converter ao catolicismo. Rachel achava que tudo era por causa da moça com quem o filho estava saindo, pressentia casamento para breve.

— Aposto o que você quiser, Louis — disse ela —, como essa sirigaita de medalha de São Cristóvão no peito está fazendo a cabeça dele!

O casamento arruinaria os planos universitários de Gage, suas expectativas olímpicas, e ia cercá-lo, aos 40 anos, de nove ou dez pequenos católicos correndo de um lado para o outro. Pelo menos na visão de Rachel, Gage ia se transformar num motorista de caminhão fumador de charutos e com a barriga inchada de cerveja, cavando através de Pais-Nossos e Ave-Marias seu caminho para a esclerose pré-cardíaca.

Louis suspeitava que as motivações religiosas do filho não fossem tão longe, e embora Gage tenha de fato se convertido (no dia em que ele cumpriu a façanha, Louis mandou a Irwin Goldman um postal descaradamente provocador: *Talvez você ainda venha a ter um neto jesuíta. Seu genro gentio, Louis*), não chegou a desposar a moça simpática (e sem dúvida nada sirigaita) que tinha namorado durante quase todo o último ano de colégio. Foi para a Universidade Johns Hopkins e ingressou na equipe olímpica de natação.

Numa tarde longa, deslumbrante, e que deu motivo para muito orgulho, dezesseis anos depois de Louis ter competido com um caminhão da Orinco pela vida do filho, ele e Rachel (cujos cabelos já estavam quase totalmente grisalhos, embora ela escondesse o fato sob uma tintura) viram Gage conquistar uma medalha de ouro para os Estados Unidos. Quando as câmeras da NBC o enquadraram num *close*, a água ainda gotejando no rosto e o cabelo escorrido, o olhar do rapaz serenou e, ao som do hino nacional, fixou-se na bandeira. Uma fita lhe cercava o pescoço e, na ponta da fita, a medalha de ouro brilhava contra a pele lisa do peito. Então Louis chorou. Chorou junto com Rachel.

— Acho que isso coroa tudo — Louis comentou com a voz embargada, virando-se para abraçar a esposa.

Mas ela o contemplou com um horror crescente, o rosto muito envelhecido, como se açoitado por dias, meses e anos de tormentas. O som do hino cessou, e quando Louis voltou a olhar para a televisão, viu um rapaz diferente, um moço negro, a cabeça cheia de caracóis de cabelo onde as gotas de água ainda cintilavam.

Isso coroa tudo.

O boné.

O boné está...

... oh, meu Deus, o boné está cheio de sangue.

* * *

Louis acordou com a luminosidade fria e mortiça das sete horas de uma manhã chuvosa, abraçando o travesseiro. A cabeça latejava terrivelmente no ritmo das batidas de seu coração; a dor subia e descia, subia e descia. Deu um arroto ácido, que tinha gosto de cerveja velha. O estômago parecia pesado como chumbo. Tinha chorado; o travesseiro estava molhado de lágrimas, como se envolvido durante o sono pela choradeira de uma música caipira sentimentaloide. Mesmo sonhando, Louis pensou, uma parte dele sabia muito bem da verdade e chorara por causa disso.

Levantou-se e se arrastou até o banheiro, o coração correndo em zigue-zague dentro do peito, a própria consciência das coisas fragmentada pela ressaca febril. Quase nem teve tempo de chegar ao vaso sanitário, onde despejou uma enorme golfada da cerveja da noite anterior.

Ajoelhou-se no chão, olhos fechados, até sentir-se capaz de se equilibrar em pé. Tateou pela válvula e deu a descarga. Foi ao espelho ver até que ponto os olhos estavam inchados, mas o espelho fora coberto com um lençol. Então se lembrou. Transportando-se quase sem querer para um passado que fingia ter esquecido, Rachel cobrira todos os espelhos e tirara os sapatos antes de entrar em casa.

Nada de equipe olímpica de natação, Louis pensou sombriamente, voltando para o quarto e se sentando na cama. O gosto amargo da cerveja impregnava-lhe a boca e a garganta; ele jurou (não pela primeira nem pela última vez) que nunca mais ia se aproximar daquele veneno. Nada de equipe olímpica de natação, nada de um excelente aluno no colégio, nada de namoradinha católica nem de conversão, nada do camping Agawan, nada. Os tênis tinham sido destroçados, a jaqueta virada pelo avesso, o corpo, que era uma graça, rechonchudo mas firme, fora quase desmembrado. O boné ficara cheio de sangue.

Naquele momento, sentado ali na cama, nas garras de uma ressaca que o entorpecia, junto da janela onde a água da chuva escorria em gotas preguiçosas, a dor o assaltou em cheio, como alguma matrona sinistra vinda das galerias do purgatório. Apoderou-se dele para castrá-lo, despedaçá-lo, privá-lo de todas as defesas que porventura ainda tivesse. Louis pôs as mãos no rosto e chorou, rolando de um lado para o outro na cama, pensando que faria qualquer coisa para ter uma segunda chance, qualquer coisa.

41

Gage foi enterrado às duas horas daquela tarde. A chuva tinha parado. Fiapos de nuvens ainda se moviam no céu e a maior parte do cortejo chegou carregando os guarda-chuvas negros fornecidos pelo agente funerário.

A pedido de Rachel, o responsável pelo funeral, que oficiou a breve e nada sectária cerimônia à beira do túmulo, leu a passagem de Mateus que começa: "Deixai vir a mim as criancinhas." De pé ao lado do túmulo, Louis contemplou o sogro do outro lado. Por um momento, Goldman devolveu o olhar, mas acabou baixando os olhos. Não devia estar com vontade de brigar. As olheiras pareciam sacolas de correio; em volta do barrete de seda preta, o cabelo branco e fino como uma teia de aranha esfarrapada esvoaçava na brisa. Com a barba já um pouco grisalha cobrindo-lhe o rosto, assemelhava-se mais do que nunca a um inveterado bebedor de vinho. Dava a Louis a impressão de um homem que nem sabia muito bem onde estava. Louis tentou, mas não pôde extrair do coração qualquer traço de piedade.

O pequeno caixão branco de Gage, com o trinco provavelmente consertado, repousava num par de corrimões cromados à beira do túmulo. O terreno ali fora revestido com uma grama plástica de um verde tão agressivo que os olhos de Louis chegavam a doer. Sobre aquela superfície artificial e estranhamente vistosa havia numerosas coroas de flores.

Louis espiou sobre o ombro do responsável pelo funeral. Lá atrás havia uma colina baixa, repleta de sepulturas, mausoléus de família e um monumento românico com o nome PHIPPS gravado. Bem acima do telhado de PHIPPS, Louis viu alguma coisa amarela. Olhou com atenção, tentou descobrir o que era. Continuou a observá-la mesmo depois que o diretor do funeral pediu: "Inclinemos nossas cabeças para um momento de prece silenciosa." Louis demorou alguns minutos, mas acabou descobrindo. Era a ponta de um carrinho de mão. Um carrinho de mão cheio de pás, estacionado lá na colina, longe dos olhares dos acompanhantes do enterro de Gage. Quando a cerimônia do funeral terminasse, Oz apagaria o cigarro no calcanhar de suas terríveis botas de trabalho, enfiaria a guimba num bolso qualquer que tivesse na roupa (num cemitério os coveiros surpreendidos jogando pontas de cigarro no chão eram quase sempre despedidos sumariamente — afinal, grande parte da clientela morreu de câncer no pulmão), pegaria o carrinho de mão, poria as pás em movimento e tiraria seu filho das vistas do sol para sempre... ou pelo menos até o dia da ressurreição.

Ressurreição... é essa a palavra

(que você deve tirar de vez da porra da cabeça, sabe muito bem disso).

Quando o responsável pelo funeral disse "Amém", Louis pegou Rachel pelo braço e levou-a embora. Rachel murmurou um protesto (queria ficar um pouco mais, por favor, Louis), mas Louis foi irredutível. Caminharam para o carro. Ele viu o responsável pelo funeral recolhendo os guarda-chuvas (o nome da funerária discretamente impresso no cabo) e passando-os a um assistente. O assistente os pendurava num suporte que, esticado ali no meio da grama molhada, parecia surrealista. Louis pegou o braço de Rachel com a mão direita, e com a esquerda, a mão de Ellie, que estava de luvas brancas. Ellie usava o mesmo vestido com que fora ao enterro de Norma Crandall.

Jud se aproximou quando Louis acomodava sua família no carro. Também parecia ter passado mal a noite.

— Você está bem, Louis?

Ele balançou afirmativamente a cabeça.

Jud curvou-se para espiar dentro do carro.

— Como vai, Rachel?

— Tudo bem, Jud — ela murmurou.

Jud tocou-lhe o ombro suavemente e desviou os olhos para Ellie.

— E você, minha querida?

— Estou bem — disse Ellie, exibindo um horrível sorriso de tubarão para mostrar o quanto estava bem.

— O que é esse retrato que você tem aí?

Por um instante, Louis pensou que a filha ia se agarrar com mais força ao retrato, recusar-se a mostrá-lo, mas com dolorosa prudência Ellie passou-o às mãos de Jud.

Jud pegou a foto com os grandes dedos, dedos que pareciam tortos e quase deformados, que pareciam muito mais adequados para lidar com o câmbio de caminhões enormes ou engatar peças de grandes máquinas. Mas eram também os dedos que haviam tirado um ferrão de abelha do pescoço de Gage com a suave e decidida habilidade de um mágico... ou de um cirurgião.

— Ora, mas é bonito mesmo! — disse Jud. — Você puxando Gage no trenó. Aposto que ele gostou, não foi, Ellie?

Começando a chorar, Ellie balançou a cabeça.

Rachel ia dizer alguma coisa, mas Louis apertou-lhe o braço: *Não fale nada por enquanto.*

— Eu costumava puxá-lo muitas vezes — disse a menina, chorando. — Ele ria o tempo todo. Depois a gente entrava, a mamãe dava chocolate pra gente e dizia: "Vão guardar suas botas." Gage agarrava todas as nossas botas e gritava "Botas! Botas!", gritava tão alto que chegava a doer nos ouvidos. Você se lembra, mamãe?

Rachel fez que sim.

— Sim, aposto que foi uma época muito boa, não é mesmo? — disse Jud devolvendo a foto. — Sei que o Gage está morto agora, Ellie, mas você pode guardar as recordações que tem dele.

— Vou guardar — disse ela esfregando o rosto. — Eu gostava muito do Gage, sr. Crandall.

— Eu sei, meu bem.

Jud se abaixou e beijou a menina. Quando se levantou, olhou com dureza para Louis e Rachel. Rachel enfrentou o olhar, confusa e um pouco magoada, mas não entendeu. Louis entendeu muito bem: *O que você está fazendo por ela?*, os olhos de Jud perguntaram. *Seu filho está morto, mas a menina não. O que você está fazendo por ela?*

Louis desviou o olhar. Não havia nada que pudesse fazer pela filha, pelo menos ainda não. Ela teria de nadar sozinha no meio de sua dor. Os pensamentos do pai ainda estavam repletos de Gage.

42

Ao anoitecer, um amontoado de nuvens cobrira o céu e um vento forte começara a soprar do oeste. Louis vestiu uma jaqueta leve, fechou-a até em cima e tirou as chaves do Civic do suporte na parede.

— Aonde você vai, Lou? — perguntou Rachel. Falara sem muito interesse. Depois do jantar, tinha começado de novo a chorar, e embora chorasse baixo, parecia incapaz de parar. Louis a obrigara a tomar um Valium. Agora estava sentada com o jornal aberto nas palavras cruzadas, que mal tinha iniciado. Na outra sala, Ellie assistia silenciosa a um episódio de *Os Pioneiros* na TV, com o retrato de Gage no colo.

— Acho que vou comprar uma pizza.

— Não ficou satisfeito com o que comeu?

— Não tive muita fome na hora — ele explicou, dizendo a verdade e depois acrescentando uma mentira. — Tenho agora.

Entre três e seis horas daquela tarde, tivera lugar na casa de Ludlow o último rito do funeral de Gage. Foi o rito da comida.

Steve Masterton e a mulher trouxeram uma panela de hambúrguer e talharim. Charlton contribuiu com uma quiche.

— Se sobrar alguma coisa, não precisa ter medo que não estraga — Charlton comentou com Rachel. — E é fácil esquentar.

Os Danniker, lá de cima da estrada, trouxeram um pernil assado. Os Goldman apareceram (nenhum dos dois falou com Louis nem se aproximou dele, coisa que, sem dúvida, ele não lamentou) com uma bandeja de frios e queijos. Jud também levou queijo — uma grande rodela de seu velho favorito, o queijo de rato. A sra. Dandridge veio com uma torta de limão. E Surrendra Hardu trouxe maçãs. O rito da comida sem dúvida transcendia diferenças religiosas.

Foi a festa do funeral. Embora tenha sido discreta, o constrangimento não foi absoluto. Houve menos bebida do que numa festa comum, mas houve alguma. Louis tinha jurado que nunca mais tocaria em cerveja, mas achou impossível manter o juramento na atmosfera triste da tarde. Depois de algumas cervejas, pensou em passar adiante certas histórias de funeral que o tio Carl lhe contara. Nos funerais sicilianos, as mulheres solteiras cortavam com tesoura um pedaço da mortalha do defunto e dormiam com ele sob o travesseiro, achando que traria sorte no amor. Nos funerais irlandeses, faziam-se casamentos simulados e sempre se amarravam os pés do morto (segundo uma antiga crença céltica, isso impediria que o fantasma do falecido saísse andando por aí). Tio Carl dizia que o costume de prender etiquetas de identificação nos dedões dos pés de cadáveres começara em Nova York: como os primeiros encarregados de necrotérios tinham sido irlandeses, ele acreditava que fosse uma sobrevivência daquela velha superstição.

Olhando para os rostos que enchiam a sala, Louis concluiu que histórias desse tipo não seriam bem-aceitas.

Rachel só perdera uma vez o controle, mas a mãe estava ali para consolá-la. Ela se agarrou a Dory Goldman e soluçou em seu ombro abertamente, como fora absolutamente impossível chorar no ombro do marido. Talvez porque Rachel achasse que ambos tinham culpa pela morte de Gage, talvez porque Louis, perdido no mundo peculiar de suas fantasias, não encorajasse expansões de dor. De uma forma ou de outra, Rachel procurara consolo na mãe e Dory ali estava para proporcioná-lo, misturando suas lágrimas às lágrimas da filha. Irwin Goldman permanecia atrás delas, as mãos nos ombros de Rachel. Olhava para o genro com um mórbido ar de triunfo.

Ellie circulava com uma bandeja de prata cheia de canapés, pãezinhos recheados com um palito espetado em cada um deles. Na mão, apertava o retrato de Gage.

Louis recebeu condolências. Balançou a cabeça e agradeceu. E se tivesse os olhos um tanto distantes, o jeito um tanto frio, as pessoas sem dúvida achariam que estava se lembrando do passado, do acidente, na vida sem Gage que tinha pela frente. Ninguém (talvez nem mesmo Jud) suspeitaria que tinha começado a meditar sobre a estratégia de roubos de túmulos... teoricamente, é claro; não que pretendesse *fazer* alguma coisa. Era apenas uma forma de conservar a mente ocupada.

Não que pretendesse *fazer* alguma coisa.

Louis parou na Orrington Corner Store, comprou duas embalagens de cerveja gelada, cada uma com seis latas, e telefonou para encomendar uma pizza de pepperoni e cogumelos no Napoli's.

— Quer me dar o seu nome, por favor?

Oz, o Gande e Teível, Louis pensou.

— Lou Creed.

— Está certo, Lou, estamos com muitos pedidos, por isso vai demorar uns 45 minutos. Está bem assim?

— Tudo bem — disse Louis, desligando o telefone. Quando voltou à caminhonete e ligou o motor, percebeu que, embora existissem umas vinte pizzarias na área de Bangor, escolhera justamente a que ficava mais perto do Cemitério da Boa Vista, onde Gage fora enterrado.

Bem, e que mal há nisso?, pensou um tanto inquieto. *A pizza deles é boa. A massa não é congelada. Usam os punhos para amassá-la na hora, bem ali na frente da gente... Gage costumava rir...*

Ele interrompeu o pensamento.

Passou pelo Napoli's e foi até o Boa Vista. Achou que já desconfiava que ia fazer aquilo, mas qual era o problema? Nenhum.

Estacionou e atravessou a rua em direção aos portões de ferro, que brilhavam no crepúsculo do dia. Em cima, num semicírculo, havia letras também em ferro: boa vista. Na opinião de Louis, a vista não era nem boa nem má. O cemitério estendia-se primorosamente por várias colinas; havia longas aleias de árvores (ah, mas naqueles últimos minutos de luz do sol, as sombras que as árvores atiravam pareciam poças, poças negras e sujas como água parada) e alguns salgueiros chorões.

Não era um lugar silencioso. A rodovia ficava perto, o rumor do tráfego era transportado pelo vento frio, contínuo. O brilho no céu cada vez mais escuro era do Aeroporto Internacional de Bangor.

Esticou a mão para os portões, pensando: *Vão estar trancados* — mas não estavam. Talvez fosse cedo demais, e mesmo que os trancassem à noite, seria apenas para proteger o lugar de bêbados, vândalos e casais de namorados adolescentes. Os dias dos violadores de túmulos e ressurreições

(*aí está aquela palavra de novo*)

estavam encerrados. O portão da direita se moveu com um leve ruído rangente. Após dar uma espiada para ter certeza de que ninguém o observava, Louis entrou. Fechou o portão e ouviu o clique do trinco.

Parou na entrada daquela residência suburbana da morte, olhando em volta.

Um lugar agradável e retirado, pensou, *mas quem vai concordar comigo?* Quem? Andrew Marvel?* Afinal, por que a mente humana conserva tamanha quantidade de inútil lixo supersticioso?

Então a voz de Jud ecoou dentro de sua mente, preocupada e... assustada? Sim. Assustada.

---

* Poeta satírico inglês (1621-1678). (N. do T.)

Louis, o que você está fazendo aí? Está se metendo numa estrada por onde não quer viajar.

Ele afugentou a voz. Se estava atormentando alguém, era apenas a si mesmo. Ninguém precisava saber que fora lá quando a luz do sol mergulhava na escuridão.

Começou a andar em direção ao túmulo de Gage, seguindo por uma pequena trilha. Pouco depois, viu-se numa alameda cheia de árvores; as folhas que nasceram com a primavera sussurravam lugubremente sobre sua cabeça. O coração batia-lhe com muita força no peito. Os túmulos e mausoléus estavam dispostos em fileiras irregulares. Por certo haveria um zelador num escritório e, na parede do escritório, um mapa caprichado dos vinte acres do Boa Vista, cuidadosamente dividido em quadrantes, cada quadrante mostrando os túmulos ocupados e os lugares vagos. Terras à venda. Apartamento de um cômodo. Para os que querem dormir tranquilos.

Não se parece muito com o "simitério" de animais, ele pensou, e isso o fez parar e refletir um pouco. Não, não tinha. O "simitério" de animais dera-lhe uma impressão de ordem brotando quase misteriosamente do caos. Aqueles irregulares círculos concêntricos movendo-se para dentro, pedras toscas, cruzes feitas de tábuas. Como se as crianças que ali enterraram seus bichos tivessem extraído o padrão de sua própria inconsciência coletiva, como se...

Por um instante, Louis viu o "simitério" como uma espécie de comissão de frente anunciando a entrada do bloco circense. O engolidor de fogo puxava o cortejo, dava um show de graça, porque os donos do circo sabiam muito bem que as pessoas só iam pagar o ingresso se vissem uma ponta da coisa, só iam engolir o bife se sentissem o cheiro...

Aqueles túmulos, aqueles túmulos em círculos quase druídicos.

Os túmulos no "simitério" de bichos imitavam o mais antigo de todos os símbolos religiosos: círculos decrescentes formando uma espiral que levava não a um ponto, mas ao infinito. Ordem tirada do caos ou caos tirado da ordem, dependendo de como funcionasse a mente do observador. Era o símbolo que os egípcios gravaram nas tumbas dos faraós, o símbolo que os fenícios desenharam nas sepulturas de seus falecidos reis; foi encontrado em paredes de cavernas na antiga Micenas e os construtores do Stonehenge fizeram dele um relógio para marcar o tempo do universo: na Bíblia judaico-cristã, apareceu como um redemoinho de dentro do qual Deus falou a Jó.

A espiral era o mais velho símbolo de poder no mundo, o mais velho símbolo humano daquela ponte enroscada que podia haver entre o mundo e o abismo.

Por fim, Louis chegou ao túmulo de Gage. Não havia traço de nenhum carrinho de mão com pás. A grama artificial fora removida, alguém a enrolara assobiando, pensando na cerveja em Fairmount Lounge no fim do expediente, guardando-a num galpão qualquer junto a outros apetrechos. Onde Gage jazia sobrara um nítido retângulo de terra nua, revolvida, cerca de um metro por um metro e meio. A lápide ainda não fora colocada.

Louis se ajoelhou. O vento soprava em seu cabelo, atirando-o de um lado para o outro. Agora o céu estava quase inteiramente negro. Nuvens corriam por ele.

Ninguém jogou um facho de lanterna no meu rosto e perguntou o que estou fazendo aqui. Nenhum cachorro-vigia latiu. O portão não estava trancado. Os dias dos violadores de túmulos estão encerrados. Se eu tivesse vindo com uma picareta e uma pá...

Voltou a si com um estremecimento. Sem dúvida estava apenas fazendo um perigoso jogo mental consigo mesmo ao imaginar que não haveria ninguém vigiando o Boa Vista durante a noite. Suponhamos que um zelador ou guarda o descobrissem enterrado até a cintura no túmulo recente do filho? Não era certo que chegasse aos jornais, mas podia chegar. Podia ser acusado de um crime. Que crime? Violação de túmulos? Improvável. Possivelmente invasão de propriedade ou vandalismo. Mas saindo ou não nos jornais, a notícia correria. As pessoas iriam comentar; era uma história bem suculenta para ser contada: médico local é surpreendido desenterrando o filho de 2 anos de idade, recentemente falecido num trágico acidente na estrada. Perderia o emprego. Mesmo que não perdesse, Rachel ficaria arrepiada com os comentários. Ellie seria atingida por eles, passaria a ser atormentada na escola por uma interminável tagarelice infantil. Poderiam submetê-lo à humilhação de um teste de sanidade na esperança de abrandar a pena em juízo.

Mas eu podia trazer Gage de volta à vida! Gage podia voltar a viver!

Será que acreditava realmente, verdadeiramente, nisso?

De fato, acreditava. Tanto antes quanto depois da morte de Gage repetira vezes sem conta que Church não chegara a morrer, ficara apenas sem sentidos... E tinha aberto caminho para fora da sepultura e voltado para casa. Sem dúvida, uma história infantil com sutilezas horripilantes, no estilo de Poe. Sem saber, o rapaz empilha um monte de pedras sobre um animal vivo. O fiel felino cava um buraco e volta para casa. Ótimo. O problema é que não foi assim. Church estava morto. Foi o solo do cemitério *micmac* que lhe devolveu a vida.

Sentou-se ao lado do túmulo de Gage, tentando colocar em ordem todas as peças do quebra-cabeça, da forma mais lógica e racional que a magia negra da coisa permitisse.

Timmy Baterman, agora. Primeiro ponto: ele acreditava na história? Segundo ponto: acreditar ou não faria alguma diferença?

Apesar de não ser nada conveniente, acreditava na maior parte da história. Era inegável que, se existisse um lugar como o cemitério *micmac* (como de fato existia), e se algumas pessoas o conhecessem (como o conheciam alguns dos mais velhos habitantes de Ludlow), mais cedo ou mais tarde alguém tentaria fazer a experiência. A natureza humana, como Louis a entendia, tornava muito difícil acreditar que a coisa tivesse se limitado a uns bichinhos de estimação e um ou outro valioso animal reprodutor.

Tudo bem. Mas será que também acreditava que Timmy Baterman fora transformado numa espécie de demônio onisciente?

Aquela era uma pergunta mais difícil, e ele desconfiava dela porque não *queria* acreditar nela, porque já vira os maus resultados de misturar conceitos com realidades.

Não, não queria acreditar que Timmy Baterman fosse um demônio, mas também não permitiria — realmente não *podia* permitir — que seus desejos lhe ofuscassem a capacidade de julgamento.

Pensou em Hanratty, o touro. Hanratty, Jud contou, se tornara traiçoeiro. Timmy Baterman de certo modo também se tornara traiçoeiro. Hanratty fora mais tarde abatido pelo mesmo homem que conseguira arrastá-lo até o cemitério *micmac* num trenó. Timmy Baterman fora "abatido" pelo pai.

Mas porque Hanratty ficara mau, isso significava que todos os animais ficavam maus? Não. Hanratty, o touro, não provava qualquer regra geral; na realidade, seria uma *exceção* à regra geral. Era só olhar para os outros animais: o cãozinho Spot de Jud, o periquito da velha senhora, o próprio Church. Todos tinham voltado diferentes e em todos os casos a mudança fora perceptível. No entanto, pelo menos no caso de Spot, a mudança não fora tão grande a ponto de impedir que, anos mais tarde, Jud recomendasse o processo de... de...

(ressurreição)

Sim, de *ressurreição* a um amigo. É claro, ultrapassada a linha divisória ele gaguejara um pouco, tentara se justificar um pouco e acabara fazendo jorrar um monte de besteira sinistra e confusa, que jamais poderia ser adequadamente chamada de ponto de vista.

Como podia se recusar a aproveitar a oportunidade (aquela única, formidável oportunidade) simplesmente baseado na história de Timmy Baterman? Uma andorinha não faz o verão.

Você está deformando todas as evidências em proveito da conclusão que quer atingir, sua mente protestou. *Pelo menos reconheça a maldita verdade sobre a modificação de Church. Mesmo se deixar de lado os animais caçados — pássaros e camundongos —, o que dizer do jeito dele? Entorpecido... é a melhor expressão para resumir a coisa. No dia que você saiu com a pipa. Você se lembra de como estava Gage naquele dia? Como estava entusiasmado e cheio de vida, reagindo a tudo? Não é melhor se lembrar dele desse jeito? Quer trazer de volta um zumbi com todos os ingredientes de um filme B de terror? Ou mesmo algo tão prosaico quanto um menino retardado? Um menino que coma os dedos, que fique olhando vagamente as imagens de TV e nunca aprenda a escrever o próprio nome? O que disse Jud sobre o cachorro dele? "Era como lavar um pedaço de carne." É o que você quer? Um pedaço de carne respirando? E mesmo que consiga se satisfazer com isso, como vai explicar à sua mulher o retorno de Gage? E à sua filha? E a Steve Masterton? E ao mundo? O que vai acontecer na primeira vez em que a sra. Dandridge enfiar o nariz na entrada da sua casa e deparar com Gage andando de velocípede no quintal? Pode imaginar os gritos, Louis? Pode imaginá-la arranhando o rosto com as unhas? E o que me diz dos repórteres? O que me diz quando a equipe de um programa dominical sensacionalista bater na sua porta para fazer uma gravação com uma criança que ressuscitou?*

Será que tudo isso realmente importava ou era apenas a voz da covardia? Seria mesmo incapaz de enfrentar essas coisas? Será que Rachel teria alguma outra reação além de lágrimas de alegria para receber o filho de volta?

Sim, acreditava que havia uma possibilidade real de que Gage voltasse... bem... um pouco modificado. Mas isso alterava a qualidade do amor dos pais? Os pais amam filhos que nascem cegos, filhos que nascem como gêmeos siameses, filhos que nascem com terríveis deformações físicas. Os pais pedem à justiça piedade e clemência para filhos que quando crescem se tornam assassinos, sequestradores ou torturadores de gente inocente.

Será então que não amaria Gage mesmo se o menino tivesse de continuar usando fraldas até os 8 anos? Se só aos 12 anos conseguisse passar do primeiro ano primário? Mesmo se jamais conseguisse? Deveria então simplesmente renegar o filho como uma... uma espécie de aborto divino quando havia outro recurso?

Mas, Louis, meu Deus, você não vive isolado! As pessoas vão falar.

Cortou o pensamento de forma brusca, com raiva. De todas as coisas que não estava disposto a considerar, a primeira delas era provavelmente o comentário público.

Baixou os olhos para a terra há pouco assentada no túmulo do filho e sentiu uma onda de espanto e horror lhe atravessando o corpo. Sem que tivesse consciência, movendo-se automaticamente, seus dedos tinham desenhado uma forma na sepultura. Tinham feito uma espiral.

Ele esfregou os dedos de ambas as mãos pela terra, apagando o desenho. E saiu do Boa Vista, correndo, julgando-se de fato um transgressor, acreditando, a cada volta do caminho, que seria descoberto, detido, interrogado.

Passou bem tarde para apanhar a pizza, e embora a tivessem deixado em cima de um dos grandes fornos, já estava um tanto fria e gordurosa, com gosto de barro cozido. Comeu um pedaço quando pegou a estrada de Ludlow e atirou o resto pela janela, com caixa e tudo. Não gostava de sujar as ruas, mas não queria que Rachel visse uma pizza quase intacta na cesta de lixo. O fato poderia despertar certa desconfiança de que não era bem a pizza o que ele tinha em mente quando foi a Bangor.

E agora Louis começava a pensar sobre o tempo e as circunstâncias.

O tempo. O tempo podia ser de uma importância extrema, crucial mesmo. Timmy Baterman ficara morto um bom tempo antes que o pai pudesse levá-lo até o cemitério *micmac. Timmy foi ferido a dezenove... Timmy foi enterrado... não sou capaz de jurar, mas acho que foi em vinte e dois de julho... Quatro ou cinco dias depois, Marjorie Washburn... viu Timmy subindo a estrada.*

Tudo bem, digamos que Bill Baterman tenha feito a coisa quatro dias após o primeiro enterro do filho... Não. Se ele tivesse de errar, que fosse pelo lado do conservadorismo. Digamos três dias. Para maior clareza de raciocínio, podia admitir que Timmy Baterman tivesse voltado da morte em vinte e cinco de julho. Isto é, haviam passado seis dias entre a morte do rapaz e a sua volta, e aquilo era uma estimativa conservadora. Podia muito bem ter transcorrido dez dias. Para Gage, havia se passado mais de quatro. Um tempo bem menor que o de Bill... E ainda seria possível distanciar consideravelmente o caso de Gage do caso de Bill se...

Se as circunstâncias tivessem sido semelhantes às que possibilitaram a ressurreição de Church. Pois Church morrera na época *mais* oportuna possível, não é verdade? A família estava longe quando o gato foi atropelado. Ninguém ficou sabendo da história, a não ser ele e Jud.

A família estava em Chicago.

Para Louis, a peça final se encaixou no lugar com um primoroso clique.

— Você quer que nós o *quê*? — Rachel perguntou, olhando-o com assombro.

Eram dez e quinze. Ellie fora se deitar. Rachel tomara outro Valium após limpar os detritos da festa do funeral ("festa do funeral" era outra daquelas terríveis expressões cheias de paradoxos não revelados, como "horas de visitação", no caso de velórios; mas parecia não haver outro modo de qualificar a reunião de pessoas daquela tarde). Estava silenciosa e sonolenta desde que Louis chegara de Bangor... mas isso não importava.

— Quero que voltem para Chicago com sua mãe e seu pai — Louis repetiu pacientemente. — Eles vão embora amanhã. Se falar com eles agora e marcar logo a passagem na Delta, vai conseguir viajar no mesmo avião.

— Louis, você perdeu o *juízo*? Depois da briga que teve com o meu pai...

Louis começou a falar com a rapidez de um tagarela, o que era totalmente contrário ao seu modo de ser. Revelava um entusiasmo um tanto grosseiro. Como um jogador que assim que sai do banco dos reservas consegue levar a bola até a meta adversária, cortando e costurando, antevendo os movimentos dos oponentes e superando-os com facilidade. Nunca fora um mentiroso particularmente hábil, e não planejara absolutamente nada, mas um fluxo de mentiras plausíveis, meias-verdades e inspirada justificação despejou-se com facilidade de dentro dele.

— A briga é uma das razões para eu querer que você e Ellie voltem com seus pais. É hora de começar a cicatrizar a ferida, Rachel. Percebi isso... senti isso... no velório. Quando a briga começou, eu estava tentando endireitar as coisas.

— Mas esta viagem... Realmente não acho que seja uma boa ideia, Louis. Nós precisamos de você. E você precisa de nós.

Os olhos de Rachel mediram-no com ar incrédulo.

— Pelo menos *espero* que você precise de nós. E nem eu nem Ellie estamos em condições de...

— Não estão em condições de ficar aqui... — disse Louis com determinação. Era como se estivesse começando a delirar de febre. — Gostei quando disse que precisa de mim e eu *também* preciso de você e de Ellie. Mas agora este é o pior lugar do mundo para você, meu bem. Gage está em toda parte, em todo canto da casa. Eu e você sentimos muito, é claro, mas acho que para Ellie as coisas são ainda piores.

Viu a dor cintilar nos olhos de Rachel e percebeu que conseguira atingi-la. Uma parte dele sentiu vergonha daquela vitória fácil. Todos os livros que lera a respeito da morte diziam-lhe que o primeiro e mais forte impulso da pessoa que perdeu um ente querido é se afastar do lugar onde tudo aconteceu... E aprendera também que sucumbir a esse impulso pode vir a ser extremamente prejudicial, pois dá a quem está de luto o duvidoso privilégio de não enfrentar a nova realidade. Os livros diziam que o melhor era a pessoa permanecer onde estava, batalhar com a dor no aconchego do lar, até a dor se transformar em lembrança. Mas Louis não se atreveria a fazer a experiência com a família em casa. Tinha de se livrar de Ellie e Rachel, ao menos por algum tempo.

— Eu sei — disse ela. — Tenho essa sensação... na casa inteira. Mudei o sofá de lugar enquanto você foi a Bangor... Passei também o aspirador para tentar distrair minha mente das... das coisas... e encontrei quatro carrinhos dele... como se estivessem esperando que ele voltasse e... você sabe, brincasse...

A voz, trêmula desde o início, se esfacelara. Lágrimas rolaram pelo rosto da mulher.

— E foi aí que tomei o segundo Valium porque comecei a chorar de novo, do jeito que estou chorando agora... oh, que droga de novela é tudo isso... oh, me abrace, Lou, me abrace por favor!...

Ele a abraçou com carinho, mas se sentiu um farsante. Sua mente tentava arranjar um meio de fazer com que aquelas lágrimas pudessem ser usadas em seu favor. *Sou um sujeito legal, tudo bem. Hey, ho, let's go!*

— Quanto tempo isso vai durar? — ela soluçou. — Quem sabe não vai acabar nunca? Se pudéssemos tê-lo de volta, Louis, juro que tomaria conta dele melhor, isso não iria acontecer. O fato de aquele motorista estar correndo muito não me livra, não nos livra, da culpa. Nunca imaginei que uma coisa dessas pudesse acontecer com ele... A cena fica se repetindo na minha cabeça e me machuca tanto, Louis... Nem quando estou dormindo tenho um segundo de descanso: eu *sonho* com Gage, uma vez atrás da outra... Eu o vejo correndo na direção da estrada... Grito pra ele parar...

— *Shhh...* Agora chega, Rachel.

Ela ergueu o rosto inchado.

— O Gage nem estava sendo *malcriado*, Louis. Pra ele tudo não passava de uma brincadeira... O caminhão veio na hora errada... A sra. Dandridge telefonou enquanto eu ainda estava chorando. Leu no *American*, de Ellsworth, que o motorista tentou se matar.

— Quê?!

— Tentou se enforcar na garagem da casa dele. Segundo o jornal, está em estado de choque e com uma depressão profunda...

— Pena que não conseguiu morrer — disse Louis brutalmente, mas a voz pareceu distante aos seus próprios ouvidos. Sentiu um calafrio tomando conta do corpo. *O lugar tem poder, Louis... Foi cheio de força no passado e estou com medo de que esteja voltando a ter pleno poder.* — Meu filho está morto e esse motorista foi solto por uma fiança de mil dólares... Vai continuar se sentindo deprimido e com vontade de morrer até que um juiz qualquer casse a carteira dele por noventa dias e na saída lhe aperte o punho dizendo que está tudo bem.

— A sra. Dandridge disse que a esposa dele foi embora, levando os filhos — Rachel falou sombriamente. — Não leu isso no jornal, mas soube por alguém que conhece um vizinho dele. Não estava bêbado. Não estava drogado. Nunca teve multas por excesso de velocidade. Mas disse que quando entrou em Ludlow, simplesmente teve vontade de pisar fundo no acelerador. Disse que não sabe como aconteceu. Simplesmente aconteceu.

Simplesmente teve vontade de pisar fundo no acelerador.

O lugar tem poder...

Louis afastou esses pensamentos. Pegou suavemente a esposa pelo braço.

— Telefone para os seus pais. Telefone agora. Não há necessidade de você e Ellie passarem outro dia nesta casa. Nem mais um dia.

— Mas não vou sem você. Louis, eu quero que nós... eu preciso que fiquemos juntos.

— Daqui a três dias, quatro no máximo, encontro vocês.

Se as coisas corressem bem, Rachel e Ellie poderiam voltar em 48 horas.

— Tenho de achar alguém para me substituir na universidade, pelo menos meio expediente. Posso tirar esses dias de licença, mas não quero deixar tudo nas costas de Surrendra. Jud pode olhar a casa enquanto estivermos fora. Vou desligar a chave geral e guardar os mantimentos no congelador dos Dandridge.

— A escola de Ellie...

— Ao diabo com a escola. De qualquer modo, as aulas vão acabar daqui a três semanas. Eles vão compreender, em face das circunstâncias. Podem dizer que a dispensaram antes do tempo. Tudo vai dar certo...

— Louis?

Ele se interrompeu.

— O que foi?

— O que você está escondendo?

— Escondendo? — ele a encarou direta, francamente. — Não sei do que está falando.

— Não sabe?

— Não. Não sei.

— Não importa. Vou ligar agora para minha mãe... se é isso mesmo o que você quer.

— É — disse ele. As palavras pareceram ecoar em sua mente com um timbre de ferro.

— Talvez seja melhor... para Ellie — disse Rachel.

Ela o fitou com os olhos vermelhos, ainda ligeiramente vidrados por causa do Valium.

— Parece febril, Louis. Pode estar ficando doente.

Antes que ele pudesse responder, Rachel foi até o telefone e ligou para o hotel onde os pais estavam hospedados.

Os Goldman ficaram radiantes com a proposta. Não vibraram tanto com a notícia de que, três ou quatro dias depois, Louis se juntaria à mulher e à filha, embora, na realidade, não tivessem de se preocupar com isso. Louis não tinha a menor intenção de ir a Chicago.

Na opinião dele, o único obstáculo à viagem de Rachel seria conseguir reservas de passagens aéreas tão em cima da hora. Mas também aqui a sorte estava do seu lado. Ainda havia lugares disponíveis no voo da Delta de Bangor para Cincinnati e uma rápida verificação comprovou dois cancelamentos num voo de Cincinnati a Chicago. Ellie e Rachel só viajariam com os Goldman até Cincinnati, mas chegariam a Chicago apenas uma hora depois deles.

É quase como magia, Louis pensou, desligando o telefone. E a voz de Jud respondeu prontamente: *Foi cheio de força no passado e estou com medo...*

Ora, vá se foder, ele reagiu grosseiramente. *Aprendi a conviver com um bom número de coisas estranhas nos últimos dez meses, meu bom e velho amigo. Mas você acha que estou disposto a admitir que um pedaço mal-assombrado de chão possa influenciar a reserva de passagens aéreas? Francamente não!*

— Tenho de fazer as malas — disse Rachel, examinando as informações sobre os voos que Louis anotara no bloco perto do telefone.

— Leve só a mala grande — advertiu o marido.

Ela o encarou, olhos arregalados, um tanto sobressaltada.

— Para nós duas? Louis, você está brincando!

— Tudo bem, leve também duas sacolas de viagem. Mas não vá se cansar pegando uma roupa diferente para cada dia dessas três semanas — ele disse, pensando, *principalmente porque, muito em breve, você pode estar de volta a Ludlow.* — Leve roupa para uma semana ou dez dias. Tem o talão de cheques e os cartões de crédito. Compre o que precisar.

— Mas não podemos... — ela começou num tom incrédulo. Parecia insegura sobre tudo, manobrável, bastante confusa. Louis se lembrou do estranho, atordoante comentário que a mulher fizera sobre um Winnebago que uma vez ele tivera vontade de comprar.

— Temos dinheiro — disse.

— Bem... acho que podíamos usar as economias que estávamos fazendo para os estudos de Gage, mas vamos demorar um dia ou dois para ter o dinheiro em nossa conta corrente, fora o tempo para a compensação dos cheques...

O rosto de Rachel começou a se enrugar e entrou de novo em colapso. Louis abraçou-a. *Ela tem razão. A dor nos atinge sem parar, nunca dá sinais de ceder.*

— Rachel, não — disse ele. — Não chore.

Mas, evidentemente, ela continuou a chorar... tinha de chorar.

Enquanto Rachel fazia as malas no andar de cima, o telefone tocou. Louis correu para atendê-lo, achando que seria alguém do departamento de reservas da Delta informando que tinham se enganado — não havia lugares disponíveis. *Eu devia ter visto que tudo estava indo bem demais.*

Mas não era da Delta. Era Irwin Goldman.

— Vou chamar Rachel — disse Louis.

— Não.

Por um instante, não houve mais nada, apenas silêncio. *Provavelmente ele está sentado do outro lado, tentando decidir de que palavrão vai me chamar primeiro.*

Quando Goldman voltou a falar, sua voz parecia muito tensa. Parecia empurrar as palavras para fora contra alguma forte resistência interior.

— É com você que quero falar. Dory pediu que eu telefonasse para me desculpar pelo... pelo meu comportamento. E acho, Louis, que eu já estava mesmo com vontade de lhe pedir desculpas.

Ora, Irwin! Que generosidade de sua parte! Meu Deus, acho que acabei de molhar as calças!

— Não precisa se desculpar — disse Louis, a voz seca e mecânica.

— O que eu fiz foi indesculpável — disse Goldman. Agora não parecia estar empurrando as palavras, parecia estar tossindo. — Sua sugestão de que Rachel e Eileen fossem lá para casa me fez ver como você reagiu com grandeza a tudo isso... e como eu fui pequeno.

Havia alguma coisa muito familiar naquele tom, alguma coisa estranhamente familiar.

Então descobriu o que era e a boca se repuxou numa forte contração, como se tivesse mordido um grande limão maduro. Era o modo de Rachel (ela estava completamente inconsciente disso, Louis tinha certeza) dizer contritamente no fim de certas brigas: Louis, desculpe por eu ter me comportado como uma víbora. Ali estava aquela voz, despojada da vivacidade, da jovialidade de Rachel, sem dúvida, mas aquela mesma voz dizendo: Louis, desculpe por eu ter me comportado como um filho da puta.

O velho levaria a filha e a neta de volta; as duas correriam do Maine para a casa do papai e do vovô. Nas asas da Delta e da United, as duas voltariam para o lugar delas, para o lugar onde Irwin Goldman queria que ficassem. Então o velho podia se dar o luxo de ser magnânimo. Irwin se sentia vitorioso. *Por isso vamos esquecer que eu lhe dei um soco na frente do caixão do seu filho morto, Louis, que o chutei depois que você caiu, que derrubei o caixão do cavalete e quebrei o trinco para que você pudesse ver — acho que você viu — aquele último pedaço da mão do garoto. Vamos esquecer tudo isso. Fica o dito pelo não dito.*

Por mais terrível que seja, Irwin, seu velho porco, eu queria mais é que você morresse... se isso não estragasse os meus planos.

— Tudo bem, Goldman — ele disse com voz calma. — Foi... bem... foi um dia muito carregado de emoções para todos nós.

— Mas isso *não* justifica — Goldman insistiu, e Louis percebeu (embora não quisesse admitir) que o homem não estava sendo apenas diplomático, não estava dizendo que lamentava ter se comportado como um filho da puta porque tinha conseguido o que queria. Goldman estava quase chorando e falava num tom enfático, a voz trêmula, embargada. — Foi um dia *terrível* para todos nós. Graças a mim. Graças a um estúpido velho cabeça de vento. Eu feri minha filha quando ela mais precisava da minha ajuda... Eu o ofendi, e talvez você também precisasse da minha ajuda, Louis. Que você tenha agido assim... com tanta generosidade... depois de eu ter me comportado *daquela* maneira... isso faz eu me sentir um lixo. E é justamente assim que *mereço* estar me sentindo.

Oh, faça-o parar, faça-o parar, antes que eu comece a gritar com ele e estrague tudo.

— Provavelmente Rachel lhe contou, Louis, que tivemos outra filha...

— Zelda. Sim, ela me falou sobre Zelda.

— Foi difícil... — Goldman continuou com aquela voz tremida — ... difícil para todos nós. Difícil principalmente para Rachel, ela estava lá quando Zelda morreu, mas também foi muito difícil para Dory e para mim. Dory quase teve um colapso nervoso...

E o que você acha que Rachel teve?, Louis quis gritar. *Pensa que uma criança não pode ter também um colapso nervoso? Vinte anos depois ela ainda se apavora com a simples ideia da morte. E agora acontece isso. Essa maldita coisa, essa coisa terrível! Não deixa de ser um milagre que não esteja na porra do hospital, sendo alimentada por um tubo nas veias. Então não me venha dizer como a coisa foi difícil pra você e sua mulher, seu bastardo.*

— Desde que Zelda morreu, nós... acho que nos agarramos muito a Rachel... sempre querendo protegê-la... e compensá-la. Compensá-la dos problemas que teve com as... as costas... durante anos depois da morte da irmã. Reparar nossa culpa por não estarmos lá naquela hora.

Sim, o velho estava realmente chorando. Por que, afinal, ele precisava chorar? Louis teria mais dificuldade em se apegar ao ódio, puro e limpo, que sentia. Ficaria mais difícil, mas não impossível. Sua mente evocou propositalmente a imagem de Goldman pondo a mão no bolso do paletó e tirando o talão de cheques sem limite... Mas, subitamente, viu Zelda Goldman ao fundo, um fantasma irrequieto numa cama que cheirava mal, o rosto contorcido de rancor e agonia, as mãos contraídas como garras. O fantasma Goldman. Oz, o Gande e Teível.

— Por favor — disse ele. — Por favor, Goldman. Irwin. Não fale mais. Não vamos tornar as coisas piores do que já são na realidade, está bem?

— Sei agora que é um homem bom e que fiz um julgamento errado sobre você, Louis. Oh, escute, eu sei o que está pensando. Será que sou tão estúpido? Não. Estúpido sim, mas não *tão* estúpido. Acha que só estou dizendo isso porque... oh, está pensando, oh, sim... ele está conseguindo o que quer e uma vez tentou me comprar, mas... mas Louis, eu juro...

— Tudo bem, Goldman — disse Louis suavemente. — Eu não posso... eu simplesmente não posso mais ouvir você falando assim, está certo?

Agora sua voz também tremia.

— Tudo bem — Goldman respondeu e deu um suspiro. Louis achou que era um suspiro de alívio. — Mas me deixe dizer mais uma vez que lhe peço desculpas. Não tem de aceitar meu pedido. Mas foi para isso que telefonei, Louis. Desculpe.

— Esqueça — disse Louis, fechando os olhos. Tinha uma trovoada na cabeça. — E obrigado, Irwin. Aceito suas desculpas.

— Obrigado a *você* — disse Goldman. — E obrigado... por deixar elas irem conosco. Talvez seja disso que as duas precisam. Vamos esperá-las no aeroporto.

— Ótimo — disse Louis, e subitamente lhe ocorreu uma ideia. Era absurda, mas tinha o seu encanto. Deixava o dito pelo não dito... e deixaria Gage descansar tranquilamente no túmulo do Boa Vista. Em vez de tentar reabrir uma porta já fechada, colocaria sobre ela uma tranca, depois um ferrolho duplo... e jogaria a chave fora. Faria exatamente o que disse à mulher: colocaria em ordem suas coisas e tomaria um avião para Shytown.* Talvez passassem todo o verão em Chicago, ele, Rachel e a filha adorável. Poderiam ir ao zoológico, ao planetário e andar de barco no lago. Levaria Ellie ao topo da Sears Tower e lhe mostraria o meio-oeste se estendendo pelo horizonte, um grande tabuleiro de jogo cheio de magníficas e variadas paisagens. Depois, quando chegasse o meio de agosto, voltariam para aquela casa que agora parecia tão triste e sombria, e talvez pudessem começar tudo de novo. Talvez pudessem refazer com novo ânimo suas vidas. Agora o que havia no lar dos Creed era uma trama feia, manchada de sangue seco.

---

* Em português "cidade acanhada", um dos apelidos da cidade de Chicago. (N. da E.)

Mas aquilo não seria o mesmo que assassinar Gage? Matá-lo uma segunda vez?

Uma voz dentro dele tentou argumentar que não era bem assim, mas Louis não quis lhe dar ouvidos. Calou essa voz bruscamente.

— Irwin, tenho de subir agora. Quero ver se Rachel não precisa de alguma coisa e depois vou fazer com que ela durma.

— Está bem. Até logo, Louis. E mais uma vez...

Se Irwin disser mais uma vez que se desculpa, eu dou a porra de um grito.

— Até logo, Irwin — disse, e desligou o telefone.

Rachel estava mergulhada numa pilha de roupas quando Louis subiu. Blusas em cima das camas, vestidos nas costas das cadeiras, calças compridas em cabides pendurados nas maçanetas das portas. Sob a janela, os sapatos se alinhavam como soldados. Parecia estar fazendo as malas devagar, mas com a devida competência. Louis percebeu que a mulher ia levar pelo menos três malas (talvez quatro), mas não fazia sentido discutir por causa disso. Sem qualquer comentário, começou a ajudá-la.

— Louis — disse ela quando os dois fechavam a última mala (ele teve de sentar em cima da mala para que Rachel pudesse fechar o zíper) —, tem certeza de que não há nada que queira me dizer?

— Pelo amor de Deus, querida, o que há?

— Não sei o que há — ela respondeu num tom calmo. — É por isso que estou perguntando.

— O que você acha que vou fazer? Escapulir para um bordel? Me unir a um circo ambulante? O quê?

— Não sei. Mas há qualquer coisa errada. É como se estivesse tentando se livrar de nós.

— Rachel, isso é *ridículo*!

Falara com veemência, quase exasperação. Mesmo no meio de todo aquele embaraço, não pôde deixar de se sentir um tanto ofendido por ser desmascarado com tanta facilidade.

Ela sorriu levemente.

— Você nunca foi um bom mentiroso, Lou.

Louis começou a protestar de novo, mas Rachel o interrompeu.

— Ellie sonhou que você tinha morrido. Foi essa noite. Acordou chorando e eu fui ver o que havia. Dormi duas ou três horas com ela e depois voltei para o nosso quarto. Ela disse que, no sonho, você estava sentado na mesa da cozinha de olhos abertos, mas ela sabia que você estava morto. Disse que podia ouvir Steve Masterton gritando.

Louis fitou-a com um ar de desânimo.

— Rachel, o irmão dela acabou de morrer. É normal que ela sonhe que outros membros da família...

— Sim, não fui incapaz de deduzir isso. Mas o modo como ela contou o sonho... os ingredientes... parecia uma espécie de profecia.

Ela riu baixo.

— Acho que você tinha de estar lá pra ver.

— Sim, talvez — disse Louis.

Parecia uma espécie de profecia.

— Venha dormir comigo — disse Rachel. — O efeito do Valium acabou e eu não quero tomar outro comprimido. Mas estou com medo. Também venho tendo meus sonhos...

— Sonhos?

— Sonhos com Zelda — ela respondeu sem grande ênfase. — Nessas últimas noites, desde a morte de Gage, é só eu adormecer e lá está Zelda. Ela diz que está vindo e que dessa vez vai me levar. Que ela e Gage vão me levar. Porque deixei que morressem.

— Rachel, isso é...

— Eu sei. Apenas um sonho. Nada de mais. Mas venha dormir comigo, e se puder, afaste de mim os pesadelos, Louis.

Estavam deitados no escuro, bem juntos um do outro num dos lados da cama.

— Rachel? Ainda está acordada?

— Sim.

— Quero lhe perguntar uma coisa.

— Diga.

Ele hesitou, não querendo causar mais sofrimento à mulher, mas precisando saber. Perguntou enfim.

— Você se lembra do susto que tivemos quando Gage tinha nove meses?

— Sim. É claro que me lembro. Por quê?

Quando Gage tinha nove meses, Louis ficou extremamente preocupado com o tamanho de seu crânio. O problema surgiu depois de uma consulta a tabelas cranianas que mostravam o desenvolvimento normal, mês a mês, da cabeça das crianças. Aos quatro meses, o tamanho do crânio de Gage começou a atingir o limite mais alto da curva, e depois foi ficando cada vez maior. O menino não tinha dificuldade em manter a cabeça em pé (isso era evidente), mas Louis resolveu levá-lo a George Tardiff, talvez o melhor neurologista do meio-oeste. Rachel queria saber o que estava errado e Louis dissera a verdade: temia que Gage tivesse hidrocefalia. O rosto de Rachel ficara muito pálido, mas ela continuou calma:

— Gage me parece normal.

Louis balançou a cabeça.

— A mim também. Mas não quero ignorar esta pequena variação, meu bem.

— Nem deve — disse ela. — Nós não podemos ignorar.

Tardiff mediu o crânio de Gage e franziu a testa. Encostou dois dedos no rosto do menino e pressionou. Gage se encolheu. Tardiff sorriu. O coração de Louis se encheu de ternura. Tardiff deu uma bola para Gage segurar. Gage segurou-a por algum tempo e depois a jogou no chão. Tardiff pegou a bola e ficou batendo com ela no chão, atento aos olhos do garoto. Os olhos de Gage seguiam a trajetória da bola.

— Eu diria que há cinquenta por cento de chances de que ele tenha hidrocefalia — Tardiff explicou mais tarde a Louis em sua sala. — Não, não... realmente as chances podem ser até um pouco maiores que isso. Mas se for o caso, é suave. Ele parece muito esperto. A nova técnica operatória pode resolver facilmente o problema... *se houver* problema.

— Isso quer dizer cirurgia cerebral — Louis retorquiu.

— Uma *pequena* cirurgia cerebral.

Louis estudara o processo pouco depois de ter começado a se preocupar com o tamanho da cabeça de Gage, e a operação, destinada a drenar o excesso de fluido, não parecia assim tão simples, ao menos de seu ponto de vista. Mas ficou de boca fechada, achando que devia dar graças a Deus pelo fato de a operação existir.

— Naturalmente — Tardiff continuou —, é bem possível que seu filho simplesmente tenha uma cabeça um tanto grande para os nove meses. Acho que um exame mais detalhado do crânio é o melhor ponto de partida. Está de acordo?

Louis concordou.

Gage passou uma noite no Hospital Our Sisters of Charity e foi submetido a anestesia geral. A cabecinha adormecida foi encaixada num aparelho que lembrava um gigantesco secador de roupas. Rachel e Louis aguardavam no andar de baixo; Ellie estava na casa da avó, vendo o tempo todo a *Vila Sésamo* no novo videocassete do avô. Para Louis, aquelas horas tinham sido longas, sombrias. Durante esse tempo, fizera suposições com diferentes graus de morbidez e comparara os resultados. Morte sob anestesia geral, morte durante uma cirurgia craniana, ligeiro retardamento mental ou cataclísmico como resultado da hidrocefalia, epilepsia, cegueira... oh, havia infinitas possibilidades. *Para mapas realmente completos de calamidades*, Louis se lembrou de ter pensado, *consulte o médico que tem dentro de casa.*

Tardiff entrou na sala de espera por volta das cinco horas. Trazia três charutos. Colocou um na boca de Louis, outro na de Rachel (ela estava demasiado embasbacada para protestar) e o terceiro na dele.

— Tudo bem com o menino. Nada de hidrocefalia.

— Acenda esta coisa — Rachel dissera, rindo e chorando ao mesmo tempo. — Vou fumar até vomitar.

Sorridente, Tardiff acendeu os charutos.

Deus o estava salvando para a Rodovia 15, dr. Tardiff, Louis pensou agora.

— Rachel, se ele *fosse* uma criança com hidrocefalia e se a operação não resolvesse... mesmo assim teria sido capaz de amá-lo?

— Que pergunta esquisita, Louis!

— Teria sido capaz?

— Sim, é claro. Teria amado Gage, não importa o que houvesse com ele.

— Mesmo que fosse retardado?

— Sim.

— Não ia querer interná-lo numa instituição?

— Não, acho que não ia querer — ela respondeu pausadamente. — Sei que com o dinheiro que você está ganhando agora, poderíamos nos dar esse luxo, isto é, poderíamos interná-lo numa instituição realmente boa... mas acho que eu ia querer tê-lo junto de nós, se pudéssemos cuidar dele... Por que está me perguntando isso agora, Louis?

— Acho que estava pensando na Zelda — disse ele, atônito com sua própria loquacidade. — Tive vontade de saber se você seria capaz de suportar aquilo de novo.

— Não ia ser a mesma coisa — disse ela, num tom quase animado. — Gage era... bem, Gage era Gage. Era nosso filho. Isso faria muita diferença. Ia ser difícil, eu acho, mas... será que *você* ia querer colocá-lo numa instituição? Um lugar como Pineland?

— Não.

— Então vamos dormir.

— É uma boa ideia.

— Sinto que *posso* dormir agora — disse ela. — Quero que esse dia passe logo.

— Amém — disse Louis.

Um longo tempo depois, Rachel falou de novo, num tom sonolento.

— Você tem razão, Louis... são apenas sonhos, névoas...

— Sem dúvida — ele respondeu, beijando-a na ponta da orelha. — Agora durma.

Parecia uma espécie de profecia.

Durante um bom tempo, Louis não conseguiu pegar no sono, e pouco antes, viu de relance que a curva minguante da lua o contemplava da janela.

43

O dia seguinte foi nublado, mas muito quente. Louis suava muito quando, depois de despachar as malas de Ellie e Rachel e reservar as passagens pelo computador, achou que se manter ocupado só estava lhe fazendo bem, mas não via muita coisa em comum com a última vez em que pusera a família num avião para Chicago. Fora no Dia de Ação de Graças.

Ellie parecia distante e um tanto esquisita. Várias vezes naquela manhã, Louis levantara os olhos e vira no rosto da filha um ar de estranha especulação.

A culpa pela conspiração está passando dos limites, rapaz, ele disse para si mesmo.

Ellie não fizera qualquer comentário quando foi informada de que iam todos para Chicago, ela e a mãe primeiro. Talvez passassem o verão inteiro lá. Ellie continuou em silêncio enquanto comia o seu cereal matinal. Depois subiu, pôs o vestido e os sapatos que Rachel tinha separado. Foi para o aeroporto com o retrato onde puxava Gage no trenó e sentou-se calmamente numa das poltronas de plástico no saguão do andar térreo. Louis entrou na fila para pegar as passagens e o alto-falante berrava as informações atualizadas de chegadas e decolagens.

O sr. e a sra. Goldman apareceram quarenta minutos antes do horário do voo. Irwin Goldman estava alinhado (e, ao que parece, não suava) num sobretudo de caxemira (apesar da temperatura elevada). Foi até a agência da Avis para entregar as chaves do carro que tinha alugado. Dory Goldman sentou-se ao lado de Rachel e Ellie.

Louis e Goldman encontraram as três ao mesmo tempo. Louis teve um certo receio de que pudesse haver uma reprise da cena de desculpas ao telefone, mas foi poupado disso. Goldman se contentou com um aperto de mão um tanto frouxo e um murmúrio de alô. O rápido e embaraçado olhar que concedeu ao genro confirmou a certeza com que Louis despertara naquela manhã: o homem estava bêbado quando falou com ele.

Subiram para o saguão superior pela escada rolante e sentaram-se no salão de embarque. Não conversaram muito. Dory Goldman manuseava nervosa um exemplar de um romance de Erica Jong, mas não chegou a abri-lo. Continuava a lançar olhares, um tanto agitada, ao retrato que Ellie tinha na mão.

Louis perguntou se a filha não queria ir com ele até a livraria, comprar alguma coisa para ler no avião.

Ellie o estava fitando de novo daquele jeito pensativo. Louis não estava gostando. Aquilo o deixava nervoso.

— Vai se portar bem na casa da vovó e do vovô? — perguntou quando atravessavam o saguão.

— Vou — disse ela. — Papai, o inspetor não vai me pegar? Andy Pasioca disse que tem um inspetor na escola encarregado de pegar as crianças que matam aula.

— Não se preocupe com o inspetor — disse Louis. — Vou dar um jeito na escola. Você poderá começar de novo no outono. Não vai haver problemas.

— Espero que tudo corra bem no outono — disse Ellie. — Nunca estive no primeiro grau. Só no jardim de infância. Não sei o que as crianças fazem no primeiro grau. Talvez só deveres de casa.

— Você vai se dar bem.

— Papai, você ainda está com raiva do vovô?

Louis abriu a boca.

— Por que razão você acha que eu... que eu estou aborrecido com seu avô, Ellie?

A menina sacudiu os ombros como se a pergunta não tivesse qualquer importância.

— Quando você fala dele, parece estar sempre puto.

— Ellie, que linguagem vulgar!

— Desculpe.

A menina atirou-lhe aquele olhar estranho, misterioso e depois se aproximou das prateleiras com livros e revistas infantis: Mercer Meyer, Maurice Sendak, Richard Scarry, Beatrix Potter e o velho e famoso Dr. Seuss. *Como as crianças descobrem essas coisas? Onde vão buscar essas ideias? O que Ellie sabe? Como tudo isso a está afetando? Ellie, o que você está escondendo atrás desse rostinho pálido? Puto com ele — Cristo!*

— Posso ficar com esses, papai?

Pegara um Dr. Seuss e um livro que Louis não via desde a infância, a história do negrinho Sambo e de como um belo dia os tigres comeram as roupas dele.

Nem pensei que isso existisse ainda, Louis pensou, atônito.

— Sim — disse ele, e os dois foram para a pequena fila do caixa. — Eu e seu avô gostamos muito um do outro.

Louis se lembrou da história que sua mãe contava... Quando uma mulher queria realmente um bebê, "encontrava" um. Lembrou das tolas promessas que fizera de jamais mentir para os filhos. Aliás, nos últimos dias, estava se transformando num mentiroso bastante promissor. Mas não queria pensar nisso agora...

— Sei — disse Ellie, mergulhando no silêncio.

O silêncio enervou-o e Louis tentou quebrá-lo.

— Então, você acha que vai se divertir em Chicago?

— Não.

— Não? Ora, mas por que não?

Ela ergueu os olhos com aquela expressão misteriosa.

— Estou com medo.

Louis pôs a mão na cabeça da filha.

— Com medo? Querida, com medo de quê? Não está com medo do avião, está?

— Não. Não sei do que estou com medo. Papai, sonhei que fomos ao funeral de Gage e o homem do funeral abriu o caixão e ele estava vazio. Depois sonhei que estava em casa e olhei para o berço de Gage e ele também estava vazio. Mas havia terra dentro dele.

Lázaro, levanta-te.

Pela primeira vez, em muitos meses, ele se lembrou do sonho que tivera após a morte de Pascow... o sonho... e depois acordar e ver que seus pés estavam sujos e os pés da cama cobertos de barro e folhas de pinheiro.

Os cabelos se arrepiaram em sua nuca.

— São apenas sonhos — ele disse a Ellie e, pelo menos a seus ouvidos, a voz soou perfeitamente natural. — Vão passar.

— Quero que você venha conosco — disse ela —, ou que nós três fiquemos juntos aqui. Não podemos ficar, papai? Por favor! Não quero ir para a casa da vovó e do vovô... Quero voltar para a escola, está bem?

— Vai ser por pouco tempo, Ellie — disse ele. — Tenho — engoliu em seco — algumas coisas para tratar aqui e logo estarei com vocês. Então poderemos decidir o que fazer.

Esperou uma discussão, até mesmo um acesso de raiva típico de Ellie. Teria gostado de que isso acontecesse. Seria uma reação conhecida, coisa que aquele olhar misterioso não era. Mas houve apenas um silêncio inquietante, pálido, que pareceu muito intenso. Podia ter perguntado alguma outra coisa, mas achou que não conseguiria. Talvez a filha já tivesse dito mais do que ele queria ouvir.

Pouco depois de voltar com a menina ao salão de embarque, houve a chamada para o voo. Com as fichas de embarque na mão, os quatro entraram na fila. Louis abraçou a esposa e beijou-a com força. Rachel se agarrou a ele por um instante, mas logo se afastou para que Louis pudesse pegar Ellie no colo e dar-lhe uma beijoca no rosto.

Ellie fitou solenemente o pai com aquele olhar de esfinge.

— Não quero ir — ela repetiu, mas tão baixo que, entre o murmúrio e o arrastar de pés dos passageiros que iam embarcar, apenas Louis pôde ouvir. — Também não quero que mamãe vá.

— Não diga isso, Ellie. Você vai gostar.

— Eu vou gostar — Ellie respondeu. — Mas você, como é que fica? Como, papai?

A fila começou a se deslocar. As pessoas começaram a descer a rampa de embarque para o 727. Rachel puxou a mão de Ellie e, por um instante, ela resistiu, fazendo a fila parar, os olhos fixos no pai... Louis lembrou-se da impaciência da outra vez, os gritos de *vamos, vamos, vamos!*

— Papai?

— Vá logo, Ellie. Por favor.

Rachel olhou para a filha e viu pela primeira vez aquele olhar sombrio, vago.

— Ellie? — ela exclamou nervosa e, na opinião de Louis, um tanto assustada. — Você está prendendo a fila, meu bem.

Os lábios de Ellie tremeram e ficaram brancos. E então deixou a mãe puxá-la para a rampa de embarque.

Ainda voltou os olhos para o pai e Louis viu um verdadeiro terror em seu rosto. Ele levantou a mão dando adeus com uma falsa alegria.

Ellie não respondeu ao aceno.

44

Quando Louis deixou o terminal do aeroporto, sua mente foi envolvida por um manto frio. Ele tomou consciência de que pretendia levar a coisa adiante. Sua mente, bastante esperta para fazê-lo concluir a faculdade de Medicina apoiado numa bolsa de estudos e no que a mulher conseguia ganhar trabalhando como balconista das cinco às onze da manhã, seis dias por semana, tinha se deixado absorver pelo problema e dissecava-o em seus diversos componentes. Era como se fizesse uma prova na universidade, a maior prova que já enfrentara. E Louis queria passar de ano tirando dez, com louvor.

Seguiu para Brewer, a pequena cidade vizinha a Bangor, do outro lado do rio Penobscot. Encontrou uma vaga para estacionar em frente à Watson's Hardware, uma loja de ferragens.

— Quer alguma coisa? — perguntou um vendedor.

— Sim — disse Louis. — Queria uma lanterna grande, daquelas quadradas, e um suporte para cobri-la.

O balconista era um homenzinho magro, com a testa alta e olhos espertos. Deu um sorriso, mas o sorriso não foi particularmente agradável.

— Vai caçar, meu amigo?

— Como?

— Vai pegar alguns alces hoje à noite?

— Não, não vou — disse Louis sem sorrir. — Não tenho licença.

O homenzinho piscou e acabou rindo.

— Em outras palavras — disse ele —, não se meta onde não é chamado, hum? Bem, vejamos... Não há nenhum suporte para cobrir essas lanternas grandes, mas você pode levar um pedaço de feltro, fazer um buraco no meio e ajustar no cabo da lanterna. Vai parecer que está com uma lanterninha de bolso.

— Boa ideia — disse Louis. — Vou levar.

— Tudo bem. Quer mais alguma coisa?

— Quero — disse Louis. — Quero uma picareta, uma pá e uma pazinha. Uma pá de cabo curto e uma pazinha de cabo longo. Uma corda forte com 2,50 metros de comprimento. Um par de luvas resistente. Uma lona de uns 2,50 metros por 2,50 metros.

— Tenho tudo isso — disse o vendedor.

— Preciso de abrir uma fossa — disse Louis. — Parece que minha fossa está violando alguns regulamentos e tenho uns vizinhos muito rabugentos. Para não me aborrecer, o melhor é fazer o trabalho de noite. Não sei se vai adiantar cobrir a lanterna, mas pelo menos vou tentar. Espero que dê certo.

— Oh — exclamou o vendedor —, é melhor colocar um pregador de roupas no nariz quando começar o trabalho.

Louis riu para não decepcioná-lo. As compras custaram 58 dólares e 60 centavos. Pagou em dinheiro.

À medida que o preço da gasolina subia, passara a usar cada vez menos a grande caminhonete. Além disso, já há algum tempo ela estava com a direção desalinhada, o que era perigoso, mas Louis continuava adiando o conserto. Em parte porque não queria desembolsar os duzentos dólares que sem dúvida a coisa ia lhe custar, mas principalmente porque era uma amolação. Agora, quando precisava realmente do velho dinossauro, não se arriscou a pegá-lo.

As compras não caberiam na mala do Civic e Louis estava com medo de voltar a Ludlow com a picareta, a pá e a pazinha de cabo longo dentro do carro. Os olhos de Jud Crandall eram afiados e seus miolos estavam em perfeito estado. Descobriria logo para o que aquilo seria usado.

Então percebeu que não havia por que voltar a Ludlow. Tornou a atravessar a ponte Chamberlain na direção de Bangor e pediu um quarto no Howard Johnson's Motor Lodge, um motel na estrada Odlin — de novo perto do aeroporto, de novo perto do Cemitério da Boa Vista, onde o filho estava enterrado. Registrou-se sob o nome Dee Dee Ramone e pagou adiantado a estadia.

Tentou cochilar, pensando que em pouco tempo tudo estaria resolvido. Mas naquela noite teria ainda, para falar como um romance vitoriano, trabalho frenético pela frente, suficientemente frenético para ser lembrado por toda a vida.

Tentou cochilar, mas o cérebro simplesmente não se calou.

Ficou ali deitado, no anonimato da cama do motel, sob uma gravura indefinida de barcos pitorescos num pitoresco e velho cais de um porto pitoresco da Nova Inglaterra. Tinha se deitado vestido, as mãos entrelaçadas na nuca. Só tirara os sapatos e pusera as chaves e a carteira com dinheiro na mesa de cabeceira. Aquela sensação de frio não se dissipava; sentia-se totalmente desarraigado de sua gente, dos lugares que lhe eram familiares, até mesmo do trabalho. Poderia estar em qualquer motel do mundo: em San Diego, Duluth, Bangcoc ou Charlotte Amalie. Não estava em lugar algum e, de vez em quando, um pensamento bastante estranho o envolvia: antes de rever qualquer um daqueles lugares e rostos familiares, veria de novo seu filho.

O plano continuava se desenrolando em sua mente. Examinava-o de todos os ângulos, remexia nele, virava-o pelo avesso, procurava brechas, pontos fracos. Era como se caminhasse por uma ponte estreita sobre um abismo de insanidade. A loucura o cercava por todos os lados, ondulava sem alvoroço como as asas de uma coruja de grandes olhos dourados. Ia mergulhando na loucura.

A voz de Tom Rush ecoou sonhadoramente em sua cabeça: *Oh, morte, suas mãos são viscosas... Sinto-as em meus joelhos... Você veio e levou minha mãe... Não quer voltar atrás de mim?*

Loucura. Loucura em toda a volta, próxima, no seu encalço.

Agarrou-se à ponte estreita da racionalidade; estudou o plano.

Naquela noite, por volta das onze horas, escavaria o túmulo do filho, tiraria o corpo do caixão, embrulharia Gage num pedaço de lona e o colocaria na mala do Civic. Depois, tornaria a fechar o caixão e a encher o túmulo de terra. Voltaria para Ludlow, tiraria o corpo de Gage da mala... e daria um passeio com ele. Sim, ia dar um passeio.

Se Gage voltasse, teria de se defrontar com duas possibilidades. Na primeira, via Gage retornando como Gage, talvez atordoado, de raciocínio lento ou mesmo retardado (só nas profundezas de sua mente esperava que Gage voltasse sem alteração, exatamente como fora — mas, sem dúvida, mesmo isso era possível, não era?), mas ainda seu filho, o filho de Rachel, o irmão de Ellie.

Na segunda alternativa, via uma espécie de monstro emergindo dos bosques atrás da casa. Passara a imaginar tanta coisa que já não rejeitava a ideia de monstros, ou mesmo demônios, seres perversos e fantasmagóricos do além, capazes de se apoderar de um corpo reanimado do qual a primitiva alma tivesse escapado.

De um modo ou de outro, estaria sozinho com seu filho. E faria...

E vou fazer um diagnóstico.

Sim. Era isso o que ia fazer.

Vou fazer um diagnóstico, não apenas do seu corpo mas também do espírito. Vou dar um desconto pelo trauma do próprio acidente, que ele poderá ou não lembrar. Tendo em vista o exemplo de Church, posso esperar retardamento, talvez suave, talvez profundo. À luz do que vir num período de 24 a 72 horas, vou avaliar a possibilidade de reintegrar Gage à família.

E se o dano for grande demais — se voltar, por exemplo, como Timmy Baterman deve ter voltado, uma espécie de demônio —, vou matá-lo.

Como médico, sentia que poderia matar Gage (se Gage fosse apenas um recipiente contendo a alma de algum outro ser) com bastante facilidade. Não se deixaria levar por súplicas ou artimanhas. Seria capaz de matá-lo como mataria um rato transmissor de peste bubônica. Não precisava haver melodrama na coisa. Uma pílula dissolvida, talvez duas ou três. Se necessário, uma injeção. Tinha morfina em sua maleta. Na noite seguinte, voltaria ao Boa Vista com o corpo sem vida e tornaria a enterrá-lo, simplesmente confiando que sua sorte funcionaria uma segunda vez (*você nem sabe se ela vai funcionar da primeira*, ele se alertou). Já tinha pensado na alternativa mais fácil e segura do "simitério" de animais, mas não queria o filho lá em cima. Por muitas razões. Uma criança enterrando seu cãozinho cinco, dez ou vinte anos mais tarde podia deparar com os restos mortais de Gage — essa era uma das razões. Mas a razão mais forte era mais simples. Talvez o "simitério" de bichos ficasse... perto demais.

Depois de enterrá-lo de novo, voaria para Chicago e se uniria à família. Ellie e Rachel nunca ficariam sabendo daquela experiência malograda.

Mas voltou à primeira alternativa, a volta de Gage sem alterações excessivas, uma alternativa a que talvez quisesse se agarrar a qualquer custo, movido por todo o amor que tinha pelo filho...

Ele e Gage deixariam a casa quando o período de exame estivesse concluído; sairiam à noite. Levaria alguns documentos com ele, pois nunca mais queria voltar a Ludlow. Registrava-se num motel com Gage — talvez aquele mesmo onde estava.

Na manhã seguinte, encerrava todas as suas contas correntes e convertia tudo em cheques de viagem da American Express (*não vá embora com o filho que acabou de ressuscitar sem um American Express*). Ficaria apenas com alguns trocados no bolso.

Voava com Gage para algum lugar, muito provavelmente a Flórida. De lá ligava para Rachel, dizia onde estava, mandava que pegasse Ellie e tomasse o primeiro avião sem contar à mãe e ao pai para onde ia. Louis achava que era capaz de convencê-la a fazer isso. *Não faça perguntas, Rachel. Venha logo. Venha já. Neste minuto.*

Diria a Rachel onde estava hospedado (com Gage). Algum motel. Rachel e Ellie chegariam de táxi. Levaria Gage até a porta quando as duas tocassem a campainha. Talvez Gage estivesse usando um calção de banho.

E então...

Bem, não se atrevia a ir mais adiante. Voltava ao início do plano e começava tudo de novo. Achava que se as coisas funcionassem bem teriam de começar vidas novas, inclusive com novas identidades para que Irwin Goldman não pudesse usar o talão de cheques sem limites para procurá-los. Tais coisas podiam ser arranjadas.

Lembrou-se vagamente do dia em que chegou com a família à casa de Ludlow. Estava tenso, cansado e bastante alarmado, cultivando fantasias de escapar para Orlando e se empregar como médico na Disney World. Talvez, afinal, aquilo não fosse tão absurdo.

Viu-se vestido de branco, ressuscitando uma mulher grávida que se metera estupidamente na montanha-russa e desmaiara. *Afastem-se, deixem-me passar, deixem-na respirar,* ele se ouviu dizendo, e a mulher abriu os olhos, sorrindo agradecida.

Quando aquela fantasia, não muito desagradável, fugiu de sua mente, Louis adormeceu. Adormeceu quando Ellie acordou no avião, em algum lugar sobre as Cataratas do Niágara, gritando por causa de um pesadelo, as mãos muito apertadas, os olhos espantados e duros; dormia quando a aeromoça precipitou-se pelo corredor para ver o que havia; dormia quando Rachel, muito nervosa, tentou acalmá-la; dormia enquanto Ellie continuava gritando sem parar: *É Gage! Mamãe! É Gage! É Gage! Gage está vivo! Gage tirou a faca da maleta do papai! Não deixe ele me pegar! Não deixe ele me pegar, papai!*

Dormia quando Ellie finalmente se aquietou e ficou encolhida, tremendo no colo da mãe, os olhos arregalados e sem lágrimas. Dormia quando Dory Goldman pensou que coisa terrível aquilo tudo fora para Eileen e como a neta lembrava Rachel depois da morte de Zelda.

Louis dormiu e acordou às cinco e quinze, com a luz da tarde começando a declinar, a mergulhar na noite próxima.

Um trabalho frenético, ele pensou tolamente, levantando-se da cama.

45

Quando o voo 419 da United Airlines pousou no aeroporto de O'Hare, em Chicago, e seus passageiros desembarcaram, às três e dez, hora-padrão local, Ellie Creed caíra num estado de quase histeria e Rachel parecia muito assustada.

Se alguém encostasse sem querer no ombro de Ellie, a menina dava um salto e encarava a pessoa com olhos enormes, disformes; todo o corpinho tremeria sem parar, sem descanso. Era como se estivesse cheia de eletricidade. O pesadelo no avião já fora suficientemente terrível, mas aquilo... Rachel simplesmente não sabia o que fazer.

Caminhando para o terminal, Ellie deu um passo em falso e caiu. Não se levantou; simplesmente ficou caída, no chão, as pessoas passando em volta dela (às vezes lhe atirando uma olhadela simpática, mas distraída, própria de passageiros em trânsito que não têm tempo a perder). Rachel a suspendeu.

— Ellie, o que está havendo com você?

Ellie não respondeu.

Atravessaram o saguão para a esteira de bagagens e Rachel viu a mãe e o pai. Acenou para os dois e eles se aproximaram.

— Mandaram que saíssemos do portão de desembarque e esperássemos aqui — disse Dory. — Achamos... Rachel? Eileen está bem?

— Não muito bem.

— Onde fica o banheiro, mamãe? Vou vomitar.

— Oh, Deus — Rachel exclamou num tom de desespero e pegou a filha pela mão. O banheiro de senhoras ficava do outro lado do saguão; ela puxou rapidamente a menina.

— Rachel, não quer que eu vá? — Dory gritou.

— Não, pegue a bagagem; você conhece as malas. Tudo bem conosco.

Felizmente, o banheiro de senhoras estava deserto. Rachel levou a filha para um dos gabinetes, remexendo na bolsa em busca de uma moeda, mas logo percebeu — felizmente — que havia três com as fechaduras quebradas. Sobre uma dessas fechaduras, alguém escrevera com lápis-cera: *Sir John Crapper era um porco chauvinista!*

Rachel abriu a porta depressa; agora Ellie gemia e segurava o estômago. Duas vezes pareceu que ia vomitar, mas o vômito não veio; os arrancos eram arfadas secas de uma total exaustão nervosa.

Quando Ellie disse à mãe que se sentia um pouco melhor, Rachel levou-a para uma das pias e lavou-lhe o rosto. Ellie estava terrivelmente pálida e tinha grandes olheiras.

— Ellie, o que você tem? Não quer me dizer?

— Não sei o que eu tenho — disse ela. — Mas desde que o papai me falou da viagem sei que tem alguma coisa errada. Porque havia alguma coisa errada com ele.

Louis, o que você está escondendo? Estava escondendo alguma coisa. Eu notei, até Ellie foi capaz de notar.

Rachel percebeu que também passara o dia inteiro nervosa, como se estivesse esperando alguma coisa acontecer. Era como se sentia durante a tensão pré-menstrual, pronta a rir, a chorar, a ter uma dor de cabeça que latejaria como um apito de trem dentro dela e só ia passar três horas depois.

— *O quê?* — ela perguntou ao reflexo de Ellie no espelho. — Querida, o que poderia haver de errado com o papai?

— Eu não sei — disse Ellie. — Foi o sonho. Alguma coisa sobre Gage. Ou talvez sobre Church. Eu não lembro. Não *sei*.

— Ellie, que sonho foi esse?

— Eu sonhei que estava no "simitério" de bichos — disse Ellie. — Paxcow me levou até o "simitério" de bichos e disse que papai ia subir até lá e iria acontecer uma coisa terrível.

— Paxcow?

Uma onda de terror, afiada como uma flecha, mas ainda de forma vaga, atingiu Rachel. De quem era aquele nome; por que lhe parecia familiar? Achou que já tinha ouvido aquele nome (pelo menos um nome parecido), mas de modo algum conseguia se lembrar onde.

— Sonhou que alguém chamado Paxcow levou você até o "simitério" de bichos?

— Sim, foi assim que ele disse que se chamava. E...

Os olhos da menina se arregalaram de repente.

— Lembra de mais alguma coisa?

— Ele disse que foi mandado para avisar, mas não podia *interferir*. Disse que... eu não sei... que estava perto do papai porque os dois estavam juntos quando a alma dele de-de... *Eu não consigo lembrar!* — ela gemeu.

— Querida, acho que você sonhou com o "simitério" de bichos porque ainda está pensando no Gage. Tenho certeza de que não há nenhum problema com o papai. Está se sentindo melhor?

— Não — Ellie murmurou. — Mamãe, estou com medo. Você não está com medo?

— Hum-hum — Rachel balançou negativamente a cabeça, um movimento vivo. Depois sorriu.

Mas estava, estava com medo; e aquele nome, Paxcow, assombrava-a com sua familiaridade. Sentia que já o tinha ouvido, meses ou anos atrás, ligado a alguma situação terrível. Essa sensação enervante não a abandonava.

Pressentia alguma coisa — alguma coisa carregada de significação, *inchando*, esperando a hora de explodir. Alguma coisa terrível que precisava ser evitada. Mas o quê? *O quê?*

— Tenho certeza de que está tudo bem — disse. — Não quer voltar para junto do vovô e da vovó?

— Acho que sim — Ellie respondeu apaticamente.

Uma mulher porto-riquenha entrou com o filho pequeno no banheiro de senhoras, dando-lhe uma bronca. Havia uma grande mancha na frente da bermuda do menino e Rachel se lembrou de Gage com uma intensidade que a paralisou. A emoção foi como uma anestesia, suavizando seu nervosismo.

— Vamos. Podemos ligar para o papai da casa do vovô.

— Ele estava usando um calção — Ellie falou de repente, voltando-se para o menino.

— Ele quem, meu bem?

— Paxcow. No meu sonho, ele estava usando um calção vermelho.

Aquilo voltou a deixar o nome momentaneamente em foco, e Rachel sentiu mais uma vez um medo de enfraquecer os joelhos... Depois o nome escapuliu.

Havia muita gente diante da esteira de bagagem; Rachel só conseguiu ver a ponta do boné do pai, o único boné que tinha um penacho.

Dory Goldman guardava para elas duas cadeiras junto à parede e acenava. Rachel levou Ellie pela mão.

— Agora está se sentindo melhor, querida? — Dory perguntou.

— Um pouco melhor — disse Ellie. — Mamãe...

A menina se virou para a mãe e cortou o que ia dizer. Rachel se empinara na cadeira com uma rigidez absoluta, a mão tapando a boca, o rosto pálido. Tinha descoberto. Tinha descoberto de repente e levado um tremendo golpe. Sem dúvida devia ter lembrado logo, mas na época tentara varrer a coisa da mente. É claro!

— *Mamãe?*

Rachel se virou devagar para a filha e Ellie pôde ouvir os tendões de seu pescoço estalarem. Afastou a mão da boca.

— O homem do seu sonho disse como era o primeiro nome dele, Eileen?

— Mamãe, você está toda...

— *O homem do seu sonho disse como era o primeiro nome dele, Eileen?*

Dory contemplava a filha e a neta como se ambas tivessem enlouquecido.

— Disse, mas eu não consigo lembrar... Mamãe, você está me *machucaaando...*

Rachel baixou os olhos e viu que sua mão apertava o pulso da filha como uma algema.

— Era Victor?

Ellie respirou ruidosamente.

— Era, Victor! Disse que se chamava Victor! Mamãe, você também sonhou com ele?

— Não era Paxcow — disse Rachel. — Era *Pascow.*

— Foi isso o que eu disse. Paxcow.

— Rachel, o que está havendo? — Dory perguntou. Segurou a mão de Rachel e estremeceu por senti-la tão fria. — E o que aconteceu com Eileen?

— O problema não é com Eileen — disse Rachel. — Acho que é com Louis. Alguma coisa está acontecendo com Louis. Ou alguma coisa vai acontecer. Fique com Ellie, mamãe. Quero ligar para casa.

Levantou-se e foi para o telefone público, procurando na bolsa uma moeda de 25 centavos. Fez uma chamada a cobrar, mas não havia ninguém do outro lado da linha para receber a ligação. O telefone simplesmente tocou.

— Não quer tentar mais tarde? — a telefonista perguntou.

— Sim — Rachel respondeu e desligou.

Ficou parada, olhando para o aparelho.

Ele disse que foi mandado para avisar, mas não podia interferir. Disse que... que estava perto do papai porque os dois estavam juntos quando a alma dele de-de... Eu não consigo lembrar!

— Desencarnou — Rachel murmurou. Os dedos se cravaram na fazenda da bolsa. — Oh, meu Deus, a palavra era essa?

Tentou agarrar os pensamentos, colocá-los em ordem. Alguma coisa estava acontecendo, alguma coisa além da perturbação natural pela morte de Gage. O que significava aquela estranha viagem através do país, uma viagem que tanto se assemelhava a uma fuga? O que Ellie sabia do rapaz que morreu no primeiro dia de trabalho do pai?

Nada, sua mente respondeu implacável. *Você não deixou que ela soubesse de nada, sempre tentando mantê-la afastada de tudo que tivesse alguma relação com a morte; afastada até da possível morte do gato. Lembra-se da tola, estúpida discussão que teve com Louis naquele dia na copa? Você não deixou que ela soubesse de nada... porque ficou tão assustada como está agora. O nome dele era Pascow, Victor Pascow, e até que ponto a situação é séria, Rachel? Até que ponto a situação é grave? O que, pelo amor de Deus, está acontecendo?*

As mãos tremiam de tal forma que ela custou a colocar a moeda no telefone. Desta vez ligou para a enfermaria da universidade e mandou chamar Charlton, que, um tanto confusa, aceitou a ligação. Não, não tinha visto Louis e ficaria surpresa se ele tivesse ido trabalhar. Depois deu novamente os pêsames a Rachel. Rachel agradeceu e pediu que, se o marido aparecesse na enfermaria, Charlton o mandasse ligar para ela na casa dos pais. Sim, Louis tinha o número, ela explicou, não querendo dizer à enfermeira (que, aliás, provavelmente já sabia; tinha a impressão de que Charlton não perdia muita coisa) que a casa dos pais ficava a meio continente de distância.

Desligou o telefone, sentindo-se trêmula e um pouco febril.

Ellie ouviu o nome de Pascow em algum lugar, foi só isso. Meu Deus, ninguém cria uma criança numa redoma de vidro como... um hamster ou algo assim. Ellie ouviu a notícia no rádio. Ou algum menino lhe contou na escola e a coisa ficou gravada em sua mente. Mesmo aquela palavra que ela não conseguiu pronunciar — suponhamos que fosse uma palavra difícil, como "desencarnou" ou "desmaterializou-se", e daí? Isso não prova nada, exceto que o subconsciente é exatamente o pegajoso papel pega-moscas que o suplemento do jornal de domingo diz que é.

Lembrou-se de seu professor de psicologia. Ele assegurava que, em condições ideais, a memória conseguiria lembrar o nome de cada pessoa que conhecemos, cada refeição que comemos e como estava o tempo em cada dia de nossas vidas. Ilustrava essa tese incrível dizendo que a mente humana era um computador com um número assombroso de chips de memória — não 16K, 32K ou 64K, mas talvez *um bilhão* K: literalmente, mil milhões. E quanta coisa cada um desses "chips" orgânicos seria capaz de estocar? Ninguém sabia. Mas havia tantos chips, dizia ele, que nenhum deles precisava apagar as informações que armazenara para ser reutilizado. Na realidade, a mente consciente tinha de deixar alguns deles inativos como proteção contra um colapso informacional. "Talvez você não conseguisse lembrar onde colocou as meias", dizia o professor, "se todos os verbetes da Enciclopédia Britânica estivessem estocados nas duas ou três células de memória adjacentes à que sabe das meias".

Aquilo produzira um riso respeitoso na turma.

Mas não estou numa aula de psicologia sob boas lâmpadas fluorescentes, com todo aquele jargão reconfortante escrito no quadro-negro e um elegante professor-assistente embromando, da forma mais jovial possível, os últimos 15 minutos do seu horário. Existe algo de terrivelmente errado aqui e você sabe disso... Você sente isso. Não sei o que tem a ver com Pascow, Gage ou Church, mas tem alguma coisa a ver com Louis. O quê? Será...

Subitamente, foi atingida por um pensamento frio como um punhado de gelatina. Pegou de novo o telefone e tirou do escaninho a moeda que o aparelho devolvera. Será que Louis estava pensando em suicídio? Era por isso que tinha se livrado delas, quase as empurrando para fora? Será que de alguma forma Ellie tivera uma... uma... oh, à merda com a psicologia! Será que tivera algum tipo de premonição?

Desta vez pediu uma chamada a cobrar para Jud Crandall. O telefone tocou cinco vezes... seis... sete. Estava prestes a desligar quando Jud atendeu, quase sem fôlego.

— Alô?

— Jud! Jud, aqui é...

— Espere um minuto, por favor — disse a telefonista. — Chamada a cobrar da sra. Louis Creed. Posso completar a ligação?

— Eeeh — disse Jud.

— Perdão, senhor, posso completar ou não?

— Acho que pode — disse Jud.

Houve um momento de hesitação enquanto a telefonista traduzia o sotaque do norte para a língua-padrão.

— Obrigada — ela disse por fim. — Pode falar, por favor.

— Jud, você viu o Louis hoje?

— Hoje? Acho que não, Rachel. De manhã fui ao mercado em Brewer e passei a tarde no jardim atrás da casa. Por quê?

— Oh, acho que não é nada, mas Ellie teve um pesadelo no avião e eu simplesmente gostaria de tranquilizá-la.

— No avião?

A voz de Jud pareceu se elevar um pouco.

— Onde você está, Rachel?

— Em Chicago. Ellie e eu vamos passar umas semanas com meus pais.

— Louis não foi com vocês?

— Vem pra cá no fim da semana.

Agora Rachel já tinha dificuldade em manter a voz calma. Havia alguma coisa no tom de Jud de que ela não gostava.

— Que ideia foi essa de mandar vocês para aí?

— Bem... não sei... Jud, o que está havendo? Tem alguma coisa errada, não tem? E você sabe mais ou menos o que é...

— Por que não me conta qual foi o sonho de Ellie? — disse Jud após uma longa pausa. — Acho que deveria contar.

46

Quando acabou de falar com Rachel, Jud vestiu um casaco leve (o dia nublara, o vento tinha começado a soprar) e, depois de parar no acostamento e se certificar de que não vinha nenhum caminhão, atravessou a estrada para a casa de Louis. Os caminhões tinham sido a causa de tudo aquilo. Os malditos caminhões.

O problema é que a culpa não era dos caminhões.

Ele podia sentir o "simitério" de bichos — e uma voz um pouco mais distante — chamando por ele. Uma voz que outrora lhe parecera atraente canção de ninar, a própria voz do bem-estar ou de uma espécie fascinante de poder. Agora, porém, era mais rouca e mais do que agourenta: era ameaçadora e lúgubre. *Fique fora disso, está ouvindo?*

Mas não podia tirar o corpo fora. Sua responsabilidade era muito grande.

Viu que o Honda Civic de Louis não estava na garagem. Havia apenas a grande caminhonete Ford, empoeirada e pouco usada. Foi até a porta de trás da casa e encontrou-a aberta.

— Louis? — chamou, sabendo que Louis não ia responder, mas precisando de alguma forma romper o silêncio pesado que havia na casa. Oh, a velhice estava começando a se tornar um inferno; as pernas pareciam entorpecidas e emperradas a maior parte do tempo, a dor nas costas já o afligia depois de apenas duas horas no jardim, e era como se tivesse um parafuso enfiado no lado esquerdo dos quadris.

Começou a atravessar a casa vagarosamente, procurando algum indício do que temia descobrir (*pareço o mais velho assaltante do mundo*, ele pensou sem muito humor e continuou procurando).

Mas felizmente não encontrou nenhuma das coisas que poderiam deixá-lo seriamente transtornado: caixas de brinquedos não enviadas ao Exército da Salvação, roupas para um menino pequeno guardadas atrás de alguma porta, no fundo de um armário ou sob uma cama; talvez (pior de tudo) o berço cuidadosamente armado no quarto de Gage. Não havia absolutamente qualquer indício, mas a casa ainda conservava uma desagradável sensação de vazio, como se estivesse esperando ser ocupada com... alguma coisa.

Talvez eu devesse dar uma chegadinha ao Cemitério da Boa Vista. Ver se está acontecendo alguma coisa por lá. Quem sabe não encontro o Louis no caminho. Posso lhe pagar um jantar ou algo assim.

Mas o perigo não estava no Cemitério da Boa Vista em Bangor; o perigo estava ali, naquela casa... e atrás dela.

Jud saiu e voltou a atravessar a estrada. Tirou da geladeira uma embalagem com seis latas de cerveja e levou-a para a sala. Sentou-se diante do parapeito da janela que dava para a casa dos Creed, abriu uma lata e acendeu um cigarro. A tarde declinava ao seu redor e, como acontecia com frequência naqueles últimos anos, sua mente começou a recuar no passado, num giro cada vez mais amplo. Se ele pudesse adivinhar os pensamentos de Rachel Creed, teria lhe dito que talvez o professor de psicologia tivesse razão, mas quando se fica mais velho aquela obscura função da memória vai se enfraquecendo pouco a pouco, assim como tudo que existe em nosso corpo. A pessoa, porém, consegue recordar lugares, rostos e acontecimentos antigos com extraordinária nitidez. Velhas memórias em sépia tornam-se de novo brilhantes, as cores revivem, as vozes perdem aquele eco abafado pelo tempo e recuperam a ressonância original. E não se trata absolutamente de algum bloqueio para novas informações, Jud poderia ter dito ao professor. O nome daquilo era senilidade.

Em sua mente, via outra vez o touro Hanratty de Lester Morgan, os olhos muito vermelhos, atacando tudo que surgia à sua frente, tudo que se movesse. Chegava a dar chifradas nas árvores quando o vento agitava as folhas. Antes de Lester dar o braço a torcer e abater o animal, todas as árvores no pasto cercado de Hanratty ficaram marcadas por aquela fúria irracional. Os chifres do animal já estavam lascados e a cabeça sangrava. Na época em que resolveu dar um fim ao touro, Lester vivia cheio de medo — do mesmo modo como Jud estava se sentindo agora.

Continuou a fumar e a beber a cerveja. O dia ia declinando. Ele não acendeu as luzes. Aos poucos, envolvida pela escuridão, a brasa do cigarro foi se transformando num pequeno ponto vermelho.

Jud permaneceu ali, tomando cerveja e vigiando a entrada da casa de Louis Creed. Quando Louis chegasse, vindo de onde quer que tivesse ido, iria atravessar a estrada para ter uma conversinha com ele. Queria ter certeza de que Louis não estava planejando fazer qualquer coisa de que pudesse se arrepender mais tarde.

Ele ainda sentia o suave puxão da coisa, do mórbido poder que habitava aquele lugar maldito, espalhando-se para fora do penhasco de rocha apodrecida onde todas aquelas lápides tinham sido construídas.

Fique fora disso, está ouvindo? Fique fora disso ou vai ter muito, muito do que se arrepender.

Ignorando o mais que podia aquela voz, Jud continuou ali sentado, fumando, tomando cerveja. E esperando.

47

Enquanto Jud Crandall estava sentado na cadeira de balanço com encosto de vime, à espera junto do peitoril da janela, Louis fazia uma grande mas insossa refeição na sala de jantar do Howard Johnson's.

Realmente a comida era abundante e sem gosto — exatamente o que seu corpo parecia precisar. Lá fora, a noite caíra. Os faróis dos carros passando avançavam como dedos na escuridão.

Comia em grandes garfadas. Um bife. Batatas coradas. Uma guarnição de feijões com um brilho esverdeado que seria impossível encontrar na natureza. Uma fatia de torta de maçã com uma concha de sorvete em cima, derretendo-se numa pequena poça. Comia numa mesa do canto da sala, vendo gente entrar e sair, achando que poderia encontrar alguém conhecido. De forma vaga, chegava a querer que isso acontecesse. Teria de responder a perguntas: *Onde está Rachel, o que está fazendo aqui, como vão as coisas?...* Talvez as perguntas trouxessem complicações, e quem sabe não estaria realmente ansiando por essas complicações. Uma saída.

Na realidade, um casal que ele conhecia entrou quando estava terminando a torta de maçã e uma segunda xícara de café: Rob Grinnell, um médico de Bangor, e sua bonita esposa Barbara. Achou que seria visto por eles, sentado naquela pequena mesa do canto, mas a garçonete levou-os para uma mesa em U do outro lado da sala, e Louis perdeu-os inteiramente de vista, exceto por um relance ocasional do prematuro cabelo grisalho de Grinnell.

A garçonete trouxe a conta e Louis assinou-a, acrescentando o número do quarto sob a assinatura. Depois saiu pela porta lateral.

Lá fora, o vento se transformara quase num vendaval. Era uma presença consistente, que sacudia os fios elétricos com um zumbido estranho. Não via nenhuma estrela, mas teve a sensação de nuvens correndo em grande velocidade acima dele. Parou um momento na calçada, mãos nos bolsos, rosto voltado para o vento. Depois deu meia-volta, subiu para o quarto e ligou a TV. Era cedo demais para fazer qualquer coisa mais séria e aquele vento noturno trazia um excesso de sugestões. Deixava-o nervoso.

Assistiu à televisão por quatro horas, oito programas humorísticos de trinta minutos em sequência. Há muito não via tanta TV num fluxo contínuo e ininterrupto. Achou que todas as mulheres que apareciam nos quadros de humor eram o que ele e seus colegas de colégio chamavam "pistoleiras".

Em Chicago, Dory Goldman estava gemendo:

— *Voltar*? Querida, por que você quer *voltar*? Você acabou de *chegar*!

Em Ludlow, Jud Crandall continuava sentado ao lado da janela, fumando e tomando cerveja, imóvel, examinando o álbum mental de seu próprio passado e esperando Louis chegar. Mais cedo ou mais tarde, Louis voltaria para casa, como Lassie naqueles velhos filmes. Havia outros caminhos para o "simitério" de bichos e para o lugar que havia além dele, mas Louis não os conhecia. Se pretendesse subir até lá, partiria do próprio terreno.

Inconsciente desses outros acontecimentos que, como lentos projéteis, se dirigiam não para onde ele estava agora, mas, na melhor tradição balística, para onde estaria mais tarde, Louis continuava diante do televisor em cores do motel. Nunca vira nenhum daqueles programas antes, mas já ouvira rumores sobre eles: uma família negra, uma família branca, um garotinho mais esperto do que os adultos ricos com quem vivia, uma mulher solteira, uma mulher casada, uma mulher divorciada. Viu todos eles, sentado numa poltrona do Howard Johnson's Motor Lodge, de vez em quando olhando a noite cheia de vento lá fora.

Quando começou o noticiário das 11, desligou a televisão e saiu para fazer o que estava decidido a fazer talvez desde o momento em que viu o boné de beisebol de Gage no meio da estrada, cheio de sangue. A sensação de frio envolveu-o de novo, mais forte que nunca, mas havia alguma coisa sob ela — uma brasa de impaciência, paixão ou mesmo ânsia. Não importa. Isso o faria suportar o frio e não o deixaria esmorecer sob o vento.

Ao ligar o motor do Civic, pensou que talvez Jud tivesse razão sobre o crescente poder daquele lugar, pois sem dúvida ele o sentia agora à sua volta, levando-o (ou empurrando-o) à frente.

Eu poderia parar? Eu poderia parar mesmo se quisesse?

48

— Por que você quer voltar? — Dory perguntou outra vez. — Rachel... você está transtornada... Uma boa noite de sono...

Rachel só balançava a cabeça. Não podia explicar à mãe por que tinha de voltar. A sensação crescera dentro dela do modo como surge uma ventania: primeiro um leve agitar da relva, que mal se nota; o ar começa a se mover com mais força, mais rapidez e toda a calma se dissipa; então as rajadas se tornam fortes o bastante para fazer ruídos sinistros de uivo em torno dos beirais dos telhados; depois o vento faz a casa estremecer e a pessoa percebe a ameaça do furacão, sente que se o vento continuar aumentando as coisas começarão a desmoronar.

Eram seis horas em Chicago. Em Bangor, Louis estava apenas se sentando na mesa do canto para aquela refeição farta e sem gosto. Rachel e Ellie mal chegaram a tocar no jantar. Rachel continuava erguendo os olhos do prato e se defrontando com o olhar sombrio da filha, perguntando o que ela ia fazer sobre o problema que devia haver com o pai, perguntando o que ela ia fazer.

Ela esperava que o telefone tocasse, que Jud ligasse para dizer que Louis tinha chegado. O telefone tocou uma vez (ela pulou da cadeira e Ellie quase entornou o copo de leite), mas era apenas uma senhora do clube de *bridge*, querendo saber se Dory chegara bem.

Estavam tomando café quando, de repente, Rachel jogou o guardanapo sobre a mesa e disse:

— Papai... Mamãe... sinto muito, mas tenho de ir pra casa. Se conseguir um avião, vou ainda esta noite.

A mãe e o pai ficaram boquiabertos, mas Ellie fechou os olhos numa expressão adulta de alívio — teria sido até engraçada não fosse a tensão do seu rosto, a palidez de cera na pele.

Os dois não compreenderam e Rachel não podia explicar o que estava sentindo, como não poderia explicar de que forma as pequenas brisas, tão débeis que mal conseguem agitar as pontas da relva baixa, vão aos poucos ganhando força até se tornarem capazes de danificar uma construção de cimento armado. Não acreditava que Ellie tivesse ouvido alguma notícia sobre a morte de Victor Pascow e a arquivado no subconsciente.

— Rachel, querida...

O pai de Rachel falou devagar, gentil, como se deve falar a alguém que caiu nas malhas de uma momentânea, mas perigosa, histeria.

— ... isso é apenas uma reação à morte de seu filho. Você e Ellie estão reagindo fortemente, e quem iria censurá-las? Mas você pode ter um colapso nervoso se não tentar...

Rachel não respondeu. Foi para o telefone no corredor, procurou *Companhias de Aviação* nas Páginas Amarelas e discou o número da Delta. Dory se aproximou, perguntando se ela não achava melhor pensar um pouco mais, se não seria bom discutirem um pouco o assunto, talvez fazer uma lista de pontos a considerar. Ellie postou-se atrás da avó, o rosto ainda sombrio, mas agora iluminado por uma doce esperança suficientemente nítida para dar a Rachel alguma coragem.

— Delta Airlines — respondeu vivamente a voz do outro lado. — Meu nome é Kim, posso ajudá-la em alguma coisa?

— Espero que sim — disse Rachel. — É extremamente importante que eu viaje de Chicago a Bangor ainda esta noite. É... é uma espécie de emergência, eu acho. Pode verificar como estão as conexões?

— Pois não — a voz concordou hesitante —, mas está muito em cima da hora.

— Bem, mas por favor *verifique* — disse Rachel, a voz com um certo timbre de estridência. — Pode ser uma lista de espera, qualquer coisa.

— Está bem, senhora. Por favor, aguarde um momento.

A linha ficou suavemente silenciosa. Rachel fechou os olhos e, pouco depois, sentiu uma mão fria no braço. Abriu os olhos e viu que Ellie tinha chegado mais perto dela. Dory e Irwin estavam lado a lado, falando baixo e olhando as duas. *Do modo como olhariam para lunáticos*, Rachel pensou vagamente e conseguiu mostrar um sorriso à filha.

— Não deixe que ninguém a detenha, mamãe — disse Ellie em voz baixa. — Por favor.

— Não vou deixar, irmãzinha.

Rachel estremeceu. Era assim que às vezes chamavam Ellie desde o nascimento de Gage. Mas agora ela não era mais a "irmãzinha de Gage", certo?

— Obrigada — disse Ellie.

— É mesmo muito importante, não é?

Ellie concordou com a cabeça.

— Querida, eu acredito que seja. Mas você me ajudaria muito se pudesse me dizer mais alguma coisa. É só o sonho?

— Não. É... é tudo. Agora está correndo por dentro de mim, da cabeça aos pés. Você não pode sentir, mamãe? É alguma coisa como...

— Alguma coisa como um vento.

Ellie suspirou um tanto trêmula.

— Mas você não sabe o que é? — A mãe perguntou. — Não se lembra de mais nada do sonho?

Ellie pensou bastante e balançou a cabeça com ar de dúvida.

— Papai. Church. E Gage. É tudo que eu lembro. Mas não sei como eles se juntaram, mamãe!

Rachel abraçou-a com força.

— Tudo vai ficar bem — disse ela, mas o peso em seu coração não diminuiu.

— Alô, senhora? — voltou a funcionária do setor de reservas.

— Sim?

Rachel apertou com mais força o telefone e a filha.

— Acho que posso fazê-la chegar a Bangor... Mas vai chegar muito tarde.

— Não faz mal.

— Tem uma caneta? É complicado.

— Sim, já peguei — disse Rachel, tirando um toco de lápis da gaveta. Achou também o verso de um envelope para escrever.

Rachel ouviu com atenção, anotando tudo. Quando a moça da Delta terminou, ela sorriu e fez um sinal positivo com o polegar para mostrar a Ellie que iam conseguir. *Provavelmente* iam conseguir, pensou. Algumas conexões pareciam muito, muito difíceis... Principalmente em Boston.

— Por favor, reserve lugares em todos os voos — disse Rachel. — E obrigada.

Kim anotou o nome de Rachel e o número do cartão de crédito. Por fim ela desligou o telefone, trêmula, mas aliviada. Olhou para o pai.

— Papai, o senhor vai me levar até o aeroporto?

— Acho que eu devia responder que não. Talvez a ajudasse a pôr um ponto final nessa loucura.

— *Não se atreva!* — Ellie gritou com voz estridente. — Isso não é uma loucura! *Não é!*

Goldman piscou e deu um passo atrás ante a pequena, mas feroz explosão da neta.

— Leve as duas, Irwin — Dory falou em voz baixa no silêncio que se seguiu. — Eu também estou começando a ficar nervosa. Vou me sentir melhor se souber que Louis está bem.

Goldman encarou a esposa e depois se virou para Rachel.

— Vou levá-la, se é isso que você quer — disse. — Eu... Escute, Rachel, posso ir também, se você quiser.

Rachel balançou a cabeça.

— Obrigada, papai, mas peguei todos os últimos lugares dos voos. É como se Deus os tivesse reservado para mim.

Irwin Goldman suspirou. Naquele instante, pareceu muito velho e, subitamente, ocorreu a Rachel que o pai era um tanto parecido com Jud Crandall.

— Se quiser, ainda tem tempo de arrumar alguma coisa — disse ele. — Podemos chegar ao aeroporto em quarenta minutos, se eu dirigir como fazia quando me casei com sua mãe. Por que não lhe empresta a bolsa de viagem, Dory?

— Mamãe — disse Ellie.

Rachel se virou. O rosto da menina estava agora reluzente com um leve suor.

— O que é, meu bem?

— Tenha cuidado, mamãe.

49

As árvores eram apenas formas que se moviam contra um céu nublado, iluminado pelo clarão do aeroporto não muito distante. Louis estacionou o Civic na rua Mason. A rua circundava o Boa Vista pelo lado sul, e lá o vento quase o impedia de fechar a porta do carro. Teve de empurrá-la com força. O vento lhe encrespava a jaqueta quando abriu o bagageiro e tirou as ferramentas embrulhadas no pedaço de lona.

Estava num trecho escuro entre dois lampiões, de pé no meio-fio com a trouxa de lona nos braços. Observou cuidadosamente se não vinha nenhum carro antes de atravessar para a cerca com grades de ferro que marcava os limites do cemitério. Não queria que ninguém o visse, nem mesmo algum passante distraído que mal reparasse nele. A seu lado, os galhos de um velho olmo vergavam sem descanso, fazendo Louis imaginar um bando de desempregados de gravatas. Deus, estava tão assustado. Aquilo não era trabalho frenético, era trabalho insano.

Nenhum movimento. Na rua Mason, os postes distanciavam-se num perfeito contorno branco, atirando fachos de luz numa calçada onde, durante o dia, depois de terminadas as aulas na Fairmount Grammar School, os meninos andavam de bicicleta, as meninas pulavam corda e brincavam de roda, jamais reparando no cemitério, exceto talvez no Dia das Bruxas, quando ele adquiria um certo charme fantasmagórico. Talvez então se atrevessem a cruzar a rua suburbana e pendurar um esqueleto de papel nas altas grades de ferro, rindo com as velhas piadas. *É o lugar mais popular da cidade; as pessoas morrem de vontade de vir para cá. Por que não se deve rir dentro do cemitério? Porque nem todos que moram aí têm espírito esportivo.*

— Gage — ele murmurou. Gage estava lá, atrás daquelas grades, injustamente aprisionado sob uma camada de terra escura. E aquilo não tinha graça nenhuma. *Vou tirar você daí, Gage,* ele pensou. *Vou tirar você daí, meu garoto, ou vou morrer tentando.*

Louis atravessou a rua com a pesada trouxa nos braços, subiu na outra calçada, olhou de novo ao redor e atirou o embrulho do outro lado das grades. As ferramentas tilintaram baixo quando bateram no chão. Sacudindo a poeira das mãos, Louis recomeçou a andar. Marcara o lugar. Mesmo se esquecesse, só precisava seguir a cerca pelo lado de dentro até ficar em frente ao Civic, e lá estaria o embrulho.

Mas será que àquela hora o portão ainda estaria aberto?

Desceu a rua Mason até a placa de pare, acossado, perseguido pelo vento. Sombras dançavam e se misturavam no chão.

Virou a esquina para a rua Pleasant, sempre seguindo o muro. Os faróis de um carro penetraram na rua e Louis se escondeu atrás de um olmo. Não era uma viatura policial, apenas um furgão seguindo para a rua Hammond e, talvez, para a estrada. Depois que passou, Louis voltou a caminhar.

Sem dúvida está aberto. Tem de estar.

Atingiu o portão de ferro batido, em forma de catedral, leve e graciosa entre as sombras atiradas pelos lampiões e agitadas pelo vento. Esticou a mão e empurrou.

Trancado.

Seu estúpido, é claro que está trancado! Você achava mesmo que alguém ia deixar um cemitério nos limites da cidade aberto depois das 11 horas? Ninguém é assim tão descuidado, rapaz, ninguém! E agora o que vai fazer?

Agora teria de escalar o muro e rezar para que nenhum espectador tirasse os olhos do *Carson Show* a tempo de vê-lo subindo como macaco nas grades, o mais velho e menos ágil garoto do mundo.

É da polícia? Acabo de ver um garoto velho demais pulando o muro do Cemitério da Boa Vista. É, parece que estava morrendo de vontade de entrar. Parece que algo mortal está acontecendo por lá... Brincadeira? Não, não, eu estou muito morto para brincar. Mas se quiser ponha uma pá de cal no assunto e tudo bem.

Louis continuou seguindo a rua Pleasant e virou à direita no cruzamento seguinte. As grades de ferro marchavam sem cessar ao lado dele. O vento o refrescava e evaporava as gotas de suor na testa e nas cavidades das têmporas. Sua sombra aumentava e diminuía sob a luz dos lampiões. De vez em quando dava uma olhada no muro, mas de repente parou e se obrigou a realmente encarar a coisa.

Vai mesmo tentar pular essas grades, rapaz? Não me faça rir.

Louis Creed era um homem razoavelmente alto, bem mais de 1,70 metro, mas o muro devia chegar a quase 3 metros. E cada grade de ferro acabava numa decorativa ponta em forma de seta. Sem dúvida interessante, até que o sujeito escorregasse e caísse com a virilha sobre aquelas flechas, uma força equivalente a 100 quilos esmagando os testículos. E então Louis ficaria ali, torto como um porco no espeto, gritando até que alguém chamasse a polícia e o levassem para o hospital.

O suor continuava a escorrer, deixando a camisa grudada nas costas. Tudo era silêncio, exceto o débil rumor dos últimos carros passando à noite na rua Hammond.

Tinha de haver um meio de entrar.

Tinha de haver.

Vamos lá, rapaz, encare os fatos. Você pode estar louco, mas nem tanto assim. Talvez consiga se equilibrar em cima das grades, mas só um atleta treinado saberia pular para o outro lado sem se espetar. E mesmo admitindo que você conseguisse, como ia sair com o corpo de Gage?

Continuou andando, vagamente consciente de que estava circundando o cemitério sem fazer qualquer coisa construtiva.

Tudo bem, aí está a resposta. Vou para casa esta noite e volto amanhã à tarde. Entro por volta das quatro horas e procuro um lugar para me esconder até que seja meia-noite ou um pouco mais. Em outras palavras, adio para amanhã o que eu devia ter sido esperto o bastante para já ter pensado ontem.

Boa ideia, Oh, Grande Mestre Louis Creed... E, nesse meio-tempo, o que vai fazer com aquela grande trouxa que atirou do outro lado do muro? Pá, picareta, lanterna... Dava no mesmo se tivesse colocado uma etiqueta em cada ferramenta: EQUIPAMENTO PARA VIOLAÇÃO DE TÚMULOS.

Se bem que o embrulho caíra no meio de arbustos. Será que alguém iria achar?

Em certa medida, fazia sentido supor que ninguém o encontrasse. Mas era insensato confiar na sorte. Seu coração lhe dizia, num tom sereno mas decidido, que não podia voltar amanhã. Se não fizesse a coisa naquela noite, nunca mais faria. Nunca mais conseguiria arrastar-se de novo àquela loucura. O momento era aquele, era agora ou nunca.

Ali havia poucas casas; poucos quadrados de luz amarela brilhavam do outro lado da rua (divisou num deles a cintilação cinza e azulada de uma TV em preto e branco). Olhando através das grades, Louis percebeu que as lápides eram mais velhas naquele ponto, mais arredondadas, às vezes inclinadas para a frente ou para trás pelas nevadas e pelos degelos de muitas estações. Mais adiante, havia outra placa de pare; uma nova curva à direita ia levá-lo a uma via paralela à rua Mason, onde ele havia começado. Quando voltasse ao ponto de partida, o que iria fazer? Comprar mais uma ficha e dar a volta outra vez? Admitir o fracasso?

Os faróis de um automóvel dobraram na rua. Louis se escondeu atrás de outra árvore e esperou o veículo passar. O carro seguia muito devagar e, pouco depois, a luz branca de uma lanterna que vinha do assento da frente correu trêmula pela grade. Sentiu um doloroso aperto no coração. Era uma viatura policial inspecionando o cemitério.

Comprimiu o corpo contra a árvore, a aspereza da casca no rosto, esperando desesperadamente que a árvore fosse grande o bastante para ocultá-lo. O facho da lanterna virou-se em sua direção. Louis abaixou a cabeça, tentando esconder o reflexo esbranquiçado do rosto. A lanterna atingiu a árvore, desapareceu por um instante, depois voltou pela direita. Deslizou um pouco pela árvore. Ele viu de relance a sirene apagada na capota do carro. Esperou que as lanternas traseiras ficassem mais vermelhas, o carro parasse de todo, as portas se abrissem e a lanterna do policial lhe batesse de frente no rosto, apontando-o como um grande dedo branco.

Ei, você! Você aí atrás da árvore! Saia com as mãos na cabeça, queremos ver quem é! Saia AGORA!

Mas o carro de polícia continuou avançando. Atingiu a esquina, ligou devidamente a seta e virou à esquerda. Louis se apoiou de costas na árvore, respirando depressa, um gosto azedo na boca seca. Achava que iam passar pelo Civic, mas isso não fazia mal. Era permitido estacionar na rua Mason das seis da tarde às sete da manhã. Havia muitos outros carros ali. Provavelmente os donos moravam nos prédios do outro lado da rua.

Louis se voltou para a árvore atrás da qual se escondera.

Bem acima de sua cabeça, a árvore se abria em galhos. Talvez pudesse...

Sem pensar uma segunda vez, segurou num dos galhos e ergueu o corpo usando os tênis como alavanca, jogando na calçada algumas lascas da casca. Levantou o joelho e, pouco depois, tinha um dos pés solidamente plantado no meio da forquilha. Se por acaso o carro de polícia voltasse, seus faróis encontrariam um pássaro extremamente curioso naquela árvore. Tinha de ser rápido.

Passou a um galho mais alto, que se erguia acima das grades. Sentiu-se como o garoto de 12 anos que fora outrora.

A árvore não estava imóvel, balançava sem parar ao vento, um balanço quase agradável. As folhas murmuravam, roçavam umas nas outras. Louis avaliou a situação e, antes que alguma dúvida o fizesse recuar, pendurou-se na direção do muro, segurando no galho com as mãos entrelaçadas. O galho era talvez um pouco mais grosso que o antebraço de um homem forte.

Com os tênis oscilando uns 2,50 metros acima da calçada, procurou avançar para as grades. Primeiro uma, depois outra mão. O galho se curvou, mas não parecia que ia quebrar. Louis estava debilmente consciente de sua sombra, estendendo-se pela calçada de cimento, uma forma negra de macaco, um contorno amorfo. O vento lhe tirava o calor das axilas e ele começou a tremer, apesar da quentura que lhe envolvia o rosto e o pescoço. O galho vergava e balançava com seus movimentos. Quanto mais avançava, mais pronunciada se tornava a curva. Agora as mãos e os pulsos estavam ficando cansados e ele teve medo de que as palmas das mãos, engorduradas de suor, escorregassem.

Atingiu as grades. Os tênis pendiam uns 30 centímetros acima das pontas de flecha. E daquele ângulo, as flechas não pareciam nada rombudas. Eram de fato muito afiadas.

Afiadas ou não, percebeu que não apenas suas bolas ficariam em perigo. Se caísse sobre uma daquelas pontas mortais, teria peso suficiente para enterrar-se até os pulmões. Ao voltar, os policiais encontrariam nas grades do Boa Vista uma decoração prematura e bem apavorante do Dia das Bruxas.

Respirando depressa, quase ofegante, precisando de um momento de descanso, tentou alcançar a cerca com os pés. Por um instante, continuou ali pendurado, os pés se movendo numa dança aérea, tateando sem encontrar nada.

Um facho de luz atingiu-o e foi se aproximando.

Oh, Deus, é um carro, é um carro vindo...!

Tentou mover as mãos mais depressa, mas as palmas escorregavam. E os dedos começaram a fraquejar.

Sempre procurando apoio, virou a cabeça para a esquerda, olhando sob a força que fazia seu braço. Era um carro, mas passou em disparada pelo cruzamento e continuou subindo a rua sem diminuir a velocidade. Sorte. Se tivesse...

As mãos escorregaram de novo. Sentiu uma chuva de lascas no cabelo.

Um dos pés encontrou apoio, mas a outra perna da calça prendeu numa das pontas de flecha. Cristo, ele não ia conseguir se segurar muito tempo. Desesperado, sacudiu a perna. O galho mergulhou. Suas mãos tornaram a escorregar. Houve um ruído de roupa rasgando e, de repente, ele estava de pé sobre duas das pontas. Elas se cravaram nas solas dos tênis e a pressão logo se tornou dolorosa, mas mesmo assim Louis continuou ali. O alívio nas mãos e nos braços era maior que a dor na sola dos pés.

Que figura eu devo estar parecendo!, pensou com um ânimo sombrio e lúgubre. Segurando o galho com a mão esquerda, enxugou na jaqueta o suor da direita. Depois trocou de mão e enxugou a esquerda.

Ficou mais um instante sobre as pontas das grades, mas logo fez as mãos escorregarem pelo galho. Agora o galho era fino o bastante para não lhe permitir entrelaçar os dedos com segurança. Balançou o corpo para a frente como Tarzan e os pés abandonaram as grades afiadas. O galho vergou de modo alarmante e ele ouviu um estalo de arrepiar. Deixou-se levar, caindo de qualquer jeito.

E caiu mal. Bateu numa lápide com um dos joelhos e um surto de dor subiu-lhe pela coxa. Rolou pela grama, segurando o joelho, lábios contorcidos numa espécie de sorriso, rezando para não ter quebrado a rótula. Por fim, a dor começou a diminuir um pouco e Louis sentiu que podia flexionar a junta. Estaria tudo bem se continuasse se mexendo e não deixasse a pancada enrijecer a articulação. Talvez.

Ficou de pé e começou a andar ao longo da cerca na direção da rua Mason e do ponto onde jogara o equipamento. De início o joelho pareceu muito mal, mancava um pouco, mas a dor foi suavizando à medida que avançava. Havia aspirinas no estojo de primeiros socorros do Civic. Devia ter se lembrado de trazê-las. Mas era tarde demais. Continuou atento ao movimento lá de fora e se abaixou quando um carro passou.

Do lado da rua Mason, que talvez fosse a mais movimentada, ele se manteve sempre bem longe da grade, até se ver em frente ao Civic. Estava prestes a alcançar os arbustos onde as ferramentas tinham caído quando ouviu passos na calçada e um riso baixo de mulher. Sentou-se atrás de uma grande lápide (machucara demais o joelho para conseguir se agachar) e contemplou um casal subindo a rua. Andavam abraçados pela cintura e alguma coisa na maneira de se deslocarem de uma poça branca de luz para a seguinte fez Louis se lembrar de um velho programa de TV. Num instante, o nome lhe ocorreu: *The Jimmy Durante Hour.* O que aqueles dois fariam se ele se levantasse de repente, sombra oscilante naquele silencioso campo da morte, e gritasse num tom cavernoso: "Estamos iniciando a transmissão costa a costa..."?

O casal parou debaixo de uma lâmpada um pouco depois do Civic e se abraçou. Observando-os, Louis sentiu uma espécie de mórbida fascinação e ódio de si próprio. Lá estava ele, personagem fantástico de uma história em quadrinhos barata, espiando casais de namorados de trás de um túmulo.

Será então que a linha divisória é assim tão tênue?, ele se perguntou, e o pensamento já lhe era um tanto familiar. *Tão fina que você pode transpô-la com o mínimo de alvoroço, bagunça e perturbação? Escalar uma árvore, deslizar por um galho, cair dentro de um cemitério, espiar casais de namorados... e cavar buracos. Será assim tão simples? Será isso que chamam loucura? Levei oito anos para me tornar doutor, mas num piscar de olhos virei violador de sepulturas. Acho que é isso o que as pessoas chamam de carniçal.*

Apertou a boca com os punhos para impedir que algum som escapasse e meditou sobre o frio interior que sentia e sobre aquela sensação de incoerência. Louis viu, diante dos próprios olhos, que havia alguma coisa acontecendo com ele.

Finalmente o casal voltou a caminhar e Louis acompanhou-o com impaciência. Subiram as escadas de um dos prédios de apartamentos. O homem procurou uma chave no bolso; pouco depois, entraram. A rua ficou de novo silenciosa, exceto pelo vento constante, sussurrando entre as árvores e fazendo o cabelo suado de Louis cair sobre a testa.

Ele correu, ajoelhou e procurou entre os arbustos a trouxa de lona. Lá estava ela, áspera ao toque de seus dedos. Suspendeu-a, ouvindo as ferramentas tilintarem. Levou-a para o amplo caminho entre os túmulos que conduzia ao portão e parou para se orientar. Seguir em frente, depois virar à esquerda na encruzilhada. Sem problemas.

Avançou pela beira do caminho, pronto a se esconder na sombra dos olmos se fosse descoberto por algum eventual zelador noturno.

Na encruzilhada, virou à esquerda, tomando a direção do túmulo de Gage. E de súbito percebeu apavorado que não conseguia mais se lembrar da aparência do filho. Parou, contemplando os túmulos enfileirados e a sombria arquitetura dos mausoléus, tentando recuperar a face de Gage. Aos poucos, traços diversos lhe vieram à memória: o cabelo louro, fino e leve, os olhos oblíquos, os dentes pequenos, brancos, a pequena marca no queixo de quando ele caíra da escada da cozinha na casa de Chicago. Era capaz de ver esses detalhes, mas não conseguia integrá-los num todo coerente. Via Gage correndo para a estrada, correndo para seu encontro com o caminhão da Orinco, mas o rosto estava virado.

Tentou se recordar de Gage no berço, no dia em que soltaram a pipa-abutre, mas o olho de sua mente só se defrontou com escuridão.

Gage, onde está você?

Você já pensou, Louis, que pode não estar prestando qualquer serviço a seu filho? Talvez ele se sinta feliz onde está agora... talvez nem tudo seja a besteira que você sempre pensou que fosse. Talvez esteja com os anjos, ou apenas dormindo. E se estiver dormindo, você sabe o que pode significar acordá-lo?

Oh, Gage, onde você está? Quero você em casa conosco.

Mas será que era realmente senhor de suas ações? Por que não conseguia se lembrar da fisionomia de Gage, e por que estava indo contra todas as advertências — os conselhos de Jud, o sonho com Pascow, o tremor que sentia no fundo do peito?

Pensou nas lápides do "simitério" de bichos, naqueles círculos rudes, se espiralando em direção ao Mistério... e a sensação de frio atingiu-o de novo. Mas por que, afinal, estava ali parado, querendo se lembrar do rosto de Gage?

Expunha-se à toa.

Pouco depois, encontrou a lápide da sepultura; dizia simplesmente GAGE WILLIAM CREED, seguido por duas datas. Alguém fizera uma visita ao túmulo naquela tarde, havia flores recentes. Quem? A sra. Dandridge?

Seu coração batia com força, mas devagar. Ali estava; se ia mesmo fazer a coisa, era melhor começar logo. Só tinha pela frente as horas da madrugada; depois o dia nasceria de novo.

Louis consultou pela última vez o coração e viu que sim, estava disposto a ir em frente. Balançou a cabeça quase imperceptivelmente e tirou um canivete do bolso. Cortou a fita adesiva com que amarrara a trouxa das ferramentas. Desenrolou a lona como um tapete junto ao túmulo de Gage e arrumou as ferramentas sobre ela; era como se arrumasse os instrumentos para suturar uma ferida ou fazer uma pequena operação na enfermaria.

Ali estava a lanterna com o feltro, como o homem da loja tinha sugerido. Colocara uma moeda em cima do feltro e cortara em volta com o canivete, fazendo um pequeno círculo. Depois, também com fita gomada, prendera o feltro na lanterna. Ali estava a picareta de cabo curto que provavelmente não teria de usar; só a trouxera por medida de precaução. Não ia lidar com um túmulo lacrado e não ia encontrar pedregulhos na cova recentemente enchida. Ali estava a pá, a pazinha, o pedaço de corda, as luvas. Pôs as luvas, pegou a pazinha e começou.

O solo era macio; era fácil cavar. O contorno da sepultura estava bem definido, a terra que cavava era mais macia que a terra nas beiradas. Sua mente fez uma espécie de comparação automática entre a facilidade daquela escavação e o solo rochoso, implacável, do lugar onde, se tudo corresse bem, tornaria a enterrar o filho. Lá em cima ia precisar da picareta.

Tentou parar de pensar e se aplicar ao trabalho. Ia jogando a terra à esquerda do túmulo, trabalhando num ritmo contínuo, mas que se tornava mais difícil manter à medida que o buraco ficava mais fundo. Entrou na sepultura, sentindo o cheiro úmido e desagradável da terra revolvida, um cheiro que lembrava os verões em que estagiou com o tio Carl.

Cavador, ele pensou, parando para tirar o suor da testa. Tio Carl dissera que aquele era o apelido de todos os coveiros nos Estados Unidos. Os amigos chamavam-no "Cavador".

Continuou a cavar.

Só parou mais uma vez, e foi para consultar o relógio. Era meia-noite e vinte. Sentiu o tempo deslizar pelo punho como um objeto engraxado.

Quarenta minutos depois, a pazinha raspou em alguma coisa e os dentes de Louis apertaram o lábio superior com força suficiente para fazê-lo sangrar. Apanhou a lanterna e iluminou lá embaixo. Ainda havia muita terra mas, numa brecha diagonal, despontava uma superfície cinzenta e prateada. Era a tampa da sepultura. Louis tirou quase toda a terra, com medo de estar fazendo muito barulho, pois nada era mais barulhento do que uma pá raspando concreto no meio da noite.

Saiu do túmulo e pegou a corda. Passou-a pelos anéis de ferro de um dos segmentos da tampa. Saiu de novo do túmulo, apoiou-se ao lado da lona e segurou as pontas da corda.

Louis, acho que esta é... sua última chance.

Tem razão. É minha última chance e estou disposto a aproveitá-la.

Enrolou as pontas da corda nas mãos e puxou. O quadrado de concreto se abriu facilmente, rangendo. Parou na vertical sobre um quadrado de escuridão, parecendo antes uma lápide que a tampa de um túmulo horizontal.

Louis puxou a corda dos anéis e atirou-a para o lado. Não precisaria usá-la para remover a outra parte da tampa; podia erguê-la apoiando-se na beira do túmulo.

Entrou de novo no buraco, movendo-se com cuidado, não querendo derrubar a laje de cimento que já levantara, ver os dedos do pé esmagados ou vê-la quebrada (era bem fina). Pedras rolaram para dentro do buraco e algumas delas caíram sobre o caixão de Gage, um som oco.

Louis se curvou, segurou a outra metade da tampa e suspendeu-a. Sentiu os dedos esmagarem alguma coisa fria.

Quando acabou de colocar aquela parte da tampa na vertical sobre a extremidade da cova, baixou os olhos para a mão e viu parte do corpo de uma gorda minhoca se contorcendo. Com um grito abafado de repugnância, sacudiu-a na terra ao lado do túmulo.

Então dirigiu para baixo o facho da lanterna.

Lá estava o caixão que, durante o funeral, vira descansar sobre corrimões cromados ao lado da sepultura, então cercado por aquela horrível grama artificial. Lá estava a caixa-forte onde fora obrigado a enterrar todas as esperanças que acalentara para o filho. Uma fúria, um calor abrasador cresceram dentro dele, a própria antítese da anterior sensação de frio. Idiotice! A resposta era não!

Louis procurou a pazinha. Levantou-a até a altura dos ombros e golpeou a fechadura da urna — uma, duas, três, quatro vezes. Seus lábios estavam repuxados num esgar de raiva.

Vou tirá-lo daí, Gage, pode apostar!

O trinco havia soltado desde a primeira pancada, mas Louis continuava batendo, como se não quisesse apenas abrir o caixão, mas arrebentá-lo. Finalmente recuperou uma certa sensatez e parou, a pazinha no ar, pronta para um novo golpe.

A ferramenta estava empenada e cheia de riscos. Atirou-a de lado e cambaleou para fora da cova com as pernas fracas e entorpecidas. Sentia um embrulho no estômago e a ira tinha se dissipado tão depressa quanto chegou. Uma torrente de frio começava a substituí-la e nunca sua mente se sentira tão só e confusa; era como um astronauta flutuando para longe da nave durante uma operação externa, em meio à completa escuridão, exposto a riscos imprevisíveis. *Será que Bill Baterman também se sentiu desse jeito?*, ele se perguntou.

Estendeu-se de costas no chão, querendo ver se tinha as emoções sob controle, se estava pronto para continuar. Quando a sensação de entorpecimento nas pernas cessou, sentou-se e deslizou para a cova. Pôs o facho da lanterna no trinco e percebeu que não estava apenas quebrado, mas destruído. Sem dúvida, brandira a pazinha com fúria cega, mas cada golpe atingira o ponto certo, o centro do alvo, como se alguém o guiasse. A madeira em volta lascara.

Louis apoiou a lanterna embaixo do braço. Agachou-se ligeiramente. Suas mãos se abriram e fecharam, como as mãos de um acrobata se preparando para a execução de uma manobra fatal.

Encontrou o encaixe na tampa e empurrou os dedos para dentro ele. Parou um instante (não era bem uma hesitação), e então abriu o caixão.

50

Rachel Creed quase pegou o voo de Boston a Portland. Quase. O que a trouxe de Chicago saiu na hora (já um milagre), aterrissou na hora em La Guardia (outro) e deixou Nova York só cinco minutos depois do horário. Chegou a Boston 15 minutos mais tarde. Às 23h12, o que ainda lhe dava 13 minutos.

Podia muito bem pegar seu voo de conexão, mas o ônibus que circunda os terminais aéreos de Logan estava atrasado. Rachel esperou, numa espécie de incessante mas contido pânico, andando de um lado para o outro como se precisasse ir ao banheiro, passando de um ombro para o outro a bolsa de viagem que a mãe emprestara.

Quando às 23h25 viu que o ônibus não chegava, começou a correr. Os saltos do sapato eram pequenos, mas ainda assim altos bastante para causar problemas. Torceu um dos tornozelos dolorosamente, e parou rapidamente para se descalçar. Correu de meias, passou pelos terminais da Allegheny e da Eastern Airlines, respirando forte, sentindo o início de pontadas na cintura.

O ar lhe queimava a garganta, as pontadas se tornavam mais prolongadas e dolorosas. Agora já atravessava o terminal internacional e ali, bem ali, estava a placa triangular da Delta. Entrou em disparada e quase deixou um dos sapatos cair, mas conseguiu pegá-lo no ar. Eram 23h37.

Um dos funcionários do balcão viu-a se aproximar.

— Voo 104 — ela ofegou. — O voo para Portland. Já saiu?

O funcionário deu uma olhada no monitor.

— Ainda está no embarque, é o que diz aqui, mas a chamada final foi há cinco minutos. Vou ligar para o controle. Tem bagagem?

— Não — Rachel arfou, tirando de cima dos olhos o cabelo suado. O coração galopava em seu peito.

— Então não precisa aguardar minha ligação. Vou tentar... Mas é melhor correr!

Rachel não correu muito depressa — não era capaz. Mas fez o melhor que pôde. A escada rolante estava parada e ela se lançou pelos degraus de cimento, um gosto metálico na boca. Atingiu o balcão da revista e quase atirou a bolsa para a sobressaltada policial feminina. Esperou que a bolsa lhe fosse devolvida pela esteira, as mãos se abrindo e fechando. A bolsa mal havia saído da cabine de raios X quando ela a arrebatou pela correia e disparou de novo. A bolsa voou atrás dela, batendo em seus quadris.

Olhou para um dos monitores enquanto corria.

Voo 104 portland confirmado 23:25 portão 31 embarque imediato.

O portão 31 ficava na extremidade do saguão — e no exato momento em que pôde dar uma olhada no monitor, as letras firmes indicando embarque se transformaram em decolagem, piscando rapidamente.

Um grito de frustração saiu de seu peito. Entrou na área de embarque a tempo de ver o funcionário removendo a placa com a indicação:

Voo 104 boston-portland 23:25.

— Foi embora? — ela exclamou incrédula. — Foi mesmo embora?

O funcionário olhou-a com simpatia.

— Começou a taxiar às 23h40. Sinto muito, madame. De qualquer modo, se isto é um consolo, pode acreditar que quase conseguiu.

Ele apontou para as amplas janelas de vidro. Rachel viu um grande 727 com o logotipo da Delta, as luzes de árvore de Natal começando a corrida de decolagem.

— Meu Deus, será que ninguém avisou que eu estava chegando? — Rachel gritou.

— Quando chamaram lá de baixo, o 104 já tinha começado a taxiar. Se eu o chamasse de volta, ele ficaria preso na fila saindo da pista 30 e o piloto ia pedir minha cabeça num prato. Isso para não mencionar os cem passageiros a bordo. Sinto muito. Se chegasse ao menos quatro minutos antes...

Ela se afastou, não querendo ouvir mais nada. Estava na metade do caminho para o balcão de revista quando foi atingida por uma onda de fraqueza. Tropeçou para outra área de embarque e sentou-se até se sentir melhor. Depois tornou a calçar os sapatos, não sem antes tirar uma ponta amassada de cigarro de uma das meias em farrapos.

Meus pés estão imundos e não consegui merda nenhuma, pensou desconsolada.

Levantou-se e voltou para o terminal.

A agente de segurança olhou-a com ar simpático.

— Perdeu?

— Ora, se perdi...

— Para onde ia?

— Portland. Depois Bangor.

— Bem, por que não aluga um carro? Se realmente precisa chegar logo a Bangor, acho que vale a pena. Em outras circunstâncias, aconselharia um hotel perto do aeroporto, mas nunca vi uma pessoa que parecesse ter tanta necessidade de chegar a um lugar como a senhora.

— Preciso mesmo, tem razão — disse Rachel. Ela pensou um pouco. — Sim, acho que eu podia fazer isso, não é? Se houver algum carro disponível nas agências do aeroporto...

A agente riu.

— Oh, elas sempre têm carros. Só quando Logan fecha por causa do tempo é que os carros acabam. O que, aliás, não devia acontecer.

Rachel mal acabou de ouvi-la. Em sua mente, já estava tentando calcular a coisa.

Não ia conseguia chegar a Portland a tempo de pegar o voo para Bangor, mesmo que se atirasse na estrada a uma velocidade suicida. Teria, então, de dirigir todo o caminho até Bangor... Quanto tempo levaria? Quantos quilômetros havia até sua casa? Quatrocentos? Foi a estimativa que lhe ocorreu. Alguma coisa que Jud tinha dito.

Não conseguiria partir antes da meia-noite e quinze, provavelmente só à meia-noite e meia... A estrada era toda de mão única. Achou que tinha chances razoáveis de cobrir a distância a 100, 110, sem ser detida por excesso de velocidade. Fez rapidamente os cálculos, dividindo quatrocentos por cento e dez. Nem chegava a quatro horas. Bem... arredondemos para quatro. Afinal, tinha de parar uma vez e ir ao banheiro. E embora dormir lhe parecesse agora uma ideia absolutamente remota, conhecia bastante bem suas limitações para saber que também teria de parar para beber uma boa xícara de café. Mesmo assim, podia chegar a Ludlow antes do amanhecer.

Repassando mentalmente o plano, dirigiu-se para a escada — as agências de aluguel de automóveis ficavam um andar abaixo dos salões de embarque.

— Boa sorte, querida — gritou atrás dela a agente de segurança. — Dirija com cuidado.

— Obrigada — disse Rachel.

Sentia que realmente fizera jus aos votos de boa sorte.

51

O cheiro atingiu-o primeiro e Louis recuou, nauseado. Apoiou-se na beira do túmulo, respirando forte, e quando achou que o enjoo estava sob controle, todo o seu jantar, farto e sem sabor, subiu-lhe num jorro pela garganta. Vomitou na extremidade da sepultura e ficou algum tempo de cabeça baixa, arquejando. Por fim a náusea passou. Cerrando os dentes, tirou a lanterna da axila e iluminou o caixão aberto.

Um horror profundo, que muito se aproximou do choque paralisante, caiu sobre ele. Era o tipo de sensação geralmente reservada para os piores pesadelos, aqueles de que uma pessoa não gosta de se lembrar.

Gage estava sem cabeça.

Louis tremia tanto que teve de segurar a lanterna com ambas as mãos, apertando-a como um policial aprende a apertar o revólver na área de tiro. O facho, porém, pulava de um lado para o outro e ele demorou um pouco até conseguir apontar de novo o feixe mortiço de luz para dentro do caixão.

É impossível, disse a si mesmo. *Entenda que o que você pensou ter visto é impossível.*

Deslocou devagar o raio estreito de luz pelo corpo de Gage, menos de um metro de extensão. Dos sapatos novos às calças, ao pequeno paletó (ah, Cristo, um menino de 2 anos nunca devia usar um paletó), a gola aberta, à...

Sua respiração adquiriu um tom áspero, demasiado forte para ser uma arfada, e toda a sua fúria pela morte de Gage transformou-se num medo intenso e sufocante do sobrenatural, do paranormal. Estava cada vez mais certo de que cruzara a fronteira para o terreno da loucura.

Remexeu no bolso de trás em busca do lenço. Segurando a lanterna com uma das mãos, inclinou-se de novo para o túmulo, quase ultrapassando o ponto de equilíbrio. Se uma das partes da tampa caísse agora, sem dúvida ia lhe quebrar o pescoço. Usou delicadamente o lenço para limpar o musgo viscoso que estava crescendo na pele de Gage — um musgo tão escuro que, momentaneamente, chegara a pensar que toda a cabeça de Gage tinha desaparecido.

O musgo estava úmido, mas era apenas uma camada superficial. Devia ter esperado por isso; tinha chovido e uma sepultura comum não é à prova d'água. Deslocando o facho da lanterna para ambos os lados, viu que havia uma poça de lama embaixo do caixão.

Lá estava o filho, sob uma fina camada de limo. Apesar de saber que a urna não seria aberta após um acidente tão terrível, o agente funerário fez o melhor que pôde (era assim que costumavam agir). Olhar para o filho era como olhar para um boneco malfeito. A cabeça se projetava em estranhas direções. Os olhos estavam profundamente afundados atrás de pálpebras fechadas. Uma coisa branca lhe saía da boca, como uma língua de albino, e Louis achou que talvez tivessem usado fluido de embalsamento em excesso. De qualquer modo, era difícil calcular, e com uma criança devia ser quase impossível saber a quantidade suficiente.

Então percebeu que se tratava apenas de algodão. Estendeu a mão e arrancou-o da boca do menino. Os lábios de Gage, estranhamente moles e parecendo escuros e inchados demais, fecharam-se com um débil, mas audível "plap!". Atirou o algodão no fundo do túmulo, onde ele flutuou na poça de lama e reluziu com uma abominável brancura. Uma das faces de Gage já tinha a aparência encovada de um rosto de velho.

— Gage — sussurrou. — Agora vou tirar você daí, está bem?

Pediu a Deus que ninguém o descobrisse, um vigia fazendo sua ronda da meia-noite e meia pelo cemitério, alguma coisa desse tipo. Mas sabia como agir no caso de um imprevisto; se o facho de alguma lanterna caísse sobre ele, se alguém o surpreendesse ali, empenhado naquele trabalho sinistro, pegaria a pazinha curva e arranhada para martelar com ela o crânio do intruso.

Pôs os braços sob o corpo de Gage. O corpo balançou frouxamente de um lado para o outro, e uma repentina, terrível certeza assaltou a mente de Louis: quando levantasse a criança, o corpo ia se decompor, ia se reduzir a pedaços. Ele ficaria ali, os pés apoiados na beira do túmulo, gritando com os pedaços nas mãos. E era assim que iam encontrá-lo.

Vá em frente, seu covarde. Vá em frente e termine o trabalho!

Pegou Gage, consciente da umidade fétida, e levantou-o. Era como costumava tirá-lo da banheira quando dava banho nele antes de dormir. A cabeça do menino pendeu para o meio das costas. Louis viu o pescoço arreganhado, a nitidez do contorno que prendia a cabeça de Gage nos ombros.

Ofegando, o estômago em convulsões pelo odor, pela frouxidão do corpo miseravelmente golpeado, Louis conseguiu tirar o filho do caixão. Por fim, sentou-se na beira do túmulo com o corpo no colo, os pés pendurados no buraco, uma terrível lividez no rosto, os olhos transformados em buracos negros, a boca repuxada num trêmulo esgar de horror, pena e angústia.

— Gage — disse ele, começando a balançar o menino. O cabelo do filho lhe caíra no pulso, tão sem vida quanto um arame. — Gage, tudo vai dar certo, eu juro, Gage, tudo vai dar certo, isso vai terminar, é só mais esta noite, eu prometo, eu amo você, papai o adora.

Louis balançava o filho no colo.

Por volta de 1h45, Louis estava pronto para deixar o cemitério. Sem dúvida o pior de tudo fora pegar o corpo. Foi nesse ponto que aquele astronauta interior, sua mente, pareceu flutuar mais para longe da nave, em direção ao vazio. Ali, sentado, uma dor latejante nas costas, músculos exaustos saltando, crispando-se, Louis achou que já estava pronto para continuar seu trabalho. Levá-lo até o fim.

Embrulhou o corpo de Gage na lona e amarrou-o com longas tiras de fita adesiva. Depois passou a corda em volta. Poderiam suspeitar no máximo de um tapete enrolado. Fechou o caixão, pensou um instante, e tornou a abri-lo para deixar dentro dele a pazinha empenada. Que o Boa Vista ficasse com aquela relíquia; seu filho é que ele não teria. Tornou a fechar o caixão e abaixou metade da tampa de cimento. Achou que poderia simplesmente deixar a outra metade cair, mas teve medo de que ela se quebrasse. Pensou um pouco, passou o cinto pelo anel de ferro e arriou suavemente o quadrado de cimento. Em seguida usou a pá para tapar o buraco. Como sempre, não houve terra suficiente para voltar a encher a cova. Alguém podia reparar na depressão. Ou talvez não. Talvez reparasse e não desse importância. Louis não estava mais disposto a se preocupar com isso. Ainda tinha muito trabalho pela frente. Trabalho frenético. E já estava muito cansado.

Hey, ho, let's go!

— Sem dúvida — Louis murmurou.

O vento aumentou, gemendo entre as árvores e fazendo-o lançar um olhar inquieto ao redor. Colocou a pá, a picareta que ainda teria de usar, as luvas e a lanterna ao lado da trouxa. Usar a lanterna era uma tentação, mas ele resistiu. Deixando ali o corpo e as ferramentas, tomou o caminho por onde viera e, cinco minutos depois, chegou à cerca alta de ferro. Lá estava o Civic do outro lado da rua, estacionado junto ao meio-fio. Tão perto e, no entanto, tão distante.

Louis contemplou-o por um momento e depois se afastou em outra direção.

Desta vez se distanciou do portão, caminhando ao longo da grade até deixar a rua Mason depois de uma volta em ângulo reto. Encontrou uma vala de drenagem e estremeceu com o que viu. Dentro da vala havia montes de flores apodrecidas, camadas e mais camadas, lavadas pela chuva e pela neve.

Cristo.

Não, não Cristo. Aqueles restos estavam depositados para aplacar um Deus muito mais antigo que o dos cristãos. As pessoas o chamaram de diferentes nomes em épocas diferentes, mas a irmã de Rachel dera-lhe um nome perfeitamente adequado: Oz, o Gande e Teível, Deus das coisas mortas no chão, Deus das flores podres em valas de esgoto, Deus do Mistério.

Louis ficou olhando para a vala como que hipnotizado. Por fim, desviou o olhar com um pequeno suspiro — o suspiro de alguém que fora despertado de um transe hipnótico pelo final da contagem de dez a um.

Continuou. Não precisou andar muito mais para encontrar o que estava procurando, e suspeitou que sua mente estocara cuidadosamente a informação no dia do enterro de Gage.

Assomando na escuridão batida pelo vento, ali estava a cripta do cemitério.

No inverno, quando o frio era muito intenso e os coveiros não podiam cavar a terra congelada, os caixões ficavam guardados ali. A cripta era também usada quando havia um número excessivo de funerais.

Louis sabia que de vez em quando ocorriam aquelas ondas de "desagradável frequência"; em toda comunidade havia certas épocas em que, por motivos que ninguém podia compreender, morria muita gente.

"Isso equilibra os negócios", dizia tio Carl. "Se tenho no início do ano um período de duas semanas em que não morre ninguém, Lou, posso contar que, mais dia menos dia, terei outro período de duas semanas com dez funerais. Raramente o surto ocorre em novembro e nunca perto do Natal, embora as pessoas achem que morre muita gente no fim do ano. Essas ideias sobre mortes no Natal são pura tolice. Pergunte a qualquer agente funerário. Em geral as pessoas estão realmente felizes na época do Natal e querem viver. Por isso vivem. Em fevereiro é que temos um grande acréscimo de negócios. A gripe pega os velhos e, é claro, vira pneumonia... Mas não é só isso. Há pessoas que conseguem combater o câncer como uma fera durante um ano, 16 meses. Então chega o velho e cruel fevereiro, e é como se elas se cansassem da luta. O câncer simplesmente as embrulha como um tapete. Em 31 de janeiro, estão a pleno vapor, atingem o máximo da vontade de viver. Em 24 de fevereiro já estão enterradas. As pessoas têm ataques do coração em fevereiro, derrames em fevereiro, falência renal em fevereiro. É um mês bastante ruim. As pessoas estão exaustas em fevereiro. Em nosso negócio, estamos acostumados a isso... E em junho ou outubro, sem qualquer razão aparente, acontece a mesma coisa. Jamais em agosto. Os negócios em agosto andam bem devagar. A não ser que uma tubulação de gás exploda ou um ônibus caia de uma ponte, nunca se chega a preencher uma cripta de cemitério em agosto. Mas já tivemos fevereiros em que os caixões se empilhavam em três camadas na cripta. Ficávamos loucos à espera de um degelo para que pudéssemos enterrar alguns antes de ser preciso alugar uma merda de um anexo qualquer."

Tio Carl rira. E Louis, vendo que compartilhava de segredos que nem mesmo seus professores na faculdade de medicina sabiam, também tinha rido.

As portas duplas da cripta estavam encaixadas numa elevação coberta de relva, uma forma tão natural e atraente quanto um contorno de seio de mulher. O topo da elevação (que Louis suspeitava fosse escavada, não natural) ficava apenas cerca de meio metro abaixo das decorativas pontas em forma de flecha das grades de ferro (as grades permaneciam na mesma altura; não acompanhavam a elevação que abrigava a cripta).

Olhou em volta e escalou a encosta. Do outro lado havia um trecho vazio de terreno, talvez uns dois acres de área. Não... não de todo vazio. Havia uma construção isolada, uma espécie de galpão. *Evidentemente pertence ao cemitério*, pensou. Devia ser ali que guardavam o equipamento.

Os lampiões brilhavam através das folhas agitadas de um cinturão de árvores (olmos e abetos antigos). As árvores escondiam a área da rua Mason. Louis não viu outros movimentos a não ser os do vento.

Sentou no chão e desceu a colina escorregando, com medo de cair e machucar ainda mais o joelho. Voltou para o túmulo do filho.

Quase tropeçou na trouxa de lona. Percebeu que teria de fazer duas viagens, uma com o corpo e outra com as ferramentas. Curvou-se, fazendo uma careta ante o protesto das costas, e segurou nos braços o rígido embrulho de Gage. Pôde sentir o corpo do filho escorregar um pouco lá dentro e ignorou absolutamente aquela parte de sua mente murmurando sem parar que ele havia enlouquecido.

Carregou o corpo até a base da elevação que alojava a cripta do Boa Vista (as duas portas de correr, de aço, davam à cripta um aspecto bizarro de garagem para dois automóveis). Percebeu que não seria nada fácil transportar aquele embrulho de 20 quilos pela encosta íngreme, mas preparou-se para executar a façanha. Tomou distância, pôs a trouxa no ombro e correu em direção à encosta, o corpo inclinado para a frente. Esperava que o impulso o levasse o mais longe possível.

Tinha chegado quase ao topo quando o pé deslizou na relva baixa, escorregadia. Ao cair, porém, tentou atirar o embrulho de Gage o mais alto possível. O embrulho atingiu quase a crista da elevação. Louis acabou de subir rastejando, olhou de novo ao redor, não viu ninguém e colocou a trouxa de lona ao lado da cerca. Depois voltou para pegar o resto das coisas.

Conseguiu chegar de novo ao topo do monte, desta vez com as ferramentas. Calçou as luvas e empilhou junto da trouxa de lona a lanterna, a picareta e a pá. Então descansou um pouco, encostado nas grades, as mãos segurando os joelhos. O novo relógio digital que Rachel lhe dera no Natal informava que eram 2h01.

Concedeu a si mesmo cinco minutos para recuperar o fôlego. Depois se levantou e atirou a pá pela cerca. Ouviu o baque na relva. Tentou enfiar a lanterna num dos bolsos da calça, mas ela não cabia. Fez então com que deslizasse entre duas das grades de ferro e ouviu-a rolar, esperando que não batesse numa pedra e quebrasse. Lamentou não ter trazido uma mochila.

Tirou o rolo de fita adesiva do bolso da jaqueta e amarrou o cabo da picareta na trouxa de lona, dando voltas e voltas para que ficasse bem justo. Continuou dando voltas até a fita acabar; depois tornou a enfiar o rolo vazio no bolso. Ergueu o embrulho, colocou-o do outro lado da cerca (suas costas protestaram estalando; desconfiou que teria de pagar por toda a semana seguinte os exercícios daquela noite) e deixou-o cair. Estremeceu ao escutar o baque surdo.

Finalmente passou uma das pernas pela cerca, segurou-se em duas das pontas de flecha decorativas e passou a outra perna. Escorregou um pouco, deixando as pontas dos sapatos marcadas na terra.

Do outro lado das grades, escorregou pela elevação e caiu na relva. Encontrou de imediato a pá — sob o clarão dos lampiões, através das árvores, havia um débil reflexo em sua lâmina. Passou por maus momentos ao não conseguir achar a lanterna (até onde ela podia ter rolado?). Ficou de quatro e procurou no meio do mato, a respiração e as batidas do coração estourando nos ouvidos.

Finalmente a encontrou, uma pequena sombra negra cerca de um 1,50 metro além do ponto em que pensou que estivesse — assim como a elevação camuflando a cripta do cemitério, a regularidade daquela forma era notável. Apanhou-a, fechou a mão sobre o feltro que amortecia sua luz e empurrou a pequena cobertura de borracha que escondia o interruptor. A luz se acendeu brevemente na palma da mão. A lanterna estava em ordem.

Usou o canivete para soltar a picareta da trouxa de lona e levou as ferramentas para junto das árvores. Parou atrás da árvore maior, olhando para os dois lados da rua Mason. Agora parecia extremamente deserta. Viu apenas uma janela iluminada em toda a rua, um quadrado de luz amarela num sobrado. Talvez alguém sofrendo de insônia, ou um inválido.

Andando depressa, mas sem correr, passou à calçada. Depois da obscuridade do cemitério, sentiu-se terrivelmente exposto sob a luz dos lampiões. Afinal, estava ao lado do segundo maior cemitério de Bangor, segurando uma picareta, uma pá e uma lanterna. Se alguém o visse, a sugestão seria demasiado óbvia para passar em branco.

Começou a cruzar rapidamente a rua, os passos ecoando. Lá estava o Civic, apenas 50 metros abaixo. Parecia, no entanto, estar a mais de 5 quilômetros. Continuou andando, o suor escorrendo, atento ao som de algum automóvel, ao barulho áspero de alguma janela se abrindo, a passos diferentes dos seus.

Quando chegou ao carro, apoiou a pá e a picareta no para-lama e remexeu os bolsos em busca das chaves. Não estavam lá, em nenhum deles. Novas ondas de suor irromperam no rosto. O coração voltou a disparar, os dentes cerrados tentaram afastar o pânico que ameaçava saltar sobre ele.

Tinha perdido as chaves, provavelmente quando caiu do galho da árvore, bateu com o joelho na lápide e rolou pelo chão. As chaves estariam no meio da relva; mas se tivera dificuldades em achar a lanterna, como iria conseguir recuperar as chaves? Estava acabado. Um momento de azar e tudo estava acabado.

Mas espere, espere só um maldito minuto. Veja outra vez se não estão em algum bolso. As moedas não caíram... e se as moedas não caíram, as chaves certamente não.

Desta vez remexeu os bolsos mais devagar, tirando primeiro as moedas, chegando a virá-los pelo avesso. Nada de chaves.

Apoiou-se no carro, sem saber o que fazer. Sem dúvida teria de escalar de novo a cerca do cemitério, deixar o filho ali, pegar a lanterna, subir de novo na árvore e passar o resto da noite numa busca insana das...

Subitamente uma luz entrou em sua mente cansada. Abaixou-se e olhou dentro do Civic. Lá estavam as chaves, penduradas na ignição.

Deixou escapar um grunhido abafado, correu para o lado do volante, abriu a porta e tirou as chaves. Subitamente ouviu em sua mente a voz autoritária de Karl Malden, aquela sombria figura paterna com nariz de batata e um antiquado chapéu de aba caída: *Tranque o carro. Leve as chaves. Não facilite para o ladrão.*

Fez a volta pela traseira do Civic e abriu o bagageiro. Pôs lá dentro a picareta, a pá, a lanterna e fechou. Já tinha se afastado uns 10 metros do carro quando se lembrou das chaves. Desta vez as esquecera penduradas na fechadura do bagageiro.

Estúpido, repreendeu a si mesmo. *Se vai continuar agindo de uma forma tão estúpida, é melhor não fazer mais nada!*

Voltou e apanhou as chaves.

Tinha pegado Gage nos braços e andado mais da metade do caminho de volta ao Civic quando um cachorro começou a latir. Não... Na realidade, não começou a latir. Começou a uivar, um áspero gemido enchendo a rua Mason. *Au-aa-UUUUU! Au-aa-UUUUUUU!*

Escondeu-se atrás de uma árvore, se perguntando o que iria acontecer, se perguntando o que fazer. Esperou que começassem a acender as luzes de cima a baixo na rua.

Na realidade, só uma luz se acendeu, numa casa bem em frente às sombras onde estava escondido. Pouco depois, uma voz rouca gritou:

— Cala a boca, Fred!

— *Au-aa-UUUUUU!* — Fred respondeu.

— Faça-o calar, Scanlon, ou vou chamar a polícia! — alguém gritou do lado onde Louis estava, fazendo-o pular, fazendo-o perceber como era falsa a ilusão de vazio e desolação. Havia gente por toda a redondeza, centenas de olhos, e aquele cachorro estava tirando-lhes o sono, seu único cúmplice. *Maldito seja você, Fred*, ele pensou. *Oh, maldito seja!*

Fred ensaiou outro coro. Começou primorosamente pelo *Au-aa*, mas antes que pudesse emendar num bom e sólido *UUUUUU* houve um som forte e vigoroso seguido por uma série de lamúrias e ganidos baixos.

O silêncio foi seguido pelo débil bater de uma porta. A luz lateral da casa do dono de Fred continuou acesa por um instante, depois foi apagada.

Louis se sentiu fortemente inclinado a permanecer na sombra, esperando; sem dúvida seria melhor esperar que o tumulto cessasse por completo. Mas o tempo passava depressa.

Então atravessou a rua com a trouxa e aproximou-se do Civic, não vendo absolutamente ninguém. Fred continuou calado. Segurou a trouxa numa das mãos, pegou as chaves, abriu o bagageiro.

Gage não cabia.

Tentou colocar a trouxa verticalmente, depois na horizontal, depois na diagonal. O bagageiro do Civic era pequeno demais. Podia ter dobrado e imprensado a trouxa (Gage não ia se importar), mas simplesmente não conseguiria fazer isso.

Vamos, vamos, vamos, saia logo daqui, não perca mais tempo.

Mas ficou parado, perplexo, nenhuma ideia na cabeça, a trouxa com o cadáver do filho nos braços. Então ouviu o motor de um carro se aproximando e, sem pensar duas vezes, levou a trouxa para o banco ao lado do motorista e acomodou-a no assento.

Fechou a porta, fez a volta pela traseira do Civic, bateu a tampa do bagageiro. O carro passou correndo na esquina e Louis ouviu a balbúrdia de vozes embriagadas.

Instalou-se atrás do volante, deu a partida no motor, e estava estendendo a mão para acender os faróis quando foi tomado por um pensamento terrível. E se Gage estivesse ao contrário, sentado ali com os joelhos e os quadris do lado errado, os olhos encovados fitando a janela de trás em vez do para-brisas?

Não importa, sua mente respondeu com uma fúria estridente, consequência da exaustão. *Ainda vai querer se preocupar com isso? Não tem a menor importância!*

Mas importa. Realmente importa. É Gage quem está aí. Isso não é uma trouxa de toalhas!

Estendeu a mão e começou a passá-la delicadamente pela superfície da lona, procurando sentir os contornos que havia embaixo. Era como um cego tentando determinar a forma de um objeto. Por fim atingiu uma saliência que só poderia ser o nariz de Gage. Estava voltado na direção correta.

Só então conseguiu pôr o Civic em movimento e dar início aos 25 minutos da viagem de volta a Ludlow.

52

À uma hora daquela madrugada, o telefone de Jud Crandall tocou, ecoando na casa vazia, deixando-o bem desperto. Sonhara em seu cochilo, e no sonho era de novo um rapaz de 23 anos, sentado no banco de uma plataforma da estrada de ferro com George Chapin e René Michaud. Os três passavam entre si uma garrafa de uísque Georgia Charger (destilado clandestinamente, mas com um selo fiscal estampado no rótulo), enquanto lá fora um vento nordeste enchia o mundo com seu gemido impertinente, silenciando tudo que se movia, inclusive os trens da estrada de ferro B&A.

Continuaram ali sentados, bebendo ao lado da barriguda locomotiva Defiant, vendo o clarão vermelho dos carvões prolongar-se e ondular na atmosfera, as chamas em forma de diamante lançando sombras na plataforma. Contavam as anedotas que os homens guardam anos, como aqueles tesouros sem utilidade que os garotos conservam debaixo das camas; anedotas reservadas para noites como aquela. Como o clarão da Defiant, eram histórias sem muitos detalhes, com um clarão avermelhado no centro de cada uma delas e o vento a envolvê-las. Tinha 23 anos e Norma estava muitíssimo viva (embora sem dúvida já estivesse na cama, não esperaria por ele numa noite hostil como essa). René Michaud estava contando o que houve com um caixeiro judeu em Bucksport que...

Foi quando o telefone começou a tocar e ele pulou na cadeira, assustado com a rigidez do pescoço, sentindo uma amarga sensação de peso caindo dentro dele como uma pedra — eram, pensou, todos aqueles anos entre os 23 e os 83, todos aqueles sessenta anos, pesando ao mesmo tempo. E no rastro daquele pensamento: *Você se deixou dormir, rapaz. Isso não é maneira de vigiar esta estrada... Não hoje.*

Levantou-se, lutando contra a rigidez que também se instalara em suas costas, e foi até o telefone.

Era Rachel.

— Jud? Ele já veio pra casa?

— Não — disse o velho. — Onde você está? Sua voz parece mais perto.

— Estou mais perto.

Embora a voz *realmente* parecesse mais perto, havia um ruído distante no fio. Era o barulho do vento, em algum lugar entre a casa de Jud e onde quer que Rachel estivesse. O vento estava barulhento naquela noite. Um som que sempre fazia Jud pensar em vozes de mortos suspirando em coro. Talvez cantando alguma coisa distante demais para ser compreendida.

— Estou perto de um posto de pedágio em Biddeford, na autoestrada do Maine.

— Biddeford!

— Não pude ficar em Chicago. A coisa também estava me atingindo... O que quer que tenha atingido Ellie, também me atingiu. E a você também, Jud. Você também sente. Está em sua voz.

— Pois é.

Ele tirou um Chesterfield do maço e colocou-o no canto da boca. Riscou o fósforo e o viu bruxulear enquanto as mãos tremiam. Suas mãos não costumavam tremer — pelo menos não antes daquele pesadelo ter começado. Ouvia as sombrias rajadas de vento do lado de fora. O vento segurava a casa em suas garras e a sacudia.

A força está aumentando. Posso sentir isso.

Um vago terror em seus velhos ossos. Um terror como cristal, fino e frágil.

— Jud, por favor, diga o que está acontecendo!

Concordava que Rachel tinha o direito de saber... necessidade de saber. E achava melhor lhe contar. Finalmente iria lhe contar toda a história. Mostraria a Rachel aquela cadeia que fora se forjando elo por elo. O ataque do coração de Norma, a morte do gato, a pergunta de Louis (alguém já enterrou uma *pessoa* lá em cima?), a morte de Gage... E só Deus sabia que novo elo Louis podia estar forjando naquele momento. Finalmente iria lhe contar. Mas não pelo telefone.

— Rachel, como você acabou numa estrada em vez de vir de avião?

Ela explicou como perdera a conexão em Boston.

— Aluguei um carro da Avis, mas estou demorando mais do que pensei. Perdi muito tempo para ir do aeroporto à entrada da rodovia. Só agora atravessei a fronteira do Maine. Acho que não vou conseguir chegar antes do amanhecer. Mas Jud... por favor. Por favor me diga o que está havendo. Estou tão assustada e nem ao menos sei *por quê*.

— Rachel, preste atenção — disse Jud. — Vá até Portland e passe a noite lá, está me ouvindo? Encontre um hotel e procure...

— Jud, eu não posso fazer is...

— ... e procure dormir algumas horas. Não fique aflita, Rachel. Pode ser que alguma coisa esteja acontecendo hoje à noite, mas também pode ser que não. Se algo estiver ocorrendo (se é o que eu penso), sem dúvida você não ia querer estar aqui. Acho que posso cuidar do assunto. E é minha obrigação, porque o que está acontecendo é culpa minha. E talvez nem haja nada. Chegue aqui amanhã à tarde e tudo estará bem. Acho que Louis vai ficar muito contente em se encontrar com você.

— Não vou conseguir dormir, Jud.

— Vai — disse ele, ponderando que todo mundo sempre achava que não ia conseguir dormir. Foi o caso dele e provavelmente também o de Pedro, na noite em que Jesus foi preso. Dormir num posto de sentinela! — Vai conseguir, Rachel. Se cochilar no volante desse maldito carro alugado, se sair da estrada e se matar, o que vai ser de Louis? E de Ellie?

— Diga o que está acontecendo! Se me disser, Jud, talvez siga seu conselho. Mas tenho de *saber*!

— Quando chegar a Ludlow, quero que venha direto pra cá — disse Jud. — Não para sua casa. Venha aqui primeiro. Vou lhe contar tudo que sei, Rachel. Não se preocupe, eu estou à espera de Louis.

— *Conte* — disse ela.

— Não senhora. Não ao telefone. Não vou contar, Rachel. Não *posso*. Vá agora. Vá para Portland e passe a noite num hotel.

Houve uma pausa longa, meditativa.

— Tudo bem — ela disse por fim. — Talvez você tenha razão. Mas pelo menos me diga uma coisa, Jud. É muito grave?

— Posso cuidar do assunto — Jud respondeu num tom severo. — As coisas não serão piores do que têm de ser.

Os faróis de um carro surgiram lá fora, movendo-se devagar. Jud começou a se levantar, deu uma espiada, mas tornou a sentar quando o veículo ultrapassou a casa dos Creed e sumiu ao longe.

— Tudo bem — disse Rachel. — Eu acho. Desde o início da viagem estou me sentindo como se tivesse uma pedra na cabeça.

— Deixe a pedra rolar, querida — disse Jud. — Por favor. Poupe-se para amanhã. As coisas aqui vão ficar bem.

— Promete que vai contar toda a história?

— Prometo. Tomamos uma cerveja e vou lhe contar a coisa toda.

— Então até logo — disse Rachel. — Mas amanhã...

— Amanhã — Jud concordou. — Amanhã conversaremos, Rachel.

Antes que ela tivesse tempo de dizer mais alguma coisa, Jud desligou.

Achou que havia comprimidos de cafeína no armário do banheiro, mas não conseguiu encontrá-los. Pôs o resto da cerveja na geladeira (não sem lamentar) e preparou uma xícara de café. Levou-a para o parapeito da janela e sentou-se de novo, sorvendo o café e vigiando a estrada.

O café e a conversa com Rachel mantiveram-no desperto e alerta por três quartos de hora, mas de repente sua cabeça começou a cair de novo.

Nada de dormir no posto de sentinela, meu velho. Deixou a coisa tomar conta de você; procurou encrencas e agora tem de pagar por elas. Então, nada de dormir no cumprimento do dever.

Acendeu outro cigarro, tragou profundamente e tossiu uma tosse áspera de velho. Pôs o cigarro na beira do cinzeiro e esfregou os olhos com ambas as mãos. Um caminhão de dez rodas passou ruidosamente, luzes correndo pela estrada, avançando através da noite incômoda, cortada de ventanias.

Apanhou-se cochilando de novo, pulou na cadeira e esbofeteou o próprio rosto com as palmas e as costas das mãos, fazendo os ouvidos vibrarem. Agora o terror lhe apertava o coração, visitante furtivo que se introduzira no fundo de seu peito.

Alguma coisa está querendo me fazer dormir... me hipnotizando... não quer que eu fique acordado. Porque ele logo estará de volta. Sim, eu sinto isso. E alguma coisa quer me deixar fora do caminho.

— Não — falou num tom severo. — De modo algum. Está me ouvindo? Vou pôr um fim nisso. Isso já foi longe demais.

O vento gemia em volta dos beirais do telhado e as árvores do outro lado da estrada agitavam as folhas num ritmo hipnótico. Sua mente voltou para aquela noite junto da chaminé da Defiant na plataforma da estrada de ferro (ficava no lugar onde é agora o Empório de Móveis Evarts, em Brewer). Tinham conversado a noite inteira, ele, George e René Michaud. Era o único que tinha restado... René foi esmagado entre dois vagões de carga numa noite de tempestade em março de 1939; George Chapin morreu de um ataque cardíaco no ano passado. Entre tanta gente, ele foi o único que sobrou, e os velhos ficam estúpidos. Às vezes a estupidez se mascara como benevolência, às vezes como orgulho — uma necessidade de contar antigos segredos, de passar as coisas adiante, trocá-las de um pote para outro.

Então o caixeiro judeu apareceu e disse: "Tenho uma mercadoria que vocês nunca viram. Estes postais aqui, vejam, parecem mulheres na praia, com roupa de banho, até que a gente esfrega com um pano úmido e aí..."

A cabeça de Jud caiu. O queixo se acomodou devagar, suavemente, no peito.

"... elas aparecem nuas como no dia em que vieram ao mundo! Mas quando secarem, voltarão a aparecer vestidas! E isso não é tudo! Tenho..."

René contando essa história na plataforma da estrada de ferro, o corpo inclinado para a frente, sorrindo, e Jud segurando a garrafa. Ele *sentia* a garrafa e suas mãos se fecharem no ar em torno do gargalo.

No cinzeiro, o cigarro ia se consumindo. Por fim, caiu e apagou, sua forma se acrescentando ao caprichado monte de cinzas como um signo mágico.

Jud dormia.

E quarenta minutos mais tarde, quando as luzes traseiras do Civic piscaram lá fora e Louis dobrou à direita entrando com o carro na garagem, Jud não ouviu nada, não se mexeu nem acordou, assim como Pedro não acordou quando os soldados romanos vieram prender um vagabundo chamado Jesus.

53

Louis encontrou um novo rolo de fita adesiva numa das gavetas da cozinha. Havia também um rolo de corda no canto da garagem, perto dos pneus que tirara do Civic no último inverno. Usou a fita para amarrar a picareta com a pá, formando uma trouxa. Usou a corda para fazer uma espécie de linga.

Ferramentas na linga. Gage nos braços.

Passou a linga em torno do ombro, depois abriu a porta do Civic, puxando o pacote. Gage pesava muito mais que Church. Talvez chegasse rastejando ao cemitério *micmac* e ainda teria de cavar o túmulo, lutando para abrir o buraco no solo pedregoso, implacável.

Bem, ia conseguir. De algum modo ia conseguir.

Louis Creed saiu da garagem, parando para desligar a luz com o cotovelo, parando outra vez no ponto onde o asfalto dava lugar à grama. À sua frente, podia ver o caminho que conduzia ao "simitério" de bichos. Estava bem nítido, apesar da escuridão. Coberto por uma grama baixa, o caminho brilhava com uma espécie de fluorescência.

O vento acariciava seus cabelos, embaraçando-os. Por um instante, o velho medo infantil do escuro correu-lhe pelo corpo, fazendo-o se sentir fraco, pequeno, aterrorizado. Ia realmente entrar nos bosques com aquele cadáver nos braços, caminhar sob as árvores batidas pelo vento, passar de sombra a sombra? E desta vez sozinho?

Não pense mais nisso. Apenas faça.

Louis começou a andar.

Vinte minutos depois, quando chegou ao "simitério" de bichos, seus braços e suas pernas tremiam de cansaço. Ele se deixou cair numa pedra com a trouxa de lona nos joelhos, ofegando. Descansou ali por mais vinte minutos, quase cochilando, não sentindo mais medo (a exaustão parecia tê-lo afugentado).

Por fim pôs-se outra vez de pé, não acreditando muito que conseguisse escalar os troncos caídos, mas percebendo de modo um tanto vago que precisava tentar. A trouxa parecia estar pesando 100 quilos, em vez de 20.

Mas o que aconteceu da primeira vez aconteceu de novo; foi como recordar vividamente um sonho. Não, não recordar, *reviver*. Quando pôs o pé no primeiro tronco de árvore caído, aquela estranha sensação invadiu-o de novo, uma sensação de quase júbilo. A fraqueza não o abandonou, mas tornou-se suportável — na realidade, sem importância.

Venha atrás de mim. Venha atrás de mim e não olhe pra baixo, Louis. Não hesite e não olhe pra baixo. Conheço o caminho, mas temos de atravessá-lo com passo firme, e depressa.

Sim, depressa e com firmeza, o modo como Jud tirara o ferrão da abelha.

Conheço o caminho.

Mas havia apenas um modo de seguir aquele caminho. Louis pensou. Ou ele se deixa atravessar ou não. Certa vez tentara escalar sozinho os troncos caídos e não conseguira. Agora, porém, subiu com rapidez e segurança, como tinha feito na noite em que Jud o levara até lá.

Sempre subindo, não olhando para baixo, o corpo do filho em seu sudário de lona estendido nos braços, subindo até o vento descobrir passagens e câmaras secretas em seu cabelo, fazendo-o espigar, repartindo-o em diferentes direções.

Ficou lá no alto por um instante e logo começou a descer, o passo rápido, como se descesse um lance de escada. A picareta e a pá tilintavam e chocalhavam em suas costas. Em menos de um minuto chegava de novo ao solo fofo e coberto de gravetos da trilha, o monte de troncos para trás, mais alto que a cerca do cemitério.

Avançou com o filho nos braços, ouvindo o gemido do vento entre as árvores. Agora aquele som não lhe trazia terror. O trabalho da noite estava quase concluído.

54

Rachel Creed ultrapassou a placa que dizia SAÍDA 8 MANTENHA A DIREITA PARA PORTLAND WESTBROOK, ligou a seta e guiou o Chevette da Avis para a pista de desvio. Podia ver com nitidez o letreiro verde contra o céu noturno: Holiday Inn. Uma cama, dormir. Um fim para aquela tensão contínua, torturante. Um fim (ao menos por algum tempo) para a saudade mortificante do filho que não estava mais a seu lado. Aquela dor, ela descobrira, era semelhante a das grandes extrações dentárias. De início havia um entorpecimento, mas mesmo em meio ao torpor era possível sentir a dor escondida, esperando sua vez como um gato com a cauda levantada. E quando passava o efeito da anestesia, oh, sem dúvida a pessoa não ficava desapontada.

Disse que foi mandado para avisar... mas não podia interferir. Disse que estava perto do pai porque os dois estavam juntos quando a alma dele desencarnou.

Jud sabe, mas não quer dizer. Alguma coisa está acontecendo. Alguma coisa. O quê?

Suicídio? Será suicídio? Não Louis; não posso acreditar... mas ele estava mentindo. A mentira estava estampada em seus olhos... oh, merda, cobria todo o seu rosto, como se ele quisesse que eu descobrisse... que eu descobrisse e desse um fim à brincadeira... porque uma parte dele estava com medo... com muito medo.

Com medo? Louis nunca teve medo!

Subitamente deu uma guinada para a esquerda com o volante do Chevette. O carro teve aquela resposta abrupta, comum aos carros pequenos, pneus guinchando no asfalto. Por um instante, pareceu que ia capotar. Mas não chegou a tanto. E ela seguiu de novo para o norte, a saída 8 com o confortável Holiday Inn sumindo no retrovisor. Viu uma nova placa, um brilho estranho de tinta reflexiva. PRÓXIMA SAÍDA RO-

DOVIA 12 CUMBERLAND CENTRO DE CUMBERLAND ÁREA DE JERUSALÉM FALMOUTH NORTE DE FALMOUTH.

Área de Jerusalém, ela pensou distraída, *que nome estranho. Por alguma razão não é um nome agradável... Venha dormir em Jerusalém...*

Mas não dormiria naquela noite! Apesar do conselho de Jud, estava agora disposta a dirigir até chegar em casa. Jud sabia o que havia de errado e prometera pôr um ponto final na coisa, mas o homem tinha 80 e poucos anos e perdera a esposa há apenas três meses. Não depositava grandes esperanças em Jud. Jamais devia ter permitido que Louis a empurrasse para fora de casa, mas ficara muito abatida com a morte de Gage. E Ellie... Ellie com o retrato do irmão no trenó, o rosto desfigurado, era a imagem de uma criança que tivesse sobrevivido a um tornado ou às bombas de caças de mergulho caindo do azul do céu. Em certos momentos, na sombria vigília da noite, quase chegou a odiar Louis pela dor que ele estava provocando, por não ter lhe proporcionado o consolo de que ela precisava (nem ter permitido que ela o consolasse), mas não pôde. Ainda o amava muito e o rosto dele parecera tão pálido... tão temeroso...

O ponteiro do velocímetro estabilizou-se um pouco além dos 100 por hora. Mais de um quilômetro e meio por minuto. Duas horas e 15 minutos até Ludlow, provavelmente. Talvez conseguisse chegar antes do nascer do sol.

Tateou pelos botões do rádio, encontrou uma estação de Portland transmitindo rock. Aumentou o volume e cantou junto, procurando se manter acordada. Uma hora depois, o sinal começou a fugir e ela passou para uma emissora de Augusta. Baixou a janela e deixou o vento forte do ar noturno bater em seu rosto.

Quis saber se aquela noite ia mesmo terminar.

55

Louis redescobrira seu sonho e estava em suas garras; a cada momento olhava para baixo, certificando-se de que carregava o corpo num pedaço de lona, não num saco verde do inferno. Lembrou-se que, ao despertar na manhã seguinte à jornada que fizera com Church até lá em cima, mal conseguiu recordar o que tinha feito... Agora, porém, lembrava muito bem como as sensações tinham sido nítidas, com que intensidade foram experimentadas pelos seus sentidos, como pareceu vivenciar o bosque como se o bosque fosse uma coisa viva, numa espécie de contato telepático com ele.

Seguia o caminho, subindo e descendo, redescobrindo os pontos onde parecia tão largo quanto a Rodovia 15, onde se estreitava até obrigá-lo a andar de lado para manter a trouxa livre dos arbustos, onde serpenteava através de grandes e altas catedrais de árvores. Podia sentir o cheiro forte da resina de pinho e ouvir o estranho amassar dos gravetos na sola dos pés — uma sensação bem mais concreta do que um mero som.

Por fim, a trilha começou a se inclinar para baixo de forma mais íngreme e constante. Pouco depois um dos pés escorregou em água empoçada, quase atolando no solo coberto de lodo... areia movediça, se a informação de Jud fosse digna de crédito. Louis olhou para baixo e viu a água estagnada entre punhados de juncos e arbustos rasteiros, feios, com folhas tão grandes que pareciam tropicais. Lembrou que também naquela outra noite a luz parecera mais brilhante. Mais carregada de eletricidade.

Este trecho é como a passagem dos troncos. Você precisa andar com passo firme e sem se afobar. Venha atrás de mim e não olhe pra baixo.

Sim, está bem... e aliás alguma vez já viu plantas como essas no Maine? No Maine ou em qualquer outra parte? Que diabo são essas plantas?

Não importa, Louis. Simplesmente... continue.

Começou de novo a andar, olhando para o solo úmido, pantanoso, até ver a primeira moita. Depois passou a olhar só para a frente, os pés avançando de um monte de relva a outro. *Fé é aceitar a gravidade como um postulado*, ele pensou. Não aprendera aquilo num curso universitário de Teologia ou Filosofia, era uma frase que um dia seu professor de Física do colégio lançara no fim da aula... algo que Louis nunca esqueceu.

Aceitava a capacidade do cemitério *micmac* de ressuscitar os mortos e avançava pelo Pequeno Pântano de Deus com o filho nos braços, sem olhar para baixo ou para trás. Aqueles trechos pantanosos estavam mais barulhentos do que no final do outono. Pererecas faziam ruído entre os juncos, um coro estridente que Louis achou estranho e nada agradável. Vez por outra, uma rã tangia uma corda grave no fundo da garganta. Não havia avançado mais que uns vinte passos no Pequeno Pântano de Deus quando alguma coisa começou a esvoaçar com extrema velocidade em torno dele... Talvez um morcego.

A névoa rasteira também começou a rodopiar a seu redor, primeiro cobrindo-lhe os sapatos, depois as pernas, encerrando-o por fim numa luminosa cápsula branca. A névoa parecia ainda mais brilhante que da outra vez, um fulgor que pulsava como a batida de um estranho coração. Jamais sentira tão intensamente a presença da natureza, uma espécie de força aglutinante, um ser real... possivelmente consciente. O pântano estava vivo, mas não num sentido abstrato. Se lhe pedissem para definir a qualidade ou natureza daquela vitalidade, não seria capaz. Sabia apenas que era cheia de potencial e estava impregnada de energia. No meio dela, Louis se sentia muito pequeno e muito mortal.

E de repente ali estava *aquele* som. Também já o ouvira da primeira vez: um riso alto, gorgolejante, que ia se transformando num soluço. Houve silêncio. Depois o riso voltou, agora na forma de um guincho enlouquecido, que fez o sangue de Louis se congelar nas veias. A névoa deslizava ao seu redor como num sonho. O riso se extinguiu, deixando apenas o roncar do vento, ouvido, mas já não sentido. Devia existir uma espécie de redoma geológica sobre aquele terreno. Se o vento pudesse penetrar ali, teria dissipado a névoa. (E Louis não estava muito convencido de que gostaria de ver o que havia atrás dela.)

Você também pode ouvir sons parecidos com vozes, mas são apenas as gralhas do sul, lá para os lados de Prospect. O som chega até aqui. É engraçado.

— Gralhas — disse Louis, e mal reconheceu o som estranho, um tanto fantasmagórico, da própria voz, mas sentia-se bem. Deus o estava ajudando, ele realmente se sentia bem.

Hesitou um pouco e depois continuou. Como que para puni-lo daquela breve pausa, o pé escorregou numa moita, e ele quase ficou sem sapato ao tentar desgrudá-lo do limo viscoso da poça d'água.

O riso (se é que era um riso) voltou de novo, desta vez pela esquerda. Momentos depois veio por trás dele... diretamente por trás dele. Talvez Louis pudesse se virar e ver, a menos de 30 centímetros de suas costas, uma coisa horripilante, de dentes arreganhados e olhos brilhantes... Mas desta vez nem diminuiu o passo. Continuou avançando, olhando sempre à frente.

Subitamente, a névoa perdeu a luminosidade e Louis percebeu que havia um rosto no ar, olhando com malícia, fazendo sons esquisitos com a boca. Os olhos, puxados para cima como numa pintura clássica chinesa, eram uma coisa cinzenta e amarelada, funda, brilhante. A boca estava contorcida num ricto, o lábio inferior parecia virado pelo avesso, revelando dentes com manchas escuras ou corroídos até as raízes. Mas o que mais o impressionou foram as orelhas, que não eram absolutamente orelhas, mas chifres curvados. Não eram como chifres do diabo, eram como chifres de carneiro.

Aquela cabeça medonha, flutuante, parecia estar... falando, ou melhor, rindo. A boca se movia, embora o lábio virado ao contrário nunca voltasse à sua forma e ao seu lugar naturais. Veias palpitavam. As narinas pareciam em chamas, cheias de vida e respiração, exalando uma fumaça branca.

Quando Louis chegou mais perto, a língua pendeu da boca. Era muito comprida e pontuda, de uma coloração amarelo-escura. Estava coberta com escamas de pele e uma delas saltou como a tampa de um poço, liberando um verme branco. A ponta da língua deslizou preguiçosamente no ar, ultrapassando o ponto onde a cabeça poderia ter seu pomo de adão. A cabeça ria.

Segurou Gage com mais força, apertou-o de encontro ao peito, como se quisesse protegê-lo. Seus pés tropeçaram e começaram a deslizar na superfície escorregadia da moita, onde dificilmente encontrariam um ponto de apoio.

Você pode ver o fogo de santelmo... Aquilo que os marinheiros chamam de fogo-fátuo. Tem formas engraçadas, mas não é nada. Se vir algumas dessas formas e elas o incomodarem, é só virar o rosto para o outro lado...

A voz de Jud deu-lhe um novo ânimo. Voltou a lançar-se decididamente à frente, cambaleando em princípio, depois recuperando o equilíbrio. Não olhou para o lado, mas reparou que o rosto (se fosse realmente um rosto e não apenas uma forma gerada pela névoa e por sua própria mente) parecia sempre se manter na mesma distância. Segundos ou minutos mais tarde, simplesmente se dissolveu na névoa que ondulava ao redor.

Não era o fogo de santelmo.

Não, é claro que não. Aquele lugar estava cheio de espíritos, tenebrosamente repleto deles. O sujeito podia olhar em volta e ver uma coisa capaz de enlouquecê-lo. Mas Louis não queria pensar mais nisso. Não era preciso pensar nisso. Não era preciso...

Alguma coisa estava se aproximando.

Louis parou completamente, atento ao ruído... ao inevitável ruído de aproximação. Sua boca se abriu, cada músculo que lhe sustentava o queixo simplesmente cedeu.

Era um som completamente diferente de tudo que já ouvira — um som com vida própria e um som profundo. De algum lugar nas vizinhanças, e cada vez mais perto dele, os arbustos vinham se rompendo. Ouvia o estalar da vegetação sob a pressão de pés inconcebivelmente grandes. O solo gelatinoso começou a estremecer numa forte vibração. Tomou consciência de que estava gemendo...

(oh, meu Deus, oh, meu bom Deus, o que é isso que está se aproximando através da névoa?)

... e mais uma vez apertou Gage de encontro ao peito. Percebeu que as pererecas e as rãs tinham silenciado, percebeu que o ar úmido, nevoento, adquirira um cheiro estranho e nauseante, como carne de porco estragada.

Não importa o que fosse, era imenso.

O rosto espantado e apavorado de Louis esticou-se cada vez mais, como se seguisse a trajetória de um foguete decolando. A coisa avançava pesadamente em sua direção, e ele ouviu o majestoso som de uma árvore — não um galho, mas uma árvore inteira — caindo perto de onde estava.

Viu alguma coisa.

A névoa desenhou momentaneamente um contorno cinza-azulado, mas aquela forma difusa, maldefinida, tinha quase 20 metros de altura. Não era uma sombra, não parecia um fantasma sem substância, podia sentir o deslocamento do ar à sua passagem, podia ouvir o baque gigantesco de seus pés, a sucção do lodo à medida que eles avançavam.

Por um instante, acreditou ter visto duas centelhas amarelo-alaranjadas no alto. Centelhas como olhos.

Então o som começou a se extinguir. E enquanto sumia, uma perereca gritou hesitante — uma. Mas foi respondida por outra. Uma terceira juntou-se à conversa, uma quarta transformou-a numa animada discussão, uma quinta e uma sexta numa convenção de pererecas. Os sons do avanço da coisa (lento, mas não casual; talvez aquilo fosse o pior de tudo, aquela sensação de caminhada consciente) iam se distanciando para o norte. Pouco a pouco... cada vez mais baixos até... desaparecerem.

Por fim, Louis voltou a caminhar. Seus ombros e suas costas estavam enrijecidos por uma dor torturante. Uma camada de suor cobria-o do pescoço aos pés. Os primeiros mosquitos da estação, recém-saídos dos ovos e famintos, viram nele boa oportunidade para uma refeição tardia.

O Wendigo, meu Deus, aquilo era o Wendigo — a criatura que se move através do norte do país, a criatura que pode nos tocar e nos transformar em canibais. Era isso. O Wendigo passando a uns 60 metros de mim.

Disse a si mesmo para não ser ridículo, para ser como Jud e afastar as especulações sobre o que pudesse ver ou ouvir além do "simitério" de bichos: eram gralhas, era o fogo de santelmo, eram os gritos de uma torcida de futebol. Que fossem qualquer coisa, mas não criaturas que cambaleiam, rastejam, deslizam como cobra, tropeçam pelo mundo. Que pensasse em Deus, na missa dos domingos, nos ministros episcopais com vestes brancas e brilhantes... mas que não pensasse em horrores sombrios, arrastando-se na face escura do universo.

Avançou carregando o filho e o solo voltou a se firmar sob seus pés. Pouco depois chegou a uma árvore caída. Na névoa que se fragmentara, a copa verde-escura lembrava um espanador que a empregada de um gigante tivesse deixado cair.

A árvore estava partida, despedaçada. As lascas eram tão recentes que a polpa amarelo-pálido ainda drenava uma seiva morna, que Louis tocou ao transpor a árvore. Do outro lado, havia uma monstruosa depressão no terreno, que ele atravessou com dificuldade, agarrando-se com mãos e pés. Embora houvesse juníperos e pés de louro esmagados na terra, recusou-se a acreditar que aquilo fosse uma pegada. Podia ter virado para trás e ver se era realmente o que parecia, mas não o fez. Simplesmente continuou a andar, a pele fria, a boca quente e seca, o coração disparando.

Seus pés pararam de chapinhar no lodo. Por algum tempo, houve apenas o ruído seco de folhas de pinheiro. Depois caminhou sobre pedras. Estava chegando.

O solo começou a se elevar mais depressa. Louis bateu dolorosamente com a canela numa saliência. E não era apenas um pedaço de rocha. Ele esticou um dos braços (o tendão do cotovelo, que ficara entorpecido, rangeu um pouco) e tocou-a.

Há degraus aqui. Talhados na rocha. Venha sempre atrás de mim. Agora só precisamos chegar ao topo.

Então começou a subir, e a sensação de alegria voltou, superando a exaustão (pelo menos até certo ponto). Não sentia medo enquanto galgava os degraus sob a incessante corrente de vento. Agora ele estava mais forte, encrespando-lhe as roupas, fazendo as pontas do pedaço de lona que envolvia Gage baterem como tiros de revólver, como a vela de um barco.

Inclinou a cabeça para trás e viu o fantástico esparramar de estrelas. Mas não reconheceu nenhuma das constelações e, perturbado, desviou o olhar. A seu lado havia uma parede de rocha, não lisa, mas escarpada, cheia de fendas e saliências, assumindo aqui a forma de um barco, ali a de um cão, mais adiante a de um rosto de homem com olhos fundos, severos. Mas os degraus que tinham sido talhados na rocha eram suaves.

Louis chegou ao topo e parou, a cabeça baixa, o corpo oscilando, o ar circulando com força pelos pulmões (que ardiam como bexigas cruelmente golpeadas). As costas pareciam perfuradas por um grande caco de vidro.

O vento corria por seu cabelo como um dançarino, rugia em seus ouvidos como um dragão.

Parecia haver mais claridade. Será que da primeira vez o céu estava nublado ou ele simplesmente não se preocupara com isso? Não importa. Agora podia ver melhor o platô, e isso foi suficiente para fazer um calafrio rastejar pela espinha.

Era idêntico ao "simitério" de bichos.

Evidentemente você já sabia disso, sua mente suspirou enquanto ele observava as pilhas de pedras que outrora tinham servido como monumento fúnebre. *Você sabia disso, pelo menos suspeitava — não círculos concêntricos, mas uma espiral...*

Sim. Ali no topo daquela mesa rochosa, voltada para a fria luz do luar e as distâncias escuras entre as estrelas, ali estava uma espiral gigantesca, feita pelo que os antigos chamariam de "mãos versáteis". Mas não havia mais lápides; todas tinham sido desfeitas quando as coisas enterradas lá embaixo voltaram à vida... e cavaram para sair. Contudo, as pedras tinham caído de maneira tal que a forma da espiral continuava nítida.

Será que alguém já viu isso aqui do alto?, Louis se perguntou ao acaso, pensando naqueles desenhos que uma tribo de índios ou algum outro grupo fizeram num deserto da América do Sul. *Será que alguém já viu isso aqui do alto, e, se viu, o que terá pensado? Eu gostaria muito de saber.*

Ajoelhou-se e, com um suspiro de alívio, pousou o corpo de Gage no chão.

Por fim, o senso de responsabilidade começou a voltar. Usou o canivete para cortar a fita adesiva que amarrava a picareta e a pá penduradas em suas costas. Elas caíram no chão produzindo um ruído metálico. Louis também se jogou no chão e esticou-se por um instante, braços e pernas abertos, olhando atônito para as estrelas.

O que era aquela coisa nos bosques? Louis, Louis, você acha mesmo que pode haver algo de bom no clímax de uma peça que tem entre seus personagens uma coisa daquelas?

Mas era tarde demais para voltar atrás e ele sabia disso.

E sem dúvida, argumentou consigo mesmo, *tudo ainda pode correr muito bem. Não há ganho sem risco, e talvez não haja risco sem amor. Ainda tenho minha maleta, não a que está no andar de baixo, mas a da prateleira de cima do banheiro, aquela que mandei Jud buscar na noite em que Norma teve o ataque do coração. Há seringas ali, e se alguma coisa acontecer... alguma coisa de ruim... ninguém precisa saber a não ser eu.*

Seus pensamentos se dissolveram num monótono e desarticulado murmúrio de prece. As mãos procuraram a picareta e, ainda de joelhos, Louis começou a cavar. A cada golpe da picareta, caía sem forças sobre o cabo, como um velho romano caindo sobre a espada. Mas pouco a pouco o buraco tomou forma e se aprofundou. Tirava as pedras e empurrava distraído a maioria delas para o monte crescente de terra. Mas separava algumas.

Para o monumento.

56

Rachel deu tapas no rosto até ele começar a ficar vermelho. Mesmo assim, continuou sonolenta. Certa vez, quando a cabeça começou a cair e ela estremeceu tentando se manter acordada (agora passava por Pittsfield e a estrada estava vazia), julgou, por uma fração de segundo, que dezenas de olhos a observavam, olhos prateados e duros, piscando como chamas frias, ávidas.

Então eles se dissolveram nos pequenos espelhos das cercas do acostamento. O Chevette tinha saído da estrada.

Deu uma guinada para a esquerda e os pneus guincharam. Acreditou ter ouvido um leve baque. Talvez o para-choque dianteiro tivesse batido de lado no *guardrail.* O coração lhe saltou no peito, começou a bater com tanta força entre as costelas que ela viu pequenas manchas diante dos olhos, aumentando e diminuindo no ritmo dos batimentos. E pouco depois, apesar de ter escapado por um triz, apesar do susto e de Robert Gordon gritando "Red Hot" no rádio, estava cochilando outra vez.

Foi atingida por pensamentos loucos, paranoicos.

— Paranoia, tudo bem — ela murmurou sob o rock and roll. E procurou rir, mas não pôde. Não de fato. Porque os pensamentos continuaram e, no fundo da noite, adquiriram uma espécie de fantástica credibilidade. Começara a se sentir como um personagem de desenho animado que corre para dentro do elástico de uma gigantesca atiradeira. É cada vez mais difícil esticar o elástico, até que, por fim, a energia potencial da borracha fica igual à energia real do avanço... a inércia se transforma... em quê?... física elementar... em alguma coisa tentando atirá-la para trás... *fique fora disso, está me ouvindo...* e um corpo em repouso tende a permanecer em repouso... *o corpo de Gage, por exemplo...* mas uma vez posto em movimento...

Desta vez o guincho dos pneus foi mais alto, a batida não aconteceu por pouco; por um instante, houve apenas o som torturante, ríspido do Chevette roçando em tubos de aço, raspando a tinta, cobrindo-se de arranhões metálicos. Por um instante, o volante não respondeu e Rachel pisou no freio, soluçando. Desta vez tinha realmente adormecido, não apenas cochilado, mas *dormido e sonhado* a 100 quilômetros por hora.

Se não houvesse proteção no acostamento, se estivesse atravessando uma pequena ponte sem gradil...

Entrou no acostamento, encostou o carro e chorou com as mãos no rosto, atordoada, assustada.

Alguma coisa está querendo me manter longe de Louis.

Quando achou que tinha recuperado o controle, começou de novo a dirigir. A coluna de direção não parecia ter sofrido danos, mas com certeza teria sérios problemas quando fosse devolver o carro na agência da Avis do aeroporto de Bangor.

Não importa. Uma coisa de cada vez. Agora tenho de tomar um café — essa é a primeira providência.

Quando chegou à estrada de Pittsfield, virou à direita. Andou mais um quilômetro e meio e entrou num posto de gasolina, entre luzes brilhantes de sódio e o ronco abafado dos motores a diesel dos caminhões. Mandou encher o tanque ("Alguém deu uma unhada feia do lado do seu carro", disse o rapaz do posto com um ar de estupefação). Depois foi para o restaurante, que cheirava a banha, ovo mal cozido e... graças a Deus, café bem forte.

Bebeu três xícaras, uma atrás da outra, como se tomasse um remédio (um café forte, com muito açúcar). No balcão e nas mesas, havia alguns motoristas de caminhão brincando com as garçonetes. Sob aquelas luzes fluorescentes acesas no fim da madrugada, todas as garçonetes conseguiam ficar parecidas com enfermeiras cansadas e cheias de trabalho.

Rachel pagou e voltou para onde estacionara o Chevette. Ele não queria pegar. Quando virava a chave, a ignição dava um estalo seco e nada mais.

Rachel começou a bater lentamente com os punhos no volante. Algo estava querendo detê-la. Não havia razão para o carro, novo em folha e com menos de 8 mil quilômetros rodados, enguiçar. Mas era isso que estava acontecendo. Por mais incrível que pudesse parecer, era isso. E lá estava ela, retida em Pittsfield, a quase 80 quilômetros de casa.

Prestou atenção ao ronco incessante dos grandes caminhões e teve uma repentina, absurda certeza de que o caminhão que matara Gage se achava entre eles. Não roncando, mas rindo.

Abaixou a cabeça e começou a chorar.

57

Louis tropeçou em alguma coisa e se estatelou no chão. Por um instante, achou que não seria capaz de se levantar (a possibilidade de levantar pareceu de fato muito remota). Ficou ali deitado, ouvindo o coro das pererecas e rãs do Pequeno Pântano de Deus e sentindo o coro de dor e dormência dentro do próprio corpo. Ficaria deitado até dormir. Ou morrer. Provavelmente, morrer.

Podia lembrar-se de ter feito a trouxa de lona deslizar para o buraco que tinha cavado (e depois tornar a encher o buraco de terra, usando apenas as mãos). Talvez se lembrasse ainda de ter empilhado pedras sobre a sepultura, de uma base ampla a um ponto, como uma pirâmide.

Daí em diante lembrava-se de muito pouco. Obviamente tinha descido os degraus, ou não estaria ali... Mas onde estava? Olhando em volta, julgou reconhecer um dos trechos de velhos e grandes pinheiros não muito longe das árvores caídas. Teria atravessado todo o Pequeno Pântano de Deus sem ter percebido? Seria possível? Sem dúvida.

Já chega. Vou dormir aqui mesmo.

Mas foi esse pensamento, falsamente reconfortante, que o fez levantar e seguir caminho. Pois se ficasse ali, aquela coisa poderia encontrá-lo. Talvez, naquele momento mesmo, estivesse nos bosques à sua espreita.

Esfregou a palma da mão no rosto e ficou absolutamente perplexo ao ver sangue nela. Será que batera com o nariz em algum lugar?

— Mas o que interessa essa porra? — murmurou com voz áspera e cambaleou estupidamente ao redor até encontrar a pá e a picareta.

Dez minutos depois, os troncos caídos surgiram à sua frente. Louis escalou-os, tropeçando várias vezes, mas de alguma forma conseguindo sempre se equilibrar. No entanto, quando já estava quase do outro lado, olhou para os pés e, de imediato, ouviu um galho estalar (*não olhe pra baixo*, Jud dissera). Outro galho rolou, fazendo seu pé deslizar, e ele caiu de lado com um forte baque, o vento a golpeá-lo furiosamente.

Que o diabo me leve se este não é o segundo cemitério em que caio esta noite. Que o diabo me leve se ainda não estiver satisfeito.

Começou de novo a tatear em busca da picareta e da pá. Conseguiu pegá-las. Por um instante, examinou o cenário que o cercava, visível à luz das estrelas.

Bem perto dele estava o túmulo de SMUCKY, ELE ERA OBEDIENTE. E de TRIXIE, ATROPELADA NA ESTRADA. O vento ainda soprava forte e ele ouviu o fraco tilintar de um pedaço de metal — talvez uma antiga lata da Del Monte, trabalhosamente cortada com o alicate do pai pelo triste dono de algum cãozinho, depois achatada com um martelo e presa numa estaca. A ideia fez o medo assaltá-lo de novo. Mas estava excessivamente cansado para sentir o medo como algo mais que uma palpitação um tanto nauseante. Fizera a coisa. Aquele contínuo *tlim-tlim-tlim,* brotando da escuridão, convenceu-o de vez que sua missão estava encerrada.

Atravessou o "simitério" de bichos, ultrapassou o túmulo de MARTA, NOSSA COELHA DE ESTIMAÇÃO, "falecida" em primeiro de março de 1965, aproximou-se da tumba do GEN. PATTON e do enferrujado pedaço de lata que indicava o lugar de descanso final de POLINÉSIA. O barulho do metal estava agora mais forte e ele parou, baixando os olhos. Viu uma peça ligeiramente curva enterrada no chão. Era um retângulo de folha de flandres e, à luz das estrelas, Louis pôde ler: RINGO, NOSSO HAMSTER, 1964-1965. Aquele era o pedaço de metal que batia sem cessar contra as estacas do arco de entrada do "simitério" de bichos. Louis estendeu a mão para dobrar a ponta da lata e... e então congelou, um arrepio percorrendo a espinha.

Alguma coisa estava se movendo lá atrás. Alguma coisa estava se movendo do outro lado das árvores caídas.

O que estava ouvindo era uma espécie furtiva de som — o estalar de gravetos de pinheiro, o estouro seco de um galho, o farfalhar de arbustos. Os sons quase se perdiam sob o sopro do vento entre os pinheiros.

— Gage? — Louis chamou com voz rouca.

A própria compreensão do que estava fazendo — de pé ali no escuro, chamando o nome do filho morto — fez sua nuca formigar e arrepiou-lhe as pontas do cabelo. Começou a tremer sem parar, o corpo inteiro, como se tivesse adoecido de uma febre fatal.

— Gage?

Os sons tinham cessado.

Ainda não; é cedo demais. Não me pergunte como eu sei, mas eu sei. Não é Gage quem está lá embaixo. É... alguma outra coisa.

Lembrou-se subitamente das palavras de Ellie.

Ele disse: "Lázaro, levanta-te!" O professor explicou que, se ele só tivesse dito "Levanta-te!", todo mundo que estava enterrado no cemitério teria se levantado.

Do outro lado dos troncos caídos, os sons tinham recomeçado. Do outro lado da barreira. Quase — mas não de todo — abafados pelo vento como se alguma coisa tivesse vindo no seu encalço obedecendo a velhos instintos. Seu cérebro, terrivelmente estimulado, imaginou imagens horríveis e repugnantes: uma toupeira gigante, um grande morcego que em vez de voar se arrastasse pelos arbustos.

Louis começou a recuar para o arco de entrada do "simitério", não querendo ficar de costas para os troncos caídos — aquela mancha fantasmagórica, pálida cicatriz na escuridão —, até ver-se bem longe. Então se apressou, e a cerca de 400 metros do ponto onde a trilha deixava os bosques e chegava ao terreno atrás de sua casa, conseguiu reunir energia suficiente para correr.

Louis jogou a picareta e a pá dentro da garagem e parou um instante no alto da entrada da casa. Contemplou primeiro o caminho por onde viera, e depois, o céu. Eram 4h15 da manhã e ele achou que a alvorada não devia estar muito distante. A luz já teria cumprido três quartos de seu caminho através do Atlântico, mas por enquanto, ali em Ludlow, a noite ainda era bastante escura. O vento não parava de soprar.

Entrou em casa, caminhando pelo lado da garagem e abrindo a porta de trás. Cruzou a cozinha sem acender a luz e entrou no pequeno banheiro entre a cozinha e a sala de estar. Ali acendeu a luz e a primeira coisa que viu foi Church, enroscado na tampa do vaso sanitário, fitando-o com aqueles olhos turvos, verde-amarelados.

— Church — disse ele. — Achei que alguém o tinha colocado na rua.

Church limitou-se a fitá-lo de cima do vaso. Sim, alguém pusera Church na rua; ele mesmo se encarregara disso. Lembrava-se muito claramente. Assim como lembrava de ter substituído a vidraça quebrada no porão e ter dito a si mesmo que o problema estava resolvido. Mas, afinal, a quem quisera enganar? A verdade é que quando queria entrar, Church entrava. Porque Church era diferente agora.

Pouco importava. No cansaço, no torpor daquele fim de madrugada, nada parecia importar. Sentia-se como alguma coisa menos que humana, um dos estúpidos e cambaleantes zumbis dos filmes de George Romero ou alguém que tivesse escapado de um poema de T. S. Eliot sobre os homens sem valor. *Devo ter parecido um rato, disparando pelo Pequeno Pântano de Deus e subindo ao cemitério* micmac, ele pensou, dando um riso tolo.

— Um cabeça-oca, Church — disse ele num tom de desânimo, agora desabotoando a camisa. — Eis o que eu sou. Pode crer.

Havia um belo ferimento do lado esquerdo, no meio das costelas, e quando tirou as calças viu que o joelho que havia batido na lápide estava inchado como um balão. Já adquirira uma desagradável coloração arroxeada. Assim que parasse de flexioná-lo, a junta ia enrijecer, ficar dolorosamente emperrada (como se tivesse sido mergulhada em cimento). Parecia um daqueles machucados que pretendem conviver com a pessoa nos dias chuvosos pelo resto da vida.

Precisando de algum tipo de conforto, estendeu a mão para tocar em Church, mas o gato pulou da tampa do vaso cambaleando daquela maneira estranha e nada felina. Ao se afastar, dispensou a Louis um olhar estúpido, amarelo.

Havia mercurocromo no armário do banheiro. Louis sentou na tampa do vaso e passou um pouco no joelho inchado. Depois passou também na parte de baixo das costas — uma difícil operação.

Saiu do banheiro e foi para a sala. Acendeu a luz e ficou um instante parado ao pé da escada, olhando vagamente ao redor. Como aquilo tudo parecia estranho! Foi ali que, na véspera do Natal, deu a safira a Rachel. A safira que escondera no bolso. Ali estava sua poltrona, onde se esforçara para explicar a Ellie as circunstâncias da morte após o ataque cardíaco que matara Norma Crandall (circunstâncias que, ultimamente, julgava inaceitáveis). A árvore de Natal ficara naquele canto, o peru de cartolina de Ellie (que lembrava uma espécie de corvo futurista) estivera preso com fita adesiva na janela e, meses antes, a única coisa que havia na sala eram as caixas da companhia de mudanças, cheias dos objetos da família, transportadas por metade do país desde o meio-oeste. Lembrou-se de ter achado que dentro daquelas caixas as coisas pareciam insignificantes — uma frágil barricada ante o frio do mundo lá fora, onde os nomes e costumes da família não eram conhecidos.

Como tudo parecia estranho... e como gostaria de jamais ter ouvido falar da Universidade do Maine, de Ludlow, de Jud e Norma Crandall, de nada daquilo!

Subiu as escadas desanimado e entrou no banheiro do fim do corredor. Pegou um banco, subiu nele e tirou a pequena maleta preta de uma prateleira em cima do armário. Levou-a para o quarto, sentou-se na cama e começou a remexer. Sim, lá estavam as seringas, caso fosse necessário, e entre os rolos de gaze, tesouras e instrumentos cirúrgicos, ampolas de uma droga fatal cuidadosamente arrumadas.

Se fosse necessário.

Fechou a maleta e colocou-a perto da cama. Apagou a luz e se deitou, as mãos na nuca. Parecia ótimo ficar ali deitado de costas. Seus pensamentos voltaram-se novamente para Disney World. Viu-se num caprichado uniforme branco, guiando um furgão branco com um logotipo de orelhas de camundongo — nada que pudesse identificar o veículo como ambulância, é claro, nada que pudesse assustar o público pagante.

Gage estava sentado a seu lado, a pele muito bronzeada, a parte branca dos olhos só indicando saúde. Bem à esquerda do carro via o Pateta apertando as mãos de um garotinho; o garoto parecia atônito de admiração. Lá estava Minnie, posando com duas sorridentes avós de calças compridas para a fotografia que uma terceira avó sorridente tentava tirar. Lá estava uma menina com seu melhor vestido gritando: "Eu gosto de você, Donald! Eu gosto de você, Donald!"

Ele e o filho estavam de plantão. Eram os sentinelas daquela terra mágica e sem parar circulavam no furgão branco, a luz vermelha da sirene habilmente disfarçada. Esperavam que nada acontecesse, mas se houvesse algum contratempo estavam prontos para interferir. Mesmo ali, num local dedicado a diversões inocentes, era inegável que havia riscos à espreita; algum homem comprando cartões-postais na avenida principal podia pôr a mão no peito, num súbito ataque cardíaco; uma mulher grávida podia sentir as dores de parto ao descer da Sky Chariot; uma adolescente, bela como uma modelo de capa de revista, podia cair de repente, contorcendo-se num ataque epilético, batendo com a cabeça no chão de cimento quando o ritmo do cérebro começasse a falhar. Ataques de insolação, ataques do coração, ataques do cérebro. Talvez, no fim de uma noite abafada do verão de Orlando, houvesse até um ataque provocado pela luz do luar. Oz, o Gande e Teível, também estava por ali; podia ser visto no ponto onde o *monorail* entra no Magic Kingdom, podia estar espreitando de dentro de um Dumbo voador, o olhar vazio, estúpido. Louis e Gage passariam a vê-lo como qualquer outro divertido personagem do parque, o Pateta, Mickey, o Tigrão ou o estimado Pato Donald. Com ele, porém, ninguém gostaria de tirar retrato; a ele, ninguém ia querer apresentar o filho ou a filha. Louis e Gage o conheciam, tinham se encontrado com ele, tinham lutado contra ele há algum tempo, na Nova Inglaterra. Oz estava sempre à espreita para nos engasgar com uma bola de gude, para nos sufocar com um saco de lixo, para nos despachar para a eternidade com uma descarga elétrica rápida e letal (disponível na caixa de fusíveis mais próxima, à espera no primeiro bocal de iluminação). A morte podia estar num saquinho de amendoins, no pedaço de carne mal mastigado, no maço de cigarros seguinte. Oz estava sempre por perto, supervisionando as passagens dos mortais para a eternidade. Farpas enferrujadas, insetos venenosos, fios desencapados no chão, fogo nos bosques. Patins rodopiantes que atiram crianças distraídas em cruzamentos perigosos. E quando se entra numa banheira, Oz também nos acompanha — banho com um amigo. E quando se entra num avião, Oz pega nossa ficha de embarque. Esconde-se na água que bebemos, na comida. *Quem está aí?*, você grita no escuro quando está com medo e sozinho; é a resposta *dele* que ouve: Não tenha medo, sou eu. Ei, o que você acha? Você pega câncer no intestino, que azar, como uma coisa dessas foi acontecer! Septicemia! Leucemia! Arteriosclerose! Trombose das coronárias! Encefalite! Osteomielite! Hey, ho, let's go! Tem um viciado com uma faca na soleira da porta. O telefone toca no meio da noite. Sob os destroços de um carro amassado, em algum desvio da Carolina do Norte, o sangue se mistura à ferrugem da lataria. Grandes quantidades de pílulas, é só engoli-las. Aquele curioso azulado das unhas depois da asfixia — no final de sua desesperada batalha para sobreviver, o cérebro aproveita todo o oxigênio que ainda sobra, mesmo o que existe nas células sob as unhas. Ei, pessoal, meu nome é Oz, o Gande e Teível, mas se quiserem podem me chamar apenas de Oz; diabo, a estas horas já somos velhos amigos. Quando passar de novo por aqui chamo você para um pequeno colapso cardíaco congestivo, um coágulo craniano, alguma coisa do gênero; agora não posso ficar, tenho de ir ao encontro de uma mulher que vai ter um mau trabalho de parto, depois tenho um trabalhinho de inalação de fumaça em Omaha.

E aquela vozinha fina continua gritando: "Eu gosto de você, Donald! Eu gosto de você! Eu acredito em você, Donald! Sempre vou amá-lo e acreditar em você e vou continuar jovem; o único Oz a viver no meu coração será aquele bondoso mágico de Nebraska! Eu gosto de você..."

Ficamos circulando por aí... meu filho e eu... porque a essência das coisas não é a guerra ou o sexo, mas só esta nauseante, nobre, desesperada batalha contra Oz, o Gande e Teível. Eu e Gage, no furgão branco, continuamos circulando sob o brilhante céu da Flórida. E a luz vermelha da sirene está escondida, mas vamos usá-la se houver necessidade... e ninguém precisa saber disso, porque o solo do coração de um homem é mais empedernido, porque um homem planta o que pode... e cuida do que plantou.

Com esses confusos pensamentos de sonho, Louis Creed foi escorregando, desligando uma a uma suas conexões com o mundo que conhecia quando estava acordado. Por fim, todos os pensamentos cessaram. A exaustão arrastou-o para uma escura inconsciência sem sonhos.

Pouco antes de os primeiros sinais do amanhecer tocarem o céu no leste, houve passos nos degraus. Eram lentos, arrastados, mas sabiam para onde iam. Uma sombra se moveu entre as sombras do corredor. E trouxe um cheiro com ela, um mau cheiro. Mesmo sob sono profundo, Louis resmungou e desviou o nariz daquele mau odor. Em seu rosto havia o contínuo movimento do ar entrando e saindo dos pulmões.

Por um pequeno lapso de tempo a sombra parou diante da porta. Ficou imóvel. Depois entrou. Louis estava enterrado no travesseiro.

Mãos brancas avançaram e houve um estalo, quando a maleta preta perto da cama foi aberta.

Houve um retinir, um deslocamento abafado, quando as coisas lá dentro foram remexidas.

As mãos exploravam, pondo de lado as drogas, ampolas e seringas que não interessavam. De repente, alguma coisa foi encontrada, alguma coisa que foi tirada de lá. Na primeira e opaca luz da manhã, houve um brilho prateado.

A coisa que parecia uma sombra saiu do quarto.

PARTE TRÊS

OZ, O "GANDE E TEÍVEL"

Jesus, porém, comovendo-se e cheio de aflição, aproximou-se do sepulcro. Era uma gruta, com uma pedra tapando a entrada.

— Retirai a pedra! — disse ele.

— Senhor, já deve ter começado a apodrecer. Está morto há quatro dias... — disse Marta.

Jesus fez uma pequena oração, empostou a voz e gritou:

— Lázaro, levanta-te!

E o morto levantou e andou, os pés e as mãos enfaixados, o rosto coberto por um sudário.

Jesus disse a eles:

— Desatai-o e deixai que ele vá.

EVANGELHO DE SÃO JOÃO (paráfrase)

— Só agora me lembrei — ela disse histericamente. — Por que não pensei nisso antes? Por que você não pensou nisso antes?

— Pensei em quê? — ele perguntou.

— Nos outros dois desejos — ela respondeu rápido. — Só realizamos um.

— E esse não foi suficiente? — ele replicou num tom feroz.

— Não — ela gritou triunfante. — Temos mais um. Vá lá embaixo, pegue-a depressa e deseje que nosso filho viva outra vez.

W. W. JACOBS, A MÃO DO MACACO

58

Jud Crandall acordou com um estremecimento, quase caindo da cadeira. Não tinha ideia de quanto tempo dormira — podia ter sido 15 minutos ou três horas. Consultou o relógio e viu que eram 5h05. Teve a sensação de que tudo na sala fora sutilmente mudado de lugar e, por ter dormido sentado, tinha uma carreira de dores nas costas.

Oh, seu velho estúpido, veja o que você fez, veja o que você fez!

Mas ele sabia muito bem; no fundo, sabia muito bem. Não fora só ele. Não adormecera no posto de sentinela, não era tão simples assim. Fora *induzido* a dormir.

A ideia o assustou, mas uma coisa assustou-o ainda mais. O que o acordara? Tinha impressão de ter ouvido um barulho, um...

Prendeu a respiração, atento a qualquer outro som além do roçar de papel do próprio coração.

Havia um ruído — não o mesmo que o despertara, mas outro. O débil ranger de dobradiças.

Jud conhecia cada ruído da casa, que tábuas estalavam no assoalho, em que degraus a escada guinchava, em que calhas do telhado o vento podia uivar e gemer quando soprava a todo vapor, como na noite passada. Também foi fácil para ele reconhecer aquele som. A pesada porta da frente, que ligava a varanda com o vestíbulo, estava escancarada. E com auxílio dessa informação sua mente foi capaz de recordar o som que a despertara. Fora o lento estender da mola da porta de vai e vem da varanda para o passeio do jardim.

— Louis — ele chamou, mas sem grande convicção. Não era Louis que estava lá. Quem quer que estivesse lá havia sido enviado para punir um velho por seu orgulho e sua vaidade.

Os passos deslocaram-se devagar pelo corredor, sempre na direção da sala.

— Louis? — ele tentou de novo, mas sua voz foi um fraco grasnido, porque agora podia sentir o cheiro da coisa que entrara em sua casa no fim da noite. Era um cheiro torpe, repugnante — o cheiro de água empoçada num pântano.

Na escuridão, Jud podia perceber formas de grande volume — o armário de Norma, a cômoda galesa, o console —, mas não via detalhes. Tentou se levantar, apesar de as pernas parecerem ter se desmanchado. Sua mente clamava que ele precisava de ajuda, que estava velho demais para enfrentar aquilo sozinho; Timmy Baterman já fora suficientemente terrível e naquele tempo Jud era jovem.

A porta interna de vai e vem se abriu e despejou sombras na sala. Uma das sombras era mais substancial que as outras.

Meu Deus, aquele fedor.

Passos se arrastando, no escuro.

— Gage? — Jud perguntou, conseguindo finalmente ficar em pé.

Pelo canto do olho, viu o contorno da cinza do cigarro no cinzeiro com o anúncio de Jim Beam.

— Gage, é você que...

Houve um som hediondo, com alguma coisa de miado, e por um instante todos os ossos de Jud se congelaram. Não era o filho de Louis voltando do túmulo, mas algum monstro odioso.

Não. Não era nada disso.

Era Church, agachado diante da porta. Era dele aquele som que parecia um miado. Os olhos do animal chamejavam como lâmpadas sinistras.

Então os olhos de Jud moveram-se em outra direção e fixaram-se na coisa que entrara com o gato.

Jud começou a recuar, tentando controlar seus pensamentos, tentando conservar a lucidez diante daquele odor. Oh, aquele frio... a coisa trouxera o frio com ela.

Jud procurou se equilibrar em pé. Era o gato roçando por suas pernas, fazendo seu corpo oscilar. O som agora parecia um ronronar. Jud afugentou-o com um chute. O animal arreganhou os dentes e bufou.

Pense! Oh, pense, seu velho estúpido, talvez não seja tarde demais, mesmo agora talvez ainda não seja tarde demais... Voltou, mas pode ser morto de novo... Se ao menos você conseguisse... se ao menos você conseguisse pensar...

Foi recuando para a cozinha e se lembrou da gaveta de utensílios ao lado da pia. Havia um cutelo naquela gaveta.

Seus pés fracos bateram na porta que levava à cozinha. Ele a empurrou. A coisa que entrara na casa ainda era indefinida, mas Jud podia ouvi-la respirar. Podia perceber também uma mão esbranquiçada, oscilando para a frente e para trás. Havia alguma coisa naquela mão, mas não conseguia ver o que era. A porta de vai e vem se fechou quando Jud penetrou na cozinha. Só então ele se virou e correu para a gaveta. Abriu-a com um golpe e encontrou o velho cabo de madeira do cutelo. Pegou-o e virou-se de novo para a porta; chegou a dar um ou dois passos. Um pouco de sua coragem tinha voltado.

Lembre-se, isso não é um menino. Pode gritar quando perceber o que você está disposto a fazer, pode chorar. Mas não seja tolo. Já foi tolo demais, meu velho. Esta é sua última chance.

A porta de vai e vem se abriu de novo, mas em princípio só o gato passou por ela. Os olhos de Jud seguiram-no por um instante, mas depois se concentraram de novo à frente.

A cozinha dava para o leste e as primeiras luzes do amanhecer entravam pela janela, um brilho esbranquiçado, fraco e leitoso. Não era muita luz, mas era suficiente. Mais que suficiente.

Gage Creed entrou, vestindo o terninho com que o enterraram. O musgo crescia nos ombros e nas lapelas. O musgo sujava a camisa branca. O fino cabelo louro era uma pasta de terra. Um dos olhos se defrontava com a parede, fitando o espaço com terrível concentração. O outro fixara-se em Jud.

Gage estava sorrindo.

— Olá, Jud — Gage piou numa voz de bebê, mas perfeitamente compreensível. — Vim para mandar sua alma podre e fedorenta direto para o inferno. Queria me foder, não é? Não sabia que mais cedo ou mais tarde eu ia voltar e foder você?

Jud ergueu o cutelo.

— Venha então e mostre se tem coragem. Vamos ver quem vai foder quem.

— Norma morreu e não vai haver ninguém para chorar por você — disse Gage. — Que rameira ela era, hein? Fodeu com todos os seus amigos, Jud. Dava o cu pra eles. Era o que ela gostava mais... agora está queimando no inferno, com artrite e tudo. Eu a *vi* lá, rapaz. Eu a *vi*.

Gage cambaleou dois passos na direção dele, os sapatos deixando marcas de lama no assoalho gasto. Uma das mãos se estendia na frente do corpo como se quisesse pegar Jud pelo colarinho, a outra estava escondida atrás das costas.

— Escute, Jud — a coisa sussurrou. Então a boca se abriu, revelando pequenos dentes de leite, e embora os lábios não se movessem, a voz de Norma brotou com nitidez.

— *Eu ria de você! Todos nós ríamos de você! Como a gente riiiiiaaaaa...*

— Pare com isso!

O cutelo se agitou na mão de Jud.

— *Trepamos em nossa cama, Herk e eu, depois foi com George, foi com todos eles. Eu sabia de suas putas, você é que nunca desconfiou que tinha casado com uma... Ah, como a gente ria, Jud! A gente se abraçava e riiiiiiaaa...*

— PARE COM ISSO! — Jud gritou.

Avançou contra a pequena e oscilante figura no sinistro terninho fúnebre. Foi aí que o gato disparou da escuridão, saído de baixo da pesada bancada de madeira. Vinha bufando, orelhas inclinadas para trás acompanhando a curva do crânio. Saltou sobre Jud com grande agilidade.

A mão deixou cair o cutelo, que deslizou pelo sinteco gasto e arranhado, a lâmina trocando de lugar com o cabo enquanto a arma rodopiava. Bateu no rodapé com um abafado clangor metálico e foi parar embaixo da geladeira.

Jud percebeu que fora feito mais uma vez de bobo e seu único consolo foi saber que era a última vez. O gato roçava-lhe as pernas, boca aberta, olhos chamejantes, bufando como chaleira fervente. E então Gage se aproximou, os dentes se abrindo num mórbido sorriso de contentamento, os olhos redondos e muito vermelhos, a mão saindo de trás das costas. Jud viu o que estava escondendo desde que entrou. Era um bisturi da maleta preta de Louis.

— Oh, meu bom Jesus — Jud exclamou erguendo a mão direita para proteger o rosto.

E então houve uma ilusão de ótica; certamente seu cérebro devia ter sido atingido porque viu o bisturi de ambos os lados da palma da mão ao mesmo tempo... mas alguma coisa morna começou a pingar de seu rosto e ele compreendeu.

— Sou eu quem está te fodendo, meu velho! — o Gage-coisa gritou, rindo de contentamento, soprando um hálito fétido no rosto de Jud. — Sou *eu* quem está te fodendo! Vou foder com *todos vocês*... É isso que eu... *quero*!

Jud deu golpes no ar e conseguiu pegar o pulso de Gage. A pele se desfez como pergaminho.

Gage arrancou-lhe o bisturi da mão, deixando um buraco vertical.

— *TUDO... QUE EU... QUERO!*

O bisturi investiu outra vez.

Outra vez.

Outra vez.

59

— Tente agora, madame — disse o motorista do caminhão, observando o motor do carro que Rachel alugara.

Ela girou a chave. O motor do Chevette voltou a funcionar. O motorista fechou o capô e se aproximou da janela, esfregando as mãos num lenço grande e azul. Tinha o rosto corado, a fisionomia agradável. O boné da Dysart's Truck-Stop estava inclinado para trás em sua cabeça.

— Fico muito agradecida — disse Rachel, à beira das lágrimas. — Eu simplesmente não sabia o que ia fazer.

— Ora, qualquer um podia ter feito isso — disse o homem. — Mas é engraçado, nunca vi um problema desses num carro assim tão novo.

— E afinal o que era?

— Um dos cabos da bateria soltou. Ninguém mexeu no motor, não foi?

— Ninguém — disse Rachel, pensando de novo na sensação que tivera, a sensação de correr para dentro do elástico da maior atiradeira do mundo.

— Então devem ter saído do lugar durante a viagem. Mas pode ter certeza de que esses cabos não vão dar mais problema. Apertei-os muito bem.

— Posso lhe dar algum dinheiro? — Rachel perguntou timidamente.

O motorista deu uma gargalhada.

— Nada disso, madame. Nós somos os cavaleiros da estrada, não sabia?

Ela sorriu.

— Bem... obrigada, então.

— Quando precisar, estou às ordens.

O homem abriu um sorriso franco, insolitamente cheio de brilho àquela hora da manhã.

Rachel devolveu o sorriso e manobrou cuidadosamente pelo pátio. Olhou para ambos os lados na saída do posto e cinco minutos depois já estava outra vez na estrada principal, correndo para o norte. O café ajudou mais do que esperava. Agora se sentia totalmente desperta, sem qualquer vestígio de sono, os olhos grandes como holofotes. Mas a sensação de mal-estar envolveu-a de novo, aquela absurda impressão de estar sendo manipulada. O cabo da bateria saindo do lugar daquele jeito.

Para detê-la pelo tempo suficiente...

Deu um riso nervoso. Suficiente para quê?

Para acontecer algo irremediável.

Era uma ideia estúpida. Ridícula. Mesmo assim, Rachel começou a acelerar um pouco mais o pequeno Chevette.

Às cinco horas, enquanto Jud tentava lutar contra um bisturi roubado da maleta preta de seu bom amigo dr. Louis Creed, e enquanto

Ellie estava acordando e se espreguiçando na cama, gritando por causa de um pesadelo de que, felizmente, não conseguia se lembrar, Rachel saiu da autoestrada, cortou pela rua Hammond (passando junto do cemitério onde uma pá era agora a única coisa sepultada no caixão do filho) e cruzou a ponte Bangor-Brewer. Por volta das 5h15, já estava na Rodovia 15, a caminho de Ludlow.

Resolveu ir diretamente para a casa de Jud, pelo menos cumpriria essa parte da promessa. Não viu o Civic. Embora achasse que o carro podia estar na garagem, a casa tinha um aspecto adormecido, um ar de casa vazia. Nenhuma intuição lhe sugeria que Louis estivesse lá dentro.

Rachel estacionou atrás da pickup de Jud e, olhando, em volta, saltou do Chevette. A grama estava coberta de orvalho, brilhando na clara luz da manhã. Em algum lugar um pássaro cantou, mas logo ficou em silêncio. Desde seus primeiros anos na pré-adolescência, nas poucas vezes em que se via acordada e sozinha no amanhecer, sem nenhuma razão para levantar tão cedo, tinha uma sensação de solidão, mas de certa forma se sentia estimulada — um sentimento paradoxal de renovação e continuidade. Naquela manhã, porém, não experimentou nada tão bom e encorajador. Havia apenas um persistente mal-estar, que não podia atribuir somente às terríveis 24 horas que acabara de viver e à recente morte do filho.

Subiu os degraus da varanda e abriu a porta de vai e vem, pronta a usar a antiga campainha do vestíbulo. Ficou fascinada com aquela campainha na primeira vez em que foi lá com Louis: gira-se um disco no sentido horário e ouve-se um som alto, mas musical, que apesar de anacrônico era delicioso.

Ia tocá-la quando deu uma olhada no chão da varanda e franziu a testa. Havia marcas de lama no tapete. Olhando à sua volta, percebeu que vinham da porta do jardim. Eram pegadas muito pequenas; pareciam passos de criança. Mas dirigira a noite inteira e sabia que não tinha chovido. Havia vento, mas não chuva.

Contemplou as pegadas por um bom tempo (de fato, longo demais) e percebeu que teve de forçar sua mão a se aproximar da campainha. Encostou nela e... e então deixou a mão cair.

Estou imaginando, é só isso. Imaginando o som da campainha neste silêncio. Provavelmente ele foi dormir há pouco tempo e vou assustá-lo...

Mas não era isso que Rachel temia. Desde que começara a ter problemas em se manter acordada no meio da estrada, ficara nervosa, tomada por uma apreensão difusa, estranha. Mas aquele medo agudo era uma coisa nova, diretamente relacionada com aquelas pequenas pegadas. Pegadas que eram do tamanho...

Sua mente tentou bloquear o pensamento, mas estava muito cansada, sem reflexos.

... dos pés de Gage.

Oh, pare com isso, por que não para com isso?

Estendeu a mão e tocou a campainha.

O som foi ainda mais alto do que esperava, mas não tão musical. Pareceu mais um guincho áspero, engasgado no silêncio. Rachel recuou num salto, emitindo um risinho nervoso que não continha absolutamente qualquer bom humor. Esperou pelos passos de Jud, mas eles não vieram. Houve apenas silêncio e mais silêncio, e ela estava começando a duvidar se devia ou não insistir em tocar de novo aquele disco de ferro em forma de borboleta, quando veio um som do interior da casa, um som com que não teria sonhado mesmo nas mais selvagens fantasias.

— *Ouh!... Ouh!... Ouh!*

— Church? — ela perguntou, sobressaltada e confusa. Esticou a cabeça, mas evidentemente era impossível ver lá dentro, a vidraça da porta fora coberta com uma bonita cortina branca. Obra de Norma. — Church, é você?

— *Ouh!*

Rachel pôs as mãos na maçaneta. A porta se abriu. Church estava lá, sentado no vestíbulo com a cauda enrolada em volta das patas. O pelo parecia manchado de alguma coisa escura. *Lama*, Rachel pensou, e então viu que havia gotas no bigode do animal, gotas de um líquido vermelho.

Church levantou uma pata e começou a lambê-la, os olhos fixos em Rachel.

— Jud? — ela chamou, agora realmente alarmada. Deu um passo no vestíbulo.

A casa não deu resposta; só havia silêncio.

Rachel procurou raciocinar, mas logo começaram a deslizar em sua mente imagens da irmã Zelda, e isso lhe embotou o pensamento. Como as mãos dela ficaram deformadas. Como às vezes, quando estava zangada, costumava bater com a cabeça na parede, onde o papel de parede ficara todo rasgado, até o reboco fora atingido. Mas não era hora de pensar em Zelda, não naquele momento, quando Jud podia estar machucado. E se tivesse caído? Estava bem velho.

Pense no presente, não nos sonhos de menina, sonhos de abrir o armário e ver Zelda saltar sobre você com aquele rosto sorridente e roxo, sonhos de estar na banheira e ver os olhos de Zelda espreitando pelo ralo, sonhos de Zelda emboscada no porão atrás da caldeira, sonhos...

Church abriu a boca, revelando os dentes agudos, e gritou mais uma vez.

— *Ouh!*

Louis tinha razão, nunca devíamos tê-lo castrado, ele ficou muito esquisito. Mas Louis achava que a castração ia eliminar os instintos agressivos. Sem dúvida, estava errado; Church ainda caça. Ele...

— *Ouh!* — Church gritou de novo, depois se virou e subiu as escadas correndo.

— Jud? — ela chamou de novo. — Está aí em cima?

— *Ouh!* — Church gritou do alto dos degraus, como a responder que sim. Depois desapareceu no corredor.

Como ele entrou? Jud o deixou entrar? Mas por quê?

Rachel deu um passo para cada lado, sem saber o que fazer. O pior era que tudo aquilo parecia... parecia ter sido arranjado, como se alguma coisa quisesse que ela estivesse ali, e...

E então veio um gemido do andar de cima, um gemido rouco e cheio de dor... A voz de Jud, sem dúvida a voz de Jud. *Caiu no banheiro, pode ter escorregado, quebrado uma perna ou mesmo a bacia, os ossos das pessoas velhas são frágeis, e o que, em nome de Deus, está fazendo aí parada, sacudindo-se como se estivesse apertada para ir ao banheiro? Church estava com sangue nos bigodes, sangue! Jud está ferido e você aí parada! O que está acontecendo com você?*

— Jud?

O gemido veio outra vez. E Rachel subiu as escadas correndo.

Nunca estivera no andar de cima. Como a única janela do corredor dava para o oeste, para o rio, ainda estava muito escuro. O corredor era largo e se estendia em linha reta do poço da escada aos fundos da casa.

Um corrimão de cerejeira brilhava com sóbria elegância. Havia uma gravura da Acrópole na parede e...

(é Zelda que esteve atrás de você todos esses anos e agora é o momento de ela abrir a porta certa e aparecer na sua frente com as costas corcundas e retorcidas cheirando a mijo e morte é Zelda é a vez dela enfim ela vai pegá-la)

o gemido veio de novo, baixo, de trás da segunda porta à direita.

Rachel começou a caminhar para aquela porta, os saltos estalando no assoalho. Era como se estivesse atravessando uma espécie de túnel, não o túnel do tempo ou um túnel do espaço, mas o túnel da verdade. Sentia-se cada vez menor. A gravura da Acrópole flutuava, ia ficando cada vez mais alta, e a maçaneta de vidro logo estaria a altura dos seus olhos. Estendeu a mão para girá-la... mas antes que pudesse tocá-la, a porta se escancarou.

Zelda estava lá.

Curvada, retorcida, o corpo tão cruelmente deformado que a transformara numa verdadeira anã, com pouco mais de meio metro de altura. Por alguma razão, estava usando o paletó com que Gage fora enterrado. Mas tudo bem, era Zelda, os olhos iluminados de uma alegria insana, o rosto tingido de púrpura; era Zelda gritando.

— *Finalmente eu voltei pra buscar você, Rachel. Vou torcer suas costas como estão as minhas e nunca mais você vai sair da cama, nunca mais você vai sair da cama, NUNCA MAIS VOCÊ VAI SAIR DA CAMA...*

Church se empoleirara num de seus ombros e o rosto de Zelda começou a rodopiar, a se transformar, e entre a mórbida espiral de horror Rachel viu que não era Zelda de forma nenhuma — como podia ter cometido um erro tão grosseiro? Era Gage. Seu rosto não estava sujo, mas nojento, salpicado de sangue. E parecia inchado, como se depois de sofrer ferimentos terríveis tivesse sido colado por mãos rudes, relaxadas.

Gritou o nome do filho e estendeu os braços. Gage correu e pôs-se entre eles — mas continuava com uma das mãos atrás das costas, como se escondesse um buquê de flores colhido em algum fundo de quintal.

— *Trouxe uma coisa pra você, mamãe!* — ele gritou. — *Trouxe uma coisa pra você, mamãe! Trouxe uma coisa, trouxe uma coisa!*

60

Louis Creed acordou com o sol lhe caindo em cheio nos olhos. Tentou se levantar e fez uma careta com a pontada de dor nas costas. Foi muito forte. Caiu de novo sobre o travesseiro e deu uma olhada em si mesmo. Ainda vestido dos pés à cabeça. Cristo!

Continuou deitado por mais alguns instantes, enchendo-se de coragem para enfrentar a rigidez que tomara conta de cada músculo. Por fim ergueu o corpo.

— Oh, merda! — resmungou. Por alguns segundos o quarto oscilou ligeiramente, mas de forma perceptível. Suas costas latejavam como um dente estragado; quando mexeu a cabeça, foi como se os músculos do pescoço tivessem sido substituídos por lâminas enferrujadas de serrote. O pior, no entanto, era mesmo o joelho. O mercurocromo não dera nenhum resultado. Devia ter aplicado a porra de uma injeção de cortisona. Na altura do joelho, a perna da calça estava apertada contra o inchaço. Era como se houvesse um balão ali embaixo.

— Mas fiz a coisa — murmurou. — Rapaz, oh, rapaz, não sei como consegui!

Curvou muito lentamente o corpo para sentar na beira da cama, apertando os lábios com tanta força que eles ficaram brancos. Depois começou a flexionar um pouco os membros, atento ao protesto da dor, tentando avaliar até que ponto a contusão era grave, se podia gerar...

Gage! Será que Gage já voltou?

Isso fez com que ficasse de pé, apesar da dor. Cambaleou pelo quarto como o velho Chester, companheiro de Matt Dillon. Atravessou a porta, o corredor e entrou no quarto de Gage. Olhou avidamente ao redor, o nome do filho tremendo nos lábios. Mas o quarto estava vazio. Mancou até o quarto de Ellie, que também estava vazio, e depois para o quarto de hóspedes. Esse quarto, que dava para a estrada, também estava vazio. Mas...

Havia um carro desconhecido do outro lado da pista. Estacionado atrás da pickup de Jud.

E daí?

Aquele carro estranho estacionado ali podia trazer problemas, esse era o problema.

Louis puxou a cortina e examinou mais detalhadamente o veículo. Era um pequeno carro azul, um Chevette. E enroscado em cima dele, aparentemente dormindo, estava Church.

Observou um longo tempo antes de soltar a cortina. Jud tinha visitas, era só isso. O que importava? E talvez ainda fosse cedo demais para se preocupar com o que ia ou não acontecer a Gage; eram apenas nove horas. Nove horas de uma bela manhã de maio. Ia descer, fazer um pouco de café, pegar a bolsa de água quente, colocá-la no joelho e...

E o que Church está fazendo no teto daquele carro?

— Ora, não esquente a cabeça — ele disse em voz alta, e começou a mancar em direção à escada. Gatos dormiam em todo e qualquer lugar, era a natureza do animal.

Exceto que Church não atravessa mais a estrada, está lembrado?

— Esqueça — ele murmurou, e parou no meio da escada (que estava tentando descer quase de lado). Cá pra nós, aquilo era estranho. Era...

O que era aquela coisa nos bosques ontem à noite?

O pensamento penetrou espontaneamente em sua cabeça, fazendo-o apertar os lábios do modo como os apertara ao se levantar da cama, só que daquela vez movido pela dor no joelho. À noite, sonhara com aquela coisa nos bosques. Seus sonhos com a Disney World fundiram-se facilmente, com sinistra naturalidade, aos sonhos com aquela coisa. Sonhou que ela o tocara, sepultando para sempre todos os bons sonhos, abatendo todas as boas intenções. Era o Wendigo, e o convertera não apenas num canibal, mas no mestre dos canibais. No sonho, estivera outra vez no "simitério" de bichos, mas não sozinho. Bill e Timmy Baterman estavam lá. Jud também. Parecia um fantasma, puxando seu cãozinho Spot por uma corda de varal. Lester Morgan apareceu com Hanratty, o touro, amarrado numa corrente de rebocar automóveis. Hanratty estava deitado de lado, dopado, e mesmo assim olhava ao redor com uma fúria cega.

Por alguma razão, Rachel também estava lá e tivera algum acidente na cozinha (derramara um vidro de extrato de tomate ou um pires de geleia de morango, pois o vestido estava salpicado de manchas vermelhas).

E então, erguendo-se de trás das árvores a uma altura titânica, a pele rachada num amarelo de réptil, os olhos como grandes faróis de neblina e no lugar das orelhas, compactos chifres curvados, lá estava o

Wendigo, monstro que parecia um lagarto nascido de mulher. Apontou um dedo curvo, afiado como garra, na direção deles, e todos esticaram o pescoço, atentos...

— Chega — Louis murmurou e estremeceu ao som da própria voz.

Resolveu ir até a cozinha e preparar um café da manhã como se fosse um dia normal. Um desjejum de homem solteiro, cheio de estimulantes do colesterol. Dois sanduíches de ovos estrelados com maionese e um pedaço de cebola em cada um. Estava cheirando mal, suado e sujo, mas deixaria o banho para mais tarde; por ora, não se sentia com forças para tirar a roupa. Talvez tivesse de apanhar o bisturi na maleta e cortar a perna da calça para deixar o joelho inchado respirar. Sem dúvida, não era tarefa para um bom instrumento cirúrgico, mas nenhuma das facas que havia na casa cortariam o jeans; as tesouras de costura de Rachel também seriam inúteis.

Mas primeiro, o café.

Estava atravessando a sala quando decidiu ir até a janela da frente e dar uma espiada no pequeno carro azul diante da casa de Jud. Lá estava ele, coberto de orvalho, o que significava que já devia ter chegado há algum tempo. Church ainda estava no teto, mas não dormia. Parecia estar olhando diretamente em sua direção, um estranho olhar verde-amarelado.

Louis recuou depressa, como se alguém o tivesse surpreendido espreitando.

Foi até a cozinha, pegou a frigideira, acendeu o fogo e tirou dois ovos da geladeira. A cozinha estava iluminada, clara, alegre. Tentou assobiar (um assobio daria um tom adequado à manhã), mas não conseguiu. As coisas pareciam bem, mas não estavam bem. A casa parecia terrivelmente vazia, e o trabalho da véspera pesava em seu corpo. Havia alguma coisa errada, fora de lugar; sentiu uma sombra pairando no ar e teve medo.

Mancou até o banheiro e tomou duas aspirinas com um copo de suco de laranja. E estava voltando para junto do fogão quando o telefone tocou.

Não atendeu logo; ficou parado, olhando para o aparelho. Sentia-se atordoado, sem reflexos, participante de um jogo cujas regras lhe eram absolutamente desconhecidas.

Não atenda, você não quer atender porque sabe que são más notícias, sabe que a trilha mergulha na escuridão depois da primeira esquina. Acho que não vai querer ver o que há no fim dessa trilha, Louis, acho mesmo que não vai querer. Portanto não atenda a esse telefone, corra, corra agora, o carro está na garagem, pegue-o e saia daqui, mas não atenda o telefone...

Atravessou a sala e tirou o fone do gancho, apoiando a mão no quadro de avisos como costumava fazer. Era Irwin Goldman; e assim que Irwin disse alô, Louis viu as pegadas atravessando a cozinha — pegadas pequenas, marcas de lama. O coração pareceu congelar em seu peito e pôde sentir os olhos se avolumando nas órbitas, saltando do rosto; achou que se tivesse um espelho na frente veria um personagem saído de uma pintura do século XVI retratando um asilo de loucos. Eram pegadas de Gage, Gage tinha estado lá, tinha estado lá enquanto ainda era noite, e, portanto, onde estava agora?

— É Irwin, Louis... Louis? Você está aí? Alô?

— Alô, Irwin — respondeu ele, já sabendo o que o sogro ia dizer. Compreendia quem viera no carro azul. Compreendia tudo. A trilha... a trilha que ia dar na escuridão... Agora estava seguindo depressa, escorregando por ela. Ah, se pudesse abandoná-la antes de ver o que havia no fim! Mas era a sua trilha. A trilha que escolhera.

— Por um instante achei que a linha tinha caído — Goldman estava dizendo.

— Não, o telefone escorregou da minha mão — disse Louis. Sua voz era tranquila.

— Rachel chegou ontem à noite?

— Oh, sim — disse Louis, pensando no carro azul, em Church empoleirado no teto, o carro azul tão severo lá fora. Seu olho seguia as pegadas de lama no chão.

— Queria falar com ela — disse Goldman. — É urgente. É sobre Eileen.

— Ellie? O que há com Ellie?

— Realmente acho que Rachel...

— Rachel não está aqui agora — Louis falou num tom áspero. — Foi à padaria comprar pão e leite. O que há com Ellie? Vamos lá, Irwin!

— Tivemos de levá-la para o hospital — Goldman respondeu com relutância. — Teve um pesadelo, ou talvez vários pesadelos seguidos. Ficou histérica e não conseguimos acalmá-la. Ela...

— E no hospital?

— O quê?

— E no hospital — Louis repetiu impaciente —, deram-lhe algum sedativo?

— Sim, oh, sim. Deram-lhe um comprimido e ela voltou a dormir.

— Disse alguma coisa? O que a deixou tão assustada?

Agora Louis agarrava o telefone com tanta força que chegava a repuxar as juntas dos dedos.

Do outro lado houve silêncio, um longo silêncio. Louis não desligou o aparelho, por mais que tivesse vontade de fazê-lo.

— Foi o que deixou também Dory assustada — disse Irwin por fim. — Ellie balbuciou muita coisa antes de ficar... antes de começar a chorar sem parar. Dory também ficou quase... você sabe.

— O que ela disse?

— Disse que Oz, o Grande e Terrível, tinha matado sua mãe. Só que não falou assim. Ela disse "Oz, o Gande e Teível", que era como nossa outra filha costumava falar. Nossa filha Zelda. Louis, eu preferia fazer esta pergunta a Rachel, mas o que vocês contaram a Eileen sobre Zelda e o modo como ela morreu?

Louis fechara os olhos, o mundo parecia oscilar suavemente sob seus pés, a voz de Goldman soava de modo estranho, como se ecoasse através de densas névoas.

Você também pode ouvir sons parecidos com vozes, mas são apenas as gralhas ao sul, lá para os lados de Prospect. O som chega até aqui.

— Louis, você está ouvindo?

— Ela vai ficar boa? — Louis perguntou, sentindo a própria voz distante. — Ellie vai ficar boa? Fizeram um diagnóstico?

— Choque retardado por causa da morte do irmão — disse Goldman. — Meu próprio médico a examinou. Lathrop. Um bom sujeito. Disse que ela estava com um pouco de febre e que quando acordasse esta tarde talvez já não se lembrasse mais do sonho. Mas acho que Rachel devia voltar. Estou um pouco assustado, Louis. Acho que você também devia vir.

Louis não respondeu. O olho de Deus estava em tudo, como dizia o bom Rei James. Louis, porém, era um ser inferior e seu olho estava apenas naquelas marcas de lama.

— Louis, Gage morreu — Goldman estava dizendo. — Sei que deve ser difícil de aceitar, tanto para você quanto para Rachel, mas sua filha está viva e precisa de você.

Sim, já aceitei. Você pode ser um velho estúpido e irritante, Irwin, mas talvez o pesadelo que houve entre suas duas filhas naquele abril de 1965 tenha lhe ensinado alguma coisa em termos de sensibilidade. Ellie precisa de mim, mas eu não posso ir, porque estou com medo — com um medo terrível — de que minhas mãos estejam manchadas com o sangue da mãe dela.

Louis contemplou as mãos. Contemplou a sujeira sob as unhas, tão semelhante à sujeira que estampava aquelas pegadas no chão da cozinha.

— Tudo bem — disse ele —, eu entendo. Estaremos aí o mais depressa possível, Irwin. Talvez ainda esta noite. Obrigado.

— Fizemos tudo que estava ao nosso alcance — disse Goldman. — Mas acho que já somos muito velhos. Acho, Louis, acho que sempre fomos muito velhos.

— Ela disse mais alguma coisa? — Louis perguntou.

A resposta de Goldman foi como um dobre de finados em seu coração.

— Falou bastante, mas só pude compreender mais uma coisa: "Pax-cow está dizendo que é tarde demais."

Ele desligou o telefone e voltou como um sonâmbulo para junto do fogão, sem saber se continuava com o desjejum ou jogava tudo no lixo. A meio caminho da cozinha, porém, uma onda de fraqueza o envolveu. Sua vista foi dominada por uma atmosfera cinzenta e ele desmoronou — "desmoronou" é a palavra certa, pois foi como se afundasse para sempre. Foi caindo e caindo através de profundezas nevoentas, rodopiando sem parar, dando voltas e voltas, desenhando espirais e *loops*, sem nenhum controle do mergulho. Então sentiu a pancada no joelho inchado. E o inesperado raio de dor que lhe atravessou a cabeça trouxe-o de volta com um grito de agonia. Por um instante, ficou ali encolhido, as lágrimas brotando nos olhos.

Por fim, voltou a se levantar e ficou imóvel, oscilando. Mas sua mente estava clara de novo. Já era alguma coisa, não era?

O ímpeto de fugir assaltou-o mais uma vez, mais forte do que nunca. Chegou a tocar o reconfortante monte de chaves no bolso. Ia entrar no Civic e partir para Chicago. De lá iria com Ellie para algum lugar. É claro que, quando chegasse, Goldman já saberia que havia alguma coisa errada, que alguma coisa estava funcionando mal. De qualquer jeito, pegaria Ellie... Nem que tivesse de raptá-la.

Então a mão se afastou do monte de chaves no bolso. O que eliminou o ímpeto não foi a profunda fraqueza dentro dele, nem um sentimento de inutilidade, culpa ou desespero. Foi a visão daquelas pegadas no chão da cozinha. Sua mente podia vê-las deixando uma trilha pelo país inteiro, voltando-se primeiro para Illinois, depois para a Flórida, perambulando pelo mundo, mas sempre à procura dele. Você arranjou a coisa, ela é sua, e o que é seu acaba sempre voltando às suas mãos.

Mais dia menos dia abriria uma porta e lá estaria Gage, uma paródia demente do antigo eu, sorrindo um riso encovado, o azul-claro dos olhos transformado num amarelo de dolorosa estupidez. Ou Ellie abriria a porta do banheiro para o banho matinal e lá estaria Gage dentro da banheira, o corpo salpicado das cicatrizes e dos calombos de seu acidente fatal, lavado, mas com o fedor do túmulo.

Oh, sim, aquele dia viria, não tinha a menor dúvida.

— Como pude ser tão imbecil? — gritou para a casa vazia, não se importando de estar outra vez falando sozinho. — Como?

Foi uma questão de dor, não de imbecilidade, Louis. Há uma diferença... pequena, mas fundamental. A dor é o combustível daquele cemitério. Com um poder cada vez maior, disse Jud, e naturalmente ele tinha razão. Agora você representa uma parte desse poder. Ele se alimentou na sua dor, você o fortaleceu... não, melhor ainda, você o elevou ao quadrado, ao cubo, à enésima potência. E não foi apenas do seu luto que ele se fartou. Foi também da sua sanidade. Ele devorou sua sanidade. Sua falha foi apenas a incapacidade de aceitar os fatos, coisa muito comum. Mas isso lhe custou a vida de Rachel, e é quase certo que tenha custado também a vida de seu melhor amigo. Além, é claro, da vida de Gage. É isso. O que acontece quando demoramos muito a mandar embora a coisa que bate em nossa porta no meio da noite é simplesmente isso: desgraça completa.

Agora eu podia me matar, ele pensou, *isso de certa forma está previsto, não é? Tenho o equipamento na maleta. Foi tudo arranjado, tudo arranjado desde o começo. Tudo manejado por aquele lugar, pelo Wendigo, sei lá por quem mais. A coisa fez com que Church morresse na estrada, e talvez também seja responsável pela morte de Gage. A coisa trouxe Rachel para casa, mas só para se divertir. E certamente me escalou para fazer aquilo... E eu quis fazer.*

Mas tenho de dar um jeito nisso, não é?

Sim. Claro que sim.

Tinha de pensar em Gage. Gage ainda estava lá fora. Em algum lugar lá fora.

Seguiu as pegadas através da sala de jantar, da sala de estar e pelas escadas. Estavam borradas porque tinha pisado nelas. Levavam ao quarto. Tinha estado ali, Louis pensou maravilhado, tinha estado bem ali. Então, viu que a maleta médica fora aberta.

Os apetrechos, sempre arrumados com muito cuidado, estavam agora em absoluta desordem. Mas Louis não demorou muito para perceber que o bisturi sumira. Cobriu o rosto com as mãos e sentou-se por algum tempo, um débil som de desespero lhe saindo pela garganta.

Por fim, abriu de novo a maleta e começou a procurar alguma coisa.

Foi de novo para o andar de baixo.

O som da porta da copa sendo aberta. O som do armário da cozinha sendo aberto, depois fechado com força. O barulho do abridor de latas funcionando. Depois o som da porta da garagem abrindo e fechando. E então, a casa ficou vazia sob o sol de maio, assim como estivera vazia naquele dia de agosto do ano anterior, esperando a chegada dos novos moradores... como esperaria a chegada de outras pessoas em alguma data futura. Talvez um jovem casal sem filhos (mas com esperanças e planos). Jovens e alegres recém-chegados com um gosto por vinho Mondavi e cerveja Löwenbräu; ele, encarregado do departamento de crédito do Northeast Bank, ela, com um diploma de odontologia ou três anos de experiência como assistente de oculista. Ele ia rachar uma boa pilha de lenha para a lareira, ela ia usar calças de veludo *côtelé*, de cintura alta, e passear no terreno da sra. Vinton colhendo folhagens de outono para um arranjo de mesa, o cabelo num rabo de cavalo, o rosto, a coisa mais brilhante sob o céu cinzento sem imaginar que um abutre invisível pairava nas correntes de ar. Os dois se felicitariam por não serem supersticiosos, pela obstinação em comprar a casa, apesar das histórias que havia sobre ela. E contariam aos amigos que o preço fora uma galinha-morta, fazendo piadas sobre o fantasma do sótão. Beberiam outra Löwenbräu ou mais um copo de Mondavi, depois jogariam gamão ou Banco Imobiliário.

E talvez tivessem um cachorro.

61

Louis parou no acostamento para deixar um caminhão da Orinco, carregado de fertilizantes químicos, passar com estrondo. Então atravessou a estrada para a casa de Jud, seguindo atrás de sua sombra para o poente. Numa das mãos, levava uma lata aberta de ração de gato.

Church viu-o se aproximar e aprumou o corpo, os olhos atentos.

— Ei, Church — disse Louis, examinando a casa silenciosa. — Não quer o seu rango?

Pôs a lata de ração sobre a mala do Chevette e viu Church pular furtivamente do teto e começar a comer. Pôs as mãos no bolso do casaco. Church se virou para ele, tenso, como se quisesse ler seus pensamentos. Louis sorriu e se afastou um pouco do carro. Church recomeçou a comer e Louis tirou uma seringa do bolso. Rasgou o papel da embalagem e encheu-a com 75 miligramas de morfina. Guardou o frasco e caminhou na direção do bicho, que olhou de novo com ar desconfiado. Louis deu um sorriso.

— Vamos, coma tudo, Church. Hey, ho, let's go, está bem?

Acariciou o gato, sentiu suas costas fazendo um arco, e quando o animal voltou a comer, Louis pegou-o pelo cangote fedorento e mergulhou fundo a agulha no lombo.

Church teve um espasmo de dor e reagiu com violência, bufando e arranhando, mas Louis apertou a seringa até o fim. Só então o largou. O gato pulou do Chevette, assobiando como uma panela de pressão, um olhar verde-amarelado, selvagem e ameaçador. A agulha e a seringa pendiam de seu lombo quando ele saltou, depois caíram no chão e quebraram. Louis ficou indiferente. Tinha outras.

O gato começou a caminhar para a estrada, depois deu meia-volta para a casa de Jud, como se tivesse lembrado de alguma coisa. Quando se aproximava da escada da varanda, começou a oscilar como um bêbado. Chegou ao primeiro degrau, saltou sobre ele, e então caiu. Caiu de lado no centro do jardim, a respiração muito fraca.

Louis olhou dentro do Chevette. Se o frio que lhe envolvia o coração ainda não fosse suficiente para confirmar suas suspeitas, ali estava a prova: a bolsa de Rachel no banco da frente, o cachecol, um punhado de passagens aéreas saindo de um envelope da Delta.

Quando se virou, o movimento rápido, trêmulo, na coxa de Church tinha cessado. Church estava morto. De novo.

Louis avançou em direção à varanda e subiu a escada.

— Gage?

Estava frio no vestíbulo. Frio e escuro. Sua voz caiu no silêncio como uma pedra num poço profundo. Louis atirou outra pedra.

— Gage?

Nada. Mesmo o tique-taque do relógio da sala cessara. Naquela manhã, não houve ninguém para lhe dar corda.

Mas havia pegadas no assoalho.

Louis passou à sala. Havia cheiro de cigarros velhos e queimados há muito tempo. Viu a cadeira de Jud perto da janela. Estava torta, como se ele tivesse se levantado de repente. Havia um cinzeiro no parapeito e um nítido rolo de cinza dentro dele.

Jud ficou sentado aí, esperando. Esperando o quê? Esperando por mim, é claro, esperando eu voltar para casa. Só que não viu quando eu cheguei. Seja lá como for, não viu.

Louis observou as quatro latas de cerveja numa fileira. Não era o bastante para fazê-lo dormir, mas talvez tenha se levantado para ir ao banheiro. O que quer que tenha acontecido, foi sem dúvida conveniente demais para ter sido completamente casual, não é?

As marcas de lama aproximavam-se da cadeira. E entre as pegadas humanas, havia algumas leves e sinistras pisadas de gato. Como se Church tivesse escorregado na sujeira do túmulo deixada pelos pequenos sapatos de Gage. Dali as pegadas se desviavam para a porta de vai e vem que levava à cozinha.

Com o coração batendo forte, Louis seguiu as marcas.

Empurrou a porta e viu os pés de Jud abertos no chão, as calças verdes e velhas que usava em casa, a camisa xadrez de flanela. Estava esparramado no meio de uma grande poça de sangue já quase seco.

As mãos de Louis bateram com força nos olhos, como se quisessem tirar-lhe de vez a visão. Mas era impossível não ver. E ele viu os olhos, os olhos abertos de Jud, acusando-o, talvez acusando também a si próprio por ter iniciado aquilo.

Será que ele?, Louis se perguntou. *Foi mesmo ele?*

Jud soubera da coisa por Stanny B., e Stanny B. soubera pelo pai, e o pai de Stanny B. soubera pelo pai dele, o último branco a negociar peles com os índios, um franco-canadense do tempo em que Franklin Pierce era presidente dos Estados Unidos.

— Oh, Jud, sinto muito — ele sussurrou.

Os olhos brancos de Jud o fitavam.

— Sinto muito — Louis repetiu.

Seus pés pareceram caminhar sozinhos e de repente sua mente estava de volta ao Dia de Ação de Graças, não à noite em que ele e Jud tinham levado o gato até o "simitério" de bichos e até o cemitério *micmac*, mas ao peru que Norma pusera na mesa do jantar, os três rindo e conversando, ele e Jud tomando cerveja e Norma, um copo de vinho branco; ele tirara da gaveta de baixo a toalha de mesa de linho branco, exatamente como fazia agora, mas Norma a estendera na mesa, segurando-a com bonitos e pesados castiçais de estanho, enquanto ele...

Louis viu a toalha cair como um paraquedas sobre o corpo de Jud, colorindo-lhe piedosamente o rosto. Quase de imediato, pequenas pétalas do mais profundo e mais escuro escarlate começaram a manchar o linho.

— Sinto muito — ele disse pela terceira vez. — Sinto tan...

Então alguma coisa se mexeu no andar de cima, alguma coisa fez um ruído de roçar e a sílaba ficou entalada em seus lábios. Fora um movimento suave, um movimento furtivo, mas fora proposital. Oh, sim, estava convencido disso. Um som que alguém pretendia que ouvisse.

As mãos quiseram tremer, mas ele não deixou. Aproximou-se da toalha xadrez da mesa da cozinha e pôs a mão no bolso. Tirou de lá mais três seringas, livrou-as do invólucro de papel e colocou-as em fila sobre a mesa. Tirou mais três frascos e encheu cada uma das seringas com morfina suficiente para matar um cavalo — ou Hanratty, o touro, se ele estivesse por ali. Depois tornou a colocá-las no bolso.

Saiu da cozinha, atravessou a sala e parou embaixo da escada.

— Gage?

De algum lugar nas sombras lá em cima, veio uma risada — um frio e mórbido riso que fez a pele formigar em suas costas.

Ele começou a subir.

Foi uma longa caminhada até o alto daqueles degraus. Pôde muito bem imaginar a emoção de um condenado subindo a escada (mesmo que terrivelmente curta) da plataforma do cadafalso, as mãos amarradas nas costas, a consciência de que mijaria nas calças quando não pudesse mais assobiar.

Por fim chegou ao patamar, uma das mãos no bolso, os olhos fixos na parede. Quanto tempo ficou ali parado? Não seria capaz de responder. Podia sentir sua lucidez começando a escapar. Era uma sensação muito concreta, uma coisa palpável. Era interessante. Achava que, pouco antes de cair, uma árvore sobrecarregada de gelo no meio de uma tempestade devia se sentir exatamente assim (se árvores fossem capazes de sentir qualquer coisa, é claro). Era interessante... e não deixava de ser divertido.

— Gage, quer ir para a Flórida comigo?

Aquele riso de novo.

Louis se virou e foi contemplado com a visão da mulher de quem uma vez se aproximara com uma flor nos dentes. Estava estendida no corredor, morta, as pernas esparramadas como as de Jud, as costas e a cabeça esticadas obliquamente contra a parede. Parecia alguém que tivesse dormido enquanto lia na cama.

Ele se abaixou.

Oh, meu bem, você veio.

O sangue se espalhava no papel de parede em formas absurdas. Fora atacada uma dúzia de vezes, vinte vezes, quem podia saber? O bisturi cumprira sua missão.

E subitamente ele tomou consciência do que estava vendo, conseguiu realmente enxergar o que tinha diante dos olhos... e começou a gritar.

Os gritos ecoaram, vibraram com estridência por uma casa onde, agora, só a morte vivia e caminhava. Olhos esbugalhados, face lívida, cabelo arrepiado nas pontas — gritava; o som brotava na garganta dilatada como sinos do inferno, guinchos terríveis que assinalavam não o fim do amor, mas da lucidez. Em sua mente, todas as imagens hediondas soltaram-se ao mesmo tempo. Victor Pascow morrendo no tapete da enfermaria, Church voando com pedaços de plástico verde nos bigodes, o boné de beisebol de Gage no meio da estrada, cheio de sangue, e principalmente a coisa que vira perto do Pequeno Pântano de Deus, a coisa que derrubara a árvore, a coisa que tinha olhos amarelos, o Wendigo, criatura do norte, a coisa morta cujo toque desperta os mais horríveis apetites.

Rachel não fora apenas morta.

Tinham feito mais alguma coisa... tinham feito mais alguma coisa com ela.

(*CLIQUE!*)

Houve um *estalo* dentro de sua cabeça. O som de algum retransmissor entrando em curto e queimando para sempre, o som de relâmpago riscando o céu, o som de uma porta se abrindo.

Ergueu os olhos entorpecido, o grito ainda tremendo na garganta e, enfim, lá estava Gage, a boca manchada de sangue, o queixo pingando, os lábios repuxados num sorriso infernal. Trazia o bisturi numa das mãos.

Mas quando quis dar o primeiro golpe, Louis o empurrou num reflexo instintivo. A lâmina passou rente a seu rosto, mas Gage cambaleou. *Desajeitado como Church*, Louis percebeu. Num movimento rápido, deu-lhe um chute no pé. Ele caiu pesadamente e, antes que conseguisse se levantar, Louis se pôs sobre ele, um joelho imobilizando a mão que segurava a lâmina.

— *Não* — a coisa arquejou. O rosto se torcia, se contorcia. Os olhos eram de inseto, um olhar maligno cheio de uma raiva estúpida. — *Não, não, não...*

Louis agarrou com força uma das seringas e tirou-a do bolso. Teria de ser rápido. A coisa sob ele era como um peixe ensebado, e por mais que lhe dobrasse o pulso, não largaria o bisturi.

Aquele rosto parecia ondular e se alterar. Ora a face de Jud, morto de olhos abertos; ora o rosto esmagado, podre, de Victor Pascow, os olhos rolando sem vida dentro das órbitas; ora, como se estivesse diante de um espelho, era seu próprio rosto o que via, um rosto horrivelmente pálido, enlouquecido. Então aquilo se alterava de novo, se transformava na face da criatura nos bosques — testa curvada, olhos imóveis e amarelos, língua comprida, bifurcada em pontas, sorrindo e sibilando.

— *Não, não, não-não-não...*

A coisa deu um tranco sob ele. A seringa caiu-lhe das mãos e rolou pelo chão do corredor. Ele pegou outra e enfiou-a com decisão no fundo das costas de Gage.

Gage berrava, o corpo retesado, escorregando, quase escapando. Com um estranho grunhido, Louis pegou a terceira seringa e aplicou-a no braço de Gage, calcando o êmbolo até o fim. Saiu então de cima dele e começou a recuar lentamente pelo corredor. Gage se levantou devagar e começou a cambalear em sua direção. Cinco passos, e o bisturi lhe caiu da mão. Atingiu o chão com a lâmina e ficou cravado na madeira, vibrando. Dez passos, e aquela estranha luz amarela em seus olhos começou a apagar. Mais dois passos, e ele caiu de joelhos.

Então Gage ergueu os olhos e, por um instante, Louis viu seu filho, seu filho real, o rosto amargurado e cheio de dor.

— *Papai!* — Gage gritou e depois caiu de frente, batendo com o rosto no chão.

Louis ficou um instante imóvel, depois se aproximou, cauteloso, esperando algum truque. Mas não houve truque, nenhum salto repentino com as mãos arreganhadas como garras. Enfiou os dedos com perícia pela garganta de Gage, encontrou o pulso e deteve-se nele. Foi médico pela última vez na vida, sentindo um pulso, sentindo até não haver mais nada, nada por dentro de Gage, nada por fora.

Quando por fim estava tudo acabado, Louis ficou de pé e avançou pelo corredor até um canto afastado. Agachou-se lá, encolhido como uma bola, apertando-se muito, muito, contra a parede. Achou que se humilharia mais se pusesse o polegar na boca e foi isso que fez.

Ficou assim por mais de duas horas... E então, pouco a pouco, uma ideia sombria, mas sem dúvida plausível, apoderou-se dele. Tirou o polegar da boca. O polegar deu um pequeno estalido. Louis se pôs de novo

(*hey, ho, let's go*)

em movimento.

* * *

No quarto onde Gage se escondera, tirou o lençol da cama e levou-o para o corredor. Embrulhou nele o corpo da esposa, com carinho, com amor. Estava cantarolando, mas não se deu conta disso.

Encontrou gasolina na garagem de Jud. Dezoito litros de gasolina numa lata vermelha perto do cortador de grama. Mais do que suficiente. Começou na cozinha, onde Jud jazia sob a toalha de mesa usada no Dia de Ação de Graças. Derramou um pouco por lá. Depois passou para a sala com a lata ainda inclinada, borrifando gasolina no tapete, no sofá, no suporte de revistas, nas poltronas, e fez o mesmo no vestíbulo e no quarto dos fundos. O cheiro era forte e penetrante.

Os fósforos de Jud estavam ao lado da cadeira onde ele manteve sua infrutífera vigília, sobre o maço de cigarros. Louis pegou-os. Caminhou para a porta da frente, atirou um fósforo aceso pelo ombro e saiu. A rajada de calor foi imediata e muito intensa, fazendo a pele se contrair em seu pescoço. Bateu a porta e só se demorou um instante na varanda, vendo a cintilação alaranjada atrás das cortinas de Norma. Caminhou para a porta do jardim, parando mais um instante, recordando as cervejas que, muito tempo atrás, ele e Jud tinham tomado ali, ouvindo o ronco abafado, mas crescente, do fogo dentro da casa.

Depois foi embora.

62

Steve Masterton entrou na curva que ficava pouco antes da casa de Louis e viu imediatamente a fumaça — não vinha da casa de Louis, mas da casa do outro lado da estrada, onde morava o velho Jud.

Fora até lá porque ficara preocupado... profundamente preocupado. Charlton lhe falara do telefonema de Rachel na véspera e isso o deixou curioso para saber onde Louis estava... e o que andava fazendo.

Era uma preocupação vaga, mas lhe dava uma certa comichão. Só ficaria sossegado se fosse até lá e visse com os próprios olhos se as coisas estavam bem... ou tão bem quanto pudessem estar naquelas circunstâncias.

O período da primavera esvaziara a enfermaria num passe de mágica e Surrendra tinha lhe dito que fosse em paz; podia se virar sozinho se alguma coisa acontecesse. Por isso Steve subira na moto Honda, que ficara parada na garagem a semana inteira, e fora para Ludlow. Talvez tenha acelerado um pouco mais que o necessário, mas a preocupação crescera dentro dele, começara a atormentá-lo. E junto com ela, veio a ideia absurda de que já era tarde demais. Absurda, é claro, mas no fundo do estômago tinha uma sensação semelhante à que experimentara no outono passado, quando surgiu aquele caso de Pascow — uma sensação de angustiante surpresa e ansiedade quase insuportável. Não era de modo algum um homem religioso (na universidade fora membro por dois semestres da Sociedade Ateísta e só se desligara quando, em particular e muito confidencialmente, ouviu de um professor que o fato de pertencer ao grupo podia prejudicar suas chances de obter mais tarde uma bolsa de estudos), mas achava que, como qualquer outro ser humano, podia deparar com aquelas condições biológicas ou biorrítmicas que passam por premonição. De certa forma, a morte de Pascow pareceu dar o tom inicial do ano que estava pela frente. Sem dúvida, não fora um ano dos melhores. Dois parentes de Surrendra tinham sido presos ao voltar à Índia, algum problema político. Surrendra acreditava que um deles (um tio de quem gostava muito) podia já estar morto. Surrendra tinha chorado e as lágrimas daquele indiano geralmente bem-humorado o assustaram. A mãe de Charlton fora submetida a uma mastectomia. A enfermeira durona não alimentava grandes esperanças de a mãe se juntar ao grupo dos que sobreviviam por mais cinco anos. O próprio Steve já fora a quatro enterros desde a morte de Victor Pascow: o da irmã de sua mulher, morta num acidente de automóveis, o de um primo, morto num estúpido acidente resultante de uma aposta de bar (fora eletrocutado tentando provar que era capaz de subir até o alto de um poste de luz), o de um avô, e, é claro, o do filho de Louis.

Gostava imensamente de Louis e queria certificar-se de que estava bem. Ultimamente, Louis passara o diabo.

Quando viu os rolos de fumaça, seu primeiro pensamento foi que aquilo era mais uma coisa a ser creditada a Victor Pascow, cuja morte parecia ter removido qualquer barreira protetora entre o pessoal da enfermaria e um extraordinário surto de falta de sorte. Mas era um pensamento sem sentido, e a casa de Louis foi a prova. Lá estava ela, calma e branca, um pedaço da caprichada arquitetura da Nova Inglaterra ao sol da manhã.

Havia gente correndo para a casa do velho e, quando Steve fez a curva para a entrada da garagem de Louis, viu um homem atirar-se para a varanda de Jud, parar junto da porta da frente e depois recuar. Tinha feito a coisa certa; pouco depois, a vidraça no centro da porta arrebentou e as chamas saltaram através da abertura. Se o maluco tivesse aberto a porta, o estouro do fogo ia cozinhá-lo como uma lagosta.

Steve saltou e puxou o suporte da Honda, esquecendo Louis por um momento. Sentia-se atraído pelo velho mistério do fogo. Meia dúzia de pessoas tinham se juntado ali; excluindo o pseudo-herói, que continuava parado no gramado dos Crandall, todas se mantinham a uma distância considerável. Agora as janelas entre a varanda e a casa explodiram. Cacos de vidro dançaram no ar. O pseudo-herói abaixou a cabeça e correu. Chamas subiram como mãos pela parede interna da varanda, estufando a pintura branca. Enquanto Steve continuava olhando, uma das cadeiras de palhinha foi tomada pelo fogo e estourou.

Sobre os sons do incêndio, ouviu o suposto herói gritar com uma estridência absurda:

— Não vai sobrar nada! Nada mesmo! Se Jud está lá dentro, já virou um assado! Eu avisei a ele milhares de vezes sobre o querosene naquele barril!

Steve abriu a boca para perguntar se tinham chamado os bombeiros, mas nesse momento ouviu um fraco lamento de sirenes se aproximando. Muitas sirenes. Os bombeiros tinham sido chamados, mas o pseudo-herói tinha razão: não ia sobrar nada. Agora as chamas subiam por meia dúzia de janelas quebradas e as brilhantes telhas verdes da varanda se transformavam numa membrana quase transparente de fogo.

Então Steve se lembrou de Louis e deu meia-volta. Se Louis estava lá, por que não se juntara aos vizinhos do outro lado da estrada?

Steve captou alguma coisa, um vislumbre, com o canto do olho.

Além do caminho que levava à garagem, havia um terreno que se estendia pela encosta suave de uma enorme colina. O mato, embora ainda verde, já crescera bastante naquele maio, mas Steve podia ver uma trilha, quase tão caprichosamente roçada quanto a grama de um campo de golfe. Subia em meandros pela encosta, chegando até os bosques que, espessos e muito verdes, começavam pouco abaixo do horizonte. Foi ali, onde o pálido verde do mato encontrava o verde mais denso e forte dos bosques, que Steve tinha visto o movimento — um calção branco que parecia estar se movendo. Desapareceu assim que o olho o registrou, mas naquele breve instante lembrara um homem carregando um fardo branco.

Era Louis, sua mente informou-o com súbita e irracional certeza. *Era Louis, e é melhor alcançá-lo rapidamente porque algo terrível aconteceu e, muito em breve, algo ainda mais terrível vai acontecer se você não o detiver.*

Ficou indeciso na entrada da garagem, andando de um lado para o outro, o peso do nervosismo tomando conta de seu corpo.

Steve, meu rapaz, agora você está mesmo assustado, não é?

Sim. Estava. Estava realmente assustado e sem nenhum motivo. Mas havia também uma certa... uma certa...

(atração)

... sim, uma certa atração ali, alguma coisa em torno da trilha, aquela trilha subindo a colina e talvez continuando entre os bosques. Certamente, o caminho tinha de conduzir a algum lugar, não é? É claro. Todos os caminhos levam a algum lugar.

Louis. Não se esqueça de Louis, seu estúpido! Veio aqui para falar com Louis, está lembrado? Não veio a Ludlow para explorar os malditos bosques.

— O que encontrou aí, Randy? — gritou o pseudo-herói. Sua voz, ainda estridente e um tanto animada, soou bem alta.

A resposta de Randy foi quase, mas não de todo, abafada pelo crescente lamento das sirenes dos bombeiros.

— Um gato morto.

— Queimado?

— Não parece queimado — Randy replicou. — Só parece morto.

E a mente de Steve respondeu implacavelmente, como se o diálogo do outro lado da rua tivesse algo a ver com o que tinha visto, ou pensava ter visto: aquele vulto subindo a trilha era Louis.

Pôs-se então a caminho, avançando pela trilha, deixando o fogo para trás. Estava bastante suado quando chegou à beira dos bosques e a sombra das árvores parecia fresca e agradável. Havia um suave aroma de pinho e abetos, casca e seiva.

Assim que entrou na mata disparou numa corrida a todo fôlego, sem saber muito bem por que corria, sem saber muito bem por que o coração batia com tanta força. A respiração se transformou num assobio ofegante.

Foi capaz de manter aquela carreira até chegar ao fim de um declive — a trilha era admiravelmente nítida —, mas quando alcançou o arco que indicava a entrada do "simitério" de bichos seu passo era pouco mais que o de uma caminhada rápida. Sentiu uma forte pontada no lado direito, logo abaixo da axila.

Seus olhos mal puderam registrar os círculos de túmulos, os quadrados de lata batida, as tábuas e pedras servindo como lápides. O olhar fixou-se no espetáculo bizarro do outro lado da clareira circular. Fixou-se em Louis que, num total desafio às leis da gravidade, escalava um monte de árvores caídas. Avançava pelos troncos como se subisse uma escada, os olhos bem à frente, como um homem que tivesse sido hipnotizado ou que caminhasse dormindo. Levava nos braços a coisa branca que Steve vira com o canto do olho. Daquela distância, a forma era evidente: tratava-se de um corpo. Um pé, envolvido num sapato preto com um pequeno salto, pendia de dentro do fardo. E Steve pressentiu, com súbita e nauseante certeza, que Louis estava carregando o corpo de Rachel.

O cabelo de Louis tinha ficado completamente branco.

— *Louis!* — Steve gritou.

Louis não hesitou, não parou. Atingiu o topo dos troncos e começou a descer pelo outro lado.

Ele vai cair, Steve pensou incoerentemente. *Até aqui teve muita sorte, teve uma sorte fantástica, mas logo vai cair e talvez não quebre só uma perna.*

Mas não caiu. Atingiu o outro lado dos troncos, ficou temporariamente fora da visão de Steve e reapareceu avançando de novo para os bosques.

— Louis! — Steve tornou a gritar.

Desta vez ele parou e se virou para trás.

Steve ficou atônito com o que viu. Além do cabelo branco, Louis tinha o rosto de um homem velho, muito velho.

Em princípio, Louis não deu mostras de reconhecê-lo. Foi acontecendo pouco a pouco, como se alguém estivesse ligando um reostato em seu cérebro. A boca se crispou. Daí a um instante, Steve percebeu que ele estava tentando sorrir.

— Steve — disse num tom rouco, hesitante. — Oi, Steve. Vou enterrá-la. Tenho de fazer isso sozinho, eu acho. Pode demorar até o anoitecer. O solo lá em cima é muito pedregoso. Sei que você não vai querer me ajudar, não é?

Steve abriu a boca, mas nenhuma palavra saiu. Apesar da surpresa, apesar do horror, *queria* ajudar Louis. De certa forma, enterrar alguém lá em cima nos bosques não parecia errado, parecia muito... muito natural.

— Louis — conseguiu falar num tom de grunhido —, o que aconteceu? Meu Deus, o que aconteceu? Ela estava... no fogo?

— Esperei muito tempo com Gage — disse Louis. — Alguma coisa tomou conta dele porque esperei demais. Mas vai ser diferente com Rachel, Steve. Sei que vai.

Louis cambaleou um pouco e Steve percebeu que o amigo enlouquecera... com toda a clareza, Louis estava louco e profundamente exausto. E só o cansaço parecia lhe pesar na mente desnorteada.

— Posso precisar de alguma ajuda — disse Louis.

— Louis, mesmo que eu quisesse ajudá-lo, não seria capaz de escalar essa pilha de troncos.

— Oh, seria. É fácil. Caminhe normalmente e não olhe pra baixo. Esse é o segredo, Steve.

Então ele se virou e, embora Steve o chamasse, mergulhou nos bosques. Por alguns momentos, Steve ainda pôde ver o branco do lençol cintilando por entre as árvores. Depois sumiu.

Correu para as árvores caídas e, sem pensar, começou a escalá-las. A princípio tateou com as mãos em busca de apoio, tentando rastejar pelos troncos, mas depois se aprumou. E ao fazê-lo, uma doida e temerária alegria tomou conta dele — era como respirar oxigênio puro. Acreditou que ia conseguir... e conseguiu. Movendo-se rapidamente e com segurança, chegou ao topo. Ficou ali por um instante, oscilando, observando Louis avançar pela trilha, a trilha que continuava do outro lado.

Louis se virou e viu Steve. A esposa, enrolada num lençol ensanguentado, estava em seus braços.

— Você pode ouvir sons — disse Louis. — Sons parecidos com vozes. Mas são apenas as gralhas ao sul, lá para os lados de Prospect. O som chega até aqui. É engraçado.

— Louis...

Mas Louis já se virara.

Por um instante, Steve quase foi atrás dele. Esteve muito, muito perto de fazer isso.

Eu poderia ajudá-lo, se é isso que ele quer... E eu também quero ajudá-lo, não há dúvida. A verdade é essa, pois há mais alguma coisa aqui do que parece à primeira vista e quero saber o que é. Parece muito... bem... muito importante. Parece um segredo. Um mistério.

Então, um galho estalou sob um de seus pés inclinados. Produziu um ruído seco, enérgico, como um tiro de partida. E o barulho deu-lhe consciência exata de onde estava e do que estava fazendo. O terror saltou sobre ele e ele girou num círculo precário, braços abertos para manter o equilíbrio, a língua e a garganta tomadas pelo medo. O rosto estampou o esgar sombrio de um sonâmbulo que, ao acordar, descobre que estava caminhando sobre o parapeito de um arranha-céu.

Ela está morta e acho que talvez Louis a tenha assassinado. Louis ficou louco, completamente louco, mas...

Mas ali havia alguma coisa pior que a loucura... algo muito, muito pior. Era como se existisse um ímã naqueles bosques. Ele o sentia agindo sobre uma parte de seu cérebro, atraindo-o para onde Louis estava levando Rachel.

Vamos lá, siga a trilha... Siga a trilha e veja onde ela vai dar. Temos novidades para mostrar a você lá em cima, Steverino, coisas que nunca lhe contaram na Sociedade Ateísta em Lake Forest.

E então, talvez porque aquilo já fora suficiente para encher o dia e perdeu interesse aos olhos de sua mente, a chamada do lugar simplesmente cessou. Steve deu dois passos fundos, bêbados, pelo lado das árvores caídas. Novos galhos deslizaram com uma algazarra rangente e o pé esquerdo mergulhou num emaranhado de galhos secos; lascas ásperas, afiadas, descalçaram-lhe o tênis e lhe rasgaram a carne quando ele puxou a perna. Caiu de frente para o "simitério" de bichos, escapando por pouco de um pedaço de lata de suco de laranja, que facilmente podia ter perfurado seu estômago.

Levantou-se, olhou em volta, atordoado, se perguntando o que havia acontecido... ou se realmente acontecera alguma coisa. Tudo começava a parecer um sonho.

Então, do fundo dos bosques atrás das árvores caídas, bosques tão espessos que a luz parecia esverdeada e mortiça, mesmo nos dias mais claros, brotou um riso cavernoso, sinistro. O som era tremendo. Steve não pôde sequer imaginar que espécie de criatura podia ter emitido aquele som.

Correu, um dos pés descalços, querendo gritar mas não conseguindo. Ainda corria quando chegou à casa de Louis; ainda queria gritar quando finalmente deu a partida na moto e guinou na Rodovia 15. Por pouco não bateu de lado num carro de bombeiros que vinha de Brewer. Dentro do capacete, o cabelo se arrepiara.

Quando voltou a seu apartamento, em Orono, já não conseguia lembrar com precisão se fora ou não a Ludlow. Ligou para a enfermaria dizendo que estava doente, tomou um comprimido e foi deitar.

Steve Masterton nunca mais se lembrou daquele dia... exceto nos sonhos mais profundos, naqueles que surgem nas últimas horas antes do amanhecer. E, nesses sonhos, sentia sempre que algo enorme cambaleava perto dele, algo que esticava a mão para tocá-lo. Mas, no último segundo, ele repelia aquela mão inumana.

Algo com grandes olhos amarelos que brilhavam como faróis de neblina.

Às vezes Steve acordava gritando, os olhos arregalados, saltando das órbitas. Pensava, então: *Você acha que está gritando, mas é apenas o barulho das gralhas, lá para o sul, em Prospect. O som chega até aqui. É engraçado.*

Não sabia, não conseguia lembrar o que aquele pensamento significava. No ano seguinte, conseguiu um emprego no centro do país, em St. Louis.

No tempo que transcorreu entre sua última visão de Louis Creed e a partida para o meio-oeste, nunca mais voltou à cidade de Ludlow.

Epílogo

A polícia chegou no fim da tarde. Fizeram perguntas, mas não levantaram suspeitas. As cinzas ainda estavam quentes e ainda não tinham sido revolvidas. Louis respondeu às perguntas. Eles pareceram ficar satisfeitos. Conversaram do lado de fora e ele usava um chapéu. Isso era bom. Se tivessem visto seu cabelo branco, poderiam ter feito mais perguntas. O que seria mal. Ele usava luvas de jardinagem, o que também era bom. As mãos estavam ensanguentadas e muito machucadas.

Jogou cartas sozinho até bem depois da meia-noite.

Estava começando uma nova rodada quando ouviu a porta de trás se abrir.

Você arranjou a coisa, ela é sua, e mais cedo ou mais tarde acaba voltando às suas mãos, Louis Creed pensou.

Não se virou, continuou olhando as cartas, enquanto os passos lentos, rangentes, se aproximaram. Viu a rainha de espadas. Pôs a mão em cima dela.

Os passos cessaram bem nas suas costas.

Silêncio.

A mão fria caiu no ombro de Louis. A voz de Rachel era um chiado que parecia cheio de terra.

— *Querido* — disse a coisa.

Fevereiro de 1979/Dezembro de 1982

2ª EDIÇÃO [2013] 27 reimpressões

ESTA OBRA FOI COMPOSTA PELA ABREU'S SYSTEM EM ADOBE GARAMOND
E IMPRESSA EM OFSETE PELA GEOGRÁFICA SOBRE PAPEL PÓLEN DA
SUZANO S.A. PARA A EDITORA SCHWARCZ EM JUNHO DE 2024